Het watermerk

Van dezelfde auteur:
Het verloren kind

SARAH SMITH

Het watermerk

Vertaald uit het Engels door
Inge de Heer & Johannes Jonkers

2001 – De Boekerij – Amsterdam

Oorspronkelijke titel: The Knowledge of Water (Ballantine Books)
Vertaling: Inge de Heer & Johannes Jonkers
Omslagontwerp: Studio Eric Wondergem BNO
Omslagfoto: ABC Press

Mijn erkentelijkheid gaat uit naar X.J. Kennedy voor zijn toestemming om een enigszins gewijzigde vorm van zijn gedicht 'The Cat Who Aspired to Higher Things' opnieuw af te drukken, het gedicht dat Reisden voordroeg aan Tiggy. Copyright © 1979 X.J. Kennedy.

De auteur kan worden benaderd via het volgende e-mailadres:
swrs@world.std.com

This translation published by arrangement with The Ballantine Publishing Group, a division of Random House, Inc.

ISBN 90-225-3015-9

© 1996 by Sarah Smith
© 2001 voor de Nederlandse taal: De Boekerij bv, Amsterdam

voor Fred Perry
echtgenoot, partner, minnaar, vriend

en ter nagedachtenis aan
Rita Alice Contant Perry
1916-1994

en Owen Roger Smith
1923-1995

omnia mei dona Dei

Voorstellingen van het verleden werpen bijzonder netelige kwesties van authenticiteit op. Elk reliek dat in een museum tentoongesteld wordt, is in zoverre een vervalsing dat het uit zijn oorspronkelijke context is gerukt. Doorspekt met de inconsistentie van dwingende maar conflicterende vooroordelen – de gouden glans van nostalgie, de armzalige smerigheid van primitiviteit – zijn alle 'oude tijden' potentieel bedrieglijk. 'Is dat voorwerp echt?' is een vaak gehoorde vraag bij historische locaties. 'Bent u echt een wever? Is dat gebouw echt? Doet u dat werk daadwerkelijk?'... De authenticiteit van het voorwerp is al even problematisch. Het is een gangbare misvatting dat kunstwerken worden voortgebracht door een exclusief creatieve drang. Net als andere artefacten wordt kunst voornamelijk gemaakt om te worden gewaardeerd en verworven door anderen.

– Mark Jones, *Fake: The Art of Deception*

I

HET KOST EEN SECONDE OM EEN MAN DOOD TE SCHIETEN. EROVER nadenken kost de rest van je leven.

Toen hij acht jaar was kon Alexander von Reisden ongestraft een moord plegen. Hij heette toen geen Reisden; hij vluchtte, hij veranderde van land, van naam; voorzover mogelijk veranderde hij van herinneringen. Hij was bewonderenswaardig grondig voor een kind van die leeftijd. Jarenlang wist hij niet wat hij had gedaan, of geloofde althans dat hij dat niet wist. Hij zorgde ervoor niet op te merken dat hij zich niets van zijn jeugd herinnerde.

Hij had geen gemakkelijk leven. Wat men vergeet gaat niet weg.

Uiteindelijk werd hij ontdekt. De misdaad was in wezen gepleegd uit zelfverdediging en hij was heel jong geweest; van vervolging was geen sprake. De drie mensen die zijn verhaal kenden, hielden het voor zich; niemand anders zou er ooit achter komen, hoopten ze allemaal. Het was voorbij.

Maar Reisden was achter zichzelf gekomen. Hij kon niet langer vermijden over moord na te denken, of zich af te vragen wat voor soort iemand een moord zou plegen.

Hij vroeg het zich nu af.

De openbare schouwzaal van de Parijse Morgue vertoonde merkwaardig veel overeenkomst met een theater. De muren waren van groezelige pleisterkalk met een aanslag van mineralen; het met gaslicht verlichte toneel was van marmer, een witte kazige snijtafel met bruine vlekken, van het publiek gescheiden door een glazen wand waar vocht van afdroop. Er lagen zes lijken op de tafel, gekleed in de kleren waarin ze waren gevonden, de lichamen bevroren en glinsterend. Seine-water sijpelde onder de snijtafel door, zodat ze koud bleven. Bij de ijzige kilte en de geur van menthol en desinfecterende middelen werd je de adem afgesneden door de zoetige hoerentalkpoeder van verval.

Ze was het kleurrijke lijk, dat nog steeds de aandacht trok: paarse satijnen rok die rond haar uitwaaierde, rood satijnen jasje en verscheidene met water doortrokken ansichtkaarten en delen van ansichtkaarten, herkenbaar als het schilderij van Leonardo, nog steeds aan haar kleren vastgespeld. Op de plaats van haar hart had het mes van de moordenaar haar jasje aan flarden gereten. Reisden herinnerde zich hoe zij, een geruïneerde schoonheid van een vrouw, op de trap bij het Orsay met gesloten ogen en verwoeste stem *kus me, dood me, o wat lijd ik* had staan zingen, schuifelend en wiegend en haar hand ophoudend voor centimes. Ze had er onheilspellend uitgezien, en nu had ze iemand onheil gebracht.

Ik vraag me af waarom hij haar heeft vermoord, dacht Reisden; ik vraag me af hoe hij ertoe is gekomen.

'Waarvan kende u haar?' Inspecteur Langelais stond in de schaduwen terzijde van het toneel.

'Ze bedelde bij het Gare d'Orsay, vlak bij waar ik werk. Ze was de plaatselijke kleurrijke bedelares. Ik gaf haar geld.'

'Jeanne Cavessi was haar naam,' zei de inspecteur. 'Ooit een podiumkunstenares in de tijd van de laatste Napoleon; in de afgelopen jaren een tippelaarster. Ze had uw visitekaartje…?'

'Ik heb het haar ooit gegeven,' zei Reisden. 'Om in de spiegel van haar grote salon te steken. In haar paleis.'

'Haar paleis?'

'Haar denkbeeldige paleis.' De Mona Lisa had het voor hem beschreven: het hoge smeedijzeren hek rond het park, de tuinen; de roze salon, de *grande salle* met de spiegels, de salon om zich in terug te trekken waar niemand behalve Victor Hugo ooit was geweest, en de vierde salon: *die een verrassing voor me zal zijn, het is zo lang geleden, dat ik hem ben vergeten.* 'Ik verzamel hallucinaties; de hare bevielen me wel.'

Langelais tuitte zijn lippen. 'En die Kunstenaar, Haar Kunstenaar, verzamelde u zijn hallucinaties ook? Heeft hij u daarom geschreven?'

'Ik heb geen idee waarom hij me heeft geschreven.'

Trekkebenend ging de inspecteur hem voor, de schouwzaal uit naar een van de verhoorkamers, een kale cel geschilderd in het groenige oker waar de Franse bureaucratie een voorkeur voor had. Door de muren heen hoorde Reisden het geklots van de Seine. De twee mannen gingen tegenover elkaar aan een bekraste vurenhouten tafel zitten. Langelais zette zijn wandelstok tegen de tafel en nam zijn bolhoed af. De punten van de witte snor van de inspecteur waren met was opgestreken en gekruld, een stijl die bij militairen in zwang was, en in zijn knoopsgat droeg hij een lintje van de veldtocht van 1870, veertig jaar geleden. Oorlogsheld, dacht Reisden; is bij de politie gegaan toen de Préfecture min of meer een onderdeel van het leger was; wacht nu op zijn pensioen. De moord op 'Mona Lisa', straatbedelares, werd niet behandeld door de beste man van de Préfecture.

Inspecteur Langelais haalde een zakdoek te voorschijn en veegde zijn handen af en daarna zijn neus.

'Herinnert u zich wanneer ze verdween, monsieur le baron?' vroeg hij.

'Ongeveer een week geleden.' De Mona Lisa had op de trap van het station Aida's afscheid gezongen: *O terra addio*, handenwringend en met haar ogen rollend in theatrale wanhoop. Hij was niet in de stemming geweest en was omgelopen via de quai in plaats van vijf minuten te blijven luisteren.

En toen was ze er niet meer.

'Vandaag kreeg u deze brief?'

'Ja, met de vroege post.'

De inspecteur legde de fotografische kopie van de brief op de bekraste tafel, en vervolgens het origineel ernaast in een cellofanen envelop. Hij was geschreven op het goedkope groenige postpapier dat per vel wordt verkocht in elk postkantoor, met paarse inkt in een ongeschoolde hanenpoot.

Cher mseur le baron de Reisden,
U heb net as ik hebbu gehoudun van een Vrou met Beminlukhijd Grazie & Schoonhijt Zij heb het IJnt van de Rivier Niet berijkt waar ze heen hat Moete Gaan Het is niet juist dat Mona Lisa in Dat Oort moet zijn as de eerste de beste Asteblief Help
Haar Kunsenaar

'"Het eind van de rivier…"'

'Daar bevond zich haar paleis,' zei Reisden. 'Aan het eind van de Seine.'

'Haar denkbeeldige paleis… U kende haar heel goed.'

'Helemaal niet.'

'Kende u deze man, Haar Kunstenaar? Had ze tegen u over hem gesproken?'

'Nee.'

'Waarom zou hij u schrijven?' vroeg Langelais.

Omdat ik weet wat hij denkt, dacht Reisden zonder het te willen; omdat ik het kan weten. 'Ik heb geen flauw idee.' Moeizaam, met een spattende, hem niet vertrouwde pen, had *son Kunsenaar* de gegraveerde letters van Reisdens visitekaartje gekopieerd. 'Hij had mijn visitekaartje. Hij kan het hebben weggenomen toen hij haar vermoordde.'

'"U hebt net als ik gehouden…,"' wees de inspecteur aan. 'Hij gelooft dat u haar goed genoeg kende om haar te "helpen". Dat duidt erop dat hij u kent.'

Reisden haalde zijn schouders op.

'Misschien iemand die u aan uw verzameling hebt toegevoegd. Net als haar.'

'Ik verzamel geen mensen.'

De inspecteur trok aan zijn snorpunten. 'Wat verwacht hij van u?'

'Het lijkt erop dat hij verwacht dat ik haar begraaf.'

'Waarom?'

'Ik heb geen idee.'

De inspecteur plaatste weifelend zijn handen schuin tegen elkaar, de vingertoppen langs elkaar wrijvend.

'Ze heeft verscheidene dagen in de Seine gelegen,' zei Reisden, 'maar haar lichaam werd gisterochtend ontdekt en het verhaal stond in de middagkranten. De brief kwam uit,' hij pakte hem op en keek naar het poststempel, een enigszins bevlekt RDULOUV boven een rode postzegel van tien centimes. 'Uit het Hôtel des Postes in de rue du Louvre. Uit het tijdstempel valt op te maken dat hij hem gisteravond om tien uur heeft gepost. Het Louvrekantoor is het enige postkantoor dat de hele avond open is. Gistermiddag of -avond las hij dat haar lichaam was gevonden en naar de Morgue was gebracht; hij had mijn visitekaartje, dat hij van haar lichaam had weggenomen; hij schreef me onmiddellijk. De Morgue verontrust hem.'

'Maar waarom schreef hij u, monsieur le baron?'

'Ik heb echt geen flauw idee.'

'Misschien had u… een speciale verhouding met de dame?'

Hij vroeg of Reisden haar klant was geweest. Reisden wierp hem gedurende twee seconden de blik toe waarmee je op een absurde vraag reageert als je monsieur le baron bent en de vrager slechts een politieagent van de Préfecture.

'Iemand moet deze man hebben gezien toen hij het postpapier kocht,' zei Reisden.

'Hoe weet u dat hij het postpapier kocht toen hij u schreef, monsieur le baron?'

'Het is onwaarschijnlijk dat een man die zo schrijft postpapier bezit.'
De inspecteur zweeg, een tactiek die was bedacht om de ondervraagde iets te laten zeggen. Enigszins tot zijn verrassing zei Reisden inderdaad iets. 'Misschien had hij er gewoon behoefte aan met iemand te praten, en kwam mijn naam het eerst bij hem op. Hij wilde vast praten.'
Híj had willen praten.
Langelais snoot zijn neus weer en vouwde toen omslachtig zijn zakdoek op. 'Monsieur,' zei hij, 'ik ben bang dat ik u een gevoelige vraag moet stellen. Bij het onderzoek naar een moord stuit men soms op... andere gebeurtenissen. Is het waar dat u,' hij aarzelde, 'uw vrouw heeft gedood?'
Reisden zweeg geruime tijd. 'Als u bedoelt "gedood" maar niet "vermoord", dan is het waar. Mijn vrouw stierf enkele jaren geleden bij een auto-ongeluk; ik was de bestuurder van de auto.'
'Maar u zei destijds dat u haar had vermoord?'
'Destijds voelde ik het zo.'
De inspecteur zweeg. Reisden zweeg. Iedereen wil weten waarom; niemand vraagt het. Des te beter.
'U hebt in een inrichting gezeten.'
'Korte tijd.'
De twee mannen keken elkaar aan. Zal ik hun laten zien dat het me dwarszit, dacht Reisden; zal ik doen alsof dat niet zo is; wat zou een normaal mens doen? Hij probeerde afwerend noch boos te kijken, de houding aan te nemen van een man die een vraag beantwoordt over zijn kleer- of handschoenenmaker; maar dat was natuurlijk ook niet normaal.
'U begrijpt wel,' zei de inspecteur ten slotte, 'dat we dat moeten vragen.'
'Dat begrijp ik. Maar ik weet niet wie deze vrouw heeft vermoord,' zei Reisden. 'Ik weet niet waarom hij me heeft geschreven.'
'Misschien was hij een kennis in de inrichting?'
Reisden glimlachte kil. 'Nee.'
'Of een patiënt in Jouvet?' De inspecteur bestudeerde Reisdens visitekaartje. Dr. baron Alexander von Reisden, Jouvet Medisch Onderzoek. Op het kaartje stond niet dat Jouvet gespecialiseerd was in geestelijke stoornissen; dat was niet nodig. Jouvet was algemeen bekend.
'Ik ben de eigenaar van Jouvet maar zie geen patiënten. En voorzover we dat uit onze archieven kunnen opmaken, is hij geen patiënt van ons.'
'Patiënten zien u,' merkte de inspecteur op.

'Dat kan wel zijn, maar ik ken hem niet.'

'Toch denk ik dat u hem kent,' zei de inspecteur.

De inspecteur liet de stilte voortduren; Reisden keek terug met de heldere vaste blik van jarenlange ervaring. U denkt dat ik schuldig ben aan iets, dacht Reisden; en dat is ook zo. Maar kijk niet naar mij, ga op zoek naar deze man.

'Hij heeft een moord gepleegd,' zei Reisden. 'Hij wil het nooit weer doen maar hij weet waartoe hij in staat is en is daar bang voor. Misschien zal hij weer schrijven: aan u, mij of de kranten. Hij zál schrijven, hij zal proberen zichzelf te verklaren,' zei hij, 'omdat hij voor zichzelf een raadsel is. Hij is niet gewoon, hij is niet normaal, hij weet niet wat hij is... Pak hem op.'

2

'Ik vraag me af wat mensen ertoe brengt zulke misdaden te plegen,' zei Gilbert Knight.

De heer Gilbert Knight was een middelgrote, lichtgrijs soort man: grijs haar, grijs pak, een soort mist die op bezoek was gekomen. Hij had de verstrooide blik van een niet bijster succesvolle boekverkoper, wat hij ooit was geweest. Er stak een in leer gebonden boekje uit zijn zak. Hij was naar de Harvard-bibliotheek geweest om een vroeg-Noord-Italiaanse boekband te bekijken, en dat was een vervalsing gebleken – 'er zijn zóveel vervalsingen,' mompelde hij spijtig, 'zoveel mensen met een moraal *die te wensen overlaat*.' Hij was in de buurt geweest, vervolgde Gilbert, en was toevallig... en...

'Uh-huh,' zei Roy Daugherty. Ze wisten allebei dat Gilbert niet toevallig Cambridgeport was ingelopen; maar Gilbert was iemand die zich niet opdrong, zelfs niet aan zijn vrienden, hij verontschuldigde zich altijd. In dat opzicht werkte hij op de zenuwen.

'Wilt u thee, meneer Knight? Of bier?'

Gilbert Knight zei beleefd dat hij zou nemen wat meneer Daugherty nam, maar wat hij wilde was een beetje tobben; dat wilde hij meestal. Hij tobde over Europa en over zijn protégee Perdita Halley, die daar een muziekstudie volgde.

'De Fransen wassen hun groenten niet,' zei Gilbert ernstig, 'en besteden niet voldoende zorg aan hun riolering. Sommige Franse riolen, meneer Daugherty – sommige zijn ééuwenoud.'

Gilbert Knight had een neef die zich een paar jaar geleden met Perdita had verloofd. Perdita had het met Harry niet volgehouden, maar wel met Gilbert, die haar pianostudie bekostigde. Ze werd als een uitstekend pianiste beschouwd, en studeerde in Parijs.

'Hoe gaat het met haar?'

'In januari geeft ze haar debuutconcert in de Amerikaanse ambassade. Het is wel niet de Salle Pleyel, schrijft ze, maar toch een Parijs' debuut.'

'Wat knap,' zei Daugherty. 'Ik kan me nog herinneren dat ze als klein ding al piano speelde.'

'Ik sta voor een dilemma wat Perdita betreft, meneer Daugherty. Ik zou haar graag iets willen geven.'

Gilbert zweeg. Wellicht vroeg hij zich af of hij het er wel over zou moeten hebben. Daugherty vermoedde dat het iets was dat Gilbert misschien als onbetamelijk persoonlijk beschouwde, zoals een nieuw soort tandenborstel.

'Iets willen geven,' herhaalde Gilbert Knight verontschuldigend, maar een tikkeltje vastberadener. 'Als ze over een *bepaald bedrag* zou kunnen beschikken, om piano's en haarspelden te kopen en... de dingen die vrouwen kopen... zou dat een pak van mijn hart zijn. Dat bedrag hoeft niet overdreven groot te zijn, maar wel aanzienlijk, bruikbaar. De inkomsten van een aardig bedrijfje.'

Daugherty verslikte zich in zijn bier en maakte er een hoestbui van.

'Maar ik vraag me echt af of ik het wel moet doen.'

'Het zal u de kop niet kosten.' In de nalatenschap van Knight zou één bedrijfje meer of minder niet opvallen.

'O, om het geld bekommer ik me niet.' Gilbert Knight boog zich voorover. 'Maar als ze een deel van vaders nalatenschap zou krijgen, meneer Daugherty, zou dat dan niet een obstakel vormen voor haar en... meneer Reisden? Ik kan uit zijn brieven opmaken dat ze nogal op elkaar gesteld zijn,' zei Gilbert, 'hij en Perdita.'

'Die indruk maakten ze wel,' zei Daugherty voorzichtig, 'vroeger.'

'Ik geloof dat het nog steeds zo is. Hij schrijft heel weinig over haar; als hij geen speciale gevoelens voor haar koesterde, zou hij veel toeschietelijker zijn.'

Dat was een rake typering van Reisden.

'Maar als ze erover zouden gaan denken om... je kunt natuurlijk nergens op rekenen, je zou niet durven... dan zou het gevolg daarvan kunnen zijn dat meneer Reisden in de positie komt dat hij financieel wordt ondersteund door een van vaders bedrijven. En u weet dat hij dat nooit zou accepteren.'

Daugherty zuchtte en krabde over zijn kortgeknipte haar. *Het enige voordeel dat ik wil halen uit het feit dat ik Richard ben geweest*, had Reisden gezegd, *is niet langer Richard zijn.*

'Tja,' zei Daugherty, 'u zou het geld aan haar kunnen geven als ze níét met hem trouwt.'

'Maar dat zou impliceren dat ik... meneer Reisden in zekere zin afkeur,' zei Gilbert bekommerd, 'en zo sta ik er absoluut niet tegenover. Ik wil wél,' zei hij, en even viel hij stil, voorbij de door rook gebruinde verf van Roy Daugherty's keuken starend zoals een man die al heel lang alleen is naar de horizon staart, of zoals zeer oude mensen dat doen, wachtend op iets onbestemds. *Meneer Reisden* noemde Gilbert Reisden nu, alsof hij het recht niet had om hem bij de voornaam te noemen. 'Hij is mijn erfgenaam niet; dat weet ik; ik heb geen band met hem, geen enkele verantwoordelijkheid jegens hem, zo hebben we het allebei gewild. Maar ik wil wél dat hij gelukkig is.'

'Is Reisden van plan met haar te trouwen?'

'Richard is niet iemand die zomaar trouwt,' liet Gilbert zich ontvallen. Toen hij besefte wat hij had gezegd, zweeg hij, maar hij verbeterde zichzelf niet, bleef alleen een poosje naar zijn handen staren voordat hij verder sprak. 'En, meneer Daugherty, Perdita heeft het zo goed gedaan met de piano: in januari debuteert ze in Frankrijk, en daarna komt ze terug om op tournee te gaan in Amerika, en dat zal het einde betekenen van haar tijd met meneer Reisden in Parijs.'

'Dan gaan ze niet trouwen,' zei Daugherty. 'Dus kunt u haar het geld geven. Mijn ervaring is dat de meeste mensen sowieso liever geld hebben dan trouwen.'

'Bent u weleens in Parijs geweest, meneer Daugherty?'

De moed zonk Daugherty in de schoenen. 'Niet bepaald.'

'Mocht u er ooit over denken erheen te gaan – ik heb begrepen dat het bijzonder mooi kan zijn, vooral tijdens het winterseizoen – dan zou dit misschien een geschikt jaar zijn; u zou kunnen blijven tot Perdita's concert. Als u rond de kerst zou gaan, zou ik u kerstcadeaus voor hen kunnen meegeven, vooral voor hem. Ik zou natuurlijk uw onkosten betalen, en een honorarium.'

Gevarengeld. Daugherty deed zijn bril af en begon hem te poetsen. 'Geeft u hem iets bijzonders, dat ik erheen moet?'

'Ik was van plan' – Gilbert Knight beefde – 'om hem een hond te geven.'

De lucht in de kamer stolde tot ijs, behalve de vlinders in Daugherty's maag, die als gloeiendhete motten voelden. 'Dat meent u niet.'

Gilbert Knights neef Richard was op zijn achtste een prima jongen geweest, en een eenzame. Hij had samengewoond met zijn grootvader, Gilberts vader, de gekke oude William Knight, die van mening was dat slaag bevorderlijk was voor kinderen, hoe meer slaag hoe beter. Op een keer was William een week van huis geweest en had Richard een hond gevonden, een puppy die Washington heette, een zwerver. Toen zijn grootvader was teruggekomen, had hij Washington ontdekt. Met zijn met lood verzwaarde wandelstok had hij de rug van de hond gebroken en vervolgens Richard gedwongen het beest af te schieten.

En op diezelfde avond, toen de oude William op het punt had gestaan Richard af te tuigen zoals hij die hond had afgetuigd... was daar het geweer geweest, op de tafel tussen hen in, en de jongen was acht jaar oud geweest.

Heb je gezien wie je grootvader heeft doodgeschoten? had de politie naderhand aan Richard gevraagd, zonder ook maar even de jongen zelf in overweging te nemen, die door shock bijna buiten zinnen was geraakt; en een paar dagen later was hij verdwenen.

Ze zouden hebben gedacht dat hij dood was, ware het niet dat ze twintig jaar later een man vonden die Alexander von Reisden heette. Die het gezicht had van een Knight, en zich van de tijd vóór zijn tiende niets kon herinneren; maar *ik weet wie ik ben*, had hij gezegd, *als ik uw Richard zou zijn, zou ik het dan niet weten?*

'Hij wil geen hond,' zei Daugherty verontrust, 'waarom denkt u dat hij een hond wil?'

'We denken geen van allen graag terug aan die narigheid, maar...' Gilbert Knight boog voorover en pakte Daugherty's arm, en de lamp op de tafel scheen in zijn ogen zodat ze niet langer waterig blauw waren, maar opeens, merkwaardig genoeg, staalgrijs als zijn vaders ogen, of die van Reisden. 'Hij wantrouwt zichzelf zo... Misschien komt hij tot de ontdekking dat een hond ongecompliceerd is... Ik denk dat hij voor iets wil zorgen,' zei Gilbert. 'Voor iemand. Maar hij durft zich niet uit te spreken. U hoeft hem geen hond te brengen, meneer Daugherty,' zei Gilbert, 'u hoeft alleen maar... *op bezoek te gaan.* U bent getrouwd geweest, u zult de voordelen van de huwelijkse staat uitstekend kunnen beschrijven.'

'Hmm,' zei Daugherty, zijn verouderde, stoffige keuken rondkijkend. Kolenfornuis, een beetje bekliederd met baconvet van het zondagse ontbijt van vorige week; gaslamp met een tinnen kap. Aan de muren hingen nog steeds de schooltekeningen van de jongens, hoewel Franky nu bij de koopvaardij werkte en Bob afgelopen zomer getrouwd was. De keuken was vrijwel onveranderd gebleven sinds Pearl er twintig jaar geleden met de bijbelverkoper vandoor was gegaan.

'*U* zou die hond moeten nemen,' zei Daugherty. 'Dat zou stukken eenvoudiger zijn.'

'Ik geloof dat ik al een soort hond heb,' zei Gilbert Knight. 'Wilt u het in overweging nemen?'

'Ik ben niet het soort man dat naar Parijs gaat.'

3

'DE PIANO MOET WORDEN BESPEELD ALS HET LICHAAM VAN EEN vrouw, messieurs – gestreeld, vol aanbidding, vol passie!' zei Maître. 'Het publiek,' zei Maître, 'al die *chères femmes*, zijn niet alleen gekomen om u te zien pianospelen – maar om *de liefde te bedrijven*.'

In het galmende, vochtige auditorium van de *grande salle du Conservatoire* begonnen tien van de twaalf studenten uit de Pianoklas voor Gevorderden bewonderend te lachen: bariton- en basgegniffel en één tenorgiechel. Rechts van Perdita slaakte Anys Appolonsky een wanhopige zucht. Perdita ging gewoon wat meer rechtop zitten, Maître en al zijn gedoe verachtend.

'We demonstreren het: juffrouw Amerikaanse, uw etude van Chopin.'

O ja? Demonstreren we het? Perdita Halley stond op, met haar linkerhand haar rok samennemend. 'Maître, mijn stuk is...'

'Ik weet het, juffrouw Amerikaanse wil Busoni spelen, *forrrrrte* met de linkerhand; speel uw Chopin.'

Ze gebruikte haar wandelstok om haar weg te vinden tussen de schaduwen van de stoelen op het podium, vond de pianokruk, en legde haar vingers op het toetsenbord. Maître had haar een maand geleden het stuk van Chopin opgegeven; nu mocht ze, na langdurig gesmeek, aan Busoni's transcriptie van een chaconne van Bach werken. Ze wilde uithalen met Busoni's zware baspartij, een beetje pronken met haar bovenarmtoucher, en de *salle* laten donderen; in plaats daarvan haalde ze tweemaal diep adem, dacht *ik trek me niets van hem aan*, en begon aan het stuk van Chopin. Prachtige muziek, interessante muziek, maar zachte, lieflijke, *vrouwelijke* muziek...

'Ziet u, mijne heren,' zei Maître boven haar spel uit, 'de pianistiek van vrouwen is als snijbloemen: geurend, decoratief, maar zonder kracht, zonder emotie. Men moet wortels hebben, mijne heren, zelfs bij een vrolijk stukje als dit, men moet sterk zijn, als de stam van een grote boom, die zich verheft!'

Perdita gebruikte zoveel pedaal dat het geluid een walnoot had kunnen kraken en draaide zich om, om hem aan te kijken.

'Zou u willen beweren, *cher Maître*,' zei ze, o zo vriendelijk, 'dat expressiviteit aan de piano altijd afkomstig moet zijn van pure fysieke kracht...?'

'U verwart kracht met beuken op de toetsen, juffrouw Amerikaanse.' De tenor giechelde opnieuw.

Maître stond erom bekend dat hij de studenten leerde voluit te spelen, op een expressieve manier, zoals een solist moet spelen, en die lieve Arthur Norman van het New York Institute had haar aangeraden om bij hem te gaan studeren; maar wat Arthur haar niet had verteld was dat Maître vrouwen anders opleidde dan mannen. Mannen bracht hij al die heerlijke voluit getoonde passie bij; maar wat hij van vrouwen verlangde was een speelstijl alsof je eigenlijk veel te superieur was voor wat voor emotie dan ook, waarbij zelfs fortepassages met een licht toucher en kleine elegante polsbuigingen werden uitgevoerd. Dat was slecht voor de handen, voor de dynamiek, voor alles; hij had bijna al zijn vrouwelijke studenten verpest. In de concertzaal had hij haar laten huilen van genot; hij was een groot pianist. Was hij maar net zo'n goed mens geweest, net zo'n goede leraar.

De piano moet worden bespeeld als het lichaam van een vrouw, nou ja!

Om vier uur, na het laatste akkoord van de lessen, sleepten Perdita en Anys zich moedeloos naar buiten en bleven op de trap staan in de ijskoude novemberregen, zwijgend onder hun paraplu's.

'Hij heeft deze week in ieder geval niet tegen me gezegd dat ik maar pianostemmer moet worden,' zei Perdita.

'Tegen jou is hij aardig,' snoof Anys. 'De vorige week hij zegt ik speel *als* varken, deze week *nog slechter dan*.'

Als contrapunt bij het geraas van de auto's en wagens klonken de schelle stemmen van twee bedelaars op, een lucifersverkoper en een viooltjesverkoper, die met elkaar wedijverden om de gunsten van de voorbijgangers. 'Koop mijn viooltjes, ik heb drie kinderen!' '*Allumettes*, ze gaan altijd aan, mijn uitstekende fosforlucifers!' De lucifersverkoper had een indrukwekkende basstem, *uitstekende fos-for-lu-ci-fers*, als een recitatief van Händel, maar Perdita gaf haar munten aan de viooltjesverkoper met kinderen en kreeg in ruil daarvoor twee bossen viooltjes waarvan uit het bloeisel de bloemblaadjes neerdwarrelden en elke zachte, arme steel zorgvuldig met ijzerdraad was doorboord.

'Lucy Anderson, Agathe Backer-Grøndahl, Amy Cheney Beach,' somde Perdita op, terwijl ze Anys een van de boeketjes gaf en aan de andere rook. 'Kom op, Anys: Teresa Carreño. Ilona Eibenschütz.'

Anys snoof. 'Essipova.'

Dat was de litanie die elke vrouwelijke pianostudente kracht gaf: de vrouwelijke concertpianisten. Van Lucy Anderson tot Agnes Zimmermann, zevenendertig vrouwen. Maria Theresa Paradis was honderdvijftig jaar geleden geboren, in 1759; Olga Samaroff was maar zeven jaar ouder dan Perdita. Zevenendertig vrouwen zolang de piano bestond; niet erg veel, maar ze waren er wel.

'En wie is nummer achtendertig?' vroeg Perdita aan Anys.

'Ik,' zei Anys zonder overtuiging.

'O, Anys, je moet het ménen: ik, ik, ik!'

'Maître vindt ons niet menselijk,' zuchtte Anys. 'Wij zijn vrouw. Ik ben lucht voor hem.'

'Hij denkt gewoon niet goed na.' Hoe kon hij van mening zijn dat Perdita's interpretatie van het stuk van Chopin dynamisch zwak was, zonder te proberen die te verbeteren, maar gewoon 'vrouwelijke zwakte' in de mond te nemen om de portee van zijn les te onderstrepen? Ze kon niet zoals Liszt een bassnaar laten springen, maar ze kon wel boven een orkest uit de achterste rijen van de zaal bereiken.

Een paar mannelijke studenten stonden naast hen te roken; Perdita luisterde naar hen terwijl ze als oude critici lukraak oordelen velden. 'Fauré! Zijn muziek is versleten, de administratieve beslommeringen hebben hem te gronde gericht. Debussy, briljant, daar valt niets aan toe te voegen!' In New York zou Perdita een aangenaam gesprek hebben gehad over muziek, maar op het Conservatoire was verbroedering taboe.

'We moeten ons er maar doorheen slaan, als goede beroeps,' zei ze tegen Anys. 'Laten we wat gaan eten.'

'Een sandwich is te veel. Gebak misschien.'

'Je moet beter eten.' Anys was nog maar vijftien.

'Ik ga mee met jou,' gaf Anys toe.

In de warme, lichte bakkerswinkel wedijverde zoete gerookte ham met kaas, gladgesuikerde *ananas au kirsch*, citroenachtige chocolade-vanille *Paris-Brests*, en *tartes aux pommes*... 'Twee *sandwich au jambon* graag, een *Paris-Brest*, een *tarte aux pommes*, een grote fles Evian, en een paar flesjes limonade...' Het brood was net uit de oven; de gerookte ham smaakte in de verte naar Alexanders huid, een geheime gedachte die Perdita deed huiveren.

'Bijna ik moet overgeven wanneer ik hoor Maître praten tegen jou,' zei de arme Anys.

'Schenk maar geen aandacht aan hem.'

'Maar ik leer niet. Binnenkort ik neem vergif in. Ik ga terug naar Moskou.'

'O, laat me niet met hem alleen, Anys! Dat zou wreed zijn.'

'Maar altijd ik ben dom.' Anys was altijd slaperig, niet dom. Ze woonde in bij een Russisch gezin in Alfortville, stond elke ochtend om vijf uur op, nam de trein en de Métro om bij het Conservatoire te komen, en bleef daar tot tien uur 's avonds; daarna nam ze de Métro en de trein terug naar Alfortville, en vijf uur later begon ze weer van voren af aan. 'In Parijs het is beter om dom te zijn, *nyet*? Domme, mooie vrouw.'

'Wat bedoel je, Anys?' Dat was akelig om te horen van een stem die nog half kinderlijk was.

'In Parijs, heb je gezien? Zoveel beelden van naakte vrouwen. Zuiverheid, Schoonheid, Ontwaken van Ziel, Geest van Wetenschap. Ik heb gevoel het is verkeerd ik heb kleren aan, ik zou voor iemand inspiratie moeten zijn, ik zou *amante* moeten zijn, ik zou moeder moeten zijn, mijn kinderen muziek leren, is wat Maître zegt.'

Perdita pakte op de tast de handen van het meisje. 'Anys, ze zijn het niet gewend om ons serieus te nemen, maar *we zijn serieus*. We zijn mensen, net als de mannen. We moeten volwaardige mensen zijn, we moeten ons leven en ons werk hebben.'

'Maar het wordt mij soms zo droevig, zo droevig.'

Het werd Perdita soms ook zo droevig. Ze liep met Anys terug naar het Conservatoire en ging in de rij staan voor een oefenruimte; er waren altijd meer pianisten dan piano's. Ze hoorde hoe een Conservatoiremama verderop in de galmende hal haar snotterende dochter aanmoedigde: 'kop op, kop op, liefje.' Ze bedacht hoe vreemd het was, hoe ongemakkelijk, om hier een vrouw te zijn.

Vrouwelijke zwakte behoorde tot de mythen van het Conservatoire. Vrouwen hoorden niet te kunnen gewichtheffen, wat iedereen in New York deed; vrouwen hadden lunch nodig. *Normalement* zouden Anys en zij hun moeders hebben meegebracht om hen te chaperonneren en hun tere stengeltjes te ondersteunen; hun moeders zouden de hele dag op hen hebben gewacht terwijl zij oefenden, een warme lunch voor hen hebben gekocht in het café, hen 's avonds hebben ingestopt, en zijn opgebleven om de was te doen. Perdita's verbeelding werd gekweld door al die onzichtbare moederslavinnen; ze hoorde hen in de smalle gangen van het Conservatoire, hun breinaalden tikkend, jaren en jaren wachtend en ontelbare vestjasjes makend 'om de tijd door te komen'. Maar de moeders waren ook vrouwen.

Ideale vrouwen, het soort op wie de studenten verliefd werden; vrouwen met wie de mannelijke studenten concurreerden; vrouwen die moeders waren; vrouwen die huwelijk en gezin opofferden voor hun kunst...

Wat voor soort vrouw wilde zij zijn?

Een goed antwoord leek er niet te zijn, behalve *het beste van hen allemaal*, wat onmogelijk was; door te veel te willen zijn, zou ze alleen maar in moeilijkheden raken.

Ze leunde tegen de muur en zuchtte, maar rechtte daarna haar rug omdat Conservatoirestudenten er niet slap bij hoorden te staan. Ze stond nog steeds achter in de rij. Met het vage gevoel dat ze zichzelf verraadde – ze zou moeten oefenen, ze zou op zichzelf moeten vertrouwen – trok ze zich terug in het telefoonhokje van het Conservatoire, sloot de deur om niet gehoord te worden, en belde Alexander.

'Maître was *zo akelig...*' Ze liet zich troosten, wentelde zich in het warme fluweel van zijn stem. *Eenentwintig januari*, zei hij, *speel je op de ambassade. Je zult het er heel goed afbrengen; Henry de Xico zal je bespreken; en dat zal Maître de mond snoeren.*

Liefde leek het antwoord op wie ze zou willen zijn; ze zou hem liefhebben en putten uit zijn kracht. Maar dat, wat toch was wat ze wilde, deed haar fronsen; het was op een vage manier ongemakkelijk, als een niet expressieve vingerzetting, of een interpretatie die maar half uitgewerkt was.

Ze kon zich niet ongemakkelijk voelen terwijl ze Alexander liefhad.

4

'Schat, je beseft natuurlijk wel dat Jouvet al die moeite lang niet waard is.'

Eind november had Reisden metselaars laten komen om een, naar het zich liet aanzien, klein mankement aan de funderingen van het gebouw van Jouvet te herstellen. De metselaars ontdekten dat er iets mis was met de draagbalken; de timmerlieden ontdekten droogrot; en Reisden, die nooit iets groters had bezeten dan een raceauto, riep de hulp in van zijn nicht, de weduwe burggravin De Gresnière, die onlangs een vleugel van een van haar buitenhuizen had laten verbouwen. Op een regenachtige avond deed Dotty de ronde in Jouvet, pietluttig haar strakke rok optillend, haar neus optrekkend voor de schimmel in de kelder waar de archieven werden bewaard, en haar voorhoofd fronsend bij de geur van droog hout in de onderzoekskamers. Na afloop van de ronde gingen ze naar de vijfde verdieping, naar zijn appartement.

'Besef je wel,' zei ze op de trap, 'dat ik hier nog nooit ben geweest?'

'In drie jaar tijd?' protesteerde hij. 'Vast wel.'

'Nooit.' De trap was smal, de stenen treden waren uitgeheld van ouderdom; de pluimen van Dotty's brede, modieuze hoed streken verf van het pleisterwerk. 'Je komt bij mij thuis; je neemt me mee uit eten en naar het theater; maar je woont als een kluizenaar.'

De deur boven aan de trap klemde; hij duwde er met zijn schouder tegenaan. 'De funderingen en het dak van dit gebouw zijn aanzienlijk beschadigd,' zei Dotty. 'De leien zijn sinds de val van de Bastille niet meer gerepareerd.' Ze raakte met een in glacé gehandschoende vinger het pleisterwerk aan, zodat er nog meer verf afbrokkelde. 'Dat wordt veroorzaakt door vocht. Je hebt kevers, lieve schat. De verbouwing zal een enorme heisa geven en het zal je miljoenen kosten.'

'Dat mag ik niet hopen.'

'Werkelijk waar. Ik weet het zeker. Je kunt het gebouw beter verkopen.'

'Dat wil ik niet.' Hij had de deur open gekregen en liet haar voorgaan.

'O, mijn hémel, wat afschúwelijk.'

Toen hij Jouvet drie jaar geleden had gekocht, had hij het appartement geërfd waar vijf generaties dr. Jouvets hadden gewoond. De laatste van hen, die op vierennegentigjarige leeftijd was gestorven, was een verzamelaar geweest van antiek, boeken en wetenschappelijke instrumenten. Marmeren koppen staarden je nog steeds wezenloos aan vanaf de bovenste planken van de bibliotheek. De grote bibliotheektafel was beladen met bundels boeken in pakpapier, die dr. Jouvet nooit had geopend. Achter de roestbruine fluwelen gordijnen, in de muziekkamer, waren op de planken bij de piano een verguld planetarium, een paar sfinxen met vrouwenhoofden en een collectie blauwe Egyptische grafbeeldjes tentoongesteld. Reisden had nooit veel aandacht besteed aan zijn woonomgeving, of overwogen er iets aan te veranderen; het was achtergrond, net als het geluid van de straat. Maar nu Dotty midden in de kamer stond, slank en blond in haar lange grijze chinchillajas, had hij het vreemde gevoel dat hij betrapt was, dat hij er niet in slaagde een normaal mens te zijn.

'Vervalsingen,' zei Dotty, met kritische vingers een ushabti ronddraaiend. 'Second Empire,' zei ze op precies dezelfde toon, terwijl ze de ushabti neerzette en met samengeknepen blauwe ogen naar het verbleekte donkerpaarse fluweel keek dat de ramen versluierde, zoals een soldaat de vijand zou bekijken. Ze marcheerde de ongebruikte eetkamer in en liep vandaar naar de keuken, maaide met één blauwe blik het piepkleine gasstel neer, en maakte de kasten open. 'Je hebt ook al geen borden.'

'Jouvets nicht wilde het porselein hebben,' zei hij.

'En dat heb je in drie jaar tijd niet vervangen. Je hebt het niet nodig, je eet niet, je gaat uit. Je hebt zelf natuurlijk nooit iemand over de vloer.'

'Moet dat dan?' zei hij.

'Pas als je het helemaal opnieuw hebt ingericht,' zei Dotty koel. 'Ik bedoel natuurlijk niet jij; ik bedoel je vrouw. De vrouw met wie je zult trouwen, die je het geld zal leveren dat je nodig hebt, en zal opruimen en borden voor je zal kopen en gasten voor je zal ontvangen.'

Hij glimlachte en schudde zijn hoofd.

'Je zou weer moeten trouwen; dat weet je best.'

Ze ging terug naar de muziekkamer, schoof het fluweel dat over de piano lag opzij, en opende de klep, die ze quasi-onverschillig onderzocht op sporen van gebruik. Ze sloeg een paar toetsen aan. Vals: ze glimlachte.

'Juffrouw Halley komt hier niet,' zei hij, achteraf begrijpend waarom Dotty zo graag wilde zien waar hij woonde.

'Juffrouw Halley? Maar natuurlijk niet, hoe haal je het in je hoofd? Ze is een respectabel meisje.' Ze speelde nog een paar akkoorden, blijkbaar zonder zich bewust te zijn van de dissonanties. 'Ik heb haar ontmoet. Ja. Ik ben met haar gaan theedrinken. Een zeer respectabel... meisje. Ze is verslingerd aan haar muziek, heeft een Amerikaanse 'impresario', en wil nu een carrière, in de toekomst een huwelijk en kinderen; *et patati, et patata*. Ze is fascinerend egocentrisch, mocht je dat onderhoudend vinden, en er heel eerlijk over, maar zeer respectabel... tot nu toe, lieverd.'

Hij trok één wenkbrauw op.

'Maar ze vertelt me openlijk dat ze elke dag met je correspondeert. En gisteren zei André du Monde in het theater tegen me dat je het huis van zijn oude bankier hebt gehuurd "voor een blinde jongedame die pianospeelt". Sacha toch.'

Dotty wist altijd meer dan je voor mogelijk hield. 'André heeft het helemaal mis,' zei hij. 'Zíj heeft het huis gehuurd. Ze heeft zondags een plek nodig om te oefenen.'

'En jij bent niet van plan daar ooit naartoe te gaan, neem ik aan,' zei Dotty.

'Dat neem je helemaal niet aan,' zei hij, 'maar je overdrijft; ik zal er waarschijnlijk een paar keer naartoe gaan, als ze me uitnodigt.'

'O, schat,' zei Dotty. 'Alsof ze dat niet zou doen. Ze is weg van je.'

Hij voelde dat hij een kleur kreeg. 'En ze komt echt niet hier.'

'Alsof er geen hotels zijn.'

'Dotty.'

Dotty pakte een van de faiencebeeldjes op. 'Lieve schat, ik vind gewoon dat er in elke relatie iemand moet zijn die huishoudelijk aangelegd is. Zij denkt ten onrechte dat ze dat is, en jij...' Ze blies voorzichtig wat stof weg uit de groeven van het beeldje. 'Nog belangrijker dan huishoudelijke aanleg is dat iemand geld moet hebben. Ze heeft geen vooruitzichten; jij verdient je geld zelf, en op het ogenblik heb je niet voldoende, liever. Als je dit gebouw moet verbouwen, als je niet van plan bent om het te verkopen...'

'Ik ga de banken wel af,' zei hij.

'Je moet met een bemiddelde vrouw trouwen, dan zou je niet hoeven lenen.'

'Ik ga niet trouwen.'

Ze legde de ushabti neer en pakte hem bij de arm; ze posteerde hen beiden voor dr. Jouvets doffe, vergulde spiegel. Een blonde societyda-me in een wolk van bont; een magere, zwartharige man met een bleke huid, een uit botten en holtes bestaand gezicht en onmenselijk waakza-me ogen. 'Knap, van goede afkomst, een aardige hoeveelheid geld,' zei Dotty voorzichtig. 'Je zou het heel goed doen op de huwelijksmarkt.'

Afkomst. Hij trok een gezicht tegen de spiegel, grijnzend als een ge-speelde gek. Het gezicht dat naar hem teruggrinnikte was dat van een Knight.

'Ik, die mijn eerste vrouw heeft vermoord?' zei hij luchtig. 'Welke vrouw wil er nu de tweede mevrouw Blauwbaard worden?'

Datgene wat je het liefste vergeet komt vermomd weer terug. Hij had Tasy niet vermoord, maar jarenlang had hij gedacht van wel – hij was ervan overtuigd geweest dat hij iemand had vermoord, wie zou het anders geweest kunnen zijn? Hij had tegen veel te veel mensen gezegd dat hij haar had vermoord, hij had geprobeerd zichzelf van het leven te beroven; hij had in een inrichting gezeten; alles, alles. Hij was gedenk-waardig geweest. Wat hij was geweest deed zijn haren te berge rijzen.

'O, niet overdrijven, schat,' zei Dotty. 'Blauwbaard nog wel.'

'Ik overdrijf niet. Stel,' zei hij, terwijl hij zijn arm om Dotty heen sloeg, 'stel dat wanneer onze Tiggy opgroeit…' Tiggy was Dotty's zoon, Reisdens neefje, de zesjarige burggraaf De Gresnière. 'Stel dat Tiggy verliefd zou worden op een vrouw die als kind… iemand van haar familie had vermoord.'

'Wat bedenk jij een smerige dingen, schat,' zei Dotty huiverend.

'Laten we zeggen dat het een vergeeflijke misdaad is,' zei hij. 'Maar zou je Tiggy toestaan met haar te trouwen?'

'Natuurlijk niet. Dat soort mensen wil je niet, je wilt geen schan-daal.'

'Maar ik,' zei hij, 'een man die zonder reden geloofde dat hij zijn vrouw had vermoord, zal slagen op de huwelijksmarkt.'

'Je wilt trouwen,' zei Dotty, terwijl ze zijn hand pakte, 'en niet alleen voor het geld, lieverd; dat is heel veel waard.'

'Ik wil niet trouwen. Ik zal een oude, excentrieke vrijgezel worden, Tiggy helpen grootbrengen en elke zondag bij jou dineren.'

Ze glimlachte, half vergenoegd, half geërgerd. 'Niets zou me meer deugd doen, schat. Maar…' Dotty hield zijn hand vast en telde de feiten af op zijn knokkels. 'Je hebt je bedrijf, dat een groot succes is en je een inkomen zal verschaffen totdat dit gebouw in elkaar stort. Je hebt je onderzoek aan de Sorbonne, dat zo zalig esoterisch is dat niemand er iets van begrijpt. Je hebt je nestje buiten de stad waar ik niets van mag weten en waar je op een afschuwelijke manier vadertje en moedertje speelt met je Amerikaanse maîtresse. Maar zij gaat terug naar haar eigen land; nu heb je een aardige, rijke vrouw nodig.'

'Perdita is niet mijn maîtresse.' Hij keek van Dotty weg. Ze nam zijn hoofd stevig tussen haar handen en draaide het terug, haar hoofd opheffend om hem in de ogen te kunnen kijken.

'Echt,' zei hij, 'ze betekent niets voor me.'

'Schat,' zei ze, 'vergeet het verleden. Wees aardig tegen vrouwen. Praat over de dingen waar je belangstelling naar uitgaat; zeg dat je het theater leuk vindt; zeg iets over je investeringen. Je zou Cécile de Valliès eens moeten ontmoeten; ze houdt van het theater. Een weduwe, een allerliefst iemand, met een enorme hoeveelheid onroerend goed in Bourgogne, en twee kinderen. Je houdt van kinderen, en met Céciles geld...'

'Dotty, lieveling...'

'Ik zal jullie beiden te eten vragen; dan kun je het zelf zien. Maar wat zullen we ondertussen doen met je kleine juffrouw Halley? Je mag haar niet de dupe laten worden van je verlegenheid, schat, dat is te wreed. Je moet haar opgeven en met een gebroken hart naar huis laten gaan.'

'Nee,' zei hij. 'Ik wil dat ze gelukkig is.'

Ze staarde hem aan, hem opnemend op een manier die grensde aan ontzetting. 'Vrouwen zijn nooit gelukkig,' zei ze na een ogenblik. 'Maar ik zal haar het gevoel geven dat ze gewild is – bij de critici, liever, niet bij jou. Dan zal ze vertrekken. En dan...?'

'Dan,' zei hij, 'zullen we allemaal opgelucht zijn; maar ik ga met niemand trouwen, zelfs niet met je vriendin Cécile.'

5

'SACHA VRAAGT ME OM VEEL MOEITE VOOR JOU TE DOEN,' ZEI DE VI-
comtesse Dorothea de Gresnière.

Alexanders 'nicht' had Perdita vergezeld naar Worth, en bracht haar
nu in de enorme Gresnière-koets terug naar Dotty's huis aan de place
Dauphine voor de thee. Nicht Dotty was geen zoetekauw – nicht Dotty was of deed niets ongepasts – maar ze had gehoord dat Perdita dat
wel was, zei Dotty; en dus ging de thee bij Dotty gepaard met gebakjes
van Rumpelmayer. Perdita zat met haar handen gevouwen uit vrees een
van Dotty's snuisterijen om te stoten en snakte naar chocola. Maar wanneer je niet goed kunt zien, leer je netjes te eten door je wensen aan te
passen. Wanneer Perdita in restaurants at liet ze haar eten in de keuken
snijden en had ze een kleine borstel in haar handtas om haar rok na de
maaltijd van kruimels te ontdoen. Maar in Dotty's huis...? 'Alleen thee,
graag.'

Er viel het soort stilte dat optreedt wanneer een vrouw een andere
vrouw ervan verdenkt dat ze aan de lijn doet om indruk te maken. 'Zoals je wilt,' zei Dotty. 'Juffrouw Halley, ik zou graag openhartig met je
willen praten over mijn neef. Je weet dat Sacha met je flirt.'

'O, mevrouw, we zijn goede vrienden, meer niet.'

'Vriendschap tussen vrouwen en mannen keur ik af; het is onoprecht.'

'Tussen hem en mij betekent het slechts wederzijds respect, mevrouw.'

Het was inmiddels meer dan drie jaar geleden dat Alexander haar ten huwelijk had gevraagd. Drie jaar, twee maanden en acht dagen geleden, op een septemberavond in een trein tussen Boston en New York. Ze had ja gezegd; hij was haar liever dan haar leven geweest; en dus was ze de volgende ochtend met Alexander naar het New York Institute of Music gegaan om te zeggen dat ze daar niet zou komen studeren omdat ze ging trouwen en met haar man naar Parijs zou verhuizen.

Ze hadden een huurrijtuig genomen naar het Institute, dat gevestigd was in een patriciërshuis in de buurt van Greenwich Village. Hij was in het rijtuig blijven zitten; zij was de trap opgegaan; ze had bij de open deur gestaan en geluisterd en geroken… Het had er naar muziek geroken, strijkstokhars, stof, inkt en zweet, en ze had prachtig pianospel horen opklinken uit het gebouw. Ga naar binnen en geef het op, dacht ze, maar de muziek ging maar door en zij had in de nieuwe stad gestaan, in het zonlicht, op de drempel van wat ze haar hele leven had geweten dat ze was.

En hij had het ook geweten. Hij had haar meegenomen naar een koffiehuis om de hoek en had haar een half uur tegen zijn schouder laten huilen. De hemel weet wat hij had gevoeld. *We weten toch wie je bent?* was het enige wat hij had gezegd. *Ga, liefste, doe het.*

Alleen wederzijds respect? Ze had van hem gehouden om wie hij was, om wat hij van haar wist; maar omdat hij haar zo goed kende kon ze pas met hem trouwen wanneer ze wist wat ze in de muziek kon bereiken.

'Wie bewonder je?' vroeg nicht Dotty.

'Pardon, mevrouw?'

'Onder de musici. Wie speel je het liefst?'

'O, Brahms, Beethoven, Schumann; de modernen, Debussy – Ravel is *schitterend* – hebt u "Gaspard de la Nuit" gehoord?'

'Je moet nooit al te enthousiast zijn over levende kunstenaars; je loopt het risico excentriek te worden gevonden. Je bent daadwerkelijk bezig met musiceren tegen betaling, heb ik van Sacha gehoord. Je hebt een impresario,' zei Dotty alsof ze het woord met een zilveren tangetje optilde.

'Die zal ik hebben als Harry Ellis me aanneemt, mevrouw.'

'En die meneer Ellis heeft je gevraagd recensies uit Parijs te verwerven,' zei nicht Dotty, 'goede recensies, waaruit hij citaten kan halen voor affiches.' Dotty sprak het woord *affiches* uit alsof het iets vies was. 'Kortom, je bent naar Parijs gekomen voor recensies.'

Het leek zo een beetje kaal gesteld, maar Parijse recensies waren een noodzakelijke voorwaarde voor een muziekcarrière in Amerika.

'Prima,' zei nicht Dotty. 'Sacha vindt je aantrekkelijk; hij heeft een *tendre* voor jonge muzikale vrouwen. Maar wanneer hij erover denkt weer te gaan trouwen, zal van hem verwacht worden dat hij doet wat alle anderen hier doen, namelijk dat hij trouwt in overeenstemming met zijn sociale positie.'

'Ik kan niet over zijn plannen praten.'

'Nee, nee, juffrouw Halley, met juffertjesachtigheid moet je bij mij niet aankomen. Ik spreek over je plannen, en ik hoop dat geen daarvan de zijne in de weg zal staan.'

Perdita haalde diep adem. 'Ik vind het fijn muziek te maken. Ik vind het fijn te soleren met een orkest, mevrouw. Ik heb het geluk gehad dat al een beetje te kunnen doen, en ik wil meer. Voorzover ik weet heb ik in de Verenigde Staten de meeste kans om dat te verwezenlijken. Uw neef begrijpt dat.'

'Natuurlijk,' mompelde Dotty. 'Men zou toch echt niet zo gauw Amerikaanse pianisten contracteren, wel? Niet hier in Parijs.'

Elk jaar studeerden er voortreffelijke pianisten – voortreffelijke *mannelijke* pianisten – af aan het Conservatoire. De Fransen contracteerden zelden andere dan hun eigen pianisten; zelfs Duitse musici waren slechts voor hoempapabands en café-orkestjes. Vrouwelijke musici werden verbannen naar de thé dansant-orkestjes in de buitenwijken, naar salons en in hoofdzaak naar het lesgeven.

Alexander wist dat net zo goed als zij.

'Als jij en hij gewoon goede vrienden zijn, hoeven er geen woorden meer aan vuilgemaakt te worden; ik kan het niet helemaal goedkeuren, het is risqué voor een jonge vrouw, maar natuurlijk verontschuldig ik me voor het onbegrip dat ik aan de dag heb gelegd en zal ik je zo goed als ik kan ten dienste staan.' Ze klonk helemaal niet verontschuldigend. 'Een geschikte echtgenote zal Sacha's belangen dienen. Als zijn naaste verwante stel ik er belang in... dat is alles.'

'Wat voor soort vrouw zou een geschikte echtgenote zijn?' kon Perdita niet nalaten te vragen.

'Een Française,' zei Dotty beslist, 'een bemiddelde vrouw van goede komaf. Ik hoop dat we elkaar begrijpen, liefje. Laten we overgaan op iets aangenamers. Sacha en ik waren het erover eens dat, aangezien je vast prachtig zult spelen op de ambassade, een tweede concert nooit weg zou zijn. Misschien zou je op... laten we zeggen de zevenentwintigste van de volgende maand beroepsmatig iets voor mij en een paar vrienden kunnen spelen? Dat zal dan op de donderdag na je debuut zijn. Ik zal ook voor een criticus en dergelijke zorgen; misschien kunnen we je een paar extra recensies bezorgen voor je impresario, je meneer Ellis.'

6

DOTTY HAD GELIJK. PERDITA HAD HET GEVOEL DAT ZE IN ALLE OP-
zichten, behalve in de werkelijke zin van het woord, Alexanders maîtresse was.

Een respectabele heer en jongedame zijn nooit langer dan tien minuten alleen. Zij en Alexander hadden een hele nacht samen doorgebracht in een treincoupé. Ze hadden tweemaal in hetzelfde vakantie-
oord gelogeerd, beide keren twee weken lang, hoewel niet in hetzelfde
hotel. Ze hadden elkaar op de stranden of in restaurants ontmoet; ze
hadden over van alles gepraat: het nieuws, de politiek, zijn werk, het
hare. Ze wist meer over de scheikunde van stimulus en respons (zijn
werk aan de Sorbonne) dan wanneer ze naar de universiteit was gegaan,
en hij wist meer over muziek. Ze waren in plezierige stilte gaan vissen.
Hij had haar leren zwemmen in een vijver op het platteland, zonder dat
er iemand bij was. Ze had hem leren koken – mannenkookkunst – spek,
sla, tomatensandwiches, omeletten. Hij had haar koffie leren zetten. Ze
schreven elkaar dagelijks.

Een respectabele jonge vrouw correspondeert niet dagelijks met een
man; ze ondertekent haar brieven nooit met *liefs*. En als ze dat wel doet,
meent ze het ook; ze zal nooit een man aanvaarden en hem vervolgens
te kennen geven dat ze niet met hem wil trouwen.

Ze hadden elkaar gekust, en meer, te veel voor haar gemoedsrust;
soms hoefde zijn hand haar alleen maar aan te raken of ze was de draad
kwijt van hun prettige conversatie. Maar ze hadden niet echt iets verkeerds gedaan.

Wat vond ze leuk aan op tournee gaan? De hemel mocht het weten. Op tournee gaan betekende koude theaters en vreemde orkesten om acht uur 's ochtends, wanneer je voor het eerst de interpretatie van een dirigent doornam van een stuk dat je diezelfde avond zou spelen. Op tournee gaan betekende een maand lang, of twee, drie maanden lang op sandwiches uit restauratiewagens leven, in een couchette slapen als je geluk had, maar meestal overdwars op twee stoelen; je eigen stemvorken en viltvijlen meenemen omdat van de helft van de piano's het vilt waarschijnlijk nog uit de vorige eeuw stamde.

Op tournee gaan betekende muziek: nieuwe orkesten, nieuwe interpretaties, nieuwe collega's en vrienden, een voortdurende uitdaging, en optreden, optreden, optreden.

Wat Alexander en zij hadden was dus vriendschap. Een penibele vriendschap, die haar altijd vervulde met de angst dat hij zou afglijden tot niet meer dan dat.

Net als Dotty wantrouwde ze vriendschap. Blinde meisjes hebben vriendschappen. Mannen zeggen tegen blinde meisjes dat ze goede vrienden zijn; mannen nemen blinde meisjes mee uit lunchen; ze nemen ze niet mee uit dineren, en nooit mee naar huis om ze voor te stellen aan de familie. Perdita was niet blind, ze was vastbesloten om niet blind te zijn; ze was alleen maar erg bijziend. En Alexander zei dat ze aantrekkelijk was, en praatte nooit over andere vrouwen (behalve Dotty), maar...

Waren de gevoelens die hij voor haar had gehad eenvoudigweg bekoeld tot vriendschap? Had hij Dotty de opdracht gegeven haar te zeggen dat ze ongeschikt was?

Ze wilde geen vriendschap met hem. Ze wilde dat Alexander haar beminde om haar lichaam.

Ze berispte zichzelf om het feit dat het haar een zorg was dat hij haar respecteerde.

7

HET CONSERVATOIRE WAS OP ZONDAG GESLOTEN. TOEN PERDITA IN Parijs was aangekomen, had ze geld uitgetrokken voor een plek waar ze zondags kon oefenen, en Alexander had een leeg huis met een piano gevonden, ruim binnen haar budget, vlak bij Parijs aan de overkant van de rivier.

'Groot, modern en lelijk,' zei hij, 'met een interessante tuin.'

'En wat voor piano?'

'Een Érard concertvleugel; kan dat ermee door?'

Courbevoie was een met de tram bereikbare voorstad, van Parijs slechts gescheiden door de Seine, vier kilometer van de Arc de Triomphe, maar het was platteland. Volgens Alexander, die hardop voorlas uit Baedekers *Handboek voor Parijs*, had het een boulevard bij de Seine, een hoofdstraat met platanen en winkels, en ruïnes van de stallen van Lodewijk XIV. Toen ze op het tramstation van Courbevoie aankwamen, ontdekten ze dat het dorp ook een zondagsmarkt had, verstopt tussen de kerk en een straat met kleine winkeltjes. Ze liepen over de markt, waar verkoopsters van kaas en speldenwerk in sopranenkoor giechelend met Alexander flirtten – 'O, *le bel homme*, hé, knapperd!' Ze ontvluchtten het kantwerk en de blikslager, maar Perdita viel ten prooi aan een dienblad vol geurende, korrelige lavendelzeep en kocht drie stukken. Courbevoie gaf het gevoel dat je op uren afstand van Parijs was. Hier kon ze op straat hand en hand met hem lopen, wat ze niet had kunnen doen in de schaduw van nicht Dotty. Ze pakte verlegen zijn hand, voelend of haar hand welkom was in de zijne; hij pakte hem vast en ze zuchtte gelukkig.

35

Beneden de hoofdstraat lag een woonwijk op een zonnige heuvel-flank die afliep naar de Seine. Ze sloegen rechtsaf over een brede stenen trap die tussen stenen muren afdaalde. 'Er is geen straat; rijtuigen kun-nen de helling niet aan,' zei hij. 'Dit is de passage Mallais.' Ze kon de echo horen van paardenhoeven op de boulevard beneden en de sputte-rende motor van een schuit in de Seine of een auto; maar de kale boom-takken die in een boog over de trap hingen gaven de passage Mallais iets van een romantisch isolement. Achttien treden; toen voelden haar vin-gers, die langs de muur streken, de grendels van een deur.

'Ik heb de sleutel,' zei Alexander. Het grote Franse slot knarste, het deurscharnier piepte, en ze waren binnen de muur, in een stille tuin.

Dit was het platteland zelf. Het was er echoloos stil en het rook er aanvankelijk alleen naar ijskoude leem; toen deed ze een stap naar vo-ren, door lange, kletsnatte, ritselende vegetatie, en er stegen allerlei geuren uit op. Kattekruid, lavendel, de zoetige zoethoutgeur van ka-mille of venkel: iemand had hier een kruidentuin gehad voordat het pad was overwoekerd.

'Wie heeft hier gewoond?' Perdita vond een modern ijzeren hek-werk. Lange stengels en doornen prikten in haar blote vingers; hier zouden rozen zijn in de lente.

'Niemand. De tuin werd verhuurd aan de schilder Mallais, Claude Mallais, een van de grand old men van het Franse impressionisme. Ik heb hem een beetje gekend. Jupiter met strohoed en een baard tot aan zijn horlogeketting.' Perdita had van Mallais gehoord; Dotty had een schilderij van hem. 'Hij is inmiddels dood. De weduwe woont nog steeds hiernaast. Dit huis werd na zijn dood gebouwd door zijn oude weldoener, een bankier. Het is heel modern: centrale verwarming, elek-triciteit, een bad met douche, een telefoon en twee inpandige wc's.' On-gehoorde luxe. 'Maar een deftig buitenhuis is onverkoopbaar aan deze kant van de rivier, en de weduwe van de schilder heeft onenigheid ge-had met de weldoener en heeft een erg lelijke muur gebouwd tussen dit huis en het hare. Terwijl de erfgenamen besluiten wat ze gaan doen, verhuren ze het huis tegen de stookkosten.'

Hij deed de deur voor haar open; haar stappen weergalmden in een lege kamer. Het was vochtig, zoals alle huizen bij het water, en het rook er naar pleisterstof en naar leegstand. Hij begon de lichten aan te doen, een stralende gloed in de schemerigheid. Ze zag iets zwarts voor zich, stapte naar voren op een dubbele tapijtdikte en raakte de toetsen aan. Het was de Érard; hij was net gestemd.

'De erfgenamen zullen hem en het meubilair samen met het huis verhuren. Je bent een huurder die naar willekeur op straat kan worden gezet; wederzijds geldt een opzegtermijn van een maand. Als wijkplaats om zondags te oefenen is het heel redelijk; ik kan het je aanraden.'

Ze ging zitten, trok haar handschoenen uit en begon te spelen. De kamer had echo's, maar dat kon verholpen worden door lappen stof aan de muren te hangen. De Érard had een zware aanslag, in weerwil van zijn goede naam, maar er waren slechtere op het Conservatoire. 'Kan ik voluit spelen zonder de buren te hinderen?'

'Madame Mallais en haar broer wonen aan de andere kant van de muur; ze schijnt een kluizenares te zijn en zal je niet lastigvallen. De buur daar weer naast overwintert hier niet.'

'O, dit is fantastisch.' Ze stond op en stak een arm naar hem uit. Hij pakte haar hand en ze trok hem naar zich toe. Ze hadden elkaar een week niet gezien; ze ging op haar tenen staan om zijn lippen met de hare te beroeren en voelde dat hij, ondanks een terughoudendheid in zijn reactie, op haar reageerde; ze glimlachte en sloeg haar armen om hem heen, op fluistertoon tegen hem mompelend, tegelijk hongerig en tevreden. De muren waren hoog en het huis was stil. 'Wat slim van je dat je dit hebt gevonden,' fluisterde ze, elk woord een kusje op zijn lippen; en gedurende enige tijd waren ze tevreden, kussend, armen om elkaar heen, met hun jassen nog aan, onhandig als twee beren. Het huis was zo stil achter zijn muren, Courbevoie zo afgescheiden van Parijs, dat het leek alsof alles wat hier werd gedaan in een andere wereld plaatsvond dan die waarin hij op een leeftijd was om te trouwen en zij op een leeftijd om te werken. Ze kusten vuriger en minder voorzichtig, en het leek natuurlijk en noodzakelijk en juist om te doen, en ze waren helemaal alleen.

Hij slaakte een zucht en rukte zich los. 'Laten we de rest van het huis gaan bekijken, liefste.'

Het was half gemeubileerd, zelfs dat niet: in de grote salon stond behalve de piano niet meer dan een stoel; de keuken bevatte twee borden en een pan. Het bad-met-douche had geen gordijnen, in de badkamer waren geen handdoeken of zeep. Ze legde een van haar stukken geurige zeep plechtig op de wastafel, nam hem zo in bezit.

Hij ging de deur uit om een koffiepot en koffie te kopen (en, hielp ze hem onthouden, kopjes, suiker, lepels). Toen hij weg was onderzocht ze de rest van het huis. De deur achter de badkamer, die welke hij nog niet had geopend, leidde naar de grootste slaapkamer; en de grootste slaapkamer bevatte een bed. Stromatras, bestrooid met laurierblaadjes tegen de muizen; veren bed, opgerold aan het voeteneind, een beetje vochtig ruikend; groot Frans rolkussen en hoofdkussens aan het hoofdeinde. Er was geen bedlinnen, geen donzen dekbed of donsdeken.

Ze ging op het bed zitten en hield een van de hoofdkussens onhandig tegen zich aan; ging liggen tussen de bittere, prikkelende kruiden, en begroef haar gezicht in het kussen, het tegen zich aanklemmend, het omhelzend. Toen stond ze haastig op, veegde de laurierblaadjes voorzichtig van haar rug en rokken, raapte ze op van de vloer en verspreidde ze weer over het bed, alsof er niemand was geweest.

8

Perdita's ideale vrouw was Florence Fish de Pouzy, die in Versailles woonde, in de buurt van het oude paleis. Florrie had een groot huis met een tuin; Florrie was getrouwd en had twee piepjonge kinderen; Florrie had het Muziekgezelschap van Jonge Getrouwde Vrouwen opgericht, een kwintet van getrouwde musiciennes, en bleef zich aan haar werk wijden. Perdita was erg nieuwsgierig naar hen.

'Wil je niet eens met ons komen musiceren en blijven eten?'

Florrie was te dik geworden om zich nog met goed fatsoen in het openbaar te vertonen; ze was zeven maanden zwanger van haar derde kind. Ze liet Perdita de zoetgeurige baby Martha vasthouden, en daar stond Perdita, omgeven door een halo van babywarmte, babygewicht en babygeur.

'Die lange vingers!' zong haar moeder. 'Voel eens!' Perdita bevoelde zachtjes het piepkleine handje en mollige polsje van de baby. 'Zodra ze oud genoeg is om rechtop te zitten, zet ik haar achter de piano, die vingers zijn zo uitzonderlijk! Julie is hopeloos, die heeft helemaal geen muzikale belangstelling, maar Martha...'

'Je boft maar,' zei Perdita. Florrie, die getrouwd, én moeder én musicienne was. Florrie was natuurlijk wél 'geschikt'; haar familie vervaardigde de helft van de inkt in Amerika. Maar wat een leven!

'O, nee,' zei Florrie. 'Jíj boft!'

'Hoe bedoel je?'

De Société Musicale de Jeunes Mariées arriveerde een voor een. Behalve Florrie waren het allemaal Françaises, met in ieder geval enige

Conservatoirescholing. Het stuk dat ze aan het instuderen waren, was het eerste kwartet van Fauré, dat voor Perdita even interessant was als een bol garen; maar terwijl de vrouwen hun instrumenten stemden droomde ze ervan ook een Jonge Getrouwde Vrouw te zijn.

Vanaf de eerste maten vond Perdita het gewoon gênant om erbij te zijn. De violiste was de enige die de muziek goed kende; de rest deed maar wat. Florrie miste alle glissando's; ze speelde een b waar ze een bis had moeten spelen en ze gebruikte in haar sologedeelte zoveel pedaal dat het leek alsof ze ratten probeerde te vangen met haar voeten. Wat was er met Florrie gebeurd, die zo goed was geweest op het Instituut?

Na afloop verontschuldigde de celliste zich en zei dat haar zoon geveld was geweest door *un rhume féroce*, zodat ze bang was dat ze het stuk geen recht had kunnen doen; en de altiste zei dat iedereen in haar huishouden het bed had moeten houden, de kinderen, het kindermeisje, alle dienstmeisjes; haar eigen oren zaten verstopt. Florrie zei dat haar man de hele week in Engeland was geweest, en dat ze alles zelf had moeten doen. 'En dat in jouw precaire staat,' zei de altiste meelevend, tussen het hoesten door. De violiste, die haar partij had gekend, zei niets; de andere drie vroegen aan Perdita wat ze ervan vond. Leer eerst de noten maar, dacht Perdita, en ze slaagde erin een paar dingen te zeggen over interpretatie, zich voelend als iemand die keurig gekleed op een formeel feestje was verschenen, terwijl alle anderen spiernaakt waren gekomen.

'Wil jij niet voor ons spelen?' vroeg Florrie. 'Ze is zo goed, ze is heel erg goed. Ze kan de Paganini-Variaties zelfs spelen...'

Perdita zei smekend dat ze alleen de tweede serie kon spelen, dat ze moeite had met de eerste; maar ze speelde de tweede serie, en na afloop viel er een stilte, en toen zeiden ze dat ze het prachtig hadden gevonden, werkelijk prachtig, en dat ze zo'n bron van inspiratie voor hen was; maar dat meenden ze niet echt. En zij zei dat ze boften dat ze hun gezin hadden en hun muziek, en zo'n heerlijk leventje leidden, maar dat meende zij eigenlijk ook niet echt.

Onder het eten praatten de vrouwen enthousiast over hun kinderen. De violiste zat er net zo stil bij als Perdita.

'Hebt u kinderen, madame Clémence?' vroeg Perdita aan haar.

'Nee,' zei de violiste bruusk. 'Ik heb er een gehad, ze is dood.'

Ontzet deed Perdita er verder het zwijgen toe.

Toen de anderen vertrokken waren, bleef Perdita nog een tijdje met Florrie praten. 'We waren niet erg goed, hè?' zei Florrie.

'Madame Clémence wel,' zei Perdita nuchter.

'Wat heeft ze er een hoge tol voor moeten betalen, die arme vrouw.'

Florrie liep naar een stoel en ging moeizaam zitten; Perdita hoorde haar zwoegende ademhaling en het geruis van haar wijde jurk waarvan de plooien fluisterend tegen elkaar kwamen. Een slank silhouet was mode voor vrouwen van hun leeftijd; Florrie klonk als een oude dame. 'Drie kinderen in drie jaar,' zei Florrie. 'Toen ik met Charles trouwde, dacht ik dat de huishoudster voor het huis, en de kindermeisjes en de gouvernante voor het kind zouden zorgen – ik zou er maar één krijgen, hoe vind je het! – en dat ik les zou nemen bij de beste leraren, en de hele dag zou oefenen, en in een kwartet zou spelen. Ik heb geen tijd om te oefenen. Twee uur in de afgelopen twee weken, dat is alles, en wat betreft het bijhouden van de literatuur... lieve help!' zei Florrie. 'Charles wil dat ik zijn vrienden ontvang, en dan moeten er voortdurend allerlei klusjes worden gedaan, mijn horloge laten repareren, mijn kleren laten vermaken, regelen wie er komt dineren en wie naast wie kan zitten, met de kok en de tuinlieden en de huishoudster praten... we hebben weleens in één week dertig pond suiker gebruikt, dertig pond suiker voor een gezin van vier! Ik neem aan dat ik mijn leven heb ingericht zoals het me het beste bevalt,' zei Florrie. 'Maar soms denk ik, als ik jóú hoor spelen... Hoe gaat het met je Alexander, zie je hem nog?'

'Ja,' zei Perdita.

'Wat... voel je voor hem?' vroeg Florrie, maar ze gaf Perdita geen gelegenheid om te antwoorden. 'Toen ik op school was smachtte ik ernaar om met Charles te trouwen, ik zou er alles voor over hebben gehad. En ik ben gelukkig,' zei Florrie. Haar zijden jurk ruiste terwijl ze ongemakkelijk op haar stoel heen en weer schoof. 'Maar... Wees voorzichtig. Liefde is niet alles. Je hebt zoveel talent, je zou echt heel erg goed kunnen zijn. Verkwist jezelf niet aan het huwelijk.'

'Ik denk niet dat het een verkwisting zou zijn om je zowel aan de liefde als aan de muziek te wijden,' zei Perdita ongemakkelijk, 'en Alexander heeft me altijd aangemoedigd. Ik denk dat het de best mogelijke manier van leven zou zijn.'

'De best mogelijke manier van leven... is onmogelijk,' zei Florrie.

9

Begin december ging Reisden naar Rome voor een neurochemie-conferentie en bracht een extra dag in Genua door om in de zon met oude vrienden te praten. Op donderdagmiddag kwam hij terug in Parijs, net op tijd om Tiggy te bevrijden van Dotty's formele donderdagse ontvangst.

'Waar zullen we vandaag heen gaan, chéri?'

'Spelen met úw speelgoed,' zei Tiggy. 'Ik wil spelen met het ronddraaiding en een groot dier zijn. En dan gaan we naar de bioscoop.'

'Een welbestede middag,' stemde zijn oom in.

Reisden had een ruimte in de medische faculteit, onderdeel van het Fysiologische Psychologielab: een stuk werkbank, een zeer goede microscoop, een centrifuge en een nette rotzooi van labaantekeningen. Tiggy en hij lieten de centrifuge ronddraaien en gingen daarna naar de grote centrale ruimte van Fysiologische Psychologie, waar de testapparatuur stond opgesteld. Op de lange tafel had iemand een telestereoscoop geconstrueerd, een stel spiegels die gebruikt werden voor gezichtsexperimenten; Tiggy giechelde van verrukking toen hij zijn kleine kaak in de kinhouder legde en de chaos van weerspiegelingen in keek.

'Een hoe groot dier ben ik? Ben ik zo groot als een hond?'

'Groter; zo zou je zien als je een heel groot dier was, chéri. Een neushoorn of een leeuw.' Tiggy ging verrukt aan de tafel zitten, *wrrouwrrouw* brullend, een kleine blonde leeuw, terwijl Reisden zijn post sorteerde.

Een van de brieven kwam van een artsenconsortium dat Jouvet wilde kopen. Het was niet de eerste keer dat ze het voorstel deden, en Reisden overwoog, niet voor het eerst, erop in te gaan. Het instituut bracht geld op, maar hij kon elders net zoveel verdienen; het slokte alleen maar tijd op die hij nodig had voor zijn echte werk, dat hier was.

'Oom Sacha,' suggereerde Tiggy, 'ik weet waar een film draait over een hond.'

Ze hielden allebei van films. Ze trokken zich terug in een winkelpuibioscoop in een zijstraat van de boulevard Sébastopol, een tent die rook naar warme onbelichte film, vochtig zaagsel en sinaasappels, en keken (vier keer) naar het verhaal van een heroïsche hond die zijn jonge meester redde. 'Zo is het welletjes,' zei Tiggy, vervuld van noga en heroïek; zijn oom gaf toe dat hij er ook zo over dacht. Ze namen de paardenomnibus terug naar de Île de la Cité. Tiggy mocht bellen en aan de leidsels trekken boven de drie geduldige buspaarden. Ze stapten uit op de place du Châtelet, waar de bussen op passagiers wachten alvorens het lange traject over de rue de Rivoli af te leggen, en Tiggy bedelde om muntjes om appels te kopen van de appelverkoper bij het theater. 'Ik, oom Sacha,' vertrouwde zijn neefje hem toe, 'ik word trambestuurder als ik groot ben.' Met hun lange tanden aten de paarden de appels voorzichtig uit zijn kleine open handpalm; hij fluisterde in hun dampende neusgaten, streelde hun neuzen, een stevige kleine blonde Noorman met een instinctief vermogen om met dieren om te gaan. Zijn vader had van paarden gehouden. *Wat lijkt hij toch veel op Esmé*, zeiden Dotty's vriendinnen af en toe, en dan bekeek Dotty haar zoon met dichtgeknepen ogen.

'Oom Sacha, mag ik een hond hebben?'

'Chéri, je weet dat mama dat niet goedvindt,' zei Reisden.

Esmé de Gresnière had iedereen verraden behalve zijn honden en paarden. Op zijn sterfbed had hij niet Dotty bij zich laten komen, maar zijn favoriete jachthond en de beagles. De honden waren naderhand verdwenen, tot Tiggy's tranenrijke ontsteltenis. Het lag niet in Dotty's bedoeling dat haar zoon ook maar een beetje op zijn vader zou lijken.

'Kunt u een hond nemen? Dan kan ik bij u komen wonen.'

'Grote dierenvriend,' zei zijn oom goedig. 'Ik wil geen hond. Ik hou niet van honden. Kom, laten we gaan theedrinken bij je moeder.'

Ze staken de Pont au Change over en kwamen voorbij het gotische gevaarte van de Préfecture, somber in de mist. Ze gingen via de zijweggetjes van het Palais de Justice naar de place Dauphine, de wig van oude gebouwen aan het puntvormige uiteinde van het eiland, waar Dotty woonde.

'Oom Sacha, wanneer u gaat trouwen, mag ik dan een van uw getuigen zijn?' vroeg Tiggy. 'En de ringen vasthouden?'

'Wanneer ik ga trouwen…?' zei Reisden geschrokken.

'Mama zegt dat u gaat trouwen met madame de Valliès.'

'O ja?' zei Reisden. 'Ik zal eens onder vier ogen met je moeder praten.'

'Sacha, hoe kon je het verdragen om terug te komen uit Italië?' zei Dotty toen ze hun voeten droog stampten in haar zwart-witte marmeren hal. Ze wachtte hen halverwege de trap op, met een crèmekleurige zijden sjaal over haar modieuze pasteltinten. Haar sjaal en lichte haar werden weerspiegeld in de oude spiegels aan weerszijden van de trap: Dotty in een grijze veeg van spoken. In Parijs, zei Dotty, had het bijna onafgebroken geregend sinds hij was vertrokken; het was *desastreus*. Hij maakte de sussende geluiden die toepasselijk zijn voor het weer. Tiggy werd weggestuurd om zich door juffrouw Wallis in droge kleren te laten steken. 'Breng ons thee, alsjeblieft, Frérin, en zeg tegen juffrouw Wallis dat de vicomte in bad moet voordat hij bij ons komt.'

'Oui, madame la vicomtesse,' zei het dienstmeisje.

Dotty's huis had twee salons met een stel glazen deuren ertussen in Lodewijk-xv-stijl, buit van de grote veiling in Versailles. In de damessalon was een onderdienstmeisje de gebakjes en theekopjes van Dotty's ontvangst aan het opruimen. Hij plofte neer in de leunstoel met rechte rug die in de plaats was gekomen van de stoel van Esmé de Gresnière; Dotty ging in een Lodewijk-xv-leunstoel *à la reine* zitten, haar gezicht beschaduwd door een petit point-vuurscherm.

'Wil je thee of whisky…? Allebei,' besloot ze. 'Een warme grog.' Ze boog zich voorover om de pook in het vuur te steken. Frérin bracht een theestel binnen en borden met Engelse sandwiches, kaas, fruit en pruimencake. Dit was een nieuwe Frérin, zag Reisden. Alle Gresnièredienstmeisjes heetten Frérin, zoals de *maître d'hôtel* Dumézy heette; wie de oorspronkelijke Frérin en Dumézy geweest mochten zijn, wisten de Gresnières niet meer.

'Je bent moe,' zei ze.

'Een lange reis.'

'Je moet Tiggy niet mee uit nemen als je moe bent, schat.'

'Van hem heb ik geen last.'

Dotty schraapte boven een Limoges-bord suiker van een suikerhoorntje en veegde haar handen af boven het vuur. De suiker, in de vlammen vallend, veroorzaakte een kortstondige vonkenregen en een geur van caramel. Hij glimlachte, zich herinnerend dat zij dat ook had gedaan boven het vuur in het schoollokaal, tijdens een koude lente op het slot Loewenstein bij Graz, hoe lang geleden? Hij was toen ongeveer twaalf, net uit Zuid-Afrika, te lang voor zijn leeftijd, te alles voor zijn leeftijd, lijdend aan nachtmerries die hij zich niet kon herinneren, niets wetend behalve hoe hij moest bluffen; en zij had net zo gaaf en koel als porselein geleken, en toen, na de thee, had ze haar vingers kordaat boven het vuur afgeveegd en gezegd: 'Ruik eens, *na ja*! Als ik groot ben eet ik niets anders dan caramels.'

Ze keek op en betrapte hem erop dat hij naar haar keek.

'Ik ben je caramels vergeten,' zei hij. Ze lachte. Hij had in geen jaren caramels voor haar meegebracht. Ze waren slecht voor de tanden, zei ze. Nadat Esmé haar had verlaten had ze de kwikkuur ondergaan en Salvarsan, en nu was ze fanatiek voorzichtig met alles dat teer geworden kon zijn; ze was bang dat haar huid was verouderd, dat haar haar dunner begon te worden, dat ze een tand zou verliezen. Ze had een slecht humeur, een afwerende bravade; ze was jong voor een weduwe en uitzonderlijk mooi, maar het was een publiek geheim dat Esmé aan syfilis was gestorven, en zelfs als ze weer zou willen trouwen, zou ze waarschijnlijk geen goede partij kunnen krijgen.

Frérin kwam binnen met een stenen bierkroes, en Dotty mengde thee, rum, suiker en citroen door elkaar, trok de pook uit het vuur en dompelde hem sissend in de grog. 'Kijk eens!'

'Voortreffelijk, als altijd.'

'Als altijd, als altijd; dat is mijn levensverhaal.' Ze wikkelde de suiker keurig in zijn blauwe papier en legde het terug in zijn doos. 'Mijn nieuwsblad van de week: Frérin heeft een lepel verbogen. Bij Tiggy's vriend Paul is een voortand afgebroken, gelukkig een melktand. Cécile de Valliès denkt erover haar haar te laten verven. Het kán zijn dat ik naar Nice ga.'

Hij schudde zijn hoofd en gaapte achter de rug van zijn hand.

'O, dat vergat ik nog te zeggen, en jij, schoft die je bent, hebt het niet eens gemerkt: ik heb mijn Mallais uitgeleend aan het retrospectief.'

Boven Dotty's buikkastje was Mallais' schitterende *Gezicht op de Seine: Schemering* vervangen door een tafereel uit de school van Watteau met dartelende herderinnen. 'Ik zal het missen.'

'Ik weet nog steeds niet of ik het wel had moeten uitlenen.'

'Waarom niet?' vroeg hij. Dotty was heel trots op haar verzameling.

'O, ik weet het niet, ik weet het niet... Betsy Ducret d'Hédricourt leent niet uit; ze zegt dat ze een alarminstallatie zou moeten aanschaffen... Ik vraag me af wat madame Mallais zal bijdragen aan de tentoonstelling. Misschien heb je haar ontmoet,' zei Dotty, 'omdat je de afgelopen drie zondagen hebt besteed aan "praten" met juffrouw Halley die naast haar woont?'

'Dat heb ik niet,' zei hij kortaf. 'Ik heb madame Mallais niet ontmoet. Tussen twee haakjes, wie heeft er tegen Tiggy gezegd dat ik met madame de Valliès ga trouwen?'

'Ik heb geen idee,' zei Dotty koel, 'maar ik had gisteren Cécile op de thee, en ze is helemaal weg van jou. Ze vindt je romantisch.'

'Mijn g-d. Dotty, hou alsjeblieft op.'

Tiggy kwam de trap af geklepperd, gevolgd door de lankmoedige juffrouw Wallis, zijn gouvernante, die een nogal groot model van de Eiffeltoren droeg. 'Hij wou het beslist meenemen, madame,' zuchtte juffrouw Wallis.

'Juffrouw Wallis, wacht u met de vicomte alstublieft een paar minuten in de eetkamer; de baron en ik zijn in gesprek. Tiggy, schat, laat Kok jou en juffrouw Wallis wat thee geven.' Dotty sloot de glazen deur naar de gang. 'Dit huis is zo onhandig. Nu goed,' zei ze, terwijl ze weer ging zitten. 'Juffrouw Halley. Je compromitteert haar, schat, en vroeger liet je kleine meisjes met rust. Echt, lieverd, zou je niet wat omzichtiger moeten zijn?'

'Er is geen reden om omzichtig te zijn,' zei hij. 'We praten alleen maar.'

'Vooral als je haar wel leuk vindt?' vroeg Dotty. 'Is dat zo? Vind je haar wel leuk?'

'Nee.'

Ze spreidde haar handen in een gebaar van treurige wanhoop, alsof hij ja had gezegd, en zo voelde hij het ook. 'Het spijt me,' zei ze, 'ik ben vreselijk.'

'Inderdaad.'

'Maar echt, schat, ze is veel te onervaren om een goede maîtresse te zijn.'

'Dat is ze niet…' zei hij met kracht.

Tiggy stond verloren buiten de deur met in zijn armen de tinnen Eiffeltoren, die zijn elektriciteitssnoer en stekker achter zich aan sleepte. Hij was officieel van Reisden, die hem van Tiggy had gekregen voor zijn laatste verjaardag. Tiggy was benoemd tot de bewaarder ervan totdat oom Sacha een goede plaats had gevonden om hem neer te zetten. Daar zou Reisden alle tijd voor nemen, aangezien Tiggy er weg van was. Ze gingen met zijn tweeën de gang in om het stopcontact te gebruiken en draaiden het gaslicht in de gang laag om het vuurtorenlicht van het speelgoed volledig tot zijn recht te laten komen.

'*Il est si beau,*' zei Tiggy. Het piepkleine rode lampje knipperde plechtig over de zeegroene, met verguldsel versierde panelen van Dotty's gang en maakte rode flitsen in de spiegels.

'Hij is heel mooi, *mon cher*,' zei Reisden. 'Je zorgt er goed voor.'

Tiggy zuchtte met verlegen voldoening.

'Om terug te komen op waar we het over hadden,' zei Dotty. Hij keek naar Tiggy en vervolgens, met opgetrokken wenkbrauwen, weer naar haar: waar het kind bij is? Ze schudde haar hoofd. 'Omdat je wel voor... zaken... naar Courbevoie zult gaan,' zei ze, 'wil ik dat je iets voor me doet. Zou je iets willen uitzoeken over die madame Mallais? Ze heeft nog steeds zoveel schilderijen van haar man.'

'Je bent toch niet van plan rechtstreeks van haar te kopen?'

'Nee, nee, men moet beslist via Armand kopen. Een klant van Armand zijn is een ervaring op zich.' De grote handelaar Armand Inslay-Hochstein was van begin af aan Mallais' handelaar geweest. Bij hem kopen, zei Dotty, was als een audiëntie bij de paus. 'Ik ben alleen maar nieuwsgierig.'

'Hoezo? Voer je iets in je schild?' vroeg hij. Dotty was zelden nieuwsgierig zonder een doel.

'O, lieve schat, ik voer beslist minder in mijn schild dan jij.'

Dotty liet Reisden zelf uit en ging met hem de trap af naar de deur aan de kadezijde. Er was een gang tussen deur en kadezijde; conform de praktische manier waarop oude Parijse villa's doorgaans werden gebruikt, werd de parterre van Dotty's elegante herenhuis ingenomen door een winkel. Dotty's huurder was een juwelier; in de verlichte etalage verdrongen vergulde boekethouders Florentijnse cameeën, operakijkers en diademen die schitterden met namaakjuwelen. Vanboven de gewelfde deuropening viel een gestage regen, en op Dotty's deur was een ontkleurde strook ontstaan die paste bij de holte die in het plaveisel was gesleten door eeuwen van regen.

'Zo,' zei Dotty, die in de beschutting van de gang stond. 'De zevenentwintigste dus. Juffrouw Halley is heel blij dat ze meer recensies krijgt. Ik nodig critici uit van de *Figaro*, *La Grande Revue*, *The Musical Review*, *Musica*, *Parisian Weekly* – nog meer? En mijn zeer selecte vrienden, degenen die de kranten zullen halen.'

'Goed,' zei hij. Perdita dacht alleen maar aan recensies; best; hij wist dat ze terug zou gaan naar Amerika. Reisden schudde peinzend zijn doorweekte paraplu uit.

'Schat,' zei Dotty, naar zijn gezicht kijkend. 'Hoe heeft het zover kunnen komen?'

'Het is nergens gekomen,' zei hij.

'Jullie zouden elkaar intussen allang moeten hebben genoten en vergeten. Waarom nou juist deze?' Dotty aarzelde. 'Ik weet dat het vreemd is, lieverd, maar kent zij... Ze komt uit Amerika, waar je drie jaar geleden was betrokken bij die familie met dat vermoorde kind. Kende zij hen niet?'

47

'Ja,' zei hij, de juiste, lichtelijk verwarde, vragende toon bezigend, 'maar wat heeft dat te maken…?'

'Het zit me dwars dat je me daar niets over vertelt, ik weet dat er iets is gebeurd, en ik weet dat het vreselijk Arsène Lupin- en Sherlock Holmes-achtig klinkt, schat, maar als de reden van je band met haar is dat ze iets weet dat belangrijk voor je is,' zei Dotty, 'vertel je het me dan?'

Maar, Dotty, dacht hij, ik vertel het niet; vooral jou, juist jou niet, lieverd. Ik vertel het niemand. Omdat jij er net zo over denkt als ik, als iedereen: dat een kind dat een moord pleegt, al is het om een goede reden, een kronkel heeft.

En wat betekent dat voor mij, behalve dat er een eenentwintigjarige is die zegt dat ze van me houdt en hartstochtelijk graag met Amerikaanse dirigenten wil werken? Juist waar het Perdita's bewering betrof dat ze van hem hield, vertrouwde hij haar oordeel niet. Ze had het bij het verkeerde eind over hem en over zichzelf; hij was Blauwbaard; zij zou naar huis gaan. Dat was haar geraden.

'Ik zal je met kerst *De terugkeer van Sherlock Holmes* geven,' zei hij, Dotty's hand ten afscheid kussend, 'en rattenvallen voor de Reusachtige Rat van Sumatra; maar romantiek kan ik je niet verschaffen,' en hij liep de quai op in de richting van de rij mistige straatlantaarns die de Pont-Neuf markeerden.

'Schurk!' riep ze hem lachend achterna.

10

Leonard is heel gewoon.
Leonard is dertig. Hij leeft in een wereld van onbenaderbare vrouwen, gekweld door lusten die zijn lichaam verwringen en verlammen, die hem aan het stotteren brengen. De dingen die hij het liefst zou willen zeggen kan hij niet zeggen. Wanneer hij in een café de gelaarsde enkel van een vrouw onder haar rok ziet, begint hij achter zijn krant heen en weer te wiegen en stilletjes te kreunen. Vrouwen negeren hem, minachten hem, wantrouwen hem.

Leonard is slechts in één opzicht uitzonderlijk: hij zou alles doen voor de liefde; en dat heeft hij ook gedaan.

Leonard is bewaker in het Louvre. 's Avonds worden de tweeëntwintig stookovens van het paleis opgebankt; komt de kou van eeuwen uit de stenen muren; dragen Leonard en de andere bewakers capes en handschoenen en warmen hun handen boven de lantaarns. Alleen sterke kerels kunnen het aan. Om het half uur horen de bewakers elke gang te patrouilleren en met hun onverstoorbare lantaarns Fenicische antiquiteiten, vitrines met koninklijke juwelen, Veroneses en fragmenten van Griekse tempels te beschijnen. Die mannen doen hun werk halfslachtig, ze gaan naar de kelder, naar het bewakerskwartier waar het warm gehouden wordt, en roken hun sigaretten en drinken koffie.

Maar Leonard verlaat zijn post nooit, hij is betrouwbaar. Hij moet wel. Om de drie dagen bewaakt hij de Mona Lisa.

De Mona Lisa is alle mogelijke moeite, de uiterste dienstbaarheid waard. Hoe meer moeite een man doet om zijn liefde voor haar te bewijzen, hoe meer hij haar waard is.

Dat heeft zij hem gezegd.

Hij ziet haar overal in Parijs. Ze komt voor op *baci*; ze is een melk- en sigarettenmerk. De zangeres Mistinguett kleedt zich als zij; ze komt voor in revues; kleine meisjes dragen porseleinen medaillons met haar beeltenis. Er is een Mona Lisa-wasserette in de rue Quincampoix, een Mona Lisa-café in de rue Léonard-de-Vinci, een Mona Lisa-blousecollectie, Mona Lisa-lucifers, Mona Lisa-badpoeder. In het Louvre zelf wordt ze door kopiisten geschilderd en verkocht aan mensen die van haar houden. Ze is overal: en waar ze ook is, Leonard bekijkt haar met pijn en verlangen. Hij heeft haar ooit gekend en nu moet hij de herinnering bewaren.

Ooit was ze in leven en glimlachte ze naar hem. Ooit kwam ze geregeld bij hem op bezoek. Leonard had haar de sleutel van een oude zijdeur van het museum gegeven. Puffend kwam ze dan de Darutrap op en stond ze daar, haar armen gekruist over haar boezem als een biddend meisje, starend naar zichzelf, en daarna glimlachte ze naar Leonard: zo mooi, haar glimlach.

Wie houdt er niet van een glimlach? Iedereen houdt ervan. Leonard is een heel gewone man, hij houdt van vrouwen, hij vindt het heerlijk om toegelachen en gewaardeerd te worden. 'Jij bent mijn heer,' zei ze. 'Mijn artiest, Leonardo.'

Een tijdje geleden… ah, Leonard kan er niet aan denken, heeft een of andere schurk, een of andere *vaurien* haar omgebracht, ze is dood, nee, hij kan er niet aan denken.

Leonard wil haar een goede begrafenis geven, maar hij heeft het geld niet. Ze moet een begrafenis krijgen. In *dat oord* waar ze nu is, houden ze de ongelukkigen twee of drie maanden vast, tot de koeling geen effect meer op hen heeft. En dan…

Wanneer hij niet op wacht staat, zit Leonard in kleermakerszit op zijn kot in het bewakerskwartier in de kelder van het Louvre. Het langgerekte vertrek ruikt naar zweet, schimmel en ongewassen ondergoed. Om hem heen liggen andere eenzame mannen te slapen. Boven Leonards bed glimlacht een kopie van de Mona Lisa hem vanuit een goedkope rode lijst toe. Leonard heeft de kopie afgelopen augustus gekocht van de kopiist Jean-Jacques, toen de toeristen weg waren en de prijzen laag. Hij was van plan geweest om haar aan haarzelf te geven.

Leonard knijpt zichzelf om wakker te blijven en schrijft aan de enige naam die hij kent, moeizaam een voor een de letters vormend. *Cher monsieur le baron de Reisden, het is al Drie Weken geleden en ze is nog steeds in de Morgue, waarom geeft u haar geen Begrafenis*

Hij schrijft de brieven en verstopt ze dan in die ene koffer onder zijn bed. Hij verstuurt ze geen van alle. Hij wil de rijke man die het geld heeft voor een doodskist niet beledigen.

Leonard staat nacht na nacht, in de kou en het donker, met opgeheven lantaarn vóór haar, en huilt inwendig. Het doet pijn om naar haar te kijken, maar pijn is beter dan niets. Als hij niet leed voor haar, geen hoop koesterde voor haar, zou hij niets meer van haar hebben.

Leonard houdt van de Mona Lisa.

'Ik wil de Mona Lisa in de Seine gooien,' verkondigde George Vittal in zelfaanbidding.

Wanneer ik dood ben, dacht Milly Xico, wanneer ik dood ben en naar de H-l ga, zal ik worden vastgenageld in een ongemakkelijke stoel terwijl mijn ex-man en zijn vriendin voor mijn ogen flirten, en zal ik gedwongen worden honderd jaar te luisteren naar George Vittal die zijn eigen poëzie voorleest.

'De enige echte kunst is de dood van de kunst,' reciteerde George zalvend langzaam, terwijl hij de verse witte bladzijden gefascineerd doorbladerde. 'Ik wil de lijken van de Académie verkrachten, sodomie bedrijven met Géricault, en Rosa Bonheur de hals afsnijden.'

O, je bent zo'n grote sterke man, dacht Milly, terwijl ze over het gerimpelde voorhoofd van haar mopshond Nicky krabde met één gekouste teen. George was een paar jaar jonger dan Milly, net genoeg jonger om interessant te zijn, tamelijk knap, met een krijtwit gezicht als een aspirinetablet, sluik bruin haar en de lippen van een corrupte paus; maar hoe hij praatte; eindeloos, eindeloos. Wanneer men lezingen geeft of de liefde bedrijft kan men maar beter zo min mogelijk zeggen. Nick-Nack keek op naar George, grijnzend en kwijlend van goedkeuring. Milly prikte met een teen in zijn nek en fronste. Met een retorisch gebaar sloeg George de bladzij om en ging verder.

'Alle kunst van voor de twintigste eeuw geef ik cadeau
voor Balzac Mallarmé en de Douanier Rousseau

Esther Cohen en Juan Gastedon
'De rest ce ne sont que des cons...'

Verveeld keek Milly om zich heen, naar de halfberoemden en bijna-be-
roemden die bijeenzaten in een kring van Esther Cohens ongemakkelijke stoelen. Daar was Juan Gastedon, de Spaanse schilder met zijn
grote voorhoofd en ogen als rijpe olijven die spoedig wereldberoemd
zou worden; naast hem zat Juans nieuwste vriendinnetje, wie het ook
was; ze bleven niet lang genoeg om namen te hebben. Matisse; de oude
Père Girault; Henry en zijn liefje; en, zoals altijd, Esther zittend op haar
Venetiaanse dogentroon.

Esther verzamelde. Esther was Amerikaanse, Esther had geld, natuurlijk verzamelde ze. Dichters als George, journalisten en uitgevers
als Henry, schrijvers als Milly, en kunstenaars. Ze stouwde haar appartement vol met grote onmodieuze Renaissance-stoelen, tafels bedekt
met tapijten, kisten bewerkt met verweerde tatoeëringen als gezichten
van aboriginals; en aan elke muur hingen de schilderijen van haar vrienden: weelderige bonte rondingen van rood en brons, verontrustende
rode kubusvormige wangen, vooruitstekende zalmkleurige borsten,
bleek fruit, sensuele bloemen in geel, geelgroen en roze.

Esther schreef bovendien. Ze was klein en woog bijna honderd kilo,
anders zou ze wel hebben gedanst. Nu droeg ze sandalen, zelfs in de
winter. Ze had korte dikke tenen.

Esther betrapte Milly erop dat ze naar haar keek en glimlachte lief-
devol. Milly zuchtte. Esther was aardig, intelligent, veel beter voor haar
dan Henry ooit was geweest; maar Esther zag eruit als een combinatie
van je tante en een trucker, en alleen al de aanblik van mannen boezem-
de Milly afkeer in.

'Ik zal je vertellen hoe ik de Mona Lisa zou vernietigen.' George gebaarde weids met zijn armen boven zijn hoofd. 'Achtentwintig kopieën!
Achtentwintig kunstenaars! Achtentwintig bruggen over de Seine in
Parijs! Twaalf uur 's middags! De klokken luiden! Mannen in zwarte gewaden, als beulen, rennen het Louvre in en jatten het schilderij! Immense aantallen samenzweerders laten het van hand tot hand gaan,
door ramen, over daken, naar de Seine! Plons! Plons! Plons! Langs de
hele Seine worden achtentwintig onnozel glimlachende schilderijen
van achtentwintig bruggen gesmeten. De politie snelt toe om de daders
te arresteren – maar wie kunnen ze arresteren? Het is een volksopstand!
Een revolutie!'

'O, die is goed,' zei Henry klappend.

Toen de gasten opstonden om naar de schilderijen te kijken en met

George te praten, wurmde Henry zich tussen het meubilair door, innemend, glimlachend, goedgekleed, pratend met de belangrijkste mensen. Met zijn stevige bouw en zijn baard zag hij eruit als koning Edward. Hij zwaaide naar Esther; hij draaide zich om; zijn ogen lichtten op als de Pont Alexandre in de schemering. 'En daar hebben we mijn liefste, liefste Milly! Milly, herinner jij je Julie de Charnaut?'

Nou en of. Milly glimlachte naar Julie. Aan Henry's arm hangend glimlachte Julie-les-Fesses terug als een mannequin, alsof ze niet had gehuild toen Henry hen beiden het huis uit had gezet, Julie vanwege haar jaloezie, Milly om Julie uit de buurt te houden terwijl Henry met weer een andere vrouw sliep. Julie had geschreeuwd en gehuild, ijsberend over de paden in de Jardin du Luxembourg, haar ogen bettend met een kanten zakdoek die slechts voor decoratief huilen was bedoeld, totdat het kant doorweekt en vuil was. 'Milly, wíj weten wat voor zwijn Henry is, niet?' had ze gesnikt. 'Niemand zou geloven wat hij ons heeft aangedaan...' Óns? Het laatste waar Milly behoefte aan had was dat Julie met haar flirtte. Julie droeg haar haar anders; haar lichaam leek bekneld, niet door het geweten maar door de nieuwe lange korsetten; haar puntige neusje en kin staken tussen haar haar uit als de snoet van een Jack Russell-terriër die uit de mof van zijn meesteres piept. Ze was afgevallen, ze deed aan de lijn om er slank uit te zien, om Henry te behagen, of omdat het volgens de tijdschriften de manier was om een man als Henry te behagen, als er al een manier was.

'Hallo, Henry,' zei Milly, 'hallo, Julie,' omdat het beneden haar waardigheid was om het spelletje 'wie groet het eerst' met Julie te spelen.

'Hallo, lieve schat. Hallo, kleine Nick-Nack. Herinner je je papa?' Henry stak zijn grote, zelfverzekerde hand uit. Nick-Nack gromde. Henry aaide hem toch. 'Ah-ah, puppy, heeft mama slechte dingen over mij verteld?'

Laat mijn hond met rust, dacht Milly, en glimlachte opgewekt naar hem. 'Henry toch! Wat ben je dik geworden.'

'Het goede leven, liefje, het goede leven. Julie, zou jij voor ons een drankje en een hapje kunnen halen? Milly, wat wil jij hebben?'

'O, niets, dank je.'

Hij sleepte een van Esthers stoelen naast Milly en ging zitten, een beetje te dichtbij. 'Julie, schat, haal voor mij maar een whisky. Irritant meisje,' voegde Henry er fluisterend aan toe terwijl Julie golfsgewijs wegliep in haar strakke rok.

'Ze zal alleen maar spaghetti en slechte wijn aantreffen.'

'Dan gaat ze janken,' zei Henry, 'en is ze over vijf minuten nog niet terug.' Hij keek onbeschaamd naar Milly's borsten.

Hij had nooit echt een bepaalde vrouw gewild, dacht Milly, alleen de Vrouw; hij had de onbereikbare Zij nagejaagd via drieduizend rokken, in een poging de juiste borsten, de juiste aanbiddende ogen, de juiste hoeveelheid geld te vinden. Milly was de enige vrouw die hij had getrouwd: zij was de dochter van een vriend van zijn moeder, alsof hij een *pharmacien* uit een provincieplaats was, te verlegen om zelf een vrouw te vinden.

'Ik heb met Michel gegeten,' begon Henry.

'En ik heb met een man gegeten die een nieuwe uitgeverij begint,' onderbrak Milly hem. 'Ik denk erover een nieuw boek te gaan schrijven.' Dat zou ze niet doen, maar ze glimlachte toen ze zag dat Henry ongerust werd. 'Het wordt tijd, vind je niet? Al die boeken die we samen hebben gedaan beginnen te verouderen, niemand leest ze nog.'

'Zo denkt Michel er niet over,' zei Henry zelfgenoegzaam. Ze zag de boosaardige behoedzaamheid in zijn gerimpelde oogleden. 'Michel heeft ze gekocht.'

'Gekocht?' zei Milly.

'De rechten op de herdrukken. Volledig. Definitief. Al de *Midinette* boeken. Ik wilde je het pas vertellen als het een voldongen feit was.'

Mijn boeken? dacht Milly. Even wist ze niet wat hij zei. De tijd stond stil; zelfs het vuur staakte. Even bewoog er geen kind in zijn moeders baarmoeder; ontsproot er geen grassprietje in een park, viel er geen blad; hield het uurwerk van de regen op met tikken.

'Je hebt mijn boeken verkocht?' herhaalde Milly suf, kalm en toen tenminste hopend op iets: 'Wat heb je ervoor gekregen?'

'Ja, verkocht, verkocht, alles weg,' zei Henry, met een hand wuivend alsof zij niets had gezegd. 'Geloof me, ik heb er niet veel voor gehad. Michel denkt dat ze schandaalwaarde hebben, meer niet.'

'En het geld is uitgegeven, neem ik aan,' zei Milly.

'Natuurlijk, ja, meteen verdwenen, ik heb in geen jaren geld gezien, ik leef van mijn schulden.'

Je had mij wat moeten geven, had ze kunnen zeggen. Maar hij had het recht niet om die boeken te verkopen. Zij was het die ze had geschreven, zij was het die al die uren, al die jaren aan haar bureau gekluisterd had gezeten. Ze rook in haar verbeelding de groene geur van haar moeders tuin in Bresles, de rotsige hoek overwoekerd met moederkruid waar de katten graag rolden, en zag het talmen van een dauwdruppel aan de punt van een tulpenblad, glinsterend en trillend. Wat een verhaal had Henry van dat blad gemaakt, met zijn dikke blauwe redacteurspotlood: terwijl de oude schoolmeester zijn liefde verklaart kijkt Midi naar het doorgebogen blad, aan het uiteinde waarvan een geklonterde en smerige regendruppel hangt.

Nu herinnerde Milly Henry's versie van zichzelf beter dan haar eigen. La Midinette en haar vriendin Clémentine die met hun handen op forel vissen, Clémentines roze rokken opgetrokken tot haar knieën, de forellenstroom bruin en schuimend tussen haar bleke sproetige benen, terwijl ze zich met plompe witte knokkels aan de wilgentak vasthield. 'Middy! Ik verdrink zo nog en ik zie geen vis!' Ursule. De oude man met de hoed. Madame Méry. Milly hoefde haar pen maar in de inkt te dopen om ze op het papier te laten vloeien. Kleine meisjes, schoolverhalen, grappige oude mensen, en de ontdekking in Parijs dat een man genaamd Roland de meest fantastische minnaar ter wereld was.

Henry was ooit Roland geweest, Roland van wie zij had gehouden, die zij had aanbeden met haar hart en haar pen; en Henry had haar beroofd van niets minder dan haar geheugen, van haar woorden.

'Maar evengoed zit er geld in,' zei Henry. 'Michel wil ons een voorstel doen.'

'Ons?'

'Jou en mij. Hij wil dat we nog een Midinette-boek schrijven. Een klein meisje, een sterk mannelijk personage, iets romantisch, iets enigszins...' Nog steeds zittend schokte Henry met zijn schouders en heupen, zodat hij eruitzag als Koning Edward die de hootchy-kootchy danst. 'Die liefde van een jonge vrouw voor een oudere man... Dat is wat het publiek wil. Je zou mijn hulp kunnen gebruiken.'

'O ja?' zei Milly gevaarlijk.

Hij boog zich voorover, zijn lichte ogen glimmend van plezier, als een man die weet dat vrouwen hem vroeg of laat niet zullen afwijzen. 'Ik heb nog nooit zo goed met iemand gewerkt als met jou, Milly. Zou het niet grappig zijn weer samen te zijn?' Hij stond op uit zijn stoel, zijn wandelstok grijpend en een beetje puffend. 'En een smak geld. Je bent een voortreffelijke schrijfster, weet je. Veel beter dan je denkt. Ik bel je over een week.'

Hij gaf haar niet de tijd om nee te zeggen. Hij zou haar over twee of drie weken bellen; hij zou met Julia hebben gebroken (opnieuw). Hij zou zich afvragen of Milly vrij was om met hem uit eten te gaan en later op de avond zou hij zeggen dat scheiding tenslotte maar een woord was, en wie wist? Het zou een goed etentje zijn en hij zou op zijn charmantst zijn. En dan zou ze weer gaan denken in de oude bewoordingen. *Ogen als een leeuw,* had ze over hem geschreven.

Aan de andere kant van de kamer, onder Gastedons grote grijze portret van Esther, was Henry met George aan het praten. Henry legde zijn hand op Georges arm en zei iets; George grinnikte bijna verlegen. Een bleke jongeman, het type graatmagere jongeman dat voor weekbladen werkt, haalde een minuscuul potloodje en notitieblok te voorschijn en begon George te interviewen.

'… het sensitieve geweld van lust…' zei George.

'… is een zeer scherpzinnige jongeman die onder mijn imprint publiceert…' zei Henry, George introducerend.

'… destructie, sadisme, moorden, anarchie…'

'… in mijn tijdschrift elke donderdag…'

'… overstromingen, vuur, jongemannen die de doden verkrachten…'

'… *Modern Leven*.'

Moet je hem nu George eens zien verleiden, dacht Milly. Eerst mij, nu George. En George viel er natuurlijk voor.

'O, die is goed,' zei Henry lachend. 'Ga door, ga door…'

Wat ík nodig heb is een revolutie, dacht Milly. Tegen mannen, tegen alle minnaars die weten wie je bent, tegen het hele begrip liefde; tegen de kleine meisjes die grote sterke mannen aanbidden… tegen Henry…

Nu ze geen schrijfster meer was, was Milly Xico een theaterartieste, een attractie; en die avond gaf ze in het Alhambra haar laatste voorstelling van *De droom van de Turk*, waarin ze zong en op het podium een bad nam. Na afloop, neerslachtig, nodigde ze Nick-Nack en zichzelf uit voor een etentje in Le Départ. Le Départ was een studentencafé; binnen zaten de studenten te zingen, een jongen danste op een tafel, er speelde een Duits orkestje; iedereen zat te lachen en lol te maken, en ze waren allemaal tien jaar jonger dan zijzelf.

Voor het café, onder de elektrische lantaarns, was het druk op de Boul'Mich'. De ijzeren wielen van een paardenomnibus ratelden over het stenen plaveisel, en de passagiers knikten eenstemmig bij elke schok van de bus. Aan de overkant van de rivier, op de Île de la Cité, lichtte de enorme vlammende juwelenpracht van de ramen van de Notre Dame kil en glinsterend op in de regen, en de klokken luidden, *bim dom boum*. Soep en dan een steak, besloot Milly, en *frites*, drie lagen dik op het bord, het bloed van de steak in zich opzuigend, en een halve liter van een goede goedkope rode wijn. Nick-Nack wurmde zich uit haar armen en sprong op zijn gebruikelijke stoel, naar de mensenmenigte kijkend als een Napoleon in hondengedaante.

Ik moet iets aan Henry doen, dacht Milly. Is het echt drie jaar geleden sinds ik van hem ben gescheiden? En hij behandelt me nog steeds zo?

Als je naar de klokken luistert kun je de stem horen van je ware liefde. Boum bim dom boum, hou je niet van me? Dim boum dom bim, ik hou van je, schat. Esther had haar achter de vodden gezeten om haar over te halen niet langer op tournee te gaan en nog een boek te schrijven. Je zou moeten *schrijven*, je zou je talent moeten *gebruiken*, ik zal je onder*steunen*.

Henry zei hetzelfde. Bim boum bah.

Liefde maakte Milly nerveus. Seks, dat was makkelijk; je zegt ja, je zegt nee; maar wanneer de persoon verliefd was, dan was het einde zoek. Milly wilde de dingen graag helder en vastomlijnd; liefde moest, net als verhalen, een begin, een midden en vooral een eind hebben. Liefde was deprimerend, een redeloos verlangen, een mannelijk verlangen. Ik wil de Mona Lisa in de Seine gooien. Ik wil een ander bezitten. Ik wil dat je schrijft, schat. Ik wil de maan.

Milly was het schrijven en de liefde beu; het enige wat ze wilde was van Henry af komen.

Haar halveliterkaraf met rode wijn was gearriveerd en ze schonk een glas vol en proefde, de prikkelende dunne zachtheid in haar mond houdend zoals een kat een muis.

Buiten, op het modderige plaveisel bij het bijna voltooide Métrostation, voerden vier mensen en hun paraplu's een toneelstukje op. Uit de dagen van weleer toen Milly Henry's society-echtgenote was geweest herkende ze een van hen als de blonde, kille Dorothea de Gresnière, in een fantastische chinchillajas, een blond jongetje met haar als paardebloempluis aan haar hand. Bij haar stond een donkerharige man: de zwarte panter uit Rilkes gedicht, slank, donker, met rusteloze ogen. Aan zijn andere zijde stond een mooi jong meisje van misschien twintig, het kindermeisje van de jongen of de prooi van de panter. De vicomtesse probeerde de aandacht van de man te trekken. 'Sacha? Schat?' Maar 'Sachaschat' luisterde niet; hij was in gesprek met het mooie meisje, en samen werden ze omlijst door de nieuwe Métro-ingang met zijn verfijnde lampen in de vorm van bidsprinkhaankoppen.

Ze was veel jonger dan hij, en ze gaf alles, naar hem opkijkend met de zelf-bedriegende extase van een meisje dat haar zinnen op één man zet. Haar paraplu gleed onder de zijne, zodat er één dak ontstond dat erotisch deinde. Gevat in chinchillabont ter waarde van duizenden francs zag de vicomtesse de gezichtsuitdrukking van het meisje en glimlachte strak naar 'Sacha'. Hij keek terug naar de vicomtesse, de wenkbrauwen een beetje opgetrokken. Zij sloeg haar ogen berustend op, naar de hemel of naar het stralende, elektrisch verlichte bord van Le Départ. Hij glimlachte en schudde lichtjes zijn hoofd. Ze zette een pruillip op, verveeld.

De burggravin zou vanavond de veldslag om Sacha verliezen, maar uiteindelijk zou hij naar haar teruggaan. Milly keek naar het meisje dat zo trots was en een en al glimlach, en vroeg zich af wat voor ruzies, bedriegerijen en liefdesverdriet voor haar in het verschiet lagen. 'Op een dag zal ze een oude vrouw zijn net als ik,' fluisterde Milly in Nick-Nacks warme harige oor, 'en samen met haar hond leven en in haar eentje in cafés eten. Zal die hond net zo lief zijn als jij, denk je?' Even flikkerde er een verhaal op aan de rand van Milly's aandacht. Ze joeg het weg.

Wie weet wat de liefde je zal brengen? Ellende, meer niet.

'Ik zal Henry te grazen nemen,' fluisterde Milly tegen Nick-Nack. 'Ik zal hem laten lijden. Hij zal naar me terugkruipen, met zijn verhalen en zijn etentjes. En wat zullen we met hem doen, Nicky-Nicky?'

Nick-Nack gromde. Milly gromde vol genegenheid terug. De steak was gearriveerd, en Milly sneed een stuk voor hem af en wierp het hem toe.

'We zullen jou steak voeren, Nicky, en hem laten verhongeren.'

12

NADAT ZE BIJ HENRY WAS WEGGEGAAN, HAD MILLY HAAR HEIL GE-
zocht in de rue de Bièvre. Haar 'appartement' bestond uit één grote kamer en een daarmee verbonden kast voor haar bed; het was ingericht
met planten die in het donker gedijen, een gammele tafel van de *marché
aux puces* en een in een steegje opgescharrelde chaise longue; vandaag,
in de regen, hing er een rioollucht. Haar mopshond Nick-Nack snurk-
te loom terwijl hij lag te dutten in de warme holte onder haar knieën; ze
liet verstrooid haar arm zakken en krabde hem op zijn voorhoofd,
doopte vervolgens haar pen in de inkt en richtte zich weer op haar gehavende tafel en haar 'wetenschappelijke artikel' voor het *Journal des
Femmes*.

*Parijs loopt onder water, madame. Onze Stad van de Liefde, onze stad van
hoedenmaaksters en theaters, ontwerpers en cafés ligt aan de monding van vijf
rivieren. De Oise met zijn zijrivier de Aisne, de Marne met zijn Grand en Petit Morins, de Aube en de Yonne stromen boven Parijs de Seine in. Wanneer
het regent boven de Galeries Lafayette,* weidde Milly uit, *regent het van hier
tot in België, omdat heel Noord-Frankrijk onderhevig is aan hetzelfde weer.*

Milly zuchtte, doopte haar pen in haar inktpot en streek met haar
vingers door haar korte haar. De inktpot droeg de inscriptie *Prix des
Femmes Écrivains - La Midinette à Paris door Henry en Milly, Beste Boek
1902.* Deze prijsinktpot had de vorm van een kronkelende vrouw met
lang haar en golvende gewaden, wier ganzenpen vergeten op haar bureau lag terwijl ze droomde van een liefdesnacht. Een vrouw vol inkt.
Haar hoofd scharnierde open.

Tijdens een regenachtige herfst als deze treden alle rivieren van Noord-Frankrijk buiten hun oevers. Als al dat water in één keer door Parijs zou stromen, zou onze binnenstad tot de arcades van de rue de Rivoli overspoeld worden; dan staat de Eiffeltoren met zijn voeten in het water, en is heel ons geregelde huiselijk leven... 'Foutu' mompelde Milly, met haar pen op de zijkant van de inktpot tikkend, en schreef met vrouwelijke discretie: *ontregeld.*

Madame wilde over rampspoed horen; Milly moest het over de samenstelling van de grond hebben. Milly wierp een boze blik op haar interview-aantekeningen en schreef verder.

Gelukkig loopt Parijs zelden onder water. Onze stad is zelfs gezegend met haar grondsoort. Noord-Frankrijk is maar voor een klein deel rotsachtig. Het merendeel is als uw badspons... Altijd adverteerders vermelden. *Het merendeel is als een Délicatesse badspons: in staat om onvoorstelbare hoeveelheden water te absorberen. In deze weldadige aarde voedt het meest onstuimige vloedwater slechts de aardbeien en pareluitjes die onze kokkinnen kopen in Les Halles.*

Toch is Parijs weleens onder water gelopen, en behoorlijk ook. Bezoekers van de Linkeroever zullen boven aan de pittoreske rue de la Bièvre een inscriptie aantreffen waarop vermeld staat dat bij de overstroming van 1740 het water in de straten tot het middel reikte.

Buiten, bij haar raam, gorgelde een gebroken goot; het regende al dagen. 'Pittoresk, hè Nicky?' De hond snoof in zijn slaap.

Recentelijker, zoals onze... Zoals onze oudste lezeressen zich zullen herinneren? Zoals onze lezeressen zich uit de verhalen van hun moeders zullen herinneren? *Onze lezeressen met een veelomvattend geheugen zullen zich de Grote Overstroming uit 1876 herinneren, toen de Seine een stand bereikte van zeven meter en dertig centimeter, ruim viereneenhalve meter boven zijn normale niveau.*

Gelukkig begrijpen de ingenieurs van Parijs het probleem. In heel Parijs loopt de Seine tussen twee hoge stenen muren. Onder aan de muren stroomt de Seine vredig in zijn bedding.

Het *Journal des Femmes* was scheutig met foto's. Milly pakte een afzonderlijk vel papier en gaf daarop precies aan welke foto's en onderschriften ze verlangde. Een historische foto van de Grote Overstroming van 1876 natuurlijk, waarop te zien was dat het water hoog in de ommuurde bedding van de Seine stond. Om te laten zien hoe de Seine werd gemeten: een foto van de hydrografische schalen, de enorme ijzeren liniaals die waren ingezet in de stenen muren van de quais. Er zou natuurlijk een foto van de muren zelf bij zijn, hoog boven de Seine uit rijzend; beneden, op de brede promenades aan de quai, zouden geliefden langs de rivier slenteren. *Journal*-lezeressen waren getrouwd, die arme stakkers; een weemakend gelukkig gezinnetje en een kindermeisje met een kinderwagen moesten ook tot de slenteraars behoren.

Hier aan de oever van de Seine vinden we onze beroemde promenades, schreef Milly als onderschrift, *onze brede stenen promenades waar bezoekers van Parijs genieten van de grootsheid van onze rivier. Onze majestueuze kademuren stijgen boven hen uit, en beschermen ons tegen overstroming.*

Stijgen boven hen uit, vreselijk. Muren kunnen niet stijgen. Milly's pen aarzelde boven *onze majestueuze,* en wilde het vervangen door een eenvoudig *de*; maar madame was net zo gecharmeerd van adjectieven als van kant op een avondjurk.

Dit jaar heeft het vanaf de herfst tot in deze winter geregend in het Seinebassin. Als het blijft regenen, zal een overstroming net zo onafwendbaar zijn als de uitverkoop van witgoed. De rivier zal rijzen, en onze kinderen zullen een herinnering overhouden aan een van de meest indrukwekkende bezienswaardigheden van Parijs.

Maar dankzij de bouw van de Métro zijn alle kademuren opnieuw verhoogd en verstevigd. Alle ventilatieramen bevinden zich ruim boven het niveau van de overstroming van '76.

Laat het maar regenen; Parijs is beschermd.

Parijs is veilig.

Bah, dacht Milly. Ze wilde onheil, wat voor ellende dan ook, zolang het Henry maar trof. Henry woonde nog steeds in hun oude appartement, met Julie om hem te verzorgen, George om voor hem te schrijven, haar boeken om zijn schulden af te betalen. Milly had zelf ook schulden.

Waar haalde hij het recht vandaan om zo gerieflijk te leven, eerst op kosten van Milly, nu op kosten van George? La Midinette had in elk geval een poosje tot de verbeelding gesproken; ze had ooit geld binnengebracht voor Henry, nu was George aan de beurt met *Tienduizend nieuwe perversiteiten.*

Welk onheil zou Henry werkelijk kunnen schaden?

Milly zat in kleermakerszit op haar sofa en krabde Nicky verstrooid op zijn kop.

Als George nu eens de Mona Lisa stal en hem in de Seine gooide?

Het was een interessante gedachte, maar het zou niet gebeuren. George was lui. Milly kende George al sinds de tijd dat ze getrouwd was met Henry, en ze had duizenden van Georges ideeën als gekleurde sneeuwvlokken voorbij zien zweven. De ene dag was het een gepatenteerde stoel die gemaakt was van levende vrouwen; de volgende dag het verkopen van kaartjes om olifanten te kunnen zien poepen. Maar hij was ongeneeslijk lui. George zette tijdschriften op die nooit het derde nummer haalden. George beloofde Henry vertalingen van *Fanny Hill* maar was te lui om naar de bibliotheek te gaan. In plaats daarvan schreef hij *Tienduizend nieuwe perversiteiten* uit zijn hoofd.

Mona Lisa in de Seine gooien was echt een idee voor George, en had even weinig kans om te overleven als alle andere.

Tenzij...

Milly stortte zich op haar bureau en pen.

Een Verontrustende Aankondiging van een Anarchistische Dichter... Ze doopte haar pen in de inkt; de woorden stroomden sneller dan een buiten zijn oevers getreden Seine. *'In het zwart geklede mannen zullen de Mona Lisa stelen!' heeft de dichter en pornograaf George Vittal dreigend aangekondigd. Samen met een groep trawanten, onder wie naar verluidt de uitgever Henry de Xico, heeft Vittal gezworen Leonardo's meesterwerk, de parel van het Louvre, te zullen stelen en het schilderij op –* ze raadpleegde haar zakkalender – *vrijdag 28 januari, krap twee maanden vanaf vandaag, om twaalf uur 's middags van de Pont-Neuf te zullen gooien.*

28 januari was Milly's verjaardag.

Dit jaar zou Henry hem niet vergeten.

13

EEN HUIS VOOR JEZELF HEBBEN IS IETS BEDWELMENDS OP JE EENEN-
twintigste. Twee keer per week nam Perdita, in plaats van te oefenen in
het Conservatoire, de Madeleinetram naar Courbevoie om daar de dag
door te brengen. Ze kocht een stukje kaas, een *demi bâtard*, een geïm-
porteerde winterpeer of -appel; ze oefende de hele dag in de heerlijke
plattelandsstilte, waarbij de regen een ritselend geluid maakte tegen de
ramen en het vuur fluisterde in de haard; en Alexander was zo veel mogelijk bij haar, al had hij het nog zo druk.

Hij werkte aan de keukentafel; ze hoorde dan dat er post werd geopend, bladzijden omgeslagen, tijdschriften of labverslagen van de Sorbonne of beoordelingen van patiënten uit Jouvet; soms klonk er pot-
loodgekras terwijl hij aantekeningen maakte, en zo nu en dan een
triomfantelijk 'Ha!'. Meestal leek hij er gewoon te zijn, haar bijna negerend, maar soms hoorde ze een hele tijd niets, voelde ze dat hij haar
gadesloeg door de deuropening, en dan werden haar vingers onhandig
en verlegen. Onder een voorwendsel ging ze dan een wandelingetje met
hem maken, buiten in de regenachtige tuin, om de fraaie oude bomen
en de irisvijver te verkennen en het huis te ontvluchten dat plotseling
een te intieme ruimte was geworden.

De meest kritische toeschouwer zou niets laakbaars hebben gezien.
Ze waren onvoorzichtig, maar fatsoenlijk; het was een vriendschap.

Alleen maar een vriendschap? Er was een deel van hem dat zij niet
kende, en dat was wat hij zou doen als ze hem liet doen wat hij wilde.
Buiten de heldere, gerieflijke grenzen van hun band bevond zich het

onbekende territorium van Alexander. En een deel van haar bevond zich er ook buiten, aan de andere kant van een barrière waarvan ze het bestaan, als ze verstandig waren, maar beter niet ter sprake konden brengen.

Ze wist dat het niet zo was geweest tussen hem en andere vrouwen; ze had nicht Dotty niet nodig om te weten dat hij ervaring had. Wanneer een man en een vrouw elkaar elke dag schrijven, zal de vrouw van tijd tot tijd beseffen dat de man terughoudend over iets is. Het kwetste haar, maar ze zei niets. Ze had de kans gehad te trouwen; ze bezat hem niet; het was een vriendschap.

Ze dacht voortdurend aan hem, aan zijn stiltes, zijn terughoudendheid, zijn aanwezigheid.

Laat op een stormachtige middag, begin december, een dag dat hij niet in Courbevoie was, ging Perdita op zoek naar theedoeken in de Grand Bazar, een duffe, muffe, volgestouwde winkel waar je alles kon kopen; en toen ze daar toch was, kocht ze ook lakens en kussenslopen. Er was tenslotte een bed; het zou haar weleens goed uit kunnen komen om 's nachts te blijven slapen. Kerst en nieuwjaar stonden voor de deur: twee lange vrije weekends na elkaar. Maar zelfs voor haar doen deed ze er lang over om alles op de tast te 'bekijken', en ze kocht de beste kwaliteit, stijve dikke lakens die naar lavendel roken en waren afgezet met borduurwerk, luxe Franse kussenslopen en een dik, opbollend Frans dekbed, alsof ze haar bed klaarmaakte voor een gast.

14

En toen schreef meneer Daugherty haar vanuit Boston een brief met de mededeling dat hij naar haar debuut zou komen.

'Zolang Roy Daugherty in de stad is zullen we elkaar niet ontmoeten,' zei Alexander, terwijl hij de brief opvouwde. 'Kun je je voorstellen wat hij tegen Gilbert zou zeggen als hij wist dat jij en ik hele middagen samen doorbrengen, alleen in een huis?'

Perdita kon de aanhalingstekens rond *alleen in een huis* horen, maar hij meende het ernstig.

'Jíj doet niets verkeerd,' zei hij. 'Maar ik hoor hier niet te zijn. Ik ben er al een keer op gewezen, en heel terecht, dat ik jou compromitteer door hier te zijn. Roy Daugherty zou hetzelfde denken.'

Op een dag zou ze met hem ruziën over nicht Dotty.

'Ik wil niet dat je me verlaat,' zei ze.

'"Verlaten" is overdreven uitgedrukt,' zei hij.

Ze zaten in de keuken in Courbevoie een laat ontbijt te nuttigen van tartines en koffie. Het was zondag, en het regende pijpenstelen; toen ze aankwamen stroomde het water over de trap van de passage Mallais naar beneden. Maar ze waren warm en droog en ze waren bovenal bij elkaar. 'Dit is mijn huis,' zei ze liefdevol, beschermend. Ze had nooit het voorrecht gehad een plek te bezitten die van haar was, een plek waar ze hem kon uitnodigen, zonder ogen die hen voortdurend in de gaten hielden. 'Ik nodig je hier uit, zoals ik meneer Daugherty of je nicht Dotty zou uitnodigen.'

'Liefje, dat is niet hetzelfde; dat weet jíj ook wel,' zei hij.

'Denken ze dan niet dat we op een respectabele manier samen kunnen zijn?' vroeg ze.

'Nee,' zei hij ronduit.

'Je mag niet denken dat je moet wegblijven omdat anderen er op een bepaalde manier tegenaan zouden kunnen kijken,' protesteerde ze. 'Als je ons zó gaat beschermen, kennen we elkaar straks niet meer, Alexander.'

Waar anders konden ze zo met elkaar praten? Waar anders dan achter deze muren hadden ze deze rustige ruimte, deze vrijheid?

Ze oefende die ochtend met werktuiglijke vingers, was maar half met haar aandacht bij de etude van Chopin die ze voor Maître instudeerde. Iedereen leek te 'weten' wat zij en Alexander deden, hoewel ze zich vergisten; iedereen leek een vermoeden te hebben van de aard van hun betrekkingen, behalve zijzelf.

Waarom zijn we geen…? Het was een ondenkbare vraag.

Toen Alexander haar had leren zwemmen, had ze, zo kwam het haar voor, urenlang aan het eind van de aanlegsteiger gestaan. Wat had ze lang gewacht, voordat ze erop vertrouwde dat hij haar niet zou laten verdrinken. Ze dacht aan zijn handen die haar ondersteunden, tegen haar ribben, door haar dunne wollen zwempak heen, en begon onverwacht van top tot teen te blozen: haar voetzolen, haar handpalmen, haar nek, achter haar oren, zodat het hem wel opgevallen moest zijn.

Ze oefende als een bezetene op de Paganini-Variaties, om ze te perfectioneren voor het concert op de ambassade. De Paganini-Variaties vergen het uiterste van je: ze zijn intellectueel gezien uiterst helder, als een wiskundig bewijs, en emotioneel en technisch gezien uiterst gevarieerd; ze wringen alles uit de piano en uit het lichaam, fortissimo, prestissimo, octaven, sixten, met gekruiste handen gespeelde loopjes, loopjes die zingen als Paganini's viool. Om ze überhaupt te kunnen spelen, moest je je volledig ondergeschikt maken aan de noodzaak om ze te spelen, niet alleen technisch gesproken, maar met hart en ziel. De technische uitdagingen hadden haar twee maanden van dagelijks repeteren gekost; je zou dit stuk jarenlang kunnen spelen zonder de muziek uit te putten.

Waarom kon haar verbintenis met Alexander niet zo zijn? Hoe lang was het oprecht en goed om iets achter te houden? Ze kon niet met hem trouwen, ze was niet geschikt, ze was geen Française; maar ze wilde moeite voor hem doen, ze wilde risico's nemen; ze wilde net zo'n sterke en oprechte band met hem hebben als ze met de muziek had.

'We zijn meer dan vrienden,' zei ze, een beetje harder dan ze van plan was geweest. 'Ik wil je uitnodigen in mijn huis, en niet alleen in de salon en de keuken, het hele huis. Ik wil niet iets van mezelf voor je achterhouden ter wille van het fatsoen, alsof ik bang zou zijn voor wát er ook maar tussen ons zou kunnen gebeuren. Ik weet niet wat we zijn, maar ik hoop dat we meer dan vrienden zijn.'

Geen woord van hem. Ze had dingen gezegd die vrouwen niet zeggen. Ze draaide haar hoofd naar hem toe, in een poging iets van hem te horen, haar ogen benuttend zo goed ze kon, maar hij was slechts een schaduw tegen het vuur, zwijgzaam, alsof ze hem had beledigd of hem iets had verteld dat hij niet mocht weten. Waarom leren zienden niet praten?

'Ik wil alleen maar zeggen,' krabbelde ze terug, 'dat jij als muziek voor me bent. Ik bedoel dat jij veel meer voor me betekent dan de mening van nicht Dotty of meneer Daugherty. Ik wil mijn geest of mijn ware gevoelens voor jou niet chaperonneren.'

Hij dacht dat ze bedoelde dat ze niet respectabel wilde zijn, dacht ze; en misschien bedoelde ze dat ook alleen maar.

Even zei hij niets, en toen: 'Dank je wel,' alsof ze alleen maar vrienden waren.

Ze zou hem moeten zeggen dat ze van hem hield. Maar dat had ze al gezegd, drie jaar geleden, en ze had hem vervolgens meegedeeld dat ze niet met hem wilde trouwen.

'Richt je aandacht op je werk,' zei hij. 'We zullen redelijk zijn, liefje, en respectabel, en Roy Daugherty geen reden geven om zich in ons te gaan verdiepen.'

Ze lunchten in het restaurant in de hoofdstraat, met zijn dubieuze 'steack' en zijn van de wandspiegels afbladderende schilderingen van kamelen; de regen tikte op de ramen, de wind beukte tegen het glas. 'Het weer wordt slechter,' zei hij.

'Ja,' zei ze.

Veel meer zeiden ze niet. Toen ze op weg waren naar huis, begon het te stortregenen.

'Het spijt me,' zei ze. 'We kunnen best gewoon vrienden zijn, dat is ook goed. Ik wil graag met jou bevriend zijn.'

Hij had geen paraplu bij zich; de wind rukte aan haar kleine rode paraplu en ranselde hem binnenstebuiten; ze moest hem laten zakken. Tegen de tijd dat ze terug waren, zag ze eruit als een verzopen kat. Ze trok haar natte jas uit en legde hem op een van de twee keukenstoelen. Haar blouse was doorweekt en kleefde aan haar schouders, haar rok zat om haar benen gestrengeld. Ze raakte zijn jas aan, die net zo nat was.

'Ik ga vanmiddag terug naar Parijs,' zei hij plotseling, 'als je het niet erg vindt. Na Italië loop ik met alles achter. Als je zonder mij terug zou kunnen komen...'

Dit had hij nog nooit gedaan. Ze hadden zo weinig tijd samen, dat ze die beiden altijd hadden gekoesterd. Ze had haar gedachten en gevoelens uitgesproken, en hij had het verfoeilijk gevonden. 'Het zal me geen moeite kosten om terug te komen,' zei ze. 'Ga, als je dat nodig vindt.'

Toen hij vertrokken was, ging ze op het haardkleed zitten, met opgetrokken knieën en haar gezicht verborgen in haar armen. Een respectabele vrouw zou over haar gevoelens voor hem hebben gepraat, hem misschien via vrienden hebben gevraagd of hij het aanzoek dat hij haar drie jaar geleden had gedaan wilde herhalen, en hebben laten doorschemeren dat het ditmaal tenminste niet zo lomp zou worden behandeld; dat zou fatsoenlijk zijn geweest. Maar ze had niet gezegd dat ze van hem hield of dat ze de muziek zou opgeven. In plaats daarvan had ze zich aan hem opgedrongen alsof ze een sandwich op een presenteerblaadje was: hier, neem maar, je wilt hem; hij wil zelf in ieder geval heel graag gegeten worden. Ze duwde haar neus nog dieper in haar gekruiste armen.

Uiteindelijk begon haar wollen rok door de hitte van het vuur naar een wasserij te stinken. Ze controleerde of de deur op slot zat en trok de luiken dicht; en nu ze helemaal alleen was, trok ze roekeloos de rok uit en spreidde hem uit op het haardkleed om te drogen. Haar hemdblouse plakte nog steeds aan haar armen en boezem; ze maakte op de tast de knoopjes los, wat haar niet gemakkelijk afging omdat de knoopsgaten vochtig waren en bleven plakken. Haar haar begon uit te zakken; ze haalde de spelden eruit en schudde het los, een sluike massa die bijna tot haar middel reikte. Ze ging bij het vuur zitten en kamde het met haar vingers – ze had hier geen kam of borstel. Daarna rolde ze haar kousen af en legde ze op de vloer te drogen, wensend dat ze hangers had gehad. Ze plukte aan haar natte ondergoed, haar onderrok en korsetlijfje en combinaison, het katoen lostrekkend van haar huid. Ze moest eigenlijk oefenen, maar de pianokruk stond ver van het vuur af; de kamer was tochtig en haar kleren waren klam, zodat ze onmiddellijk kippenvel kreeg. Ze had hier geen extra kleren; al haar mooie woorden ten spijt was dit niet haar huis maar de plek waar ze oefende. Dus bleef ze bij het vuur zitten, haar onderrokken zorgvuldig van de vlammen af, denkend aan muziek maar niet spelend, denkend aan Alexander maar... ook niet.

15

JE BETEKENT VEEL MEER VOOR ME DAN DE MENING VAN NICHT DOT-
ty of meneer Daugherty, hoorde hij, en *Je bent als muziek voor me*.
 Hij zat in een café bij de tramhalte koffie met cognac te drinken en
toe te kijken terwijl één tram met bestemming Étoile en twee met bestemming Madeleine vonkend en knetterend langsreden in de regen.
Hij wilde haar niet. Hij zou haar kunnen kwetsen. Hij had zijn affai-
res met ervaren vrouwen, wier belangstelling voor hem nauwelijks verder reikte dan het moment. Perdita kon je niet lichtvaardig behandelen.
Haar natte blouse had aan haar vastgekleefd, zodat hij door het katoen
en de kant heen huid had kunnen zien. Hij had de lakens op het bed gezien. Hij wilde niet verleid worden; ze ging naar Amerika terug.
 Als je ons zó gaat beschermen, kennen we elkaar straks niet meer.
 Hij had het gevoel dat hij haar kwetste. Ze had zich aangeboden en
zou niet geloven dat ze een te groot geschenk was om aan te nemen.
 Hij wilde teruggaan.
 Wat zou er voor verschrikkelijks gebeuren als ze samen tussen Perdita's geborduurde lakens zouden liggen? Hij had haar in elk geval ervaring te bieden. Hoe te genieten, hoe genot te schenken; hoe grenzen
te stellen; hoe consequenties te voorkomen; en hoe, ten slotte, een affaire op een elegante manier te beëindigen. Hij maakte geen vijanden
van oude minnaressen; hij zou geen slechte minnaar voor haar zijn. Hij
was zelden – nooit – de eerste minnaar van een vrouw geweest, maar hij
zou het er niet slecht afbrengen.
 O, liefje, liefje, als ik minder van je hield... Hij verbaasde zich over

het werkwoord en verwierp het. Als ik ook maar een beetje minder voorzichtig met je omsprong, zou ik nu met je in bed liggen. Hij zou een beetje minder voorzichtig kunnen zijn. Hij betwijfelde of lichamelijke intimiteit met haar de komst van Roy Daugherty wel zou overleven; Perdita zou zich niet aan hem geven wanneer ze erover zou moeten liegen tegen iemand uit Boston.

Dat was een deel van het probleem, dacht hij wrang.

Hij liep terug over de hoofdstraat, door de plensregen, stopte onder de luifel van de apotheek, alsof hij er alleen maar wilde schuilen, en ging naar binnen. Er waren geen andere klanten. Hij had een herenonderonsje met de apotheker; 'zijn vrouw' was geadviseerd geen kinderen te krijgen, zei hij, waarop hem een kleine rode doos met het opschrift HEILZAME VOORZORG VOOR GETROUWDE PAREN werd verkocht. In tegenstelling tot Perdita wist hij wat hij deed, maar hij was verrassend nerveus.

Hij ging de stenen trap af van de passage Mallais, onbewust luisterend of er muziekklanken over de muur kwamen, en staarde naar de tuindeur, nog steeds in de veronderstelling dat dit zou kunnen eindigen met glimlachjes en een aftocht naar bekend terrein. Hij gebruikte zijn sleutels om de tuindeur en daarna de huisdeur te openen.

'Perdita?' zei hij.

Ze zat op het haardkleed, en draaide zich snel om, in verlegenheid gebracht. Ze had haar natte blouse, rok en sokken uitgetrokken; behalve haar korset droeg ze alleen een dunne onderjurk en een combinaison, zodat ze even naakt was als een beschaafde vrouw in bad, naakter misschien dan ze in bed zou zijn geweest. 'Alexander?' Ze draaide zich om toen ze hem hoorde, pakte haar natte jas op en hield hem voor zich; maar vervolgens liet ze de jas los, die als een plas water bij haar voeten kwam te liggen. Ze stond daar zomaar met haar handen langs haar zij, als aan de grond genageld, en toen – en hij zag dat ze bang was – strekte ze haar armen naar hem uit.

Hij probeerde te praten; hij kon het niet. Door de vochtige, in de vuurgloed oplichtende stof heen kon hij haar benen zien, alsof ze helemaal niets aanhad. Een paar strengen donker haar waren in de diepe zachte schaduw tussen haar borsten gevallen en lagen op haar huid.

Hij liep de kamer door en legde zijn hand op haar huid, heel licht, heel voorzichtig, een man die nat en koud is en haar onwaardig. Hij durfde tegen haar geen enkel woord te gebruiken, hij kon geen enkele van de gewone eufemismen gebruiken: de liefde bedrijven, intiem zijn, naar bed gaan; hij wilde een woord dat voor haar alleen was gemaakt. Zijn adem bleef pijnlijk in zijn keel steken. Ze keek naar hem op, alsof ze ingespannen naar hem luisterde, en legde haar handen op de zijne. Ze hielp hem zijn natte kleren uittrekken. Het waren zíjn handen die trilden. Ze gingen samen in het bed liggen. Hij kreeg op de een of andere manier zijn stem terug en legde haar alles uit dat zou gebeuren en kon gebeuren, met precieze details, alsof hij haar lesgaf, alsof hij niet méér bij haar betrokken zou zijn dan de docent in haar klas voor gevorderden. Het was allemaal schijn. Hij was bezig te nemen wat hij niet verdiende; hij was de rokkenjager waar Dotty hem voor hield; hij was de maagdelijke jongen die hij sinds zijn twaalfde niet meer was.

'Zal het pijn doen?' vroeg ze. 'Het geeft ook niet. Laat het maar pijn doen als het moet.'

Het verdiende bepaald geen schoonheidsprijs; uiteindelijk schreeuwde ze het uit van verrassing en pijn, onder hem vastgepind. Ze klemde zich aan hem vast en beet op haar lippen. Er zaten bloeddruppels op de geborduurde lakens. Hij staarde naar het bloed, erdoor verontrust, verontrust door iets wat het in hem bevredigde. Maagdenjacht is een perversiteit, maar hij begreep het op dat moment; het bloed maakte haar tot zijn bezit. Hij had haar gemerkt, en zij had dat toegelaten, alsof het een of ander pervers ritueel was, alsof ze hem had gevraagd haar te tatoeëren, te brandmerken. Deze affaire zou eindigen – dat was wat hij wilde – maar wat ze daarna verder ook voor elkaar zouden zijn, dit zou erin besloten liggen. Hij hield haar tegen zich aan, bezitterig, bang. *Dit is volkomen verkeerd*, dacht hij, en: *Dit is belangrijk*.

Hij had gedacht dat hij had gewild dat ze als een gelukkige vrouw bij hem weg zou gaan, en op den duur zou dat inderdaad moeten gebeuren. Maar nu, op dit breekbare en al voorbijgaande ogenblik, wilde hij alleen haar, deze verbintenis met haar; wat hij had deed hem meer willen; hij wilde haar nemen, hebben, houden en nooit meer laten gaan.

16

TUSSEN EEN HEER EN EEN DAME IS ER EEN DELICATE BAND. IN HAAR
ogen moet hij altijd sterk zijn, alles kunnen, altijd het juiste, altijd het
goede doen, en alleen met haar welzijn begaan zijn. Hij is een slaaf van
haar geringste wens, maar zij verlangt niets dat hij haar niet kan geven.

Het blijft maar regenen. Tegen de ramen van het Louvre klinkt de
regen als het geruis van satijnen rokken; hagel hoest tegen het glas. In
de galmende Grande Galerie druipt het van de regen, en Leonard huivert.

De Mona Lisa heeft twee dingen van hem gevraagd. Het eerste… is
gebeurd, daar is het mee gezegd, het is gebeurd; maar zodra dat achter
de rug was, had het tweede gemakkelijk moeten zijn. Begraven worden
in de Seine! De rivier af drijven! Dat is niet te veel gevraagd, iedere man
die door zo'n dame wordt begunstigd zou het willen doen. Iedere man
met een hart zou willen helpen.

Maar de baron von Reisden niet.

Avond aan avond staat Leonard daar, met hoog opgeheven lantaarn,
starend naar een onveranderlijke glimlach en zich beradend op zijn volgende stap.

17

'Laten we naar het Louvre gaan,' nodigde Milly George uit. Esther, Juan Gastedon, George en Milly gingen naar het Louvre. Gastedon wilde naar een paar beelden kijken; Esther wilde bij Milly zijn, die op haar beurt bij George wilde zijn; George wilde zichzelf horen praten. Het Louvre was open vanaf negen uur 's ochtends, een van de weinige warme plekken waar daklozen en bedelaars konden slapen. Maar kunst zou de gewone man uit zijn sluimer moeten schokken, zei George terwijl hij door de weergalmende galerijen van *le Lubre* liep en kunst vergeleek met seksuele perversies, op een zo luide toon dat hij niet kon worden genegeerd.

'Onanie,' zei George opgewekt. Hij gebaarde met zijn sigaret naar een Etruskische sarcofaag. 'Necrofilie. Coprofilie. Liefde voor je uitwerpselen, of voor die van een ander.'

'Het huwelijk,' zei Milly. 'Dat is pas pervers. Heeft de politie het al met je gehad over het stelen van de Mona Lisa?'

'Ik ga de Mona Lisa niet stelen,' zei George. 'Niet om jou te helpen in je strijd tegen Henry.' George was lui maar niet dom.

Een nog jong meisje zat op een bank, een stil meisje met een groot, teer, bleek voorhoofd. Milly keek toe hoe ze vermoeid glimlachend haar benen strekte en haar enkels boog, terwijl haar rok was opgetrokken boven haar versleten rode laarzen. George ging naast het meisje zitten en legde zijn grote hand bezorgd op haar arm. 'Weet u niet dat kunst voy-eu-ris-me is? Naar kunst kijken is naar seks kijken, mademoiselle!'

Het bleke meisje stond behoedzaam op en maakte zich uit de voeten. Juan stond de *Deux Époux*, de *Echtelieden* te bestuderen alsof híj dát wilde stelen. Henry's brutale ogen en gulzige glimlach staarden je tegemoet uit het houten gelaat van het Etruskische mannelijke beeld. De echtgenote, met een wit gezicht, leunde tegen hem aan en weerspiegelde zijn uitdrukking. Bij het bekijken van de foto's van haarzelf en Henry, die tijdens hun huwelijk waren genomen, was het Milly opgevallen dat de uitdrukking op haar gezicht die van hem was: zijn zelfgenoegzame zwaarwichtigheid, zijn zinnelijke blik.

'Als jij en Henry de Mona Lisa in de Seine zouden gooien, zou het publiciteit zijn voor *Modern Life*...'

'Publiciteit?' zei George. 'Het zou kunst zijn. Maar ik wil mijn leven niet in de gevangenis doorbrengen.'

'Henry is haar kunst,' zei Esther bits. 'Ze zijn al jaren aan het scheiden, ze zijn altijd aan het scheiden, ze zijn bijna altijd bijna gescheiden, maar ze zijn nog niet gescheiden.'

George gebaarde met zijn sigaret. 'Henry is net als alle andere mannen; hij wil de vrouw van wie hij houdt doden en hij wil haar aanbidden. Necrofilie is de enige oplossing, maar Milly legt zich daar niet bij neer.'

Ze gingen de trap op, langs een oude soldaat die sluimerde op een muurbank en een star naaistertje dat in haar sjaal was weggedoken, langs heiligen, vagevuren en engelen in vergulde lijsten. Juan bleef achter, terwijl zijn begerige olijfkleurige ogen alles opzogen. 'Is er iets mooiers dan/Het beminnen van een dode man of vrouw?' reciteerde George voor een schilderij van de kruisiging. Ze kwamen door de Galerie d'Apollon, voorbij faunen, Laocoöns en Leda's. George doceerde over de aantrekkingskracht van bestialiteit.

Milly leidde hen de Salon Carré in.

De Mona Lisa glom in het midden van de westelijke muur, een groenig schilderij in een grote vergulde lijst, die op zijn beurt was ingesloten in een witgeschilderd, tegen dieven bestand kastje met glazen voorkant. Rondom haar hingen maagden en martelaren, Heilige Families gloeiend van Italiaans licht tegen de tabakskleurige muren; maar de toeristen wierpen slechts een vluchtige blik op de andere – dat is die, dat is die, dat is die: dat hebben we ook weer gezien – voordat ze zich in een halve cirkel rond de Mona Lisa verzamelden. Een moeder hield de hand vast van een jongetje dat met zijn lakleren laarzen stond te schuifelen; een Schotse vrouw met een kolenkitbonnet op schreef in een notitieboek. Drie puberale jongens die eruitzagen alsof ze de nacht op straat hadden doorgebracht, porden elkaar bedeesd in de ribben. In haar glazen kastje ging Mona Lisa schuil, een maan achter wolken, een herinnerd gezicht, een glanzend heilig hart achter een glazen sluier. Vanaf de andere kant van de zaal kon Milly de weerspiegeling zien van haar eigen hoed, en daarachter, vaag, Leonardo's meesterwerk.

'Het glas spiegelen en het bruine vernis ook,' zei Juan. 'Zodat niemand kan zien.'

'Hij zou door een kopie vervangen kunnen worden,' mompelde George. 'Dat zou hén niets uitmaken.'

Terzijde zat een jongen achter een ezel het schilderij te kopiëren. Het was een donzig schoolkind, misschien zeventien, een en al oren en neus, de ellebogen van zijn jasje waren versteld en stoffig; hij had zachte, gesprongen lippen en zijn stroblonde haar vormde een halve hemisfeer, alsof iemand het onder een schaal had afgeknipt.

'Jij Leonard gezien?' vroeg Juan aan de jongen. 'Hij heeft terracotta voor me, ik wil hebben.'

Juan had een vriend in het Louvre, een bewaker die soms bij Esther kwam. Leonard stal soms primitieve kunst voor hem uit de kelder van het Louvre. Als híj nu eens de Mona Lisa voor George zou stelen – 28 januari naderde en Milly wilde niet teleurgesteld worden. Ze borduurde doelloos voort aan het verhaal tot ze merkte dat de kopiërende jongen naar haar keek.

'Halló,' zei hij tegen Milly, en glimlachte, en bloosde. Hij had mooie ogen, het blauw van een hemel vol Italiaanse engelen.

Hij was veel te jong voor een kopiist. Schilderijen kopiëren was iets voor sullen. In elk warm museum zaten noodlijdende adellijke dames en voormalige kunstdocenten in hemdsmouwen voor hun ezels, een eind weg tamponnerend aan een te roze Rubens of een Madonna met een poppengezichtje. Ze schilderden imi-Titiaans voor provinciale kerken en schoorsteenmantels van rijke mannen. Het waren zenuwlijders, tbc-patiënten of kinderen van een invalide moeder. Het was een baan met waardigheid en verder niets. Kopiisten aten 's avonds brood met een likje jam en noemden dat diner; kopiisten ontmoetten elkaar zondags op de vlooienmarkt bij de Port de Clignancourt en maakten luidkeels hun enthousiasme kenbaar over de kostelijke eigenaardige borden en versleten overjassen die ze vonden, alsof ze zich Limoges en *loutre* konden permitteren. Kopiisten waren allemaal rond de veertig; dus waar kwam deze kleine vogel vandaan? Milly zag het controlekaartje dat aan zijn ezel was vastgehecht: MALLAIS, net als de schilder, het arme lieve onnozele halsje. MALLAIS, JEAN-JACQUES. Hij was nog bezig een snor te kweken; boven die zachte lippen zag het dons er belachelijk lieflijk uit, als pas ontsproten gras.

'Het spijt me,' zei de jongen. 'Ik bedoel…'

'Het geeft niets,' zei Milly glimlachend. Ze nam een kijkje bij zijn Mona Lisa: helemaal niet slecht, maar met nogal grote knokkels, net als de zijne.

Tegen de tijd dat Milly en George het museum verlieten, was het tijdelijk opgehouden met regenen. In de zon stonden straatventers gekleurde prenten van de Mona Lisa, Mona Lisa-ansichtkaarten en rozegroene Mona Lisa-medaillons aan halssnoeren te verkopen. Nick-Nack, die aangelijnd en mistroostig buiten het museum stond, sprong op om Milly's kin te likken. George schreed de straat over, een auto-taxi ontwijkend, en keek over de balustrade van de quai naar de brede promenade tussen de quai-muur en de rivier. Nick-Nack besnuffelde de onderkant van de balustrade en tilde zijn poot op.

Onder hen strekten de witte stenen voetpaden van de lager gelegen quai en de rimpelloze grijsgroene Seine zich uit. Milly keek op de promenade neer, zag een jongen paarden drenken en een lavendelverkoopster een kruiwagen stroomopwaarts richting Châtelet duwen, waar mannen het openbare Samaritaine-badhuis in- en uitliepen. In het midden van de rivier tufte een veerboot langs een schuit; gekleurde affiches glommen op het vierkante dak van de *bateau-mouche*, SUNLIGHT ZEEP, CHOCOLAT MENIER. De zon vulde de quais met een flauw, bleek, teer licht, dat op de ontblote, gespierde armen van de lavendelverkoopster en op haar rode hoofddoek scheen. Even wankelde Milly's wraakzucht jegens Henry en voelde ze de aanwezigheid van iets onopzettelijks, onvoorziens, even iriserend en kortstondig als de glans op de staart van een beo.

'Milly?' zei George. 'Waar gaat het om?'

Milly drukte een vinger tegen de bovenkant van de balustrade, op de holte die in het zandsteen was achtergelaten door een prehistorische slak. 'O, Henry?' zei ze achteloos. Ze keek naar haar vingertop; de schelp had een duidelijk zichtbare moet achtergelaten.

'Hij kan de auteursrechten niet teruggeven,' zei George, 'als je daar op uit bent.'

'Ik wil de Mona Lisa in de Seine gooien,' zei Milly.

'Waarom, om mij in de problemen te brengen?'

Milly glimlachte naar hem vanonder haar hoed als een tijger vanuit een kooi.

18

'Er is iets aan Mallais dat me niet bevalt,' zei Dotty ijzig tegen Perdita tijdens een van hun eindeloze uitstapjes naar Worth. 'Die eeuwige schilderijen van Courbevoie. Eén saaie voorstad aan de rivier, terwijl je kunt kiezen uit heel Parijs! Men wordt er provinciaals van, vind je ook niet, juffrouw Halley?'

'Ik zou het niet kunnen zeggen, mevrouw.'

'Ik denk dat je het niet wilt zeggen,' zei Alexanders nicht. 'Courbevoie kan onmogelijk goed voor iemand zijn.'

Goed niet, nee. Perdita bevond zich in moreel opzicht op een hellend vlak, maar aan de voet daarvan lagen eigenschappen van Alexander en haarzelf die ze nooit had gekend.

Seks had haar hele beeld van zichzelf veranderd. Haar hoofd en handen en torso, haar gevoelige vingertoppen, haar benen en voeten, haar hart en hersens, haar lichaam waarmee ze piano speelde, was ook het instrument waarmee ze de liefde bedreef. Veel van wat Maître over de piano zei was opeens begrijpelijk voor haar geworden; ze luisterde met nieuwe kennis de mannenwereld af. *Bedrijf de liefde met de piano alsof hij het lichaam van een vrouw is*: zij deed met de piano wat Alexander met haar deed, liet hem zijn holtes aan haar uitleveren, liet hem weergalmen en zuchten en het uitschreeuwen van genot. Bij elke noot die ze in de klas speelde, had ze het gevoel dat ze verkondigde wat ze wist, maar ze kon het niet laten; de aantrekkingskracht van wat ze kon doen was als een bedwelmend middel; ze had het gevoel dat ze plotseling een immense macht had gekregen. De muziek veranderde voor haar.

En Alexander? Als hij haar piano was, dan was zij de zijne. Had ze er ooit aan getwijfeld of hij haar wel aantrekkelijk vond? 'Kus mijn oogleden,' beval ze, zijn blinde keizerlijke geliefde; en hij deed het, lang en talmend, en nam haar in zijn armen. 'Ik heb naar je gehunkerd,' zei hij.

Ze besteedde minder tijd aan oefenen, was minder geconcentreerd; ze bracht al haar tijd met hem door. In het Pension voor Jongedames gold vanaf elf uur de avondklok, een uur nadat de oefenruimtes in het Conservatoire dichtgingen; verschillende malen was ze klokslag elf uur binnengekomen, buiten adem en met verwarde haren; hoe vaak kon ze nog met de smoes aankomen dat de wind haar hoed had afgerukt? Ze vertrok om te gaan dineren en keerde niet terug om te oefenen. Hij ontmoette haar in donkere restaurants; ze kusten elkaar in deuropeningen; hij smokkelde haar hotels binnen. Donderdags en vrijdags nam ze de tram of de trein naar Courbevoie, waar ze hard had moeten oefenen voor haar debuut; maar hij kwam via een andere route, en als er verbeteringen te bespeuren waren in haar spel, dan was dat niet het gevolg van urenlang achter het toetsenbord zitten.

Aan het eind van die lange middagen, wanneer ze eindelijk haar kleren aantrok, leek haar lichaam er niet langer natuurlijk in, alsof haar onopvallende blouse en rok iets stijfs hadden gekregen door het vocht. Ze was een naakte vrouw, van ganser harte; ze had haar benen en borsten in het openbaar kunnen tonen, zo trots was ze er door Alexander op geworden; ze had zich kunnen kleden in niet meer dan haar verwarde haar.

Het was zo'n groot genot dat het iets onheilspellends had: het was een genot dat niet voortkwam uit zelfwaardering maar uit iets duisterders, alsof het als honden op hen jaagde; dag in dag uit zat het hen achterna, ving hen en haalde hen neer. Soms dacht ze dat ze moesten proberen te ontsnappen, terugkeren naar de respectabele vriendschap en de lange gesprekken; maar dat kon nu niet meer. Zelfs wanneer ze alleen over de quais wandelden en praatten, zelfs wanneer ze alleen elkaars hand vasthielden, altijd waren ze zich bewust van elkaars lichaam, altijd waren ze half in bed. Ze waren als vlotters of kanoërs op de Mississippi die bedreven waren in het navigeren op snelstromend water, en die zelfs als ze op een meer voeren altijd gemeenschappelijk blijk gaven van een gespannen, noodzakelijke waakzaamheid, een gedeeld besef van gevaar.

Ze konden zo niet leven. Meneer Daugherty zou naar Parijs komen. Ze zouden door iemand betrapt worden. Maar ze leefden zo.

19

Op twee januari ontmoette Perdita op de markt voor de kerk voor het eerst Suzanne Mallais, de weduwe van de schilder. Het enige wat Perdita aanvankelijk van haar wist, was dat ze een stem had met een geruststellend, niet te plaatsen nasaal geluid dat veel weg had van een Bostons accent. Alexander was gereedschap aan het kopen om de kraan te repareren; Perdita, een boodschappennet huiselijk aan haar pols, was kazen aan het onderzoeken. Bij de volgende kraam, die van een visboer, was een jengelende gitaarsnaar aan het afdingen op een paar *morue* voor haar broer Yvaud en aan het praten over haar kleinzoon en het weer. Was het niet mooi en warm, maar die vreselijke regen, *haing*? 'Nayuh,' stelde Perdita zich voor dat deze Française zei, 'ik heb naar de rivier zitten kijken, en als je het mij vraagt, krijgen we een overstroming in de moerassen.' Perdita luisterde schaamteloos naar deze Franse versie van een Bostons burengesprek terwijl madame de klant praatte over Célestings recept voor palingsoep, monsieurs Yvauds verschrikkelijke 'arteritis', en de verdachte stank van de afvoerpijpen.

Net als schoonheid kan een handicap worden gebruikt of misbruikt; Perdita gebruikte haar slechtziendheid om madame de klant te vragen welke vis ze zou aanraden, en zat algauw midden in een prettige conversatie over afvoerpijpen, druppende kranen en zwerfkatten. De zwart-witte Léong van madame de klant was vermist, en in deze regen! De schoolpleinen waren allemaal één grote modderpoel, zei madame de klant, *les p'tits enfangs* werden gek van dit slechte weer. Had madame (ze bedoelde Perdita) al kinderen?

Nee, zei Perdita, nog niet, en bloosde, hopend dat Alexander ver genoeg uit de buurt was om dat 'nog' niet te horen.

Het weer was afschuwelijk voor haar handel, zei mevrouw de visboerin treurig. Onmogelijk om de instrumenten op toon te houden, droeg Perdita bij. De klandizie van haar kleinzoon was gehalveerd, zei madame de klant; er verschenen geen toeristen om de kopieën van de Mona Lisa die hij schilderde te kopen. Alleen de vervloekte Parijzenaars gingen met die regen naar buiten, die rot-Parijzenaars die in het rothuis naast haar woonden, zei mevrouw de klant, en háár tuin hadden.

Pas op dat moment besefte Perdita wie madame de klant was; en haar gezicht moet dat hebben verraden, want madame de klant besefte wie Perdita was. Er viel een vreselijke stilte, een teleurgestelde stilte; het was zo gezellig geweest.

Terug in het huis kwamen zij en Alexander erachter dat ze geen pan hadden om de bot in te bakken, geen bakplaat of koekenpan. 'Vertel me eens wat meer over Mallais,' zei ze.

Vijftig jaar geleden, zei Alexander, was Mallais een tuinder geweest. Hij had dit steile stukje land gehuurd, dat hij vervolgens had beplant met fruitbomen. Hij en zijn vrouw hadden de tuin omgevormd en hij had erin geschilderd. Ze hadden het hoekperceel gekocht en er een klein huis op gebouwd. Aan het eind van de jaren zeventig van de negentiende eeuw had de bankier Fernand Driesbach de rest gekocht en het aan Mallais in levenslange bruikleen gegeven.

'Mallais stierf in 1900,' zei Alexander. 'Zijn weldoener besloot zijn eigen huis te bouwen aan de hoger gelegen kant van de tuin. Op de dag dat de bouwlieden aan de slag gingen, begon weduwe Mallais haar tuin met een muur af te schermen van de zijne. Het is een bijzonder lelijke muur.'

De vis achterlatend gingen ze voorzichtig het steile kleipad af langs de slapende bloembedden. 'Hier is de muur,' zei hij, haar handen ernaartoe leidend. Perdita deed haar handschoenen uit en voelde ruwe, korrelige steen; aan deze kant, waar madame Mallais niet bij had gekund, was de mortel klonterig en met druipers opgedroogd. De bakstenen kwamen tot een hoogte die een kleine vrouw met haar hand boven haar hoofd kon bereiken. Zelfs om te voelen was hij lelijk – Perdita kon zich nauwelijks voorstellen dat de vriendelijke, praatzieke madame de klant dit had gebouwd – maar op één plaats was de muur op een onvakkundige manier met een boog om een knoestige oude appelboom heen gebouwd, alsof madame Mallais de tuin had willen sparen, ook al ruïneerde ze tegelijk de schoonheid ervan.

Afgelopen weekend had Perdita haar handschoenen verloren en Alexander had haar de zijne geleend; ze had ze met grote tegenzin teruggegeven omdat ze naar hem roken. Stel dat zij madame Mallais was en de tuin waar haar man had geschilderd zou vlak na zijn dood belaagd worden door indringers...?

'Nu kan de familie geen koper vinden, grotendeels als gevolg van de muur. Ze geven haar de schuld.'

'Het verbaast me dat niemand het heeft gekocht,' zei ze, 'het zou zo'n goed huis zijn voor een gezin. En handig, bij de tramlijn...'

'En uiteindelijk de Métro, denk ik.'

Er hing een stilte van een paar seconden tussen hen.

'Ik heb hem een beetje gekend,' zei Alexander. 'Mallais, bedoel ik, toen ik in '96 in Parijs was. Hij ontving zijn vrienden twee of drie avonden per week in café "Nieuw Athene". Dotty en ik zochten hem op – toen al wilde ze een van zijn schilderijen bezitten – en hij schetste haar op de achterkant van een menu en gaf het haar. Hij was een grote, goedlachse man met een schitterende lange baard en een breedgerande hoed. Hij veegde zijn kwasten aan zijn vesten af en droeg ze, stijf van de kleurige verf, als stukken schilderslinnen. Hij vond het heerlijk om schilder te zijn.'

Alexander verzamelde oudere mannen uit één stuk, stabiele, verstandige mannen, *pères de famille*. Je komt te weten wat mensen willen door te kijken naar wie ze bewonderen. Ze glimlachte en vroeg zich af hoe Alexander op zijn vijftigste of zestigste zou zijn. Stabiel en uit één stuk, met een baard en een reputatie van vriendelijkheid? Zij zou dan veertig zijn, op weg om (hoopte ze) het soort evenwichtige oudere vrouw te worden dat ze bewonderde. Zou ze dan niet meer op tournee gaan? Zou ze concerten geven? Zou ze het soort vrouw zijn dat geschikt was voor de man die hij wilde zijn? Ze was niet Frans, of rijk, of van goede komaf.

'Hoe was zijn vrouw toen?'

'Niemand heeft haar ooit gezien. Ze was een wasvrouw, of was dat geweest, en kwam nooit naar Parijs. Ze beplantte de tuin; hij schilderde hem; dat is alles wat men wist. Kijk,' zei hij, 'dit moet *De Rozenhaag* zijn geweest.'

'Hij moet gesnoeid worden,' zei ze terwijl ze de lange, verwilderde stengels bevoelde.

'Er ligt geloof ik een snoeischaar in de keuken, tussen de spullen in de rommella.'

Hij snoeide de rozen terwijl zij de stengels vasthield. Ze konden samen een tuin beplanten, wilde ze tegen hem zeggen; dat zouden ze doen; ze voelde iets voor hem dat van blijvende aard wilde worden. Ik zal niet meer op tournee gaan en bij jou blijven, zei ze bijna, maar de woorden kwamen er niet uit; ze voelde zich deels eerlijk, deels verachtelijk egoïstisch.

Hij snoeide de rozen op de juiste manier. Ze vroeg zich af van wie hij dat had geleerd.

'Jij kent Dotty's schilderij niet,' zei hij.

'Nee.' Ze kon schilderijen zien in heel fel elektrisch licht, met een vergrootglas, maar Dotty had nog steeds gas- en kaarslicht.

'Het werd geschilderd vanaf de plek waar wij staan,' zei hij, 'de helling af kijkend tot over de rivier. Het is aan het eind van de middag, de zon gaat bijna onder. Aan de onderkant van het schilderij is een stukje van de tuin en de muur afgebeeld, vrij donker. Daarboven, aan de quai de Seine, is een lantaarnopsteker de gaslantaarns aan het ontsteken; en achter hem, bijna het hele schilderij innemend, ligt de Seine bij zonsondergang, met het eiland van de Grande Jatte en de overkant van de rivier die in een rode gloed wordt gedompeld. Je verdrinkt in het licht, en in het midden ervan staat die arme gaslantaarnopsteker, met zijn ogen alleen maar op zijn lantaarns gericht... Ik denk aan die aardige man in het café, lachend om de lantaarnopsteker en hem beklagend, terwijl hij al dat schitterende licht ziet en schildert.'

De zonsondergang verspreidde een rode gloed over de Seine. 'Voel je je hier gelukkig?' zei ze, zich omdraaiend naar het verblekende middelpunt ervan. 'Ik wel.'

Hij kwam naar haar toe en drukte haar tegen zich aan. Maar hij zei niet dat hij gelukkig was.

'Ik zou eigenlijk...' zei ze, en zweeg uit frustratie, en probeerde haar zin af te maken.

'Nee,' zei hij. 'Je zou niet eigenlijk. De moraal van Dotty's schitterende Mallais is dat de stralendste dingen niet van lange duur zijn. Dat hoeven ze ook niet te zijn. Je schenkt er gewoon aandacht aan terwijl ze er zijn.'

Ze draaide zich naar hem toe en omhelsde hem krampachtig. 'Jij bent mijn licht,' zei ze.

Hij zweeg.

Ze liepen de rest van de tuin door in de toenemende duisternis; ze voelde zachte wilgenschors, de knobbelige ruwheid van appelboomtwijgen, trosjes knoppen. Ze waadde door een plukje ritselende irisbladeren, dat de omtrek markeerde van de vijver die zich daar in de lente vormde. Alexander noemde haar de titels van Mallais-schilderijen die daar gemaakt waren, *Twee Wilgen, De Oude Appelboom*. 'Je hebt het gevoel dat je hier al eerder bent geweest,' zei hij. Dat betekende vast heel veel voor Alexander, dacht ze: een zogenaamde herinnering die geen dreiging inhield. Boomtakken verstrengelden zich beschermend boven haar hoofd. Drie jaar lang had ze in hotelkamers geleefd; een honger naar huiselijkheid nam bezit van haar; ze bedacht hoe deze tuin er in de lente zou uitzien, of warm in de zomer op de heuvel, met het zonlicht en een briesje van de rivier. Maar tegen de zomer zou ze vertrokken zijn.

20

PERDITA MOEST VLAK NA NIEUWJAAR DE MAAND KRIJGEN, MAAR werd niet ongesteld, wat haar toonde hoezeer ze over haar concerten inzat. Veel vrouwen die optreden hebben voorafgaand aan concerten last van een onregelmatige menstruatie; Alexander gebruikte voorbehoedsmiddelen; ze had niet echt reden om zich zorgen te maken. Toch was het nu mogelijk dat ze een kind zou krijgen. Ze had een nerveus voorgevoel, deels het besef van de mogelijkheden van haar lichaam, deels angst.

Stel dat ze inderdaad zwanger was? Ze zouden trouwen; ze zouden hier gaan wonen. Ze zou voor hem zorgen. Alexander at nooit voldoende, hij vergat het gewoon. Hij bracht te veel tijd in Jouvet door, om ervoor te zorgen dat de gestoorde mensen behandeld werden, en te veel tijd met het ontleden van kikkers; in plaats daarvan zou hij die tijd met haar doorbrengen. Ze zou hem heerlijke maaltjes bereiden. En ze zou pianospelen.

Toen ze jonger was had ze als vrijwilligster gewerkt in de Kinderkliniek, waar een klas was voor ongewenst zwangere meisjes die niet ouder waren dan dertien of veertien. Hoewel ze zich door eenvoudige boeken en sommen heen moesten worstelen, stonden ze in de pauze met kennis van zaken als volwassen vrouwen met elkaar te kletsen. *Volgende maand gaan me vriendje en ik trouwen* en *wanneer ben jij uitgerekend?* Ze waren aardslui, vooral wanneer ze een opdracht hadden gekregen: *O, juffrouw, ik ben zo slaperig, o, juffrouw, mijn maag is van streek, ik moet naar buiten, naar het speelterrein, ik ben misselijk.* Ze hadden alle kansen om zich op te werken verspeeld; dat was wat de maatschappelijk werkers tegen hen zeiden. Maar Perdita had hun levens heimelijk rijk, heimelijk benijdenswaardig gevonden.

Nu heb ik iemand van mezelf, juffrouw, had een meisje tegen haar gezegd, *nu heb ik zelf iemand om van te houden.*

Zij had ook iemand om van te houden. Wanneer ze in Alexanders armen lag, wanneer ze eigenlijk had moeten oefenen, gaf ze zich verrukt over aan haar liefde. Ze wilde nog meer liefhebben. Ze wilde een kind van hem. Op een dag, zei ze bij zichzelf, zijn huid strelend met haar gevoelige vingertoppen, op een dag zal ik geslaagd zijn, zal ik de pianiste zijn die ik wilde zijn, en dan zal ik me helemaal op jou richten, op ons. Ze was van plan zichzelf als goud in zijn handen te laten stromen. En waarom zou 'op een dag' later moeten zijn?

Om hen heen ruiste knus de regen, als beddengordijnen die de wereld buitensluiten; en ze stond hem toe behoedzaam te zeggen dat dit niet stand zou houden, en ze wist dat het wél zo zou zijn, op een dag.

Maar ze zei het hem niet, omdat ze nog niet zover was om 'op een dag' nu te laten ingaan; ze had behalve hem nog iets anders, en ze had bij Florrie gezien wat het huwelijk de piano aandeed.

21

Dinsdag ging Perdita in haar eentje naar Courbevoie. Ze deed de Grand Bazar de Courbevoie aan om een koekenpan te kopen (wat was eigenlijk het Franse woord voor koekenpan?), en wijdde zich vervolgens aan Chopin en Liszt, maar ze was met haar gedachten bij het paar dat hier vóór haar en Alexander had gewoond.

Nicht Dotty had haar iets over hen verteld. Madame Mallais was dienstmeisje en wasvrouw geweest in het gezin van een Franse schilder. Toen Mallais ervandoor was gegaan met de dochter van de schilder, was zij meegegaan. De dochter was gestorven en Mallais was met madame getrouwd. Ze had hem ondersteund door thuis als wasvrouw te werken, maar toen hij beroemd was geworden, had hij haar in Courbevoie achtergelaten terwijl hij in Parijs bij zijn vrienden bleef.

'Ze was onontwikkeld, arm – volkomen ongeschikt – ze zou niet in Parijs hebben gepast.' Nicht Dotty had uit hun levens een les getrokken voor Perdita. 'Hij is met haar getrouwd om hun kind te legitimeren. Hij deed er goed aan haar hier alleen achter te laten; zijn vrienden zouden haar uitgelachen hebben.'

Perdita trakteerde zichzelf op een wandeling in de tuin, peinzend over dat slecht bij elkaar passende paar, de schilder en zijn wasvrouw, en opende aan het eind ervan de deur in hun hoge Franse tuinmuur. De tuinpoort van madame Mallais was maar twintig stappen naar links.

Toen u jong was, vroeg ze haar onzichtbare buurvrouw, dacht u toen voortdurend aan hem terwijl u wist dat u dat niet moest doen? Wandelde u met hem in de tuin? Begon u iets met hem en kon u er niet mee ophouden, wilde u er niet mee ophouden, maar wilde u wel iets zeggen? Wilde u zeggen: *Ik ben niet helemaal wat je wilt?* Hoe was het toen u zich begon af te vragen of u zijn kind moest krijgen en hier blijven? Was u blij toen u het deed?

'Miauw!' Natte vacht wreef zich tegen haar enkels. Ze sprong geschrokken op, knielde toen neer, vond een kin om te krabben en tilde een dubbele armvol zware natte kat op.

'Minou, minou! O, jij arme schat, ben je hier ingesloten geraakt?' Ze kneep haar ogen tot spleetjes. 'Ben je een zwart-witte kat? Ik geloof het wel. Ben je Léon van madame?'

'Miah!' stemde de kat spinnend in. 'Miauf?'

'Nee, poesje, ik heb geen eten voor je, maar als we je eens naar je vrouwtje brengen...' Ze wist niet of ze madame Mallais wilde storen, maar nu was er de gelegenheid voor, voordat hun ongemakkelijke omgang de tijd had gehad om vaste vorm aan te nemen. 'Kom op, Léon, en niet uit mijn armen de straat op springen.' Perdita ging door de tuinpoort de quai de Seine op en trok aan de bel bij madame Mallais.

'Ik heb hem gevonden...'

Léon spinde dat het een aard had.

'Is het wel uw kat... ik zie namelijk niet zo goed...'

Weer een ogenblik stilte, maar deze keer van een andere aard. 'O?' zei madame, en vervolgens: 'O! Mais vous êtes *aveugle*!' U bent natuurlijk *blind*! Madame Mallais had het *geweten*, suggereerde haar toon, maar zag nu pas in wat dat inhield.

'Kom binnen,' zei madame Mallais, de deur openend. 'Kom gerust binnen.'

De tuin van Mallais was klein, schaduwrijk en bedompt, als een binnenplaats in de stad; terwijl ze om het huis liepen voelde Perdita haar rok tegen de lelijke muur strijken. Ze stapten over een plukje dode irisbladeren. De achtertuin van madame Mallais liep steil naar boven, net als die van hun; zelfs in de kilte van januari rook het er sterk naar jeneverbes en lavendel. Maar er was geen luchtstroming zoals in de andere tuin; deze tuin was klein.

'We kunnen in de tent gaan zitten, als u wilt,' zei madame Mallais, 'maar mijn broer slaapt daar. Hij heeft een vreselijke arteritis...'

'Wie is dat?' klaagde een gedempte basstem vlak bij haar aan de rechterkant. Perdita schrok op. 'Heb je iemand binnengelaten?' alsof het iets was dat madame Mallais nooit in haar hoofd had mogen halen.

Monsieur Yvaud had een veel beschaafdere stem dan zijn zuster – geen nasale *n*-nen.

'Dit is onze buurvrouw,' zei madame Mallais, 'van hiernaast, ze kan niet zíén, Yvaud!'

'O?' zei de broer van madame Mallais. 'O,' alsof dat alles verklaarde. '*Bien!* Leuk u te ontmoeten, madame… mademoiselle…'

'Mademoiselle. Perdita Halley,' zei Perdita enigszins in verwarring gebracht. *Bien?* Niemand hóúdt van mensen die niet kunnen zien.

'We krijgen nooit bezoek,' zei madame Mallais.

Bukkend begaven ze zich in de tent en gingen zitten, beschut tegen de regen. De tent was klein en rook sterk naar de olieverf en terpentine van monsieur Mallais, verschaalde pijprook, verse pijprook en monsieurs wintergroenolie. 'U komt uit dat vreselijke huis, hè?' pufte de oude man verontwaardigd.

'Onze tuin was heel bijzonder,' zei madame Mallais, zich half verontschuldigend. 'Hij had een prachtig licht, zelfs in de winter. Daar kon je niets verkeerd doen.'

'U bent toch niet degene die pianospeelt, mademoiselle?'

'Broer Yvaud luistert graag naar u,' zei madame Mallais. Monsieur Yvaud gromde instemmend.

Ze praatten een beetje over hun carrière – carrières van vrouwen leveren, als ze nergens anders goed voor zijn, in elk geval gespreksstof op – en madame sloofde zich uit om Perdita haar kruiden, haar kleine rozen en haar bloembed onder de jeneverbes te laten zien, als om haar gerust te stellen dat deze tuin net zo goed was als die andere. Perdita knielde neer en raakte het bloembed aan, klonterig in zijn winterslaap.

'Ik heb uw tuin vandaag gezien,' waagde Perdita het op te merken. 'De knoppen aan de takken zijn aan het uitbotten.'

'Laat die tuin nou maar,' zei madame Mallais monter. 'Kom, we gaan theedrinken.'

Madame gaf Perdita thee en kleine toffee-achtige haverkoekjes die, verzekerde madame haar, precies volgens het recept waren dat zij had gekregen van een Schotse gouvernante voor wie ze de was had gedaan toen ze een meisje was, en een aardiger dame kon je je niet voorstellen. Broer Yvaud zou zijn thee later nemen; hij was 'helemaal gerotbraakt', zei madame, en kon zijn handen en benen nauwelijks gebruiken. Madames broer was slim: een aan zijn arm vastgebonden stok stelde hem in staat de bladzijden van een boek om te slaan; met behulp van een standaard van ijzerdraad kon hij zijn geliefde pijp roken; hij dronk zijn thee door een metalen rietje. 'Hij denkt overal aan!' zei madame trots.

De tuin is mijn tuin, dacht Perdita, ook al heb ik hem alleen maar gehuurd, en madame is nu een kennis; ik heb het recht. 'Madame, komt u eens bij ons op visite om te laten zien hoe de tuin zou moeten zijn?'

'Ons?' zei madame Mallais scherp. 'O, ik dacht dat u daar alleen woonde...'

'Er komt zo nu en dan een... vriend op bezoek. *Un ami.*' Het mannelijke woord voor *vriend* betekende in de omgangstaal ook iets intiemers en minder respectabels. Perdita bloosde. 'Ik bedoel... hij is niet mijn man. Nog niet. Maar we...' Ze had er niet over nagedacht wat madame van haar zou kunnen denken. 'Ik begin me net een beetje te vestigen als pianiste... ik zit op het Conservatoire... ze laten daar geen getrouwde vrouwen studeren, dus...' Ze raakte het spoor bijster. 'Sorry, madame, monsieur.'

Monsieur Yvaud grinnikte onverwacht. 'O, het geeft niets dat u niet getrouwd bent,' zei madame Mallais. 'Zo begint iedereen.'

'U vindt het dus... niet erg?' zei ze met een enigszins trillende stem.

Madame Mallais gaf een klopje op haar hand. 'Neem maar een paar koekjes mee voor uw verkering. En ik kom binnenkort weleens langs.'

'Mijn... verkering... zou monsieur Yvaud kunnen opzoeken, als u wilt. Hij zal wel behoefte hebben aan gezelschap.'

'O, Yvaud ziet nooit mensen; hij zit er heel erg mee dat hij invalide is geworden; maar u komt me maar weer eens opzoeken, en ik kom bij u op de thee.'

Perdita klom de tuinhelling weer op. De avond was al donker en kil. Ze vormden een vreemd paar, madame Mallais en haar broer. Het was morbide van monsieur Yvaud dat hij helemaal niet wilde worden gezien. (Perdita had wel degelijk een indruk van hem gekregen in het felle buitenlicht: een geelgrijze klodder van een snor, een zwarte klodderbaret, en om ze bijeen te houden een gestalte die zo voorovergebogen was dat hij heel klein leek.) Ze was er bepaald niet zeker van dat broer Yvaud werkelijk madames broer was; waarom klonken ze zo verschillend?

Hij heeft zoveel last van zijn artritis dat hij geen bezoek wil hebben, schreef ze die avond aan Alexander. *Ze is eenzaam, maar ze liet me pas binnen toen ze zich herinnerde dat ik slechtziend ben. Ze zijn aardig maar vreemd.*

En Dotty doet ook eigenaardig, schreef hij haar de volgende dag terug. *Ik vraag me af wat er aan de hand is. Heb je nog schilderijen van Mallais kunnen zien? Madame zou alle onverkochte schilderijen in haar bezit hebben. Kom vanavond bij me eten en vertel me erover.*

Ze streelde het getypte brailleschrift zoals ze over zijn huid zou hebben gestreken. *Ik kan niet,* schreef ze; maar ze streepte het door en schreef: *Ik kom.*

22

REISDEN WILDE HAAR EN OOK WEER NIET.
Hij had niet beseft hoe hevig je ernaar kon verlangen bij iemand te
zijn. In het lab droomde hij van haar. Stafvergaderingen in Jouvet gingen langs hem heen. Op maandag dacht hij aan dinsdag, wanneer hij
met haar samen zou zijn; op woensdag aan donderdag; op vrijdag aan
zaterdag en zondag en die lange kostbare nacht ertussenin. Maar hij
wilde meer. Hij wilde met haar pronken; hij wilde haar voorstellen in
Jouvet; hij wilde zeggen: *deze vrouw is van mij*.
Het was natuurlijk geen echte verhouding, noch in werkelijkheid
noch in zijn hoofd; het was veel te intens. Het was louter een afspiege-
ling van zijn emotionele behoeften. Hij wilde haar zo zielsgraag omdat
hij bij haar niet op zijn hoede hoefde te zijn; ze wist alles; het bespaarde
hem de moeite alles weer te moeten uitleggen.
Maar wat hij niet kon houden wilde hij niet echt.
Perdita was niet van hem, welke geheimzinnige stempel hij ook op
haar had gedrukt; ze gaf zich aan hem, en trok zich aan het eind van de
middagen weer netjes terug; en dat ergerde hem enigszins, wat niet eerlijk was. Hij wilde haar werk niet van haar afnemen, en hij wilde er niet
mee leven, en hij wilde zich niet aan haar ergeren omdat ze nog niet toe
was aan huwelijkse liefde. Maar hij kon geen vrouw hebben, wilde geen
vrouw hebben die op tournee zou gaan.
Toen hij met Tasy trouwde, was ze koorlid geweest van een reizend
operagezelschap en hij promovendus in biochemie. Zijn labwerk kon
gemakkelijk tweeënzeventig uur achtereen in beslag nemen; de opera

reisde heel Engeland door – *Lakmé* in Glasgow, *Aïda* in Leeds; ze hadden op de een of andere manier wel een leven samen gehad, maar als betreurenswaardig typerend herinnerde hij zich de keer dat hij een vrachttrein naar Brighton had genomen om aansluiting te hebben op haar passagierstrein naar York. Er was hun drie uur van zalig, frustrerend tweedeklas vrijen in een donker hoekje gegeven, daarna moest hij met de boemeltrein weer terug naar Londen. Zijn leven met Tasy was net doenlijk geweest; Engeland is klein. Maar de reis van Le Havre naar New York duurde met een snel stoomschip vijf dagen, en New York is nog maar het begin van Amerika, land van oneindig veel symfonieorkesten.

En wat zag Perdita in hem, wat wilde ze van hem? Wie zag ze werkelijk, in plaats van hem? Voordat ze minnaars werden had haar slechtziendheid hem niet gestoord; nu wel; het was een metafoor. Perdita wilde uiteindelijk kinderen, en wanneer hij zei dat hij dat niet wilde, glimlachte ze, en keek met wazige ogen langs hem heen. *Kijk naar me*, wilde hij dan zeggen.

De afschuwelijke waarheid, liefste, dacht hij, terwijl hij Perdita's warme lichaam tegen het zijne hield, is dat ik wel degelijk weet wat ik wil. Hij wilde geen maîtresse; maîtresses verlaat je nadat je ze hebt bemind, zoals hij Perdita aan het eind van hun middagen verliet. De luxe van liefde was tijd, nabijheid, samen praten of lezen, lichaam naar lichaam voegen, knieën en armen, benen en handen, samen in slaap vallen, het duister met elkaars aanwezigheid huiselijk maken.

Dotty had gelijk; hij wilde getrouwd zijn.

Wanneer dit voorbij zou zijn, zou hij serieus op zoek gaan naar een fatsoenlijke vrouw die hem kon *toebehoren*. De geschikte vrouw voor hem zou ongeveer van zijn leeftijd zijn. Ze zou weduwe zijn, of misschien gescheiden; ze zou zijn gaan omzien naar een redelijke kans op hernieuwd geluk. Ze zou kinderen kunnen hebben, maar die zouden al wat ouder zijn, en op school zitten.

Er zou geen piano zijn, geen enkele. Geen symfonieën, geen tournees, geen agenten, geen Amerika. Geen afscheidsscènes. En de geschikte vrouw voor hem zou niet nieuwsgierig zijn. Hij zou niet alles, het hele armoedige, afschuwelijke verhaal, met haar hoeven delen; ze zou gewoon aannemen dat hij ooit ziek was geweest en nu weer gezond was.

Maar hij had zichzelf niet in de hand. Terwijl hij op zoek wilde gaan naar een betrouwbare vrouw, kwam hij in plaats daarvan bij deze geliefde terecht, om zich argwanend bij haar te nestelen, het verkeerde te doen, naast haar te liggen, lichaam tegen lichaam, zijn arm om haar heen. 'Welterusten, schat,' zei hij tegen haar. 'Welterusten, liefste van me.' Voor hem was Perdita net als Tasy, net alsof hij al besloten had; alsof hij iemand had gevonden die een maatstaf was voor alle anderen. Wat hij voor haar voelde was geen emotie die in een spiegel zou overleven maar iets voor het duister, een emotie die zelfs niet menselijk was, maar dierlijk, een bevrijding, een lediging van alle zorgen, als de emotie van een waakhond die in slaap valt aan de zijde van zijn bazin omdat zij van hem is. Het had geen naam; in ieder geval niet liefde; het was niet romantisch; het was vergroot zelfbewustzijn; het was het bezitten van iets wat men niet kan houden.

Hij moest zijn afschuwelijke verleden er maar tegen iemand anders uitflappen, met iemand anders naar bed gaan, de speciale band waardoor hij bij Perdita bleef verbreken, en haar laten gaan.

23

MOORD IS MINDER VRESELIJK DAN VERWAARLOZING. NA NIEUW-jaar begint het tot Leonard door te dringen dat niemand zich om de Mona Lisa zal bekommeren. De spiegels worden afgezeept, GELUKKIG 1910, het *jaar* is veranderd, het *decennium*, ze is nog steeds *daar*. Hij is geobsedeerd door de Morgue. Koude dagen doen hem denken aan het ijs waarin ze de lichamen bewaren; het druipen van regen aan het druipen van ijs terwijl het smelt. De paar zonnige dagen veroorzaken in hem een naamloos afgrijzen.

Hij leest telkens weer de paar centimeter papier waarin verslag werd gedaan van de ontdekking van haar lichaam. GRUWELIJKE ONTDEKKING leest hij. MONSTERLIJKE MISDAAD. De groezelige stukjes krant troosten hem bijna. Zo'n monster moet een obsessie zijn voor de politie van de Préfecture. Honderden politieagenten moeten de straten aan het uit-kammen zijn. De Mona Lisa wordt niet vergeten. De politie zit achter de moordenaar aan.

Een monster. Een *vaurien*, een schurk met zijn lange mes, een niets-nut, een...

Maar zelfs de politie moest weten dat hij om haar gaf, dat 'monster' dat 'haar lichaam met zijn mes perforeerde'. Ze was ziek. Het monster had medelijden. Het monster was een heer.

De regen verwaait over de quai du Louvre als zwart rouwfloers.

Baron de Reisden waarom verzaakt u uw Plicht Waarom doet u geen Moei-te voor haar

Leonard speldt heimelijk een ansichtkaart aan de binnenkant van zijn tuniek, waar hij ritselt als een teleurgesteld en boos hart.

24

U *WEET VASNIE WATTU MOE DOEN*...

De brief lag op tafel in de Préfecture, alle zeven kantjes ervan. De politiefotografen waren er al mee bezig geweest en hadden verschillende vingerafdrukken verkregen, waarvan de meeste helaas van Reisden waren. In de met linoleum belegde gangen huilde de wind als een dolleman in de verte.

'Hij vermoordt haar op een gewelddadige manier, monsieur le baron, en schrijft dan aan u dat u haar rozen in haar handen moet geven wanneer u haar in de rivier gooit.' Inspecteur Langelais keek naar de brief met de combinatie van beroepsmatige interesse en persoonlijk onbehagen die een explosievenopruimingsteam aan de dag legt voor een bom. 'Rozen!' herhaalde Langelais.

'Hij wil opgepakt worden,' zei Reisden.

'Als dat zo was, zou hij haar zelf proberen te begraven!'

'Zover is hij nog niet. Maar hij wil praten.' Haar Kunstenaar had geschreven over de eerste keer dat hij de Mona Lisa had gezien, dansend voor het Gare d'Orsay. Hij had in detail een beschrijving gegeven van de begrafenis die hij voor haar wilde, waaraan de Notre-Dame, de Franse adel en de paus te pas kwamen. Hij had zelfs instructies gegeven voor haar ontvangst in het paleis, aan het eind van de Seine. 'Hij wordt door haar geobsedeerd, hij kan haar niet laten gaan. Dit is een manier om de verhouding voort te zetten.'

Langelais grimaste.

'Hebt u nooit een man gearresteerd die bij het lijk van zijn vrouw stond te huilen?' vroeg Reisden. 'Waarom staat hij te huilen? Omdat ze hem verlaten heeft.'

'Ah, ja, alle gewelddadigen zijn sentimenteel,' zei Langelais, 'maar dit was een venijnige misdaad. Hij heeft twee messen gebruikt. Hij heeft haar beide polsen doorgesneden, haar herhaaldelijk gestoken, en ten slotte een slagader een jaap gegeven.' De inspecteur draaide ziedend aan zijn snor. *'Rozen?'*

'Heeft hij haar polsen doorgesneden?' zei Reisden. Dit detail had de kranten niet gehaald. 'Dat maakt gewoonlijk deel uit van een poging om het op zelfmoord te laten lijken.'

'Hij heeft haar zevenendertig keer gestoken!' zei de inspecteur. 'Het was geen zelfmoord.'

Reisden liet Langelais met de brief achter in de Préfecture. Hij moest eigenlijk een lezing over neurologie bijwonen, maar hij had de spreker al eerder gehoord en zou tijdens de receptie na afloop wel op de hoogte raken van eventuele nieuwe ontwikkelingen.

Hij slenterde doelloos over de Rechteroever. Op de Mégisserie-vogelmarkt zetten de hanen mistroostig hun veren op en koerden de duiven in de regen. Reisden bleef in de regen staan kijken naar de lichten, de langsrollende koetsen en de vogels, in die overgevoelige gemoedstoestand waarin alle gewone dingen breekbaar lijken.

Hij had een theorie over de misdaad, en die beviel hem niet.

Voorbij de rue St.-Honoré glinsterden de slaperige, naar kool ruikende broeikassen van Les Halles, die broksgewijs werden weerspiegeld op het plaveisel. Hij liep via de rue Montmartre naar het Hôtel des Postes aan de rue du Louvre.

Onder de luifel van een café, half beschermd tegen de regen, bracht een kind boutonnières aan de man vanaf een zwaar, aan haar schouders hangend blad. Reisden kocht alles wat er op het blad lag, voor tien francs aan witte roosjes, waarvan de bloemblaadjes aan elkaar kleefden door de vochtigheid. Hij liet het kind de bloemen weggeven terwijl hij toekeek, gaf haar nog twee francs voor de avondmaaltijd, en vertrok toen voordat een overijverige weldoener, of het kind zelf, begon te denken dat hij haar kocht. Morgen zou ze weer op straat staan met een nieuwe lading roosjes, en uiteindelijk zou ze op straat staan zonder roosjes. Op een dag zou ze ongetwijfeld op straat staan zingen als de Mona Lisa.

Dotty had gelijk. Hij zou moeten trouwen. Je hebt iemand nodig om van te houden zonder jezelf belachelijk te maken.

In het Hôtel des Postes keken gevleugelde vrouwen in marmer peinzend neer op de rijen telefooncellen; aan de lange toonbank namen uitdrukkingsloze, geüniformeerde mannen munten in ontvangst en deelden postzegels en briefpapier uit. Een dikke vrouw maakte verbitterd ophef over tien centimes. Reisden trok zijn handschoenen uit, besmeerde zijn handen met inkt uit de fles op de toonbank, deed zijn best om er verward uit te zien, en ging in de rij staan om een vel goedkoop postpapier, een envelop en een postzegel van tien francs te kopen. Een ongewone aankoop voor een heer, maar de postbeambte keek niet op of om.

Niemand had Haar Kunstenaar postpapier en enveloppen zien kopen. Hij had geen vingerafdrukken achtergelaten. Het was gewoon niet waarschijnlijk dat hij werd opgepakt.

Hij liep terug naar de rivier, langs het donkere gevaarte van het Louvre; bij de Pont-Royal stak hij de Seine over en bleef aan het uiteinde van de brug, bij het licht van het Gare d'Orsay, stroomopwaarts naar de Vert-Galant staan kijken.

Op de hoger gelegen quais, bij het grote station en het hotel, waren voortdurend horden mensen. Aan de zijkant van het hotel waren enorme elektrische lampen bevestigd, die als wazige manen alles in de diepte verlichtten. Een trein tjoekte voort door de spoorweggeul vanaf het Gare des Invalides. Aan de lager gelegen quai was een ankerplaats voor twee schuiten. Er lagen er nu twee; sjouwers waren hout en vaten meel aan het uitladen, en een kleine berg grind blokkeerde een deel van de stroomafwaartse kant van de brug. De rivier was bezaaid met *bateaux-mouches*, met hun rode en gele lampjes. De hele Seine in het centrum van Parijs was druk, verlicht, gevuld met boten. Op de Seine was nergens een plek waar je iemand kon vermoorden, tenzij je gepakt wilde worden.

G-d, wat had hij zelf graag gepakt willen worden, in zijn tijd, zonder het vermogen te hebben om dat in te zien.

Nevelige regen dreef in vlagen over de rivier. De lampen glinsterden op de hydrografische schaal, een verticale, door de regen donker geworden strook ijzer op de dichtstbijzijnde brugpijler. Bomen bogen zich over de stroomafwaartse muur, hun bladerloze kruinen boven de quai, driehoekige schaduwen werpend in het elektrische licht. Hij keek stroomopwaarts en zag bijna met een schok de enige donkere plek in de rivier, het park van de Vert-Galant met zijn doffe, met scherpe punten gekroonde lantaarns, een beruchte plek voor geliefden.

Daar. Daar was het gebeurd. Ze had hem naar de Vert-Galant gebracht, zich misschien als een geliefde gedragen, en toen...

'Monsieur de Reisden?'

Hij schrok op als een schuldig man.

'Inspecteur,' zei hij.

Het gezicht van de inspecteur was uitdrukkingsloos in het duister. Hij heeft me gevolgd, dacht Reisden. Monsieur de Reisden was een voormalige gek, die in de buurt van de rivier woonde en de Mona Lisa had gekend. Monsieur de Reisden was naar het postkantoor geweest; en nu stond hij daar naar de plaats van het misdrijf te staren. Reisden zou zichzelf gearresteerd hebben.

'Ik weet wat er tussen hem en de Mona Lisa is gebeurd,' zei Reisden.

25

Intussen was de Mona Lisa al zes weken in de Morgue. Ze onderzochten haar in de zwarte autopsiekamer, onder het genadeloze elektrische licht. Voor zijn werk woonde Reisden af en toe een autopsie bij; hij hield er niet van; maar zijn maag was sterk genoeg om de handen van het lijk om te draaien (klompvingers, verrassend klein) en de palmen en polsen te onderzoeken met het zakvergrootglas van de autopsiekamer. De huid van de Mona Lisa was glibberig; op de rug van haar hand scheurde hij. Door de achterdeur van de Morgue ging hij naar buiten en bleef hijgend staan in de noordelijke wind die vanaf de rivier kwam, zijn vingers afvegend aan de koude granieten buitenkant van het gebouw.

'Dit was geen moord,' zei hij tegen Langelais. 'Aanvankelijk niet.'

'Wat bedoelt u?'

Reisden haalde zijn zilveren Zwitserse pen te voorschijn. 'Steek uw polsen eens uit. Dit is een mes en ik snijd ze door.' Hij trok de punt van de pen heel zachtjes over beide polsen; de pen glansde blauw op in de schemering. 'Ik ben rechtshandig, u staat tegenover mij; ik snijd uw beide polsen vanuit mijn gezichtspunt van links naar rechts door. De wond begint bij de duimkant van uw rechterpols; het uiteinde ervan bevindt zich bij de duimkant van uw linkerpols. Ik zie dat niet op haar polsen.' Hij bewoog de pen van de buitenkant naar de binnenkant van zijn linkerpols, nam de pen over met zijn linkerhand en bewoog hem van de buitenkant naar de binnenkant van zijn rechterpols. 'Nu snijd ik mijn eigen polsen door. Tegenovergestelde richtingen, ietsje neerwaarts, de

belangrijkste kant van de wond aan de duimkant van beide polsen. Dat is wat ik zie. Hij heeft de rest gedaan, kan men aannemen, maar zij heeft haar eigen polsen doorgesneden.'
Langelais trok aan zijn baard. 'Dat is heel slim,' zei hij.
'Ze heeft haar eigen polsen doorgesneden, en toen... Ze was bezig hem te verlaten, of ze heeft hem gevraagd haar te doden.' *Ik gaf dur Allus wat ze Wou omdat ze Goed voor Me Was*: Haar Kunstenaar had het binnen het bestek van zeven pagina's drie keer gezegd. Arme Haar Kunstenaar, obsessief schrijvend in zijn moeizame hanenpoot, uitleggend hoe goed de Mona Lisa was geweest.
'Natuurlijk,' zei de inspecteur, zijn keel schrapend. 'Deze brief, bijvoorbeeld, geeft u een volledig alibi, als u kunt verklaren waar u was op het tijdstip dat hij werd gepost. Gisteravond, monsieur, zes uur, in de rue du Louvre; u was vast en zeker elders.'
'Gisteravond zes uur.' Hij was bij Perdita geweest. 'Ik was alleen, ben ik bang,' zei hij.
'Ah, dat is jammer.'
'Als ik die man was geweest, had ik voor een alibi moeten zorgen.'
De inspecteur wendde zijn blik af. Ze wisten beiden dat Langelais Reisden pas zou arresteren als hij zo onhandig was te bekennen; Reisden was een baron en de eigenaar van een bedrijf, en men komt niet ver met het vervolgen van de *classes dirigeantes*. Maar ze wisten allebei ook dat Reisden zich vreemd gedroeg.
'Ik denk dat ze hem vroeg haar te doden,' hield Reisden vol. 'Het is geen goede theorie maar het is de beste die ik heb. Er zaten geen littekens van sneeën op haar handpalmen; wanneer je met een mes wordt aangevallen steek je ter verdediging je handen op en wordt er op je palm ingehakt, maar zij had geen sneeën. Ze heeft hem geen weerstand geboden. En nu is hij een moordenaar.' *Ik mis dur zo*, had de man geschreven. 'Uit het lijk kunt u behoorlijk wat over hem opmaken. Hij is rechtshandig en een paar centimeter langer dan zij. Hij is misschien afgekeurd voor militaire dienst; hij heeft in elk geval geen militaire training gehad. Hij moet gemakkelijk gevonden kunnen worden onder haar klanten.'
'Het is dat u zegt dat u haar niet heeft gedood,' zei de inspecteur, 'want anders zou ik toch echt gedacht hebben dat u het had gedaan.' Hij glimlachte, maar uit effectbejag, zijn tanden beleefd ontblotend in zijn baard. 'Militaire dienst?'
'Je leert erbij stil te staan hoe goed je gewapend bent, en toe te stoten in opwaartse richting. Hij ranselde haar gewoon af met zijn mes. Hij had geen idee hoe hij haar moest doden.'

'Ah.'

'Hij moet worden opgespoord,' zei Reisden.

De inspecteur friemelde aan zijn snor. Langelais wilde een simpele zaak.

Ik krijg hier moeilijkheden mee, dacht Reisden; ik zou me er niet mee moeten bemoeien.

'U zult hem nooit vinden,' zei Reisden, 'maar ik denk dat ik hem wel kan vinden.'

26

ZATERDAG 8 JANUARI STORTREGENDE HET; HET WATER GUTSTE over de puntdaken van Jouvet en klaterde door de afvoerpijpen de binnenplaats op. Ongeruste patiënten arriveerden weggedoken onder zwarte en bruine paraplu's; ambulancepersoneel schuilde in de wachtkamer, rokend en klagend, terwijl hun paarden onder zeildoek en dekens buiten wachtten, de hoofden gebogen, de manen drijfnat, stampvoetend van ongeduld om naar huis te gaan. Reisdens zuur kijkende secretaresse, madame Herschner, waarde rond door het laboratorium, terwijl ze met afkeurend gesnuif een voorraadlijst samenstelde; en Reisden zat bij de accountants, die er twee uur voor nodig hadden om hem te vertellen dat Jouvet welvarend genoeg was om in aanmerking te komen voor een banklening.

De afgelopen drie dagen had er in de minst geletterde kranten van Parijs een advertentie gestaan in de rubriek met oproepen. MONA LISA KUNSTENAAR – *Moet u spreken. Laat boodschap achter, Hôtel des Postes, rue du Louvre.* Het plan was om Haar Kunstenaar zover te krijgen dat hij instemde met een ontmoeting, waarbij de politie hem in de kraag zou grijpen. Ook al had hij maar zo weinig op zich genomen, Reisden vond dat hij beter had moeten weten.

Rond het middaguur, nadat de accountants vertrokken waren, sloot hij de deur van zijn kantoor en haalde uit een kabinet onder de boekenplanken een oude Edison dicteerfonograaf en een wassen cilinder in zijn doos te voorschijn. Hij liet de speelarm heel voorzichtig neer op het met was bedekte karton en beluisterde alles één keer. Door het getingel van slijtage en naaldgeluiden heen hoorde hij een roodharig meisje van achttien een geluidsopname maken. Tasy stond voor de opnamehoorn te zingen, tot ze opnieuw de donzige, laatste hoge noot liet klinken, opnieuw afbrak, en de laatste centimeter was gebruikte om een boodschap aan hem op te nemen. '*Ya lyublyu tebya, Aleksandr!* Ik hou van jou, Alexander,' zei ze en de naald liep van de was af. Ze had de opname op de dag af tien jaar geleden gemaakt, op de ochtend van hun trouwdag.

Elke keer dat je een wascilinder afspeelt vernietig je hem een beetje meer. Er was niets meer over van Tasy's stem dan een hoog zacht gebrom en een herinnering. Voortvarend borg hij het apparaat en zijn ene opname weg, alsof hij, als hij er de tijd voor nam, aan het licht zou brengen dat het moment ook versleten was.

Hij zou Tasy niet gebruiken als een reden voor zelfmedelijden. Hij belde Dotty op. 'Lunch?'

'O, schat, ik ga met Cécile lunchen. Je zou ons kunnen vergezellen. Ze is echt een verrukkelijke vrouw, lieverd,' zei Dotty. 'En ze heeft zoveel onroerend goed in Bourgogne.'

Hij lachte. 'Is Tiggy er? Dan neem ik hem mee om een hond voor hem te gaan kopen.'

'Ik zou nooit meer met je praten. Nee, hij is vandaag bij Paul... Schat, ik zou het buitengewoon op prijs stellen als je één ding voor me zou willen doen.'

Hij hoorde iets kribbigs in haar stem. Op die toon had ze hem drie jaar geleden gevraagd of hij misschien zou kunnen achterhalen waar haar echtgenoot gebleven was.

'Jouw meneer Barry Bullard, een bijzonder akelige man. Hij is gisteren bij me op bezoek geweest, schat. Hij heeft me gezegd...' Dotty ademde enigszins beverig in. 'Hij heeft me gezegd dat hij naar mijn Mallais heeft gekeken, en, schat, volgens hem is een detail nogal afwijkend. Ik geloof niet dat er iets aan de hand is, maar het is natuurlijk wel vreselijk verontrustend. Volgende week opent het retrospectief. Zou jij met hem kunnen praten?'

'Heb je daarom navraag gedaan naar madame Mallais?' vroeg hij.

'Nee, nee, helemáál niet – er kan niets aan de hand zijn, ik heb mijn schilderij van Armand gekocht...'

'Ben je echt niet vrij voor de lunch?' vroeg hij.

'Ik kan niet,' zei ze.

'Dan kom ik bij je op de thee en ga je me het allemaal haarfijn vertellen. Vijf uur.'

27

Het was eveneens op zaterdag de achtste dat Milly Xico onverwacht kennismaakte met Perdita Halley.

La Parisienne had gebeld; een van de vaste medewerkers lag ziek in bed; er was een fotograaf in het Conservatoire met twaalf studentes die klaarstonden om te worden geïnterviewd. Zou zij deze avond 'Meisjes van het Conservatorium' kunnen doen, achthonderd woorden?

Natuurlijk kon ze dat.

De revue die ze aan het repeteren was verveelde haar. Het was in een oud vervallen theater bij de Boulevard Poissonnière, het soort gelegenheid dat een vrouw boekt van bijna drieëndertig die ooit een naam had. Achter in het theater klonk het monotone getinkel van druppels die in een zinken emmer vielen. De directeur van het theater kuchte; de regisseur zoog op keelpastilles; de meisjes van het achtergrondkoortje huiverden in hun korte rokken en strakke gebreide vesten. Achter de coulissen was de jonge revuezangeres, die er rond het middel verdacht dik uitzag, in gesprek met een schrander kijkende Engelse, die opera zong om 'de plaatsen vrij te maken'. Spelen in een revue die dagelijks werd opgevoerd was maar één treetje hoger dan helemaal geen werk hebben. Had ik maar geld, dacht Milly. Nick zat op het podium op een stoel van gebogen hout, kop naar beneden, schouders opgetrokken, en Milly boog zich voorover met de suikerzoete soepelheid van een Engelse zangeres en kirde schor:

'Zei het poessie
tegen de hond die
op het haardkleed zat: "Lieve schat…"'

'Wacht, wacht!' zei de regisseur. 'De hond ziet er niet uit alsof hij het naar zijn zin heeft.'
'Ze komen toch niet voor de hond.' Milly zette haar voet op de zitting van de stoel en knipte met haar vingers boven Nicks gerimpelde kleine snoet. 'Vlees, Nicky! Glimlachen!'
Nick rolde zijn ogen naar boven en produceerde zuchtend een dampwolk.

'Miauw-waf-waf!
Wat zijn wij toch een grappig stel
Het leven was een bagatel
Als jij maar van me hieieield…'

Milly had haar gezicht naar het voortoneel gewend, Nicky zat met zijn kop naar het achtertoneel en met zijn kont naar het publiek toegekeerd. Milly zong 'Het is geen zonde'. Milly zong 'Een eenzaam vrouwenhart'. Milly pakte Nick-Nack op en zong:

'Wat kan een man dat een hond niet kan?
Ik heb liever een hond dan een man…'

Ze kuste Nick-Nack op zijn bek, waarbij ze warme harige, rubberachtige lippen beroerde en vleesachtige adem rook, en één van Zosmés 16 Tel Ze 16 Dansmeisjes lachte zenuwachtig.
'Mooi zo, Xico. Dansmeisjes op graag!'
'Volgens mij *tong*zoent ze met de hond!' hoorde ze een van de meisjes fluisteren.
'Niet tijdens de repetitie, idioot!'
Nu het Conservatoire. Terwijl ze zich door de straten van de wijk haastte, kreeg Milly een indruk van etalages – uitgevers van toneelstukken, uitgevers van bladmuziek, bouwers en reparateurs van muziekinstrumenten; één winkel verkocht alleen strijkstokken en piepkleine kopieën van violen en cello's. Uit een café, de Viola, kwam een geur van gebakken aardappels; Nick jankte en keek haar aan met droeve, uitpuilende ogen. 'Nog niet, Nicky, we moeten de huur betalen.'
De meisjes van het Conservatoire stonden in een rij opgesteld, allemaal in witte blouses en donkere rokken. De meesten waren debutan-

tes die hun muzikale talenten polijstten voordat ze gingen trouwen. Twee meisjes aan het eind van de rij trokken Milly's aandacht, het ene heel jong, zacht en droef en met een dik gezicht, het andere donkerharig, slank, hartstochtelijk gebarend met grote muzikantenhanden. Het tweede meisje kwam haar bekend voor, zoals vaak het geval is met frisse, jonge gezichten. Milly probeerde haar tevergeefs te plaatsen.

'Glimlachen! Lach eens naar het vogeltje!' zei de fotograaf. 'Nu in de rij gaan staan voor madame Milly.'

Waar had Milly dat meisje toch eerder gezien? Elk meisje ging aan de piano zitten en speelde een paar maten; elk meisje ging naast Milly zitten en beantwoordde vragen. Agnieszka Appolonsky, het droeve kussentje, verstrengelde nerveus haar vingers. Juffrouw Perdita Halley, Amerikaanse, gaf een charmant en heel beheerst interview namens hen beiden. Juffrouw Halley zou in de komende paar weken twee keer optreden in Parijs: op 21 januari, met financiële steun van mevrouw Bacon, de vrouw van de Amerikaanse ambassadeur, en de week daarna, de zevenentwintigste, op een receptie gegeven door de vicomtesse de Gresnière.

Dat was ze dus, de kleine metgezellin van de zwarte panter en de vicomtesse: het meisje met de paraplu.

Oho, sjiek; een Conservatoirestudente! Een Conservatoirestudente die de minnares was van een man die een heel goede verstandhouding had met de vicomtesse de Gresnière. Dat frigide blondje, donkere 'Sachaschat', die een ironische en beschermende blik op haar wierp, en het meisje tussen hen in…

Als er iemand gedecideerd was, dan was het Milly wel. Ze kon Sachaschat goed gebruiken.

'Waar ken je de vicomtesse van?'

'O, haar neef, de baron von Reisden, is… een vriend van mijn familie. Een kennis.'

Dus, dacht Milly, de verhouding met 'Sacha' was een geheim, maar niet voor Dotty.

'Mijn tijdschrift houdt van modieuze interieurs,' zei Milly, 'en ik moet over één meisje in het bijzonder schrijven. Zou ik je kunnen fotograferen bij de vicomtesse?'

28

MET JUFFROUW HALLEY KENNISMAKEN WAS NIET MOEILIJKER DAN
een zwerfkatje aaien. Milly was van plan geweest om met haar te gaan
theedrinken en een onderwerp aan te snijden waar ze als vrouwen onder elkaar over konden praten. Het bleek hoeden te zijn. Toen ze het
Conservatoire verlieten, brak de rand van juffrouw Halleys hoed in de
deuropening.

'O, wat zonde,' zei Milly meelevend. 'Ik weet een hoedenzaak...'

Milly's lievelingszaak was een goedkoop atelier, waar in de achterka-
mer hoeden werden gemaakt die vóór verkocht werden. In een piepklein, elektrisch verlicht kamertje, aan een lange tafel waarop een warboel van linten, bloemen en veren lag, maakten drie vrouwen in
schorten een hoed voor juffrouw Halley: een donkere rand van enorme
omvang, een toefje goudsbloemoranje garneersel, een beetje van dit,
een beetje van dat, niet te veel, niet te weinig. De hoedenmaakster raadde een bijpassende sjaal van boalengte aan, donker aubergine met
goudsbloemkleurige kwasten. 'Ziet het er echt modieus genoeg uit voor
Parijs?' vroeg het meisje verlegen. 'Ik wil er wel graag modieus uitzien.'

Arm kind, zich optuttend voor een man.

Het huis van madame la vicomtesse was een flets, stenen gebouw aan
de smalle place Dauphine. De entree van de vicomtesse was van hard
zwart-wit marmer, over de muren slingerden zich levenloze geschilder-
de rozen; aan weerszijden van de trap en aan de wanden van haar statige ontvangkamers hingen spiegels, dof geworden als door de rook van
een vuurzee van langgeleden die te ontzagwekkend was om weg te ve-

gen. Madame de Gresnière zelf zat kaarsrecht op een stoel uit het ancien régime, een Wili in fletse pastelkleuren, haar haar zo blond dat het bijna wit was; ze bekeek Milly hooghartig, zonder belangstelling, met droeve blauwe ogen, de ogen van een vrouw wie een groot onrecht is aangedaan.

Sacha arriveerde halverwege de fotosessie, zwart en wild, en bracht in de oververhitte en naar was ruikende lucht de kille geur van de regenachtige straten buiten, van metro's en formaline. Aan hem waren de fletse, elegante en fragiele stoelen van de vicomtesse niet besteed; alsof het zijn eigendom was nam hij de leren clubfauteuil bij het haardvuur, naast haar, en strekte zijn lange benen uit. Hij en de vicomtesse mompelden wat tegen elkaar, naar elkaar toe gebogen. Hij had roofvogelogen, lichte irissen met een donkere rand: roofdierachtig, waakzaam, van nature onvoldaan. Hij verslond het meisje Perdita met zijn ogen, wendde zich af, wendde zich weer naar haar toe, alsof hij de tijd nam voor zijn maal, en de vicomtesse keek jaloers toe.

Zouden er ook bloemen op de foto moeten? De fotograaf wilde een interessante compositie. Madame la vicomtesse sprak haar veto uit over bloemen op de schouder van juffrouw Halleys jurk (een Worth!), maar monsieur vond dat bloemen een noodzakelijk cliché waren voor een jonge pianiste. Madame, glimlachend met een uitdrukking die een mengeling was van jaloezie en geduld, offerde een paar van haar kasbloemen op, maar fronste haar voorhoofd toen monsieur de bloem uit zijn eigen boutonnière bij het boeket voegde. Het meisje stond tussen hen in, blozend toen de bloemen door de baron werden opgespeld, lijdzaam toen de vicomtesse ze losmaakte en herschikte: misschien van dit alles afgezonderd door haar slechte gezichtsvermogen, misschien alleen maar wijs.

In de kleedkamer van de vicomtesse trok juffrouw Halley haar gewone kleren weer aan. De privé-kamers van dit statige huis waren net zoals de openbare kamers: verweerde, met olijfhout en vergulde *boiserie* omlijste spiegels, met zijde bedekte muren en vergulde stoelen, maar hier had madame de Gresnière elektrisch licht laten installeren, een stille zonde, om te bekijken hoe ze er in andermans huis uit zou zien. Juffrouw Halley had een schitterend figuur en zo'n warme huidskleur die er bij elektrisch licht blozend uitziet. Ze droeg uiterst eenvoudig ondergoed van katoenflanel, als dat van een schoolmeisje, strak over de borsten, een aantrekkelijke onbeholpenheid; Milly kreeg een pikante gewaarwording van dit meisje en de baron in de slaapkamer.

Ze namen allemaal thee en kleine sandwiches op Limoges-porselein. De bloemruikertjes op het Limoges pasten bij die welke op de stoelen geborduurd waren. Het zoontje van de vicomtesse, de vicomte de Gresnière, voegde zich bij hen, elk blond haartje gladgekamd voor het theeuurtje met zijn draak van een moeder. Terwijl ze thee schonk uit een zilveren pot, praatte madame over de mode. Pastelkleuren en parels waren dit jaar helemaal in; geen overdreven dingen, niets dat te *kleurrijk* was. Juffrouw Halley sloeg haar ogen neer. De baron keek de vicomtesse strak aan; juffrouw Halleys hand streek als per ongeluk langs die van de baron, en bleef daar liggen; de vicomtesse bekeek hen met een blauwzuurglimlach. Terwijl ze haar vingers even met die van de baron verstrengelde verontschuldigde juffrouw Halley zich met de vraag: 'Heeft madame er bezwaar tegen als ik pianospeel?' Nee, ga vooral uw gang, zei de vicomtesse, die zichtbaar blij was van haar verlost te zijn. De kleine burggraaf nestelde zich in de arm van zijn oom; ze waren samen een boek over dieren aan het lezen; en madame de Gresnière, die beleefd met Milly converseerde, bekeek hen net zo teder en bezitterig als een moeder en echtgenote.

In de hal met al zijn spiegels begon een doodgewone telefoonzoemer als slaperige bijen te zoemen. Een zeer correcte butler klopte op de deur en kondigde het telefoontje aan alsof het een bezoeker betrof: meneer Barry Bullard, voor monsieur de Reisden. Madame schrok en ze wisselde een gespannen blik met Sacha. Hij vertrok om het telefoontje aan te nemen.

'Bent u een schilderijenkenner?' vroeg de vicomtesse aan Milly. Milly bewonderde haar schilderijen, die geen bewondering behoefden: wie kan kritiek hebben op grote namen, en madame de Gresnière verzamelde grote namen. 'De Turner hangt in de gele salon, de Renoirs hangen in de eetkamer. Mijn Mallais…' Ze stokte. 'Mijn overleden echtgenoot verzamelde Engelse jachttaferelen,' zei ze laatdunkend, 'die hangen boven.'

'Ah, Engelse jachttaferelen,' zei Milly, eveneens laatdunkend, als een vrouw die zulk soort dingen elke dinsdag weggooit. Ze streek haar zijden rok glad, haar uitgeleend door een ontwerpster die hoopte in *Femina* te worden vermeld.

'O, dat is vervelend,' zei de baron vanuit de hal. 'Bullard, weet u het zeker?'

'Verzamelt u ook?' zei de burggravin, al wendde ze zich gedeeltelijk naar de stem van de baron.

'Ik twijfel niet aan u,' zei hij, 'maar dit is werkelijk lastig. Ja, ik zal het er met Dotty over hebben…'

Er viel een stilte; de baron kwam weer terug in de kamer. De baron keek veelbetekenend naar de vicomtesse, zij bezorgd naar hem; ze wierpen beiden een blik op Milly.

'Ik moet gaan,' zei Milly.

'Het was me een waar genoegen,' zei de vicomtesse plichtmatig. De baron knikte; hij had bijna niets gezegd, en zei nu ook niets.

Buiten bevrijdde Milly Nick-Nack en liet haar nieuwsgierigheid de vrije loop. *Lastig, vervelend?* 'Ze zijn te rijk, Nick, schatteboutje van me,' zei Milly, terwijl ze hem in haar armen nam. 'Ze hebben niets te doen. Dus houdt de vicomtesse van de baron, flirt de baron met zijn maîtresse terwijl hij de zoon van de vicomtesse voorleest, en alsof dat nog niet genoeg is, bekijkt hij de vicomtesse om te zien wat voor effect het op haar heeft. Die lui met hun op bestelling geschilderd porselein. Ik durf te wedden dat ze er ooit iets van heeft stukgegooid en geen rust had tot ze het opnieuw had laten verven. Ik vraag me af wat voor problemen ze denken te hebben.'

Plotseling viel er door de kale takken van de quai des Orfèvres een waterval van muziek en licht op de discrete straat met zijn juwelierswinkels en zijn uitzicht op de Seine. Iemand had een raam opengezet; er speelde een pianist. Milly stapte net op tijd de straat op om te zien dat een dienstmeisje kruimels weggooide uit het raam van de salon daarboven, een gordijn goed hing, en het raam weer sloot; de straat werd donker. Maar er was een kortstondige bliksem ingeslagen, die een stempel achterliet, een in de lucht gegraveerde schok, zodat zelfs de regendruppels talmden.

Juffrouw Halley? Dat meisje met het flanellen ondergoed en die aanbiddende blik? Milly herinnerde zich dat ze een bekwame indruk had gemaakt, en kennelijk al eerder interviews had gegeven.

Dus juffrouw Halley had iets, deze kleine kloosternovice met haar volle borsten en flanellen ondergoed. Ze was een Turner of een stuk op bestelling gemaakt porselein, gekocht om het huis aan te kleden. Maar ze paste niet, en de vicomtesse zou zich weldra van haar afmaken.

Juffrouw Halleys toekomst, begreep Milly, hing af van de recensies van haar twee optredens deze maand; en het belangrijkste, in maatschappelijk opzicht, zou plaatsvinden in de salon van deze zelfde madame Chinchilla-en-Limoges, de vicomtesse de Gresnière.

Ja, beslist, dacht Milly, ze kon Sacha een rol laten spelen in haar intrige tegen Henry.

En op zaterdag de achtste kwam Roy Daugherty in Parijs aan.

29

ARC DE TRIOMPHE, CHAMPS-ÉLYSÉES, DE EIFFELTOREN; PARIJS WAS vol beroemde dingen, maar Daugherty was niet erg onder de indruk. Het was een fraaie stad, maar Gilbert had voor de verandering eens gelijk: het was er smerig. Overal bloemen, zelfs in de winter, elektrische lantaarns in alle straten, cafés met propere groene luifels, maar elke mooie vrouw op straat stond naast een keffend Frans hondje dat op zijn hurken zat om zijn behoefte te doen. Het Quartier Latin: in Boston zou het een sloppenwijk zijn geweest. Een blok verwijderd van de ansichten en de Seine verscholen zich kronkelige smalle straatjes, schurftig van eeuwen roet; gebouwen leunden tegen elkaar aan, ondersteund met palen, en de rioolbuizen liepen open en bloot midden door de straat. Het Panthéon. De Métro. Elk café had op elke tafel een bloemenvaas, en in elke bloemenvaas dreef een dode vlieg.

Er waren tippelaarsters in Parijs, precies zoals Daugherty had gehoord. Ze stonden voor alle metrostations. Een meisje met een decolleté tot hier liep hem vlak bij zijn hotel voorbij en lonkte naar hem. Maar ze spraken allemaal Frans, wat hen zo goed als nutteloos maakte.

Zaterdagmiddag spoorde Daugherty Jouvet op in een rustige straat in de buurt van het Gare d'Orsay. Een kantoorblokachtig gebouw; één hoek was veel ouder, een pittoreske, zwartgeblakerde oude toren die eruitzag als een kerk, met een puntdak en waardeloze doorgerotte reliëfs. Reisdens Engelssprekende secretaresse, een draak van een oude dame met veertien kinnen en haar hele voorkant vol broches, keek naar hem alsof hij een citroen was die ze moest opeten en zei dat Reisden er niet was. 'Ik zal 'em op de 'oogte brengen,' maar Reisden belde niet terug.

Hij ging langs bij Perdita's hotel. Ze was het weekend weg.

Zijn eerste zaterdagavond in Parijs zat Daugherty in een café een vingerhoedje dure koffie te drinken en in zijn versleten detective-notitieboekje karikaturen te tekenen van de meisjes met gestreepte kousen die rondom hem aan de tafels zaten. Hij kocht de *American Register* en las dat hij was gearriveerd.

Op zondagochtend bezocht hij de burggravin de Gresnière. Reisdens 'nicht' woonde op het eiland in het centrum van de stad, in een museumachtig huis dat zo verfijnd was dat je handen ervan gingen zweten: spiegels die in spiegels weerkaatsten, krompotige stoelen met kussens zo fijn geborduurd alsof ze waren beschilderd, en geen één waarop je zou durven gaan zitten. Ze sprak vlekkeloos Engels met een accent dat Daugherty aan Reisden deed denken.

'Ah ja, meneer Daugherty, de detective; ik heb van u gehoord. U verblijft in Hôtel d'Orsay? Ik weet niet waar Sacha uithangt, maar kent u juffrouw Halley? U kent juffrouw Halley al vanaf haar kindertijd? Wat leuk.' Ze glimlachte op een manier die Daugherty niet helemaal begreep. 'Ik heb het adres waar ze verblijft.'

Op haar aanwijzing ging Daugherty met de Westelijke Spoorlijn de stad uit richting Colombes en Asnières. Onder de Levalloisbrug, waar hij uitstapte, dobberden kleine scheepjes in het water. Stroomopwaarts kon hij de steile oever van Courbevoie zien, met zijn grote omheinde tuinen en enorme huizen. Hij tuurde stroomopwaarts door zijn bril en vond het juiste huis in de schrale winterzon, een modern huis van baksteen en glas boven aan een lange tuin. Een hoek van de tuin werd afgesneden door een muur, waardoor er een driehoekig lapje grond ontstond dat was volgepropt met een hokkerig roze arbeidershuisje. Een gezette dame kwam uit de deur van het huisje, gooide haar waswater op de grond, snoof de lucht op en ging weer naar binnen. Een zondagse, door paarden getrokken bus, halfleeg, ging bellend door de straat aan de voet van de tuin. Een vrouw met een grote hoed op en een sjaal om met oranje kwastjes – heel Frans om te zien – kwam het huis uit.

Ze zag er inderdaad Frans uit, maar het kostte Roy Daugherty geen moeite Perdita te herkennen of de man in hemdsmouwen die haar even tegenhield om haar te kussen.

Het was Reisden.

30

DE OCHTEND BEGON SLECHT. NA KERKTIJD ZOUDEN PERDITA EN madame Mallais samen inkopen gaan doen op de markt; en Alexander had Perdita gevraagd of ze ervoor wilde zorgen dat ze het huis van madame Mallais binnenkwam.

'Je moet niet met haar over de vervalsing praten,' waarschuwde Alexander. 'Er zijn maar drie plekken waar de vervalsing vandaan kan zijn gekomen: Inslay-Hochstein, Dotty's huishouding of madame Mallais. Dotty is het niet. Dotty zegt dat Inslay-Hochstein het niet is.'

'Maar madame Mallais?' zei Perdita, angstvallig madames vreemde houding tegenover blindheid uit haar hoofd zettend; ze mocht madame graag.

'Broer Yvaud?' zei Alexander.

'Hij kan zijn handen niet gebruiken.'

'Is dat zo, of heeft zij je dat verteld? Als ze hem buiten brengt, kan ik over de muur naar hem kijken. Zo niet, dan zou Dotty het op prijs stellen als je nog eens bij ze op de thee zou gaan en erachter probeert te komen.'

Na kerktijd wandelden zij en madame Mallais over de markt, de felgekleurde tapijten ontwijkend die op de stoepranden waren uitgespreid. Madame Mallais kwebbelde vrolijk over de beste wasserijen in de stad en de heilzame werking van de zon op broer Yvauds artritis. Ik ga ze niet bespieden, dacht Perdita, maar ze vroeg hoe het met de gezondheid van broer Yvaud was gesteld.

'Hij heeft nog steeds vreselijke last van de arteritis, mademoiselle, in handen, voeten, knieën en zelfs in zijn nek. Het komt door al die regen.'

'Hoe is het begonnen? Wat doet hij ertegen?'

Madame Mallais somde alle medicijnen van broer Yvaud op: honing vermengd met azijn, zouten zus en koper zo. Het leek erg op datgene wat oudtante Louisa voor haar artritis had geslikt. Madame is een goede, eenvoudige vrouw, dacht Perdita, die het grootste deel van haar leven door haar man in de steek gelaten werd, en ik durf te wedden dat ze toch zijn was deed wanneer hij thuiskwam. Dotty, zoek je vervalser maar ergens anders; in madames huis is het niet gebeurd.

'Ik vond u van begin af aan aardig,' zei Perdita impulsief. 'Omdat u uw muur met een bocht om de appelboom heeft gemaakt.'

'Niet zo'n mooie muur,' zei madame Mallais half verontschuldigend.

'Ach, ik vind het niet erg, en u hebt het recht om op uw eigen grond te bouwen... De nicht van mijn Alexander heeft een schilderij van uw man,' zei ze, nog steeds geleid door de impuls. 'Gezicht op de Seine.'

'O, die. Die lantaarnopsteker keek helemaal niet op naar de lucht. Dat hadden we wel graag gewild.'

'Alexander vindt de roze schaduw mooi.' Er was iets met een roze schaduw dat moest aantonen dat het om een vervalsing ging.

'Mallais vond die schaduw zo knap als wat, die maakte zo'n eenheid van het schilderij.'

'O ja?' Dat was informatie die ze aan Dotty zou doorgeven.

Perdita was haar boodschappenlijst vergeten; het enige wat ze zich kon herinneren waren eenvoudige spullen voor het koken op zijn Bostons, een bonenpot, een goede gietijzeren maïsbroodpan. Alexander kwam aanzetten met Europese dingen die haar exotisch en zelfs nutteloos voorkwamen: een pepermolen, suiker in een kegelvorm. Verschillen in opvoeding komen nergens anders zo duidelijk naar voren als in de keuken.

Plotseling, terwijl ze bij het hoge ijzeren hek bij de kerk stond en de prijs vroeg van sperziebonen, raakte ze zonder waarschuwing in paniek, alsof ze bezig was de straat over te steken en hoeven op haar af hoorde stormen, zonder te weten uit welke richting ze kwamen. Ze ging zwaar ademend met haar rug tegen het hek staan; ze was veilig op het trottoir, er waren geen paarden, maar ze had wel iets gehoord. Ze klampte zich aan het hek vast, beverig ademhalend, en luisterde, verkild in het zonlicht omdat het zweet haar was uitgebroken, starend naar de grijze, vaag zichtbare voorbijgangers, en luisterde opnieuw, en hoorde voetstappen die ze kende.

Haar oren suisden en haar ontbijt kwam omhoog in haar keel. De bekende, krakende laarzen kwamen dichterbij.

'Perdita, liefje?'

'O, meneer Daugherty, hoe komt u hier?' Ze kon alleen maar denken aan Alexander, die nog steeds in het huis was. Meneer Daugherty is hier omdat hij ons adres heeft gekregen, antwoordde ze zichzelf. En hij heeft het gekregen van Dotty.

'Komt u net uit de trein?' zei ze opgeruimd, en zijn stilte gaf haar antwoord.

'Och, liefje,' zei hij, 'ik kwam je opzoeken, gewoon een gezelligheidsvisite, en toen zag ik hém.' Meneer Daugherty wachtte tot ze het ontkende. 'Hij is gewoon vroeg bij je op bezoek,' zei hij. 'Als een... vriend, nietwaar?'

Zij en Alexander waren betrapt, en wel door iemand uit Boston. Iemand van thuis.

31

'HIJ MOET MET JE TROUWEN, LIEFJE,' ZEI MENEER DAUGHERTY.
Ze wist madame Mallais op de een of andere manier van zich af te
schudden en nam meneer Daugherty mee naar het huis. Ze moest zijn
arm vastpakken toen ze de trap afgingen. In plaats van zichzelf binnen
te laten met haar sleutel, belde ze aan in de hoop dat dat Alexander zou
waarschuwen. Maar dat was niet zo; hij deed open en toen viel er een
stilte die nooit meer leek te worden verbroken.

Het ergste van blind zijn is zo'n stilte, wanneer niemand je vertelt
wat er aan de hand is.

'Reisden. Ik moet hier met je over praten.'

'Ga naar binnen, Perdita,' zei Alexander.

Ze ging in de enige stoel in de salon zitten, opgesloten in de stilte
tussen de muren. Ze hoorde hen praten, en op een gegeven moment
verhief Roy Daugherty zijn stem. 'Schaam je je niet?' zei hij. Ik zal me
niet schamen, dacht ze, maar toch schaamde ze zich, niet voor Alexander en ook niet voor wat zij had gedaan, maar voor het gevoel dat Daugherty's stem haar gaf, het gevoel dat ze zou hebben als ze in Boston over
zichzelf zou oordelen, een vrouw met haar minnaar in een halfgemeu-
bileerd huis. Ze deed haar ogen dicht, geschokt, misselijk, met een gevoel alsof er ijs in haar maag zat.

'Je moet met haar trouwen,' hoorde ze Roy Daugherty buiten zeggen, alsof hij zomaar over haar kon beschikken. Het wekte in haar dezelfde instinctieve woede als de Maître deed, en paniek, schaamte,
angst. Ze stond op, wankelde en moest weer gaan zitten. Buiten was het
stil. Alexander kwam alleen binnen.

'Hij is weg,' zei hij.

Ze liet adem ontsnappen die ze onbewust had ingehouden.

'Wat eh… denkt hij ervan?'

Hij maakte een ongeduldig geluid in zijn keel. 'Wat je kon verwachten. Hij is bereid om tot morgenochtend niets te ondernemen; dan moet ik hem vertellen wat ik van plan ben.'

'Wat wij doen gaat hem niets aan,' zei ze, met een heel lichte nadruk op *wij*. Wat *wij* van plan zijn.

'Natuurlijk wel,' zei Alexander. 'Hij komt in opdracht van Gilbert. Dat zegt hij wel niet, maar zo is het natuurlijk wel.' Hij sprak op dezelfde barse toon als hij moest hebben gebruikt tegen meneer Daugherty. Zijn stem werd nu milder en bedaarder. 'Ik wil niet dat Gilbert denkt dat ik jou onteerd heb. Dat ben ik hem verschuldigd.'

Onteerd, dacht ze emotieloos. 'Jij kunt me geen pijn doen,' zei ze, haar hoofd opheffend. 'En ik ben oom Gilbert ook iets verschuldigd; maar wat hij denkt verandert daar niets aan.'

'Daugherty wil dat we gaan trouwen.'

'O,' zei ze, en ze haatte de manier waarop ze dat zei, langgerekt en met een uitschieter aan het eind, ongeduldig.

'Nu. Deze week.'

Een ogenblik zei ze niets. 'Het gaat hem níéts aan,' zei ze. 'Ik hou van je. Maar niet op deze manier, Alexander, ik wil dat het mijn keuze en die van jou is, en dat het voortkomt uit wat wij zijn, niet uit wat de mensen denken.' Hij zweeg; zij begon te hakkelen. 'Ik weet dat het zo hoort, en dat we zouden moeten praten over wat oom Gilbert ervan denkt. Maar…' Ze wist niet wat ze wilde zeggen.

Hij stond op en deed hout op het vuur; het blok viel met een klap en maakte een sissend geluid. 'Het punt is dat jij de muziek wilt,' zei hij.

Wat wilde hij dat ze zei? *O ja, we gaan nu trouwen*, zomaar, alsof ze alleen maar hadden gewacht tot ze betrapt zouden worden? Dat zou alles wat ze gedacht en gedaan hadden verachtelijk maken.

'Ik wil hier recensies krijgen, Alexander; daarna wil ik op tournee; en dan wil ik inderdaad met je trouwen. Ik zal niet eeuwig op tournee zijn. Ik kom hier terug en zal proberen me een positie te verwerven…' Ze zei het gehaast, slecht. 'Ik wil alleen maar zien hoe goed ik kan spelen. Dat begrijp je toch wel?'

'Ja,' zei hij. 'Ik begrijp het. Is dat je plan? Je omhoog te werken van Amerika naar Europa?'

Een beter plan had ze niet, behalve zichzelf in tweeën splitsen of hem op de een of andere manier overhalen er niet op te letten wanneer ze een paar maanden achtereen weg was.

Hij haalde een stoel uit de keuken, zette hem naast haar en ging zitten. Hij pakte haar hand. Ze legde zijn hand tussen haar warmere handen; zijn hand was koud, halfbevroren, hij had al die tijd zonder jas aan buiten met meneer Daugherty staan praten. Hij heeft een goede vrouw nodig, dacht ze. Hij trok zijn hand zachtjes weg, omklemde de hare alleen, als iemand die slecht nieuws brengt, maar wil dat je niet vergeet dat hij een vriend is.

'Ga maar gewoon naar Amerika,' zei hij.

Ze hield zijn hand steviger vast. 'Ik zou het goed kunnen doen in Amerika,' zei ze, 'maar ik zou jou niet kunnen hebben.'

'Nee,' zei hij. 'Je kunt niet allebei hebben.'

Het vuur knapte. Zonlicht viel door de ramen op hun verstrengelde handen. Perdita herinnerde zich dat madame Mallais het had gehad over het zonlicht in hun tuin. *Er was altijd zoveel, zelfs in de winter; je kon daar niets verkeerd doen.*

'Ik hou van je,' zei ze, wat ze al eerder had moeten zeggen.

Hij zei niets.

Ze hield echt van hem. Het gaf haar te veel verplichtingen, maar ze hield van hem.

'Ik zou de piano op kunnen geven,' zei ze. 'Vrouwen krijgen genoeg van het circuit. Dat geldt voor iedereen. Ik zou er genoeg van kunnen krijgen nog voordat ik was begonnen.'

Hij maakte een ongeduldig geluid.

'Goed dan, ik zou het een jaar kunnen doen en het dan opgeven. Dan zou ik tenminste iets gedaan hebben, dan zou ik recensies hebben... Zou jij een jaar kunnen wachten?'

'Dat zou ik wel kunnen,' zei hij, 'maar jij bent een musicienne. De muziek zal niet in een jaar van de baan zijn. Hoe lang hebben die zevenendertig vrouwen van jou pianogespeeld?' vroeg hij. 'Is een van hen op haar tweeëntwintigste gestopt?'

'Nee,' zei ze na een te lange stilte. Ze speelden natuurlijk hun hele leven, als ze konden; wie zou dat niet doen? 'Ik word wel amateur, net als Florrie.'

'Nee, dat word je niet,' zei hij. 'Je hebt me over Florrie verteld.'

Hij had altijd in haar geloofd; nu maakte het haar bang.

'Ik zal...' zei ze, en stokte, niet wetend wat ze hem zou kunnen beloven.

'Nee,' zei hij op barse toon. 'Ga terug naar Amerika; ga je solistencarrière opbouwen. Ik wil dat je gelukkig bent.'

Hij klonk boos. Zij was ook boos. '"Ik wil dat je gelukkig bent", alsof het jouw geschenk is! Probeer je me te dwíngen jou op te geven? Je kunt me niet dwíngen jou op te geven, Alexander, net zomin als meneer Daugherty ons kan dwingen te trouwen.'

'Nee,' zei hij. 'Het spijt me, Perdita. Dit gaat zo niet. Ik geef jou op.'

32

Ze ging staan; haar knieën bezweken en ze ging op de grond zitten. Hij hielp haar hun slaapkamer in. Ze ging op hun bed liggen en kwam overeind, naar adem snakkend. Het was te schrijnend om alleen op bed te liggen. Wat ze wilde was zijn liefde; maar wat hij haar bracht was thee, op Engelse wijze met melk en te veel suiker, en crackers uit een blik. Plotseling had ze honger, smachtte ze bijna naar voedsel, naar wat hij haar ook maar wilde geven.

'Dat komt door de schok,' zei hij.

Ze dronk de thee gloeiend heet en begon te huilen.

'Niet doen,' zei hij.

'Hoe kun je *niet doen* zeggen? Dit kun je niet in je eentje beslissen.' Haar hart klopte zo snel dat ze nauwelijks kon praten. 'We zijn met zijn tweeën, Alexander.'

'Je bent eenentwintig,' zei hij. 'Ik weet nog hoe het was op mijn eenentwintigste; ik was met Tasy getrouwd. Je bent tot alles in staat; je wilt getrouwd zijn omdat dat iets is wat volwassenen doen; je wilt de Nobelprijs winnen; je wilt wat dan ook doen. Misschien zul jij daar ook wel in slagen; je bent echt heel goed. Dat zal ik niet in de weg staan,' zei hij, 'maar ik wil iemand.'

Het was het wreedste dat hij ooit tegen haar had gezegd.

'Ben ik niet goed genoeg?' viel ze uit. Het was dat of horen dat ze wreed tegen hem was geweest. 'Is het omdat nicht Dotty me niet aardig vindt? *Ik wil jou en de muziek*, Alexander, ik zal alles doen wat ik moet doen, en dat kan ik, ik ben geen breekbaar poppetje. Maar als jij zoveel waarde hecht aan haar mening, dan kun je dat maar beter zeggen.'

Ze hadden elkaars hand losgelaten; ze moest hem aanraken wanneer er tijdens hun gesprekken een stilte viel, om via haar vingers te begrijpen wat hij zei en voelde; en hoewel ze haar hand uitstrekte, pakte hij hem nu niet, en de stilte duurde maar voort. 'Ik wil iemand die er is,' zei hij.

Ze wist niet wat ze moest zeggen. Ze had het al gezegd. Het was niet alleen een kwestie van liefde, maar van tijd, en hij had haar te kennen gegeven dat ze daar niet meer over beschikten.

'Alexander,' zei ze, en daarna het ondenkbare: 'Richard.'

Hij zei niets.

'Wat moet ik zonder jou?' zei ze, plotseling hulpeloos.

'Wat je moet doen?' zei hij alsof dat zonneklaar was. 'Je hebt zo'n passie voor muziek; laat je daardoor leiden.'

Ze staarde naar de schaduw die de man was die ze meende te kennen; ze was te gegriefd voor tranen. 'Dat is wreed,' zei ze tegen hem. 'Dat is wreed.'

Hij stuurde haar halverwege de zondag in een huurrijtuig terug naar het Pension voor Jongedames. Met haar modieuze nieuwe hoed op slaagde ze erin zonder tranen, rechtop en voorzichtig de trap te bestijgen, waarna ze in kleermakerszit op haar keurige, smalle, eenpersoonsbed ging zitten, waarbij de knoppen van het ijzeren ledikant in haar rug prikten. Ze nam het kussen op haar knieën, en huilend bewerkte ze het met haar vuisten, tot de ineengevlochten veren onder de matras begonnen te kraken en te zingen als hun bed in Courbevoie. Die ochtend hadden ze daar nog samen gelegen, hadden ze samen in hun tuin gewandeld. *Dit is het begin, dat we nog niet getrouwd zijn*, had ze gedacht, zo trots alsof ze de ring al om haar vinger had.

Hij had tegen haar gezegd dat hij van haar hield.

O, nu verlangde ze ernaar hem te laten zien dat ze huiselijk was, nu verlangde ze ernaar zwanger te raken, als al die arme meisjes die moesten trouwen; nu wilde ze hem en hem alleen; nu waardeerde ze het huwelijk.

Maar wat had ze hem gegeven? Zelfs wanneer ze samen waren geweest, was ze altijd de pianostudente geweest, die altijd oefende, toonladders op zijn ribben speelde, maar hem niet voedde. Hij wilde een echtgenote. Nicht Dotty zei dat, maar het was waar.

Op het krappe bed in de krappe kamer, haar armen rond het kussen, huilde ze omdat ze hem niet kon geven wat hij wilde, of omdat hij het verkeerde wilde, of zij; omdat ze niet die centrale plaats in zijn leven kon innemen; omdat ze woedend op hem was. Ze huilde nog het meest omdat ze zag hoe oppervlakkig hij haar moest vinden, hoe egocentrisch, hoezeer het huwelijk onwaardig, omdat ze van de piano hield; maar begreep hij dan niet hoe wanhopig ze ernaar verlangde met hem te trouwen? Ze huilde stilletjes, om alle meisjes in de kamers naast haar niet te storen; ze dacht steeds opnieuw: ik zal het opgeven, ik wil hem.

Maar hij kende haar te goed.

Ze bleef de hele nacht op en probeerde net te doen alsof ze haar aard had veranderd; maar de volgende ochtend, na de café au lait en het brood met jam dat ze niet naar binnen kreeg omdat ze zo misselijk was, belde ze meneer Daugherty in het Hôtel d'Orsay.

'Het is waar wat Alexander heeft gezegd. Er is niets tussen hem en mij.'

Ze hing op en leunde tegen de muur van het telefoonhokje, duizelig van de schaamte die ze had gehoopt nooit te hoeven voelen. Ze belde Alexander, vertelde hem wat ze had gezegd, en hing op tijdens zijn lange stilte; daarna pakte ze haar hoed en haar muziek en vertrok om te gaan oefenen in het Conservatoire, want dat was wie ze was.

33

'S OCHTENDS GING DAUGHERTY BIJ REISDEN OP BEZOEK IN JOUVET.
Het zag er welvarend uit. Op het koperen bordje bij de ingang stond
ANALYSES MÉDICALES JOUVET. Het bordje was zo mooi opgepoetst dat
Daugherty er zijn tanden in kon tellen. Achter het groene hek voor rijtuigen lag een fraaie binnenplaats, overschaduwd door de vierkante toren die Daugherty van buitenaf had gezien. Het gebouw zag er nu nog
meer als een kasteel uit; vanaf de nok van het stenen dak zwaaide en
knerste een houten vaantje. Op de eerste verdieping van de toren bevond zich het kantoor van de portier. Beneden, achter op de binnenplaats, stonden drie voertuigen: een gemotoriseerde ambulance, een
paardenrijtuig en een snel uitziende zwartgroene auto die van Reisden
moest zijn. Na een paar trappen op en glazen deuren door te zijn gegaan,
kwam je in het moderne gedeelte van het gebouw, waar de kliniek zich
bevond.

Een verpleegster achter een balie verwees hem naar een geelverlichte wachtkamer. Er zaten een paar patiënten zenuwachtig op de banken,
een achterlijk uitziend meisje met haar moeder en een bevende man die
een krant probeerde te lezen. 'Jer ver vwahr Reisden,' zei Daugherty tegen de verpleegster aan de balie, en ging ook zitten wachten. Er hingen
getuigschriften aan de muren; Daugherty probeerde ze te lezen, maar de
meeste waren in het Frans. Patiënten kwamen om te wachten en werden
naar achteren gebracht. Eén man las de getuigschriften en knikte langzaam, alsof hij dacht dat hij hier op de goede plaats was, maar dat hij niet
veel gaf voor zijn kansen.

De wijzers van de klok kropen rond. Ten slotte leidde de oude dame met de veertien kinnen hem een gang in, een trap op en een laboratorium door, waar het azijnig stonk en het wemelde van de mensen in witte jassen. Aan de andere kant van het laboratorium was een eiken deur met gebarsten, oud uitziende panelen. De secretaresse opende de deur en snoof afkeurend terwijl broches en kettingen als waarschuwende klokken op haar boezem klingelden.

Het was een kantoor, schemerig en stinkend naar oude haardvuren. Reisden zat in een leren stoel achter een groot bureau met zijn hoofd achterover en zijn ogen dicht in de microfoon van een telefoon te praten. Hij zag er uitgeput uit, van wroeging, hoopte Daugherty.

'Ja, Bullard, ik heb het hier. Dotty trekt het terug uit de tentoonstelling,' zei hij, 'in plaats van tentoon te stellen wat weleens een vervalsing zou kunnen zijn. Nee, we hebben niet bij Yvaud gekeken; er is iets tussengekomen. Ik heb een privé-detective nodig die verstand heeft van kunst. Ik dacht dat u wel... Goed.' Hij deed zijn ogen open en zag Daugherty; zijn gezicht werd uitdrukkingsloos. 'Vanavond op zijn vroegst. U laat me zien wat er volgens u niet aan deugt; kom met namen. Bedankt.' Hij zette de telefoon op het bureau neer, legde de hoorn op de haak en stond vervolgens op achter zijn bureau alsof hun gesprek dertig seconden zou duren.

'Ik wil weten wat je voor Perdita gaat doen,' zei Daugherty.

'Ik zal haar met rust laten,' zei Reisden. 'Er zal niets meer gebeuren dat jij zou afkeuren.'

Daugherty nestelde zich in een van de twee grote leren stoelen voor Reisdens bureau. 'Dat zei zij ook, dus ik neem aan dat jullie denken dat alles in orde komt door ermee op te houden.'

'Dat denk ik niet,' zei Reisden. 'Maar het is het enige wat ik zal doen.'

'Dan heb ik nog een aardig appeltje met je te schillen, jongen.'

Reisden deed de deur dicht, ging achter zijn grote, met houtsnijwerk versierde bureau zitten en leunde er met zijn ellebogen op, Daugherty recht aankijkend. Hij was te mager, het kon hem nog steeds weinig schelen wat hij aanhad, en hij had chemische vlekken op zijn handen. Maar Reisden beschouwde het houtsnijwerk, het verguldsel en het leren bovenblad als iets vanzelfsprekends, het was gewoon een plek om te zitten terwijl hij je aanstaarde tot je de ogen neersloeg. Daugherty was vergeten hoeveel van de arrogantie van William Knight Richard had.

'Je hebt eigenlijk maar twee opties,' zei Reisden, op de toon van een man die zegt: *geef je over of crepeer, het maakt mij niet uit.* 'De ene is dat je Gilbert Knight vertelt wat je hebt gezien, wat iedereen heel erg zou schaden. De andere is niets te zeggen.'

Daugherty was ook vergeten dat Reisden je altijd een paar stappen voor was.

'Je moet met haar trouwen. Ze weet niet wat ze heeft gedaan, en misschien weet jij dat ook niet, maar ze is pas respectabel als ze gaat trouwen. Ik ken Perdita al sinds ze zo groot was, en ik laat haar dat niet gebeuren. Ik laat niet over mijn kant gaan dat ze onteerd wordt.'

'Of ze niet langer respectabel is, is jouw oordeel.'

'Dat zou je niet tegen Gilbert zeggen,' zei Daugherty.

Reisden sloeg zijn ogen neer, wat hem sierde.

'Je hebt haar verleid, jongen, een ander woord is er niet voor. Je bent waarschijnlijk nooit van plan geweest met haar te trouwen als je er nu niet op aandringt. Maar ik dacht dat je iets om haar gaf. Weet je niet wat er met een vrouw gebeurt wanneer een man haar dit aandoet? Iedereen zal haar mijden.'

'Ze gaat niet met me trouwen,' zei Reisden. 'Ze weet wie ze is. Ze wil haar muziek.'

'Je wilt de verantwoordelijkheid niet nemen voor wat je hebt gedaan, zul je bedoelen. Jongen, als je in Amerika was en zij was mijn kind, en je probeerde je achter zo'n voorwendsel te verschuilen, dan zou ik je met een rijzweep moeten afranselen.'

Hij was te ver gegaan met die woorden; het gaf gewoon geen pas om tegen Reisden te zeggen dat hij geslagen zou worden. De ogen van de man spuwden vuur en hij stond op. Daugherty greep de armleuningen vast; hij bewoog zich niet. Ze keken elkaar een lang ogenblik aan, twee honden die besloten of ze zouden vechten.

'Ik wil geen problemen met je,' zei Reisden.

'Dat is dan jammer,' zei Daugherty, 'want die heb je al, jongen,' maar kalm, om Reisden niet in woede te doen ontsteken. 'Ik ga geen ruzie met je maken, maar ik zal niet zwichten.'

'Heeft Gilbert je gestuurd?' zei Reisden. 'Waarom?'

'Wat denk je, jongen? Maar als hij dit zag, zou hij wensen dat hij nooit van je had gehoord.'

'We gaan koffiedrinken,' zei Reisden. Hij ging naar de deur en praatte met de secretaresse.

Door de ramen zag Daugherty andere ramen in een ander kantoorgebouw aan de overkant van de straat. Op de planken achter Reisdens bureau stonden wetenschappelijke boeken, titels met *Neuro-*, *Fysio-* en *Patho-*; op één plank stond een schedel en op de gelambriseerde, onregelmatige muur hing een ets van een gegeselde man die gebaarde als een acteur. De boekenkasten, het bureau en de telefoon waren modern, maar de kamer had iets heel ouderwets; de haard was zo groot dat je er een pony in zou kunnen stallen en de schoorsteenmantel werd aan beide kanten overeind gehouden door twee bijna levensgrote stenen figuren van mannen in capes en kniebroeken.

Boven de schoorsteenmantel, achteloos leunend tegen de lambrisering naast een vierkante Franse klok, stond een schilderij. Het was de tuin van Reisden en Perdita, waar Daugherty gisteren was geweest. Een steile helling, deels gras, deels bomen en struiken; onderaan een huis; de straat achter de tuinmuur. De bovenste helft van het schilderij werd ingenomen door de rivier, een eiland en de oever aan de overkant van de rivier. De rivier stroomde tussen stenen muren die roze waren van het laatste licht. Op de straat was een lantaarnopsteker bezig de gaslantaarns te ontsteken terwijl een paard en wagen langsdraafde. Daugherty zat met open mond naar de lantaarnopsteker te kijken, die druk bezig was met zijn werk en geen oog had voor de pracht overal om hem heen.

Als een man op zou kijken en die verschrikkelijke verrassende schoonheid zag – Daugherty voelde zich tegelijk nietig en verheven, zoals bij een optocht wanneer de vlaggen langskomen. Het wekte het verlangen in hem op boven zichzelf uit te stijgen.

'Ik heb nog nooit zoiets moois gezien,' zei hij met tegenzin, omdat hij niet van onderwerp wilde veranderen.

Reisden kwam terug en ging aan zijn bureau zitten. 'Spectaculair, hè? Het is van mijn nicht Dotty en het is kennelijk een vervalsing. Het zou een Mallais moeten zijn.' Zijn ogen schoten naar het schilderij en weer terug naar Daugherty. 'Tussen twee haakjes, was het Dotty die je heeft verteld waar je ons kon vinden?'

'Doet er niet toe waar.'

'Nee,' zei Reisden na een ogenblik. 'Ik neem aan van niet. Vroeg of laat moest er wel iets gebeuren; het is nu gebeurd.'

De secretaresse bracht koffie en keek achterdochtig naar Daugherty. Ze liet het dienblad achter en deed de deur achter zich dicht. Reisden bood Daugherty een kop koffie aan en schonk toen zichzelf in. Hij ging achter zijn bureau zitten.

'Mag ik je iets uitleggen over Perdita?' vroeg Reisden.

'Je gaat je gang maar.'

Reisden gebaarde met zijn kopje naar het schilderij. 'Dat,' zei hij. 'Het schilderij. Ik kon er vroeger wel een half uur onafgebroken naar kijken. Ik begrijp nog niet waarom het vals is, ik ben er nog te innig mee verbonden, maar dat zal wel komen; dus ik weet genoeg om er niet in te geloven.' Hij keek stil naar het schilderij, zijn koffiekopje tussen zijn handen geklemd, niet drinkend. Hij droeg een zegelring, een oude met een steen; met zijn koffiekop nog steeds in zijn handen wreef hij met de vingers van één hand over de ring alsof die hem pijn deed. 'Perdita heeft me duidelijk proberen te maken dat ze zonder de piano kan; ze zei dat ze daarvoor genoeg van me hield. Ik geloof het niet. Ik heb geprobeerd het te geloven, het was iets wat ik wilde, denk ik, een vervalsing, zoals die, heel mooi; maar een vervalsing.'

'Dan had je niet moeten doen wat je hebt gedaan.'

'Dit wist ik voordat ik eraan begon,' zei Reisden.

Daugherty pakte zijn hoed. 'Ik wil je koffie niet. Je weet wat je te doen staat. Ik blijf in de stad tot je het doet.'

'Neem haar mee naar huis,' zei Reisden. 'Laat haar haar recensies krijgen, en neem haar dan mee naar huis.'

Daugherty deed de deur open. De secretaresse zat aan haar bureau, een beetje overgebogen naar de deur zoals gepotte bloemen in een salon naar de ramen buigen. Ze had officieel een brief zitten typen, maar onofficieel had ze zitten luisteren; en nu wendde ze zich af en begon de toetsen van haar machine in te drukken, trotse aandacht schenkend aan de brief en geen enkele aan hem, zoals eenzame lieden mensen negeren.

Hij zag de blonde vrouw weer voor zich, Reisdens nicht, in haar eenzame, rustige huis, stijf glimlachend terwijl ze hem aanwijzingen gaf. Hij hoorde Perdita aan de telefoon *niets tussen ons* zeggen alsof haar hart zou breken. *Ik wist dat ik dit niet had moeten doen*, had Reisden gezegd. Daugherty had plotseling het mismoedige gevoel dat hij door iets breekbaars als een spinnenweb banjerde.

'Neem me niet kwalijk,' zei hij, 'ik moet nog iets tegen Reisden zeggen,' en deed de deur weer open. Reisden zat nog steeds aan zijn bureau, in het niets starend.

'Wat?' zei hij, trots en scherp en zonder iets te verraden.

'*Ik* ben een detective,' verkondigde Daugherty luid, alsof Reisden dat niet wist. 'Je zei aan de telefoon dat je op zoek was naar een detective voor een klusje,' alsof hij langs was gekomen voor een klusje.

'Je kent geen Frans,' zei Reisden, 'en je hebt ook geen verstand van kunst.'

'Nee,' zei Daugherty, en trok zijn adresboek te voorschijn. Hij sloeg op goed geluk een bladzij open (het was een schets van een Frans meisje). 'Maar ik heb hier de namen van Franse detectivebureaus, vanwege… omdat ik ze heb. En ik zou me net zo goed nuttig kunnen maken, Reisden, want ik ga niet weg.'

De Franse klok op de schoorsteenmantel tikte voort. De regen glinsterde en tikte, miniem weerspiegeld, op het glas.

'Ik weet dat ik ook dit niet zou moeten doen,' zei Reisden. 'Goed. Blijf maar.'

34

'Goed,' zei Barry Bullard, 'allereerst kan ik u wat meer vertellen over de achtergronden van het vervalsen, als u daar belangstelling
voor hebt.'

Buiten de kleine ramen van Reisdens kantoor was de straat een duisternis met een vage streep lichtjes. Daugherty, gezeten in een van de leren stoelen, sloeg zijn beduimelde leren notitieboekje open op een
nieuwe bladzijde en zette er de kop *Schilderkunst* boven. Reisden stond
bij het raam zwarte koffie te drinken en Barry Bullard stond bij Reisdens grote bureau. Tot Daugherty's verrassing bleek Bullard iemand
met een donkere huidskleur te zijn. Hij was mager en kalend, met donkere, grote ogen; hij had een Britse uitspraak met een vet accent en
droeg een pak dat in kwaliteit niet onderdeed voor dat van Reisden.

'Goed. Formeel gesproken is een vervalser iemand die een schilderij
schildert in de stijl van een ander en het met diens naam ondertekent.
En je zou denken dat hij het alleen voor het geld doet. Maar op een bepaald niveau van bekwaamheid is een vervalser een kunstenaar. Gio-
vanni Bastianini's *Lucrezia Donati* bijvoorbeeld. Buste in Renaissance-
stijl, 1865. Hartverscheurend mooi werk. De Vicky en Albert heeft het.'

Daugherty noteerde zorgvuldig: 'Vervalser = kunstenaar.'

Bullard zette het schilderij rechtop tegen de andere leren stoel, ondersteund door de rugleuning. 'Dit is een geweldig schilderij,' zei hij,
'van de hand van een opmerkelijke kunstenaar. Maar kijk naar dit kleine stukje hier.' Bullard hield de elektrische bureaulamp scheef om het
midden van het schilderij te beschijnen en wees er met een lange don-

kere vinger naar. 'Zien jullie dat rozig paarse stukje? Dat stukje dat eruitziet als een schaduw, onder die boom op de Grande Jatte?'

'Het eiland,' zei Reisden tegen Daugherty.

'Op het eiland, juist. Dat is een vissershut. Afschuwelijke kleur verf. Alleen, tot 1903 was hij groen geverfd, Mallais stierf in 1900, en hij zou dit in 1895 geschilderd hebben.'

Reisden knielde neer om het te bekijken.

'Toen ik dit zag,' zei Bullard, 'zei ik dat dit een schaduw in Mallais-kleuren kon zijn, tegen het einde van zijn leven maakte hij namelijk zeer kleurrijke schaduwen, dus ik bekeek het schilderij wat nauwkeuriger en zag die behandeling van de rand van de kademuur. Hij was pas vlak voor zijn dood gaan experimenteren met het heel dun overschilderen in een contrasterende kleur.' Daugherty tuurde naar het lijntje verf. 'Stilistisch gezien had hij dit in 1903, 1904 kunnen maken,' zei Bullard bijna lief-devol, 'afgezien van het feit dat hij toen dood was, bedoel ik. Het is ver-domd briljant. Maar hij zou het nooit in 1895 gemaakt hebben.'

'Is dat uw enige bewijs voor het feit dat het een vervalsing betreft?'

'Het is genoeg om vermeld te moeten worden, meneer de Reisden,' zei Bullard.

'Ja, dat weet ik, ik verplaats me alleen in Dotty's denkwijze. Het zou een opluchting voor haar zijn als er niets aan de hand is.' Reisden stond op. 'Als dit een vervalsing is, en laten we aannemen van wel, wie zou hem dan gemaakt kunnen hebben?'

'Normaal gesproken zou ik zeggen Italianen, gezien de kwaliteit.'

'Italianen?' zei Daugherty, denkend aan de North End of de Zwarte Hand.

'In Italië is het exporteren van kunst illegaal – ténzij het een *reprodu-zione* is. In Italië maken kunstenaars die geld willen verdienen reproducties. Je hebt er boeven die echte schilderijen proberen te smokkelen, en de gebruikelijke kereltjes die toeristen troep verkopen. Maar de meesten van die Italiaanse kopiisten werken met leerlingen, ze malen hun eigen pigmenten, het is een ambacht. Prachtig spul, in Padua heb je een kerel die fantastische *bozetti* van Rubens maakt.'

Reisden knikte.

'Maar deze, deze is Frans. Kijk maar eens hoe goed dat licht op de Seine en dat water is weergegeven, zo is het precies. Hij komt uit deze omgeving. Hij werkt in Puteaux, Levallois, de Grande Jatte, Courbe-voie.'

'Wat kunt u aan de hand van dit schilderij nog meer van hem zeg-gen?' vroeg Reisden.

Bullard schudde zijn hoofd. 'Fransman die schildert. Alle Fransen schilderen, het is een volksziekte. Gebeurt er een ramp, struikelt er een paard op straat of wordt er een Métro uitgegraven, er is altijd wel een Fransman die het schildert.' Bullard liep om het bureau heen en bekeek het doek zelf. 'Het is zo verdomd goed dat de vervalser een bekende schilder zou kunnen zijn, zoals Trouillebert bij Corot.'

'Die herinner ik me niet,' zei Daugherty.

'Trouillebert is begonnen als Corot-vervalser. Gebeurt aan de lopende band, de ene schilder die de andere imiteert. Macurdy heeft een serie Pasquier-vervalsingen gemaakt. Marian Blakelock vervalste de schilderijen van haar vader. George Inness Jr. deed George Inness Sr. en Corot vervalste zijn eigen dingen.'

Reisden trok een wenkbrauw op.

'Corot? Geweldige leraar was dat. Horden studenten. Ze gingen altijd naar het platteland om met hem te schilderen, dezelfde locaties, dezelfde onderwerpen, dezelfde dagen. En dan liep Corot die ventjes langs met hun ezeltjes die allemaal in het hooiveld waren opgesteld, pakte zijn kwast, gaf hier en daar een likje, gewoon om de boel wat op te knappen. En als het licht afnam en ze opbraken om thee te drinken, liep hij nog eens rond, zei dan: "Dat is goed genoeg om een Corot te zijn," en signeerde het. Nam nooit een cent aan. Een schilder moet je nooit vertrouwen.'

'Kent u Franse schilders die dit zouden kunnen vervalsen?'

'Ik zou u een lijst kunnen geven. Een jong iemand. Iemand die nog geen succes heeft, of niet voldoende. Heeft samen met Mallais geschilderd, toen die nog leefde, of bezit een deel van zijn stock... Maar dat is een idee,' zei Bullard. 'Ik meen gehoord te hebben dat madame Mallais nooit iets verkocht van wat Mallais in stock had.'

Daugherty keek Reisden niet-begrijpend aan.

'Stock is alles wat een schilder nog niet heeft verkocht. Wanneer hij sterft, laat hij dingen na, doeken die hij nooit heeft voltooid of niet mooi vond, tekeningen of voorbereidende schetsen. Deels zijn het goede stukken die de kunstenaar zelf heeft gehouden. Op sommige is de verf aan het bladderen of wat dan ook; de handelaar laat het door iemand als ik restaureren en verkoopt het dan. Sommige schilderijen zijn nog niet af en daar kun je mee doen wat je wilt. Madame Mallais heeft zijn stock nooit verkocht, ze heeft alles stuk voor stuk geconsigneerd.'

Daugherty krabbelde *stock* in zijn notitieboekje. Reisden nam een tweede kop koffie en liet de pot rondgaan.

'Waarom kun je onvoltooide schilderijen niet voltooien?' vroeg hij.

'Een schilderij dat door een andere kunstenaar wordt voltooid geeft de intentie van de eerste niet weer. Daardoor keldert de waarde. Ik ben een redelijk goede vervalser,' zei Bullard, 'maar als ik een schilderij restaureer, is het niet meer wat het was en dat weet ik.'

'Overschilderen is een vorm van vervalsing,' vatte Reisden samen, 'omdat het de intentie van de kunstenaar compromitteert?'

'Zo is het.'

'Wordt de klant ervan op de hoogte gebracht wanneer een schilderij voltooid is door een andere kunstenaar?' vroeg Reisden.

'Dat hoort wel zo.'

'Hoe dan?' vroeg Reisden.

'In het aanwinstenboek. Wanneer een handelaar een schilderij verwerft, beschrijft hij het in een boek, zoiets als een inventarisboek. In de beschrijving worden in ieder geval opgenomen: kunstenaar, oorsprong, afmeting, en betaald bedrag. Als het schilderij gerestaureerd is, komt dat in de beschrijving. Of als het door een andere kunstenaar is voltooid. Maar dat zou je nooit in een aanwinstenboek tegenkomen; het schilderij zou geen enkele waarde hebben.'

Bullard gaf het schilderij door aan Daugherty, die nieuwsgierig een blauw nummer bekeek dat op de houten lijst van het doek was gesjabloneerd.

'Dat is het aanwinstnummer, het nummer van het schilderij in het aanwinstenboek. Het is een hulpmiddel bij het bepalen van de oorsprong, mocht daar ooit onzekerheid over komen. U weet toch wat oorsprong in dit verband inhoudt, hè?'

Reisden knikte; Daugherty schudde zijn hoofd.

'Goed. Het doel van het bepalen van de oorsprong is het aan de hand van elke verkoop of schenking terugvoeren van het schilderij dat je voor je hebt tot het schilderij dat het zou moeten zijn. Bij een modern schilderij kan je oorsprong erg eenvoudig zijn. Als de handelaar het werk van de kunstenaar zelf heeft ontvangen, zou er in zijn aanwinstenboek onder "Oorsprong" "Van de kunstenaar" staan. Dat is de directe oorsprong, die is het meest waardevol.'

'En als de kunstenaar dood is?'

'Als de kunstenaar dood is, en de handelaar heeft het van de familie gekregen, zou er in het aanwinstenboek "Van de familie van de kunstenaar" staan. Dat is de op een na beste oorsprong. In Frankrijk heeft de familie van de kunstenaar als oorsprong dezelfde rechtsgeldigheid als de kunstenaar als oorsprong.'

'Maar de familie zal vast weleens proberen om de handelaar iets aan te smeren,' zei Reisden. 'Zoals een schilderij dat door een ander is voltooid.'

'Daar kun je donder op zeggen, maar meestal zijn de families niet zozeer boeven als wel halvegaren van het zuiverste water. Op een keer kwam Maurice Guzots eigen zoon aanzetten met een schilderij en zweerde dat zijn vader het had geschilderd. Bleek het een Renoir te zijn. Gesigneerd en wel. Nou vraag ik je.' Bullard deed zijn handen omhoog om op een erg Franse manier zijn schouders op te halen. 'Goed. Wie kan er verder nog als de oorsprong gelden?'

'In Frankrijk, maar dit geldt opnieuw niet voor andere landen, kan de handelaar van de kunstenaar aangemerkt worden als oorsprong: "Van Armand Inslay-Hochstein". Maar in dat geval en in alle overige gevallen moet je bij voorkeur over documenten beschikken, zoals je koopcontract of brieven die betrekking hebben op de schenking of verkoop. Als je van een modern schilderij de oorsprong niet kunt vaststellen, maakt dat geen beste indruk en krijg je je prijs er niet voor.'

'En hoe lang worden aanwinstenboeken bewaard?'

'Voorgoed. Die van Inslay-Hochstein stamt godbetert uit de Revolutie.'

'Van dit schilderij is de oorsprong bekend,' zei Reisden, 'dankzij de familie Mallais. Het is afkomstig van madame Mallais, die wasvrouw is geweest en haar hele leven op het platteland heeft gewoond.'

'Precies, monsieur de Reisden. De beschrijving zou luiden: "Van de familie van de kunstenaar".'

'En als dat niet het geval zou zijn, zou Inslay-Hochstein als oorsprong kunnen worden aangemerkt.'

'Precies.'

'En nu woont madame Mallais samen met een man genaamd Yvaud. Ze heeft inderdaad een broer Yvaud gehad,' zei Reisden, 'bij wijze van spreken dan. Hij was de zoon van de familie waarvoor ze vóór haar trouwen werkte. Dat was een schildersfamilie. Yvaud zou schilder zijn geweest. Hij schijnt reumatische handen te hebben; madame Mallais heeft haar best gedaan om... iemand die hen bezocht... ervan te overtuigen dat hij zijn handen niet kan gebruiken.'

Reisden ging voor het schilderij staan en bestudeerde het paarse plekje aan de rand van de quai. 'Als een kunstenaar eenmaal dood is,' zei hij peinzend, 'kan een schilderij krachtens de Franse wet als echt worden aangemerkt door dezelfde mensen die financieel gesproken het meest te winnen hebben bij de nalatenschap. Ze hebben de macht om de omvang, samenstelling en waarde van de nalatenschap te bepalen. Ze bezitten onvoltooide werken. Ze hoeven niet beslist eerlijk te zijn. Ze hoeven niet beslist te beschikken over gespecialiseerde of zelfs maar gewone kennis van kunst. Maar ze kunnen misschien wel schilderen.' Bullard knikte ernstig. 'Madame Mallais heeft gezegd dat dit een Mallais is,' zei Reisden. 'En dus is het wettelijk gesproken een Mallais, niet-waar?'

'Je gaat wel twijfelen aan de wet, hè?'

'Het is een zeer elegante oplossing,' zei Reisden.

'Typisch Frans, dat is het. Inslay-Hochstein heeft nog meer doeken van Mallais,' zei Bullard. 'Ze gaan naar de Wintersalon vanwege het retrospectief. Ik vraag me af of ik die eens moet gaan bekijken.'

'Graag,' zei Reisden.

35

TIJDENS DE WEEK VAN DE TIENDE LUIDDE DE TITEL VAN EEN VAN Milly's artikelen: 'De Métro: Is hij veilig voor vrouwen?'

Begin 1910 was de 'Nécropolitain' nog steeds in aanbouw. Het reusachtige St.-Michel-station was het vorige weekend geopend. (*Femme-Paris* had een foto gepubliceerd van twee hertoginnen en een ministersvrouw, allen met bontmantels tot op de enkels en bontmutsen.) Maar het station was slechts gedeeltelijk voltooid; met het deel dat naar de Noord-Zuid-Spoorlijn liep was men nog bezig.

De nieuwe elektrische bedrading van Parijs liep door omhulde kabels die aan de daken van de Métrotunnels waren bevestigd. De Métro kende een gemiddelde van vijftig kortsluitingen per dag. De meeste ervan waren bescheiden van aard, een tijdelijk verlies van kracht, een flikkering van lichten.

Maar op zondag de negende, de eerste dag dat het St.-Michel-station volledig in gebruik was, veroorzaakten drie kortsluitingen aanzienlijke schade in de Métro. Eén ervan blies met zo'n kracht een transformator op dat een deel van het trottoir explodeerde. Op maandag de tiende sloeg een nieuwe explosie een mangat midden in een menigte vrouwen die afgeprijsd witgoed stond te bekijken voor de Galeries Lafayette; als door een mirakel raakte niemand gewond.

Milly's artikel concludeerde dat de Franse vindingrijkheid het mankement gauw zou verhelpen, maar voorlopig kon men misschien beter de paardentram nemen.

Milly droogde dat artikel met vloeipapier en nam een schoon vel blauw papier voor een volgend artikel. *Dit jaar moet men naar Nice gaan!* *Terwijl de regen neerklettert op de paraplu's van Parijs, lokken witte stranden en gerieflijke hotels aan de Côte d'Azur...*

Niemand – zeker Milly niet – legde een verband tussen de explosies en de regen. Maar het had nu al weken, maanden geregend. Milly had geschreven dat het land rondom Parijs als een badspons was, in staat om enorme hoeveelheden water op te zuigen.

Ze had er niet aan gedacht dat het land uiteindelijk, net als een spons, vol zou kunnen raken.

36

MILLY WACHTTE DE KLEINZOON VAN MALLAIS OP IN DE SCHEMERING
terwijl hij van het Louvre naar de metrohalte van Palais-Royal liep. Ze
sloot zich met een zwierige beweging bij hem aan en stak haar arm door
de zijne.

'Vertel me niet dat je niet meer weet wie ik ben. George Vittal heeft
ons aan elkaar voorgesteld. Ik ben Milly.'

'Eh...' Hij was zo verrukkelijk als een gebakje, zijn neus groter dan
zijn kin, zijn ogen zo blauw als aquamarijnen. 'Eh... U bent Milly Xico!'
Hij bloosde als een pioen, en keek haar toen verliefd aan.

'Je kunt me naar de ondergrondse begeleiden,' zei Milly. 'Let maar
niet op hem...' Nick-Nack was een van de broekspijpen van de jongen
aan het besnuffelen.

Ze liepen naar de gevaarlijke ondergrondse toe, en bleven toen staan
kletsen. Jean-Jacques zei dat hij haar had zien zingen in de Ba-Ta-Clan
en hulde zich in een verlegen stilzwijgen. 'Houdt u van bitterkoekjes?'
Hij kocht een zak voor haar bij een straatventer. Milly knabbelde op de
koekjes en bleef zijn arm vasthouden.

'Waar woon je?' vroeg ze hem.

'In het vijfde arrondissement.'

'Ik ook. Je zou me naar mijn appartement kunnen terugbrengen.'

Hij gaapte haar aan.

Het was volkomen onschuldig, alsof je een baby een speeltje gaf. Ze
liet hem haar appartement zien, een klein appartement met tuin in een
oud gebouw in de Maubert, bij de rivier. Ze liet hem haar keuken, haar

sofa zien. Ze liet hem haar slaapkamer zien, enzovoort, enzovoort.

Ze leende hem een kamerjas en trok haar zijden lievelingspyjama aan. Ze gingen op het haardkleed zitten en ze bewoog haar tenen op en neer voor het vuur, toekijkend hoe hij bloosde bij haar aanblik. 'Jij bent…,' zei hij. 'Ik bedoel… ik wist helemaal niet… ik bedoel,' hij keek haar aan, 'ik ben niet zo ervaren, weet je.'

Milly wist precies hoe ervaren hij was.

'Je bent zo mooi,' zei hij. Ze liet hem een tijdje doorzeuren en vroeg hem toen alles over zichzelf te vertellen. Hij studeerde technische wetenschappen aan de Sorbonne.

'Maar wat knap van je, zo jong als je bent!' kirde Milly. 'En nog een kopiist ook! Daar moet je wel wat voor kunnen!'

O, dat, zei hij met de nonchalance van Mallais' kleinzoon. Iedereen kon schilderen. 'Ik schilder altijd de Mona Lisa na. Dat is efficiënt. Ik doe het twee uur per dag, wat langer in het weekend, en ondertussen denk ik aan mijn studieopdrachten. Bovendien betalen de toeristen daar het meeste voor.'

Hij had wel een uur over zijn methoden kunnen doorgaan. Hij schilderde de Mona Lisa altijd zo nauwkeurig mogelijk na, op oud hout, zei hij; hout kon je bij elke uitdrager krijgen.

'Mijn kopieën schijnen goed te zijn,' zei de onschuldige.

Lieve jongen, dacht Milly. Zo te horen waren het nagenoeg vervalsingen. Hij schilderde niet slecht bovendien. Goed genoeg om Henry erin te laten lopen. Misschien zelfs George.

'Ik… ik zou je er een kunnen geven,' bood Jean-Jacques aan.

Dat was natuurlijk precies wat ze wilde. 'O, wat aardig van je!'

'Het is een grote fout om mannen mee naar huis te nemen,' zei ze tegen Nick-Nack toen ze eindelijk van de jongen af was. 'O ja, echt waar,' zei Milly, terwijl ze op zijn buik krabbelde. 'Echt waar, echt waar. Nu gaan we helemaal alleen dineren, hè liefje? En ik denk dat we met het toetje gaan beginnen, omdat we uitgesproken barbaren zijn.' Ze gooide Nick zijn slagersbot toe. In de keuken had ze haar geheime voorraad chocoladerepen. Ze maakte het zilverpapier voorzichtig los, haalde haar zilveren toastrekje uit Engeland te voorschijn, en pookte het vuur op. Op haar hurken, met blote voeten en hete knieën, draaide ze de chocolade voorzichtig in het toastrek rond. Om hem precies goed te krijgen moest hij gebrand worden tot hij vanbuiten bitter en hard, en vanbinnen warm en bijna vloeibaar was. Ze kon de warme zijde van haar pyjama ruiken, en de haartjes op haar arm verspreidden de geur van verbrande veren.

'Wanneer ik rijk ben,' zei ze tegen Nick-Nack, 'zal ik een perfect

chocolade-toastrek met lange handvatten hebben, dan zal ik er een laten maken... van zilver, met ebbenhouten handvatten, en dan zal ik een
vriend met aquamarijnkleurige ogen hebben die schilderijen voor me
maakt, dan zal ik een maîtresse hebben, maar niemand zal me bezitten,
ik zal met niemand samenwonen behalve met jou.' Ze knoopte haar py-
jamajasje los, trok het helemaal uit, en zat op haar hurken, naakt tot op
haar middel als een sfinx haar chocolade te roosteren.

Dit was het juiste soort liefdesavontuur, de essentie van liefde: 's
middags seks en daarna dineren met de hond.

'Het enige wat we nu nog hoeven doen,' zei Milly, 'is ervoor zorgen
dat "Sachaschat" zijn rol speelt. En Leonard, natuurlijk.'

37

'Armand Inslay-Hochstein, een handelaar met wie Dotty wegloopt, kan haar een vervalst schilderij hebben verkocht,' zei Reisden tegen Daugherty. 'Maar dat wil zij niet geloven. De weduwe van Mallais, een van zijn beste schilders, kan hem dezelfde streek hebben geleverd, en hem ermee voor de gek hebben gehouden. Dotty mag natuurlijk niet degene zijn die dit ontdekt; zij zou het niet goed opvatten. Het is jouw taak om een zeer vertrouwelijk onderzoek in te stellen, uit te zoeken wat er is gebeurd en er mij verslag over uit te brengen.'

Daugherty zou samenwerken met een Franse onderzoeksfirma, Lebonnet & Duroc, die het waarschijnlijk ook wel zelf had kunnen afhandelen. Hij wist waarom hij erbij werd betrokken. In de eerste plaats zou het hem, vanuit Reisdens gezichtspunt, uit de weg houden; en in de tweede plaats omdat je bij elk onderzoek dat anders zou kunnen uitvallen dan je had gehoopt, een domoor in de buurt moet houden. Als de dingen mislopen is het de schuld van de domoor.

Bonbon en Drop zouden zich bezighouden met het onderzoek naar Hochsteins boekhouding en met het ondervragen van de bedienden van de burggravin. Roy Daugherty zou alleen maar wat rondstuntelen, op zijn hoofd krabben, domme vragen stellen en wachten tot hij de schuld zou krijgen.

Nou ja, hij had het eerder gedaan, en degene die de burggravin het beste kende was Reisden, en de expert op het gebied van de schildersweduwe was Perdita, en de domoor kon het grootste deel van zijn tijd in de buurt van Reisden en Perdita doorbrengen, hun vragend wat er maar in zijn hoofd opkwam.

'Maakt u het zich gemakkelijk, meneer Daugherty.'

Reisdens 'nicht' ontving Daugherty in de appelgroene salon. Op de piano scheen één kaars in het halfduister. Nicht Dotty was een mooie vrouw, modieus, maar met gelaatstrekken als op een oud schilderij: een lange neus, zware oogleden, een gezicht dat merkwaardig genoeg op dat van Reisden leek. Ze had ook zijn blik, alsof alles om haar heen haar eigendom was. 'Gaat u zitten,' zei ze, min of meer een bevel. 'Die stoel zal u wel bevallen.'

Daugherty liet zich voorzichtig neer in een van de honingraat-dunne stoelen. Hij zakte er niet doorheen.

'Ik heb van Sacha gehoord dat u eh… hulp biedt aan het bureau dat hij heeft gekozen om mijn schilderij te laten onderzoeken. Ik moet bekennen dat het me een raadsel is wat voor hulp ze nodig hebben.'

'Ik leid het onderzoek,' zei Daugherty, wat precies is wat de domoor hoort te zeggen.

'Ik dacht dat Sacha dat zou doen.'

'U betaalt me er niet voor, als u dat bedoelt.'

'Dat bedoel ik niet. Toen Sacha u "hielp" bij het opsporen van die dode jongen in Amerika was hij maanden later nog erg ongelukkig en van streek. Als mijn schilderij een vervalsing is, moet Armand het terugnemen; als dat niet het geval is zal ik het graag houden; maar ik stel uw aanwezigheid hier helemaal niet op prijs.'

Daugherty had niets vernomen van *ongelukkig en van streek*. 'Reisden heeft me gevraagd te helpen, meer niet, omdat u met een probleem zit.'

'Ik ben u dankbaar; neemt u dat maar van mij aan,' zei ze laatdunkend, 'maar ik ben van mening dat ik met Sacha moet bespreken hoe ik dit aangepakt wil zien. Het is een delicate zaak, meneer Daugherty.'

'Ga gerust uw gang. Ondertussen moet ik van hem onderzoeken of iemand uw schilderij kan hebben verwisseld toen het in uw huis hing. Kunt u bedenken of er een bediende is, iemand die u misschien heeft ontslagen, die zoiets zou doen?'

'Ik laat de bedienden vaak hun biezen pakken, meneer Daugherty. Ik stel hoge eisen.' Nicht Dotty stond gracieus op en liep in gedachten naar een kast met een gewelfde glazen voorkant. 'Meneer Daugherty, met bedienden zet u zichzelf op het verkeerde spoor. Zowel het vervalsen als het transporteren van een schilderij is heel moeilijk. Mijn schoonmoeder verzamelde snuifdozen.' Daugherty tuurde naar de vage doosjes ter grootte van een handpalm die dicht tegen elkaar op de planken stonden. 'Het licht is slecht,' zei nicht Dotty en bracht een kaars. De plank kwam tot leven met piepkleine geëmailleerde schilderijtjes, glinsterende juwelen en rode weerschijn van goud.

'Goeie genade,' mompelde hij.

'Meneer Bullard heeft naar ze gekeken, en ook naar de Turners en de Renoirs; er is nog steeds niets mis mee. Zelfs onze Corot is echt, wat, begrijp ik, een zeldzaamheid is. Waarom zou een bediende een Mallais vervalsen?'

Goede vraag. 'Wie heeft het volgens u dan gedaan, missus? Mevrouw?'

'Armand in elk geval niet.' Mallaises waren moeilijk verkrijgbaar, zei ze, omdat de familie er maar één of twee per jaar verkocht. Drie jaar geleden, in april 1907, had Armand Inslay-Hochstein er haar een aangeboden. Ze was daar binnengegaan vlak nadat Madame Mallais het had gebracht, had het schilderij meteen mee naar huis genomen, op zicht, en had het gekocht zonder het ooit naar de handelaar terug te brengen. 'Ik wist meteen dat het van de hoogste orde was, en ik zit er zelden naast.'

'Dus Inslay-Hochstein zou geen tijd hebben gehad om het te verwisselen?'

'Je kunt Armand onmogelijk verdenken. Hij geeft zoveel om zijn galerie; toen zijn zoon was geboren gaf hij het kind een zilveren rammelaar uit de Renaissance om "zijn oog te trainen". We weten van Sherlock Holmes dat de verdachte van wie je het het minst verwacht altijd de dader is, maar echt, *Armand...*'

'Uh-huh,' zei Daugherty. 'Fijn om te weten dat hij geen verdachte is. Wie dan wel?'

'Bovendien,' zei Dotty, 'staat Armand onvoorwaardelijke teruggave toe.'

Dit ging Daugherty geheel boven de pet. 'Wablief?'

'Onvoorwaardelijke teruggave, meneer Daugherty, betekent dat als ik om een of andere reden ooit genoeg zou hebben van mijn Mallais, ik hem aan Armand kan teruggeven tegen de oorspronkelijke aanschafprijs. Hij garandeert dat hij het schilderij in alle omstandigheden, op elk tijdstip terugneemt, zelfs als bewezen zou worden dat het een vervalsing is.' De burggravin glimlachte. 'Hij is veel veiliger dan de effectenbeurs.'

'Maar wie zou het dan zijn? Mevrouw Mallais?' zei Daugherty.

'Je hoort weleens dat de familie gaat vervalsen wanneer ze door hun originelen heen zijn. Maar zeg nou zelf, gezien het feit dat ze heel weinig heeft verkocht...?'

'Nou, dan blijft er niemand over,' zei de domoor.

'Wat er overblijft, meneer Daugherty, is dat meneer Bullard het bij het verkeerde eind heeft.'

Wat er overbleef was dat Dotty vreemd deed, door eerst te zeggen dat het schilderij vervalst was en nu terug te krabbelen, maar dat zou hij haar niet vertellen, nog niet in elk geval. In plaats daarvan gaf hij haar een ontsnappingsmogelijkheid. Bullard had een lijst samengesteld van schilders van wie hij dacht dat ze kwaliteitsvervalsingen konden maken. Daugherty vroeg haar of ze een van hen kende.

'Paul Vécherier?' Nee. 'Herbert Weiss?' Nooit van gehoord; absoluut niet. 'Jean-Jaques Mallais?' Was hij familie van de schilder? Ze kende hem in elk geval niet. 'Juan Gastedon?' De naam kwam haar bekend voor, dacht ze, maar nee. Ze had gehoord dat hij zeer getalenteerd was.

Ze had van geen van hen gehoord.

38

DAUGHERTY GING BIJ REISDEN OP BEZOEK, IN DE HOOP EVEN MET hem te kunnen praten, maar Reisden gaf hem een lijstje van Mallaises die in privé-handen waren. 'Ga die maar eens bekijken.' Met andere woorden: donder op.

Onder een grijze hemel begaf Daugherty zich met zijn stadsplatte-grond op weg. Het eerste schilderij hing in het kantoor van een theater-eigenaar, een merkwaardige, met botten en schedels versierde ruimte. 'Deze Mallais doet me denken aan de tijd dat ik mijn vader vergezelde wanneer hij visites aflegde,' zei André du Monde. 'Hij was dokter. Hij nam me 's nachts vaak mee naar sterfbedden. We hadden een zeer hech-te band.' Daugherty keek naar het schilderij, de dageraadschaduw van een boom op sneeuw, onheilspellend en schoon als een kaalgekloven bot.

Een ander schilderij was een bloemenweide bij een mooi apparte-ment aan een boulevard. 'Het doet me denken aan verliefd zijn,' zei me-vrouw de Valliès.

Daugherty ging met zijn lijstje langs roomwitte Franse appartemen-ten met grijze uitzichten op de Eiffeltoren, de rivier en de tuinen van de Tuilerieën. Een flink aantal eigenaren had uitgeleend aan de grote Mal-laistentoonstelling die over een week zou openen. Toen het hem begon te duizelen van al die schilderijen, pauzeerde hij in het Café Américain om te lunchen, en liep daarna door de winterse straten naar Galignani's Engelse boekhandel bij het Palais Royal, waar een bediende een boek over Mallais opdiepte dat wat verstandigers te melden zou hebben dan *kunst doet me denken aan liefde.* Hij nam het mee een café in en las over gevoeligheid en impressionisme, genialiteit, passie, de kunstenaarscultus en wat dies meer zij.

Hij besloot 'Armand' te bezoeken.

De Galerie Inslay-Hochstein was een soort combinatie van museum en rouwkamer; elk vertrek was gehuld in donker fluweel, en in elk vertrek bescheen één enkele lamp één enkel schilderij. Een oude heer en zijn vrouw stonden rond een van de geliefde overledenen te mompelen op precies dezelfde toon als waarop je zou hebben gezegd: *Wat ziet hij er natuurlijk uit, je zou denken dat hij ligt te slapen.* Daugherty durfde niet te kuchen uit angst dat hij per ongeluk geld had uitgegeven.

Hij liet de schilderijen die dag verder voor wat ze waren en ging Reisden opzoeken in de Sorbonne.

'Heb je Armand Inslay-Hochstein gesproken?' vroeg Reisden.

'Als hij er was, dan had ik niet genoeg standing om hem te spreken te krijgen.'

Het lab waar Reisden werkte was veel minder luxueus opgezet dan Jouvet; het hele lab bestond uit twee grote duistere vertrekken en een wirwar van kleine kantoortjes. Reisden had niet eens een kantoor, alleen een deel van een labwerkbank, waar hij fronsend door het oculair van een bovenmaatse microscoop stond te kijken.

'Volgens mij wordt er een hoop koude drukte gemaakt om kunst, Reisden, terwijl het enige waar mensen werkelijk naar kijken is hoe hun vader was en of iemand wel van ze houdt.'

'Dat is waar mensen gewoonlijk naar kijken.' Reisden rechtte zijn rug en sloot zijn ogen, zijn oogleden samenknijpend. 'Een van de gevaren van wetenschappelijk onderzoek. Zien wat je wilt zien.'

'Waar kijk jij naar?'

'Ga je gang.' Daugherty tuurde door het oculair; het glas van zijn bril tikte tegen de lens van de microscoop. Het enige wat hij kon zien was een geelgrijze vlek.

'Kikkerspierweefsel,' zei Reisden. 'Geprikkeld tot de uitputting erop volgt, door een centrifuge gehaald, gekleurd, en op een objectglaasje uitgestreken. Maurice O'Brien ziet, ik citeer: "onbekende hexagonale structuren op de grens van het zichtbare." John Lamb ziet ze. Ik niet. Ik probeer het nu al een week.'

'Zijn dit nog steeds kikkers?' zei Daugherty.

'Nog steeds spiercontractie; stimulus en respons.' Hij wreef vermoeid over zijn nek. 'Dit is mijn hand; waarom beweegt hij?' De steen op zijn ring glinsterde als een leeuwenoog.

'Denk je er weleens aan om te gaan slapen?'

'Nee.' Reisden leidde hem de gang door en deed een van de deuren open; binnen was een zitkamer gevuld met planken waarop rommelige stapels boeken lagen, een paar stoelen, een tafel, een gootsteen en een aanrecht met ongewassen, niet bij elkaar passende koppen. Boven een uitgezette bunsenbrander op het aanrecht stond een kolf die half gevuld was met een of andere donkere vloeistof. Reisden pakte een van de koppen, spoelde hem af in de gootsteen, goot er wat van het slijk uit de kolf in, proefde het, haalde zijn schouders op, goot het weer terug, en deed de bunsenbrander aan.

'Stimulus en respons, hè,' zei Daugherty, terwijl hij naar de onbekende apparaten keek in het grote vertrek. In de ene hoek stond iets wat eruitzag als orgelpijpen; in de andere een staand horloge met één wijzer en een bel. Op de tafel lag een ding dat uit spiegels bestond, als een met gespreide vleugels neerstrijkende vogel.

'Stimulus, respons en gewaarwording,' zei Reisden. 'Berthet, die hoofd is van het lab, gelooft dat het proces drie stadia heeft. Stimulus, de elektrische impuls die op de spier inwerkt. Gewaarwording, de fysiek meetbare respons, de contractie van de spier, de trilling. En bewustzijn, de gewaarwording van een intelligent wezen dat het geprikkeld is en erop gereageerd heeft. De gewaarwording van de gewaarwording.' Hij boog zijn hand. 'Dit is mijn hand; hoe weet ik dat hij beweegt?'

'Je weet het tenzij je achterlijk bent,' zei Daugherty.

'Zo eenvoudig is het niet. Het is nooit zo dat we werkelijk iets zien of aanraken of ervaren; we ervaren elektrische impulsen in de hersenen. Sommige daarvan ontstaan doordat er licht op de retina valt en neurochemische reacties in de oogzenuw teweegbrengt. Sommige hebben andere bronnen, zoals hallucinaties.'

Daugherty vond het als tovenaarsgebeuzel klinken.

'Ik zal het je laten zien.' Reisden bracht de pendule in het staand horloge in beweging, en stelde toen iets bij, een knop of hendel aan de zijkant van de kast. 'Zeg me of de bel rinkelt voordat de wijzer het rode teken op de wijzerplaat bereikt. Kijk eerst naar de bel, dat is lastiger.' Daugherty keek naar de bel; tok, tok, ging de pendule; de bel rinkelde, en Daugherty keek snel naar de wijzer, waarbij hij zag dat deze net het teken bereikte.

'Bel eerst of wijzer eerst?'

'Bel.'

Reisden stelde de knop weer bij. 'Probeer het nog eens. Kijk ditmaal naar de wijzer.' Dat was gemakkelijker; de wijzer bereikte het rode teken, en een ogenblik later rinkelde de bel.

'Reisden, je doet iets met het apparaat en dan is er een andere uitkomst. Dat ken ik.'

Reisden haalde zijn hand van de kast; er was niets te zien, geen knop, geen hendel, alleen de kale eiken kast. 'Die twee dingen vinden tegelijkertijd plaats,' zei hij. 'Altijd.'

'Je hebt eraan zitten knoeien, ik heb het je zien doen.'

'Ik heb de machine niet bijgesteld, ik heb jou bijgesteld,' zei hij. 'Datgene waar het bewustzijn op is gericht lijkt als eerste te gebeuren. Ik veranderde datgene wat jij opmerkte.'

Daugherty duwde tegen de zijkant van de machine, op zoek naar aanwijzingen. 'Dat is niet eerlijk.'

'Berthet en ik proberen de relatie tussen gewaarwording en bewustzijn proefondervindelijk vast te stellen. Ik ga uit van de perceptuele kant, en meet kwantificeerbare verschijnselen; de spier heeft zich niet samengetrokken tenzij ik melkzuren kan meten, dat soort dingen. Hij is de psycholoog. Hij gaat uit van dromen van mannen die rennen. Heeft dromen van rennen tot gevolg dat er melkzuren worden opgebouwd, of dromen van licht dat de iris opengaat?'

'En heeft het dat tot gevolg?'

'We denken dat het soms zo kan zijn, wat erg opwindend is.'

'Klinkt mij in de oren als sprookjes meten.'

Terug in de kamer waar de koffie stond nam Reisden er een kop van en ging in een van de stoelen zitten, vermoeid tegen de rug leunend. 'Bewustzijn heeft een taal. Dotty heeft je verteld dat ik het moeilijk heb gehad toen ik uit Amerika terugkwam. Wat er gebeurde, drie maanden lang, is dat ik af en toe in de spiegel keek en...' Hij zocht naar woorden. 'Dat ik er dan niet was. Ik kon mezelf geloof ik wel zien, maar wat ik gewaarwerd was niemand.'

'Dat was zeker wel lollig,' zei Daugherty, in een poging het met een geintje af te doen en denkend aan wat nicht Dotty had gezegd.

'O, het was angstaanjagend. Er gebeuren dingen in je geest. Ik had twintig jaar lang niet gezien wat ik had gedaan, moedwillig dat of de gevolgen ervan niet gezien.' Hij stokte. 'En de geest leert. Bepaalde zienswijzen, bepaalde ideeën komen gemakkelijker. Ik begon me af te vragen wat ik had leren denken na vier jaar door William te zijn rondgeschopt en bijna twintig jaar van leugens. Ik vroeg me af in hoeverre het mechanisme van mijn bewustzijn beschadigd was geraakt.'

Daugherty schraapte ongemakkelijk zijn keel.

Reisden proefde de koffie en gooide hem weg in de gootsteen. Hij bleef daar staan, kijkend naar de koffieprut. 'Dit is een verontschuldiging,' zei hij. 'Ik zou het eigenlijk tegen Perdita moeten zeggen, maar ik ga niet met Perdita praten, dus in plaats daarvan bied ik hem jou aan.' Hij wrong de ring af die hij droeg en gaf hem aan Daugherty, die hem nieuwsgierig aanpakte. Een oude zegelring, goud met carneool.

'Dat is de familiering van de Reisdens,' zei Reisden. 'Die heb ik van Leo von Loewenstein gekregen. Tot de afgelopen drie jaar heb ik hem nooit gedragen. Ik had met niemand van mijn zogenaamde familie meer contact. Nu heb ik Dotty en Tiggy. Ik heb ze zelf als de mijnen gekozen,' zei hij, 'en ik wil er in ieder geval een goede, degelijke vervalsing van maken, een onweerstaanbare vervalsing, zoals de Mallais; een die niemand ooit zal opmerken. Ik wil dat Dotty haar neef ziet wanneer ze naar me kijkt.'

'Weet ze niet wie je bent? Heb je haar dat nooit verteld?'

'Nee.'

'Hmm.'

'Reisden zijn gaat me niet goed af. Ik weet best wat hij zou doen, en ik doe het niet. Ik heb Jouvet gekocht terwijl hij zich met aandelen zou blijven bezighouden. Ik heb te veel tijd besteed aan Jouvet. Bovenal was daar Perdita. Ik ben gefingeerd,' zei hij. 'Reisden zou naar de wijzer kijken, Richard zou de bel horen; ik hoor de bel. Dotty ziet altijd de wijzer.'

Daugherty vond dat het allemaal dodelijk ingewikkeld werd gemaakt.

'Ik weet niet wat William werkelijk bewoog,' zei Reisden. 'Ik ken een heleboel mensen die zo zijn als hij. Soms is het een ziekte en kun je ze daadwerkelijk behandelen. Soms doen ze wat ze doen omdat het hun is aangedaan… Het is mij aangedaan. Ik heb geleerd hoe William dacht. Ik ben zijn kleinzoon… Perdita en Gilbert vinden dat Richard het slachtoffer was, ondanks het feit dat hij William heeft vermoord,' zei Reisden, 'maar ik vind dat erg naïef.'

Hij schonk zichzelf nog een kop koffie in uit dezelfde kolf, begon ervan te drinken, staarde ernaar en goot hem in de gootsteen. Ditmaal goot hij de rest van de kolf ook leeg. 'Ik breng onheil,' zei hij. 'Daugherty, wees goed voor haar; ik kan dat niet zijn.'

39

DAUGHERTY NAM PERDITA MEE UIT ETEN. 'HOE KAN EEN MEISJE ALS jij zoiets doen?' Het was als Pearl die ervandoor ging met de bijbelverkoper.

'Ik schaam me er niet voor,' waaruit hij concludeerde dat dat wel het geval was.

Daugherty legde haar uit dat hij het op zich had genomen een onderzoek in te stellen naar het vervalste schilderij. Ze wist ervan. 'Hebt u aanwijzingen?' vroeg ze. Hij vertelde haar over het begrip 'oorsprong' en de Franse wet die toestond dat families als oorsprong konden gelden.

'U denkt toch niet dat madame Mallais zich met vervalsing zou inlaten? Ze is een aardige vrouw.'

Dat was jij ook, liefje, dacht hij: een aardig meisje. 'Wie heeft het volgens jou gedaan?'

'Een van Dotty's bedienden,' zei ze, 'of haar schilderijenhandelaar. Ze wil niet dat het haar handelaar is maar ze denkt van wel.'

'Zou zij het niet kunnen zijn?' suggereerde Daugherty.

'Zelfs Dotty zou zoiets niet doen om vervolgens Alexander te vragen het op te lossen.'

'Liefje,' zei Daugherty, 'waarom wil je niet met hem trouwen?'

Ze schudde haar hoofd. 'Hij wil niet met míj trouwen.'

'Denk je dat?'

'Hij wil niet met iemand trouwen die op tournee gaat. Hij wil een echtgenote. Het is niet specifiek vanwege mij, of alleen maar vanwege de muziek en wat hij wil. Als ik genoeg van hem hield zou ik de muziek opgeven. Maar dat... dat is gewoon niet zo.'

'Heeft niets met liefde te maken, liefje.' Het was wreed, maar Daugherty moest het zeggen. 'Je hebt hem gekozen in plaats van de muziek door wat je gedaan hebt. En hij koos jou in plaats van... wat hij ook wil, als hij jou niet wil.'

Ze werd zo bleek dat ze er lelijk uitzag. 'Ik heb er niet voor gekózen hem niet te hebben,' zei ze. 'Ik kies er niet voor hem op te geven, ik wil niet kiezen. Vertel hem dat maar.' Ze stak haar hand in haar handtas en overhandigde hem een vierkant stuk karton. Het was een uitnodiging voor een recital in de Amerikaanse ambassade, financieel ondersteund door de ambassadeursvrouw, mevrouw William Bacon, op de eenentwintigste. Juffrouw Perdita Halley, winnares van zus en zo en die en die prijs, zou spelen. *Een geweldig nieuw talent*, zei *The New York Times*. Hapjes en drankjes na afloop.

'Ik wil dit niet, het is je goede naam onwaardig.' Daugherty schoof het weg, en zag toen dat hij haar had gekwetst.

'Gaat u er nou maar naartoe,' zei ze. 'Als u denkt dat ik de muziek moet opgeven, moet u me eerst maar eens horen spelen.'

'Ik zal gaan,' zei Daugherty met tegenzin, 'maar ik neem hém mee.'

'Hij komt sowieso,' zei ze. 'Hij trouwt niet met me maar hij komt wel naar mijn concert.'

Ze zag eruit alsof ze na het eten zo naar de begrafenis kon gaan van al haar beste vrienden. Ze kwam net van een les, zei ze, dus hij moest haar maar excuseren als ze niet vrolijk was. Ze luisterde naar al het nieuws van thuis in Amerika, nam een hapje van het eten en legde toen haar vork neer terwijl ze plichtmatig kauwde en met moeite slikte.

'Wat vindt u van Parijs?'

Tja, zei hij, als je de taal niet kende was het maar behelpen.

Ze maakten een lijst van plaatsen om naartoe te gaan en dingen om te doen en zinnetjes die hem daar van pas konden komen. *Ung biyay, due franks*. Haar lijst bevatte veel concerten. 'Is er niks anders dan schilderijen, concerten en kunst?' vroeg Daugherty.

'U kunt de Eiffeltoren beklimmen, en dan heb je nog de ondergrondse. De Métro. Hij is veel groter dan die in Boston, en ze hebben net het gedeelte onder de rivier geopend. Er is een enorm station, daar weergalmt het als in een grot.' Ze klonk weer als een klein meisje. 'Weet u nog dat we in Boston met de ringlijn hebben rondgereden?'

'Laat jij me dat grote nieuwe station maar eens zien. Hoe heet het?'

'St.-Michel.'

40

HET IS EEN OPLUCHTING EEN MOEILIJK BESLUIT TE HEBBEN GENO-
men; dat hield Reisden zichzelf voor. Op maandag praatte hij met Dotty; ze verontschuldigde zich ervoor Daugherty het adres te hebben
gegeven. 'Ik had het niet moeten doen, schat,' zei ze, 'en je hebt het vol-
ste recht om boos te zijn.'
'Dat is zo.' Ze had hem tot een beslissing gedwongen die hij eigenlijk uit zichzelf had moeten nemen. 'Er is tenminste iets beslist,' zei hij.
'Cécile de Valliès komt morgenavond samen met nog wat mensen
dineren. Ik heb een loge voor Bordets nieuwe toneelstuk. Ben je dan
vrij?' vroeg ze. 'Wil je vrij zijn?'
Hij dineerde dinsdagavond bij Dotty en ging met haar gezelschap
naar het theater. Cécile de Valliès bevond zich onder de gasten; hij deed
zijn best om haar te behagen, en zij wilde hem onmiskenbaar behagen.
Hij dronk veel te veel en bracht haar toen in een huurrijtuig naar
huis. Ze woonde in het zestiende arrondissement, in een appartemen-
tenhotel dat erg op het zijne leek. Tijdens de rit praatte ze over haar
kinderen, die op kostschool zaten. Hij zei dat hij van kinderen hield. De
hare, zei ze, waren zeer welgemanierd, beleefd en intelligent; ze heetten
Eugénie en Frédéric. Ze maakte discreet gewag van een kasteel en ander onroerend goed, die haar onvoorwaardelijk waren nagelaten. Ze
hield van muziektheater maar natuurlijk ook van de klassieken; ze had
nooit over neuropathologie nagedacht, maar geloofde graag dat het fascinerend was. Ze had een zacht, aangenaam profiel, een prettige en
veelvuldig opklinkende lach; ze kleedde zich smaakvol; hij was ervan

overtuigd dat haar kok goed zou zijn en haar huishouding op rolletjes liep. Bij haar zou hij nooit alleen hoeven slapen. Ze zou niet al te nieuwsgierig naar hem zijn. Hij zou nooit bang hoeven zijn voor wat hij haar zou kunnen aandoen, hij zou haar nooit bezeren of zelf bezeerd raken.

Hij vergeleek haar met Perdita, wat hij niet zou moeten doen.

Hij had madame de Valliès naar haar huis teruggebracht met het weloverwogen voornemen om Perdita ontrouw te zijn, mocht de gelegenheid zich voordoen. Ze bezat een Mallais, die boven hing; ze bood aan hem het schilderij te tonen. 'Ik doe dit nooit,' zei ze, 'maar... dit gesprek is zo aangenaam...' Hij sloeg zichzelf gade terwijl hij als een robot op het aanbod inging dat ze hem niet echt had gedaan; hij sloeg hen beiden gade terwijl ze van hun drankjes nipten en haar Mallais bewonderden. Hij vroeg zich af of het schilderij een vervalsing was, en in hoeverre de hele avond een vervalsing was geweest; hij bekeek de glimlach op haar gezicht, geconstrueerd voor hem, voelde dezelfde grijns op het zijne, geconstrueerd voor haar, en had de buik vol van wat hij had moeten willen. 'Het is een veel te aangename avond geweest om voort te zetten,' zei hij tegen haar, en nam afscheid, en liep de rest van de avond door de straten in een onafgebroken stortbui, vervuld van een grimmige, venijnige woede die gericht was op hemzelf en Perdita en Dotty en zelfs op de onschuldige, saaie madame de Valliès, met wie hij niet zou trouwen en bij voorkeur niet eens zou neuken.

Woensdagochtend gooide hij in zijn kantoor in Jouvet alle brieven van Perdita weg, voor drie jaar aan brieven; ze had hem zelfs in Parijs geschreven, op dagen dat ze elkaar niet hadden gezien of niet hadden kunnen telefoneren. Ze waren stuk voor stuk ondertekend met: *Liefs*, *Perdita*; er was er zelfs een bij, een stukje muziekpapier, met alleen de afsluiting en de handtekening. Niets te schrijven, niets te zeggen, alleen liefs. Hij dwong zichzelf op te merken dat haar handschrift dat van een zeer jonge vrouw was.

Hij nam de prullenmand mee de privé-trap op naar het appartement van dr. Jouvet; hij gooide de inhoud ervan, enveloppen van de vroege post, een krantenwikkel, en de brieven in de lege onderste la van zijn ladekast. Hij deed de la niet op slot; dat zou ze alleen maar waarde hebben gegeven, dat zou het zelfs pijnlijk hebben gemaakt.

Woensdagavond nam Reisden een paar Duitse collega's, die op bezoek waren, mee naar de Folies Bergère, waar men alleen met gasten naartoe gaat. Al dat vrouwelijke vlees, al die charmes, negenhonderd kostuums, eenendertig decorwisselingen; de welgevormde juffrouw Campton, de amusante Jane Marnac; Léonette Roberty en haar exotische danseressen; tableaus van vrouwelijke mannequins, 'Aan het hof van Katherine de Grote', 'Het atelier van de meesters'. Alle vrouwen waren mooi, alle kostuums onthullend. Tijdens de pauze betaalden ze om de promenade te betreden, waar de twee Duitsers verlekkerd naar de hoeren keken. 'Ach, G-tt, vrouwen zijn niet alleen beter dan mannen, ook hun lichaam ziet er beter uit.'

Hij dacht aan Perdita's lichaam, zachte, specifieke plekjes; hij zette haar uit zijn hoofd.

Hij dacht aan de vrouwen op het toneel; maar hij kon niet rustig puur van hun lichamen genieten, hij kon het niet laten hen als artiestes te bekijken. Zo'n tachtig danseresjes. Elk lid van de dansgroep stond gemiddeld drie tot vijf minuten op het toneel, en had dan tien tot twaalf minuten de tijd om van kostuum te veranderen en klaar te staan voor het volgende optreden. De smachtende, als pauwen verklede schoonheden op het toneel waren verwikkeld in een tweeënhalf uur durend gejakker van verkleden en optreden; dat deed hem denken aan Perdita's verhalen over de verschrikkingen van op tournee zijn. Hij had gehoopt dat die verhalen hadden betekend dat ze er niet van hield.

Zo werkt obsessie, studenten: altijd weer terugkomen bij hetzelfde onbereikbare object. Hij zou gewoon achter de coulissen of naar de promenade moeten gaan om voor zichzelf een vrouw te kopen.

'Dr. de Reisden?' Een van de portiers sprak hem aan. 'Er is telefoon voor u.'

Aanvankelijk kon hij alleen maar geschreeuw en verwarring horen op de lijn. 'Meneer, ik bel uit het Café du Départ. Er is helaas een ongeluk gebeurd in de Métro…'

Toen hij arriveerde, was de politie een gat in het trottoir voor het Café du Départ aan het afzetten. Het was gaan sneeuwen; rond de plaats van de ontploffing en bij de ingang van het Métrostation was de sneeuwbrij zwart geworden, als door rook of vuil. De gewonden waren naar het Départ gebracht.

Hij zag Daugherty het eerst, zittend aan een cafétafel, bloedend als een rund uit een snee in zijn oor, waar hij een handdoek tegenaan drukte; en daarna zag hij haar. Ze was overdekt met vuil en pleisterkalk, besmeurd met Daugherty's bloed, hield met haar beide handen zijn hand vast, en praatte tegen hem. 'Gaat het wel?' zei ze, of iets in die trant, maar ze leunde naar voren, ingespannen luisterend om het antwoord op te vangen, en ze hield Daugherty's hand zo stevig vast dat het leek alsof ze zich voortdurend van zijn aanwezigheid wilde vergewissen, wat ze nooit had hoeven doen als ze had kunnen horen.

Even keek hij alleen maar naar haar. Hij zag haar kwetsbaarheid, begreep wat dat ingespannen geluister om woorden op te vangen zou kunnen betekenen, en gedurende één moment van met afschuw vermengde triomf dacht hij dat ze doof was geworden, in ieder geval doof genoeg om de muziek op te moeten geven... Hij wilde haar in zijn armen nemen, haar gezicht schoonwassen, haar geschaafde knokkels betten, haar met kussen overdekken; hij wilde niet verlaten worden of verlaten, hij wilde iemand, hij wilde liefhebben; hij wilde haar, haar, háár.

En hoe had hij gedacht dat aan te pakken? Door haar van haar gehoor te beroven. Hij had het gevoel dat hij smeriger was dan zij tweeën. Het verlangen om te kwetsen teneinde te bezitten is slecht.

'Over een paar minuten bent u weer de oude,' zei hij tegen haar, vormelijk, *vous* in plaats van *tu*.

'Ik begin alweer wat te horen,' zei ze, 'en je ziet dat ik meneer Daugherty gevonden heb, en dat hij niets ernstigs mankeert. Dus ik had je niet hoeven laten bellen... het spijt me...'

'O, dat is in orde,' zei hij snel. Alles was in orde, nietwaar. 'Ik verveelde me toch.' *Stommeling*. Het was beter dan zeggen dat hij aan haar had gedacht.

'O, dan is het goed.'

'Wilt u een handdoek om uw gezicht af te vegen?'

'Ja, graag.'

Hij keek toe hoe ze haar gezicht schoonmaakte met de warme vochtige handdoek, en wilde niets liever dan haar aanraken; maar hij stopte alleen zijn handen stevig in zijn zakken en wendde zich van haar af om te zien hoe de andere slachtoffers van de ontploffing afgestoft werden en koffie en brandy kregen uitgereikt. Daar stond Daugherty in de rij voor koffie, de handdoek tegen zijn oor houdend, met de andere hand naar Reisden gebarend: kom op, praat met haar, kom op. Reisden schudde zijn hoofd. 'Ik ga nu weg,' zei hij tegen haar. 'Ik ben blij dat u niets mankeert, tot ziens.'

'Tot ziens, Alexander. Bedankt voor je komst,' als een gastvrouw.

'Tot ziens.'

Idioot. Sukkel.

Hij vertrok.

41

Cher misieur le baron,
Ik ben naar de Hottel des Posts gewees de Pliesie bewaak het ik
denk dat ze ervan Weten U zou me kunnen schrijven Ik hoop niet
dat u het was die hun heb gezegd te bewaken Ik zie ernaar uit dat
u Haar spoedug recht doe.

Haar Kunsenaar

Ik Kom naar U toe

'U hebt een politiehinderlaag gelegd voor een man met een mes
in het Hôtel des Postes,' zei Reisden, 'waar dag en nacht op elk uur omstanders zijn. De hinderlaag zou op de ontmoetingsplaats worden gezet, niet daar. En hij zag u voordat u hem zag.'

De inspecteur keek woedend naar zijn sergeant, die naar de grond
keek.

'Wat bent u nu van plan te gaan doen?'

De politie had een duidelijke afdruk van de handpalm en een stel
vingerafdrukken op de brief aangetroffen. 'We zullen deze door de Ber-
tillonarchieven laten gaan, monsieur de Reisden,' zei Langelais. 'We
vinden vast wel iets.'

'Niet gauw genoeg.' De Préfecture identificeerde vingerafdrukken
aan de hand van karakteristieken, maar archiveerde ze op naam, omdat
ze geen beter systeem hadden. Een zoekactie nam vaak weken in beslag.
'Misschien probeert hij wel hier te komen; dat moet ik niet hebben. Ik
zal hem een ontmoeting voorstellen.'

Reisdens secretaresse keek hem met afgrijzen aan.

'Hij koestert al argwaan, meneer,' zei Langelais.

'Ik denk dat ik hem ertoe kan bewegen te komen.'

Langelais keek hem aan met een blik waaruit een onbehaaglijk voorgevoel sprak. 'Hoe?'

'Door te schrijven zoals hij zou schrijven.' Haar Kunstenaar had nu zijn eigen map in het archief van Jouvet; Reisden bladerde de getypte kopieën van de eerste twee brieven door. 'Madame Herschner, noteer dit. "Ik mis haar zo. Zonder haar weet ik niet wie ik ben. Help me. Ik moet met u spreken, ik moet over háár spreken..."'

Een politiehinderlaag vereist een ruimte die schijnbaar open is, maar die van omstanders kan worden ontdaan: iets wat je in Parijs niet zo gauw zult vinden. De diverse openbare tuinen waren uitgesloten; datzelfde gold voor besloten plekken als de dierentuin, de Arènes de Lutèce en de Clunytuinen, die vol toeristen zouden zijn als het beter weer werd. Père Lachaise en de andere kerkhoven waren uitgesloten; familieleden zouden de graven bezoeken. De inspecteur stelde Jouvet voor; Reisden sprak zijn veto uit. 'Jouvet is niet een plaats waar geestelijk gestoorden worden gevangen.'

'Ja, dat is waar,' zei madame Herschner.

Versailles was te ver weg, hoewel de met bladeren bestrooide en verlaten zalen van het oude paleis een geschikte, spookachtige ontmoetingsplaats zouden hebben gevormd. Reisden belde André du Monde, die Parijs tot in alle uithoeken kende. Du Monde bood de tuin bij zijn huis aan; Reisden sloeg het aanbod beleefd af, omdat André weigerde zijn belangrijkste tuinornament, de kleine verrijdbare guillotine die zijn overgrootvader had onthoofd, te verwijderen.

Reisden dacht aan de grote tuin in Courbevoie. Zondag was Perdita daar misschien. Hij dacht erover haar zondag op te zoeken, met haar te praten, haar op de een of andere manier iets uit te leggen, en riep zichzelf tot de orde.

'Het Hondenkerkhof in Asnières,' opperde madame Herschner. 'Barry's Tombe.'

Barry, geen familie van Barry Bullard, was een sint-bernardshond geweest die het leven had gered van veertig reizigers op de Simplonpas voordat de spoorwegtunnel was geopend. De eenenveertigste had hem voor een wolf aangezien en hem gedood. De eigenaars van het hondenkerkhof hadden hem een graftombe gegeven een Rothschild waardig, met het epitaaf: HOE MEER IK VAN MENSEN ZIE, HOE MEER IK VAN MIJN HOND HOU.

Langelais vond Barry's Tombe uitstekend; en dus werd het rendez-vous tussen Reisden en de moordenaar gezet op zondagmiddag half vier 's middags, bij Barry's Tombe, symbool van trouw, op het Cimetière des Chiens in Asnières.

42

'Leonard, ik heb een lijst nodig,' zegt Milly. 'Zo een als die daar. Het is een cadeau voor George, maar ik wil dat hij denkt dat het van jou afkomstig is.'

Ze houdt haar hand boven haar ogen en tuurt door het glas naar de enorme vergulde lijst van de Mona Lisa, waarin eivormen, kwasten en acanthusmotieven zijn gesneden.

'Je kunt me er een bezorgen... Natuurlijk kun je dat, je bezorgt Juan ook terracotta's.'

'Dat is wat a-anders.'

'Ik geef je evenveel voor een lijst als hij voor een van die maskers. En ik wil dat je er een begeleidend briefje bij schrijft voor George. "Ik geef u dit om u te helpen." De lijst moet net zo groot als die van de Mona Lisa zijn,' voegde Milly eraan toe. 'Meet een van Jean-Jacques schilderijen maar op.'

Die vrouwelijke blik, die glimlach; Leonard beeft, denkt aan Milly's enkels, voelt zich boos, voelt zich schuldig. Leonard steelt dingen uit het Louvre, allicht. Het Louvre heeft dingen waar het geen weg mee weet, kleine terracotta's van archeologische expedities, granieten borstbeelden, maskers, beeldjes, je wordt niet al te goed betaald... Als zijn dienst erop zit, gaat Leonard naar de kelder van het Louvre en opent een van de deuren van de opslagruimte.

De lichtbundel van Leonards lantaarn onthult planken vol uitgehakt primitief werk. Gezichten die zo rood zijn als bloed en zo wit als de lijken in de Morgue; halfopen ogen, starende holtes; in afgrijzen geopende monden. Leonard sluit zijn ogen, grist er een weg, rolt het in een blad van de *Petit Parisien* van gisteren en stopt het onder zijn uniformjasje; tegen zijn hemd is het kriebelig en zwaar, verborgen schuld. Hij sluit de deur, blij dat hij een beschaafd mens is.

Maar een lijst? Het Louvre heeft een ruimte vol zeventiende-eeuwse vergulde lijsten, die overbleven toen in de vorige eeuw de grote doeken van Rubens gerestaureerd en opnieuw opgespannen werden. Leonard doet de deur open en laat zijn blik eerbiedig rusten op het koninklijke geschitter van goud. Het is verkeerd om ze te stelen. Er zit zoveel goud op die lijsten dat het is alsof je louis d'ors steelt, en ze zijn allemaal met de hand bewerkt. Er heeft al honderd jaar geen schilderij meer in die lijsten gezeten, maar het Louvre bewaart ze uit eerbied.

Hij doet het niet, besluit Leonard. Dat is niet de handelwijze van een heer, dingen stelen die mensen willen hebben.

Hij heeft er behoefte aan zich zachtaardig en goed te voelen. Of slecht, duivels, niet berouwvol. Wanneer hij aan haar denkt voelt hij zich steeds slechter worden, hij wil zich slecht voelen. *Afschrikwekkende wonden*, zeiden de kranten. *Verschrikkelijke kracht* en *een gek*. Het is gemakkelijker om zo'n soort man te zijn, en nergens om te geven.

Leonard is heel gewoon. Hij geeft wel ergens om. Hij zit in een goedkoop café zijn avondmaal te eten, worstelend met woorden op groen papier, schrijvend met een versleten pen die hij uit het postkantoor heeft gestolen. *Haal haar asteblief uit de Morg.*

Hij kijkt in de spiegel en ziet zijn eigen gezicht, slordig besnord, een man die iets te oud is om jong te zijn; een heel gewone man.

43

DONDERDAG GING DAUGHERTY MET ZIJN OOR IN HET VERBAND naar het Louvre om de doeken van Mallais te bekijken.

Het oude paleis werd bewaakt door een smeedijzeren hek met gemene punten. Daugherty knerpte over een binnenplaats van grind ter grootte van een footballveld, slaagde erin de ingang te vinden en ging een donkere trap op – boven aan de trap stond een beeld van een vrouw met vleugels maar zonder hoofd en armen – en kwam uit in een lange gang tjokvol schilderijen, meubels, beelden en allerlei soorten pronksieraden, half museum, half warenhuis.

Daugherty ging met zijn vinger over de plattegrond in zijn gids. Hier links.

Moderne kunst: een lange, oververhitte, wijnrode zaal, barstensvol als de maag van Leviathan, de muren volgehangen met dubbele en driedubbele rijen van schilderijen in vergulde lijsten. Landschap. Naakte vrouw op een sofa met een waaier in haar schoot en niets aan behalve haar schoenen. Zelfde vrouw in een jurk. Nog een naakte vrouw. Man en vrouw oogstend, zagen eruit alsof ze wisten wat ze deden; toch was het er laat op de dag voor. Landschap. Drie mannen in een theaterkostuum, de degens kruisend. Weer een naakte vrouw. Vrouw in een sluier. Twee marmeren beelden van Deugd en Zuiverheid met verleidelijke glimlachjes.

412, Huet, *Overstroming bij St. Cloud*; *216*, P. Delaroche, *Dood van Koningin Elizabeth van Engeland* – Daar had je ze: Mallais, *813*, *Velden bij zonsondergang (vroeg werk, 1863)*, *324*, *Badhuis van de Samaritaine*.

Daugherty was niet erg te spreken over *Velden bij zonsondergang*. Het andere was een voltreffer. Het was niet meer dan een schilderij van een Franse badboot, een van die grote witte schuiten die je aangemeerd zag bij de promenades. Er stonden een paar mensen bij de boot, kleine gekliederde figuren, een man die een ton voortrolde, een sjouwster met een mand op haar hoofd, twee pratende mannen. Boven de boot zag je de kademuur, bomen die net begonnen uit te lopen, een aantal traptreden die naar de straat leidden en een paar gebouwen. Maar je wist tot op de dag af wanneer het gemaakt was, de eerste echte lentedag wanneer je aan honkbal begint te denken. De modder die onder de boot in slierten van de boeg af stroomde, was lente-afvloeiing, en al die klodderfiguurtjes zagen er gelukkig uit.

Daugherty ging op een bank zitten en las in zijn boek over Mallais, zo nu en dan opkijkend naar het schilderij. Het fotografische frontispice toonde de man zelf, een grote glimlachende dikzak met een baard, vooroverleunend in een stoel, een sigaret rokend. Claude Mallais was opgegroeid in Alfortville, een eindje stroomopwaarts van Parijs; zijn vader was scheepsleverancier geweest. Hij had gestudeerd aan de School voor Schone Kunsten en bij Corot (daar had je die Corot weer) maar was niet bijzonder succesvol geweest. Hij was in Normandië gaan studeren bij een obscure schilder genaamd Duféray, met wiens dochter hij was… getrouwd, volgens het boek. In het boek stond een potloodschets van een armoedig uitziend meisje in kleren uit de Burgeroorlog; ze zat in een rotanstoel te praten met een grote gespierde vrouw met een wasmand op haar heup. Daugherty sloeg de bladzij om. Daar was het vermoeide meisje weer, dunner nu, op een sofa, en daar, op een kleurenchroomplaat, lag ze met een sluier over haar gezicht, bloemen over haar heen gestrooid. De familie moet het niet breed hebben gehad, want de bloemen waren gewone daglelies uit de tuin, geplukt met knoppen en al. Het deed Daugherty denken aan zijn moeders begrafenis.

Mallais had zich voorgenomen nooit meer te schilderen na de dood van zijn vrouw. (Daugherty vroeg zich af wanneer hij het schilderij van haar begrafenis had gemaakt.) Hij had zijn oude schilderijen voor het merendeel verwoest. Vervolgens was hij ongeveer een jaar later getrouwd met het stevige meisje met de wasmand, de pleegzuster van zijn dode vrouw, Suzanne.

Eerste belangrijke schilderijen: *La Veille*, 1870 – dat schilderij met de sluier over zijn dode vrouw; *Les Bains de la Samaritaine*, 1871. Daugherty bladerde het boek door en zag de kleurenplaat van *Badhuis van de Samaritaine*; het gaf maar een vage indruk van het schilderij. Hij bladerde verder en zag latere schilderijen, voornamelijk landschappen –

een paar van Reisdens tuin – en schetsen en schilderijen waarop Mallais' enig kind, een dochter, figureerde. Mallais had volgens het boek een karakteristieke stijl en onderwerpskeuze ontwikkeld, door het grensgebied tussen stad en platteland, het landschap van de voorsteden te schilderen. Er zaten familiefoto's bij: Mallais met de langbenige dochter, zijn arm om haar schouder; Mallais schilderend in een hooiland met een breedgerande hoed op, zijn rug naar de camera gekeerd; Mallais in de regen schilderend, beschut onder iets canvasachtigs als een halve tent. *Hoewel hij een uiterst sympathieke man was,* vermeldde het onderschrift, *eiste Mallais wanneer hij schilderde volledig met rust gelaten te worden, zelfs door zijn beste vrienden.*

Achter in het boek stonden landschapsschetsen en een schets van een blond jongetje, de zoon van de dochter, die een speelgoedpaard op wielen voorttrok. Verder een foto van Mallais op de begrafenis van zijn dochter, en daarna kwamen de laatste foto's van Mallais, een oude, mager wordende man, leunend op een wandelstok. Hij stond op het gras onder een spar, en mevrouw Mallais, de wasvrouw, zat op een geblokt tafelkleed zo'n lang Frans brood te breken. Stevige armen, brede heupen, grijzend haar, scheve voortanden en een ongedwongen glimlach.

Op de laatste foto stonden een paar eenzame rotsen ergens op een kust. Juist toen er een storm opstak was hij de Bergac-rotsen gaan schilderen, en een grote golf had hem gegrepen. Zo ging het immers altijd. Zomermensen op rotsen, met open mond naar de golven kijkend, er komt een grote golf langs, 'was dat geen geweldige golf, Mabel…! Mabel, waar ben je?' De familie had het lichaam nooit teruggevonden.

Eigenaardige gedachte dat kunstenaars stierven als gewone mensen.

Daugherty stond op, rekte zich uit, keek de zaal rond en werd getroffen door een vreemde gedachte: al die schilderijen waren daadwerkelijk gemaakt door echte mensen als de Mallaises, meestal gewone mensen, afgezien van het feit dat ze schilder waren. Hij vroeg zich af wat hen ertoe had gebracht. Hij begreep vervalsen; dat bracht geld op. Maar schilderen bood op geen enkele manier een stabiel of respectabel leven. Je moest je wel afvragen waarom ze niet iets degelijkers hadden gekozen.

Hij keek weer naar de schilderijen van naakte vrouwen en grinnikte. Dat was het.

Daugherty liep de Grote Galerij in met zijn grote, met ijsbloemen bedekte ramen; hij maakte met zijn adem een gat in de ijsbloemen en keek over de rivier naar zijn hotel. Hier bestonden de schilderijen uit Kruisigingen, Heilige Maagden en lange donkere heiligen met hun ogen ten hemel geslagen. Hij nam een kijkje in een paar andere zalen, met de bedoeling terug te gaan om de Mallais-schilderijen nog eens te bekijken. Halverwege de Grote Galerij was aan de zijkant een zaal met nog meer religieuze schilderijen en een witgeschilderd kastje met een glazen voorkant waarnaast een bewaker stond. Daugherty keek even beleefd rond, waarbij hij probeerde een jochie niet te storen dat in de hoek van de zaal achter zijn ezel stond te werken, en wierp toen uit nieuwsgierigheid een blik in het kastje.

Nou ja, was dat even een schok.

Het was de Mona Lisa. Het was de echte Mona Lisa. Ze zag eruit zoals je zou verwachten, glimlachend met die stijflippige mysterieuze glimlach. Ze had smalle, verglijdende ogen, smalle handen en de polsen over elkaar alsof iemand haar had verteld dat ze mooie handen had. Daugherty grijnsde en deed een stap terug, min of meer verlegen, niet wetend wat hij moest doen, en bleef even staan om zich ervan te vergewissen dat hij haar gezien had. Zo, dacht hij, nu heb ik de Mona Lisa gezien.

De kopiist zat nog steeds op zijn doek te krabbelen, en Daugherty liep erheen om ernaar te kijken. Het was helemaal geen doek, maar dikke witte verf op een stuk karton, en de kopiist schilderde met heldere dunne lagen op het wit. Hij schilderde nog een Mona Lisa. Het was verbazingwekkend gelijkend.

Op de een of andere manier was het geruststellend een schilderij gemaakt te zien worden, zoals ketellappen of bouwwerkzaamheden, helemaal niet als kunst.

Daugherty had al geruime tijd staan kijken toen hij de naam op de ezel van de kopiist zag.

Hij keek nog eens naar de kopiist, haalde toen zijn Mallais-boek te voorschijn en bladerde naar de tekeningen. Daar had je het blonde jongetje, de kleinzoon, jaren geleden met zijn speelgoedpaard, en hier stond hij, diezelfde grote oren, een Mona Lisa te schilderen.

En daar was hij ook, op Barry Bullards lijst die als Daugherty's bladwijzer in het boek fungeerde.

Daugherty had er niet op gerekend dat 'Jean-Jacques Mallais' eruit zou zien zoals zijn jongens eruit hadden gezien op de middelbare school: haren en mouwen een tikkeltje van de verkeerde lengte, bovenlip waarop aarzelend wat haartjes begonnen te groeien. De ellebogen van zijn jasje hingen van stoplappen aan elkaar.

'Vous... êtes... le... Mallais, le kleinzoon?' zei Daugherty.

Het joch keek achterdochtig en nors, zoals kinderen doen wanneer je hun familie noemt.

'Jer aime Mallais,' zei Daugherty aanmoedigend, en nam vervolgens zijn toevlucht tot zijn *Reizigershandboek voor conversatie*. Hij had er een hekel aan de domoor te spelen bij dit joch, de stomme Amerikaan te zijn die gewoon een Mallais-kopie wilde... Bij 'In de winkel' stond geen zin voor wat hij wilde zeggen. Dat schilderij van het badhuis vond hij mooi en hij zou heel wat overhebben voor een kopie ervan. Hij wilde iets wat dichter bij de kunst kwam dan het boek.

'Les tableaus... de Mallais... vous... copiez?'

Er kwam een grimmige uitdrukking op het gezicht van de jongen, hij trok wit weg en schudde van nee.

Daugherty vroeg zich af of hij iets verkeerds had gezegd. Hij probeerde het opnieuw. 'Vous copiez me een tableau?'

Het joch schudde zijn hoofd nog heftiger, zijn ogen wijd opengesperd.

Daugherty had die blik eerder gezien. Die blik werd elk weekend in elk politiebureau in elke stad ingerekend, en het was altijd weer hartverscheurend, de blik van een joch dat zichzelf voor het eerst echt in de problemen had gebracht.

'Vous copiez me een Mona Lisa?' zei hij werktuiglijk. Het joch glimlachte.

Buiten sloeg de regen troosteloos in Daugherty's gezicht. Hij stopte bij een van de straatventers, een oude dame die sieraden verkocht onder een paraplu: kleine porseleinen medaillons van de Mona Lisa, roze en groen. Hij kocht er een paar van als souvenir. Wat moest hij met een Mona Lisa van Jean-Jacques Mallais? Het druipende hek van het Louvre zag eruit als een gevangenispoort, en Daugherty dacht aan de goedkope lange sjaal die de jongen om had gehad, de sjaal van iemand die geen overjas heeft. Hij zocht het adres van de jongen op in zijn zakgids van Parijs; het was in het vijfde arrondissement, een arme buurt.

Jean-Jacques Mallais stond op Bullards lijst vanwege het feit dat hij zoveel schilderijen van zijn grootvader had gezien en omdat hij schilderijen kopieerde. Het jongetje in het boek dat een speelgoedpaard en wagen achter zich aantrok zou een huis vol schilderijen hebben gehad, meer Mallaises dan er in het Louvre waren, meer dan zelfs een man als Reisden had gezien.

En hij had die uitdrukking op zijn gezicht van een jongen die betrapt is op stelen.

44

Bij nicht Dotty trof Daugherty Reisden aan, die net zijn
neefje Tiggy kwam ophalen. 'Reisden,' zei Daugherty, 'ik moet met je
praten over een schilder die ik heb ontdekt.'
    'Een vervalser?' Maar hij was nu met de kleine jongen samen. 'Waar
zullen we heen gaan, chéri?' vroeg hij, neerknielend om met hem te
praten.
    '*Visiter les animaux*,' zei het jongetje, verlegen naar Reisden opkij-
kend, '*am Zoo*.'
    'Ga met ons mee, Daugherty.'
    Ze gingen met zijn allen naar de dierentuin, waar je een giraffe had
en een berenkuil, slangen en leeuwen, en een zwarte panter, waarover
volgens Reisden een gedicht was geschreven. Dat was nou typisch Parijs. Ze liepen de grote vogelkooi binnen om enige beschutting te zoeken tegen de motregen. Tiggy voerde de vogels van een stuk brood in
zijn zak. Staande op het pad in zijn matrozenpakje en jas brak hij stukjes brood af en gooide ze met korte jongetjesworpen weg. Het begon
harder te regenen, en ze gingen het Natuurhistorisch Museum binnen,
waar de grote botten van de dinosaurussen roerloos in het waterige licht
stonden, en Tiggy keek met een hand op de balustrade vol ontzag omhoog.
    'Een fijne knul,' zei Daugherty.
    'Dat vind ik ook.'
    'Hoe oud is hij?'
    'Bijna zeven. Zijn vader is vorig jaar gestorven, maar hij had ver voor

die tijd zijn verstandelijke vermogens al verloren; ik geloof niet dat Tiggy zich hem nog herinnert.'

Wanneer mensen gek werden en stierven, dacht je meteen aan één ding. De vrouw zou het dan ook hebben gehad, en maar al te vaak de kinderen eveneens. 'De jongen is gezond?' vroeg Daugherty diplomatiek.

'Ja; dat was het enige wat Esmé goed heeft gedaan. Hij heeft de volgende generatie Gresnières verwekt, en daarna...' Reisden haalde zijn schouders op.

Daugherty dacht aan de kattige nicht Dotty, mooi en vlijmscherp, en durfde er niet naar te vragen.

'Vertel me eens wat over die schilder,' zei Reisden.

'Ik heb vandaag de kleinzoon van Mallais ontmoet,' zei Daugherty. 'De jongen is een schilder, een kopiist. Ik heb hem gevraagd een Mallais voor me te kopiëren,' en Daugherty legde uit hoe de jongen daarop had gereageerd: met grote schrikogen, het zweet was hem uitgebroken.

'Nee, hij is te jong. Hij zou in 1907 veertien zijn geweest.'

'Hij is erg jong, maar ik heb Bonnet en Doc opgebeld, en zij houden al een oogje op hem. Precies rond de tijd dat jouw nicht haar schilderij kreeg, had hij een hooglopende ruzie met zijn grootmoeder. Hij heeft een paar maanden bij vrienden gelogeerd. Hoe klinkt jou dat in de oren?'

Reisden schudde zijn hoofd. 'Op zo'n jonge leeftijd maak je je niet schuldig aan vervalsing.'

'Jongens van veertien halen allerlei streken uit; ik heb er twee grootgebracht.'

Tiggy, die de dinosaurussen voor gezien hield, klom op de bank. Reisden staakte het gesprek om hem de dieren op de muurtegels te laten zien. '*Tu vois le rhino, Tiggy? Tu te souviens du poème du rhino?* "Alle vier uw ome Wimmen/zijn horendol van hersenschimmen..."?'

Het jongetje giechelde en kwam met het refrein: '"Mama smijt met glazen, zegt in toorn/We hebben tenminste geen neushoorn!" *C'est* onzin, *c'est ce que dit* juffrouw Wallis.'

'Ach, maar kindje, *c'est de l'*Engelse onzin. *Ça te fait du bien. Apprends bien ton anglais, je te lis Edward Lear.*'

'Je praat in verschillende talen met hem,' bracht Daugherty naar voren.

Reisden keek verbaasd. 'Hij kan ze allemaal. Dotty en ik praten min of meer afwisselend Engels, Frans en Duits met hem.'

'Dat kan hij dus. Zou een kind dat is opgegroeid met schilderijen om zich heen, en twee keer zo oud is als Tiggy, dan niet kunnen schilderen, denk je?'

'Niet goed genoeg om Dotty's schilderij te kunnen hebben gemaakt.'

'Misschien komt dat schilderij uit stock en heeft hij het voltooid.'

'Ik heb veel liever dat Yvaud het heeft gedaan.'

Ze brachten de kleine Tiggy naar huis en namen cacao en brood met boter in de keuken in het souterrain – je zou niet verwachten dat mensen met titels in de keuken aten. Een Engelse dame bracht Tiggy's model van de Eiffeltoren naar beneden, zodat hij het aan Daugherty kon laten zien. Daugherty kon horen dat er op de bovenverdieping een dameskransje aan de gang was. Tiggy zat een tijdje bij Reisden op schoot, terwijl ze samen een boek over een trouwe hond lazen, en daarna moest Tiggy in bad.

Reisden hervatte het gesprek. 'Op je veertiende maak je je niet schuldig aan een misdaad met voorbedachten rade.'

Ze keken elkaar aan.

'En wat voor beweegredenen zou hij gehad kunnen hebben?' verbeterde Reisden zich.

'Hij heeft het dus niet gedaan,' zei Daugherty. 'Hij was het in ieder geval niet van plan.'

'Misschien knijpt hij hem omdat hij weet wie het heeft gedaan.'

De keukenmeisjes waren in de keuken bezig de pannen te schrobben, en alles klaar te maken voor de eerstvolgende maaltijd die niet Dotty liet opdienen; een meisje kwam naar beneden met een lading porseleinen kop en schotels op een dienblad. 'We moesten maar eens uit de weg gaan.' Reisden loodste hen via de straatdeur naar buiten; ze gingen terug naar de Pont-Neuf en de Linkeroever, de ijskoude regen in.

Reisden bleef staan om boeken te bekijken die in een doos op de balustrade van de quai lagen en kocht er twee voor Tiggy, een Frans platenboek van lenige katten en een bladerboek met een clown en een springende hond. Reisden liet de bladzijden door zijn vingers schieten alsof dit soort dingen nieuw voor hem waren. Als Richard Knight ooit speelgoed had gehad, zou Reisden het zich niet herinneren.

'Je bent erg op Dotty's kind gesteld,' zei Daugherty.

'Ik ben op hen allebei gesteld,' zei Reisden.

'Wil je zelf ooit kinderen?'

'Nee,' zei Reisden. 'Tiggy is het wel.'

'Je zou met Dotty kunnen trouwen,' zei Daugherty, 'als Perdita er niet was geweest.' Het was niet echt een vraag.

'Dótty?' Reisden schudde zijn hoofd. 'Ze is mijn nicht.'

Wat Dotty betrof waren er dingen die Reisden niet inzag, dacht Daugherty. Ze liepen zwijgend terug naar Jouvet.

Zelfs op dit late tijdstip waren er mensen in Jouvets wachtkamer, en was het lab op de tweede verdieping van het gebouw felverlicht. 'Druk,' merkte Daugherty op. 'Kunnen we ergens heen gaan waar we rustig kunnen praten?'

'Ik zal je het archief laten zien.'

Voor het archief moest je een paar achtertrappen af naar de kelder. Reisden ging voor; Daugherty volgde. De duisternis was doortrokken van de zoete schimmelige geur van oud papier. Reisden deed schemerig elektrisch licht aan en Daugherty zag rijen eiken archiefkasten tegen stenen muren staan. De draden voor de lampen liepen langs enorme halfverrotte balken, zo laag dat beide mannen hun hoofd moesten intrekken, en de kelder was door de regen zo vochtig geworden dat Daugherty's overhemd er slap van werd.

'De archieven van Jouvet,' zei Reisden, 'de reden dat ik Jouvet heb gekocht. Het Fysio. Psych. lab probeerde ze te redden toen het bedrijf opgeheven werd; ik vroeg waarom niemand het bedrijf kocht, aangezien het redelijk leek te lopen, en toen keek iedereen mij aan. Dat was maar goed ook, als je ziet hoe de markt er in '07 voorstond... Dit zijn de beste multigenerationele gegevens over krankzinnigheid in Frankrijk, hier in dit vertrek,' vervolgde hij. 'Het is moeilijk om gegevens te verzamelen over erfelijke geesteszieken. Je kunt geen advertenties zetten. "Als u gek bent en velen van uw familieleden dat ook waren, bel dan Orsay 6523; kleine vergoeding." De families zijn doodsbenauwd; ze liegen. Maar de Jouvets hielden van gekken en ze hielden van verslagen, en de ene na de andere generatie van families ging naar hen toe; en de erfgenaam van Jouvet was van plan om alles weg te gooien.'

Daugherty snoof de schimmellucht op. 'Ik vraag me af waarom je ze hierbeneden bewaart.'

'Ik heb geen keus, het gebouw moet gerepareerd worden.' Reisden leunde met zijn rug tegen een van de archiefkasten, zijn handen in zijn zakken. De hele toestand met Perdita had hem flink aangepakt; hij zag er moe uit. 'Ik heb een enorme banklening aangevraagd en de komende lente repareren we alle vloeren, de funderingen en het dak en dan gaat dit allemaal naar de derde verdieping.'

Daugherty deed zelf een la open en tuurde naar de verslagen. Oud dik papier bedekt met een ouderwets handschrift; nieuwer, bruiner papier; gedrukte formulieren, alles in keurig geëtiketteerde mappen. Een ervan was erg dik en leek een lange periode te beslaan. Reisden keek over zijn schouder. 'Dat zijn de Guérarts. Antoine, Dénis, Edmond, Émile, Hortense-Émile, tweemaal Marie, Paul, Paul-Antoine, Paul-Émile, Paul-Joseph... Klassieke erfelijke schizofrenie. Je vraagt je af wat ze bij het dopen denken.' Hij sloot de archiefla en bleef ernaar staan kijken. 'Kun je je voorstellen dat je tegen een kind zegt: "Ik heb ervoor gekozen om een geestesziekte op je over te dragen"?'

Daugherty wilde iets zeggen, bedacht zich toen, en deed het vervolgens toch. 'Voorzover ik weet was geen enkele Knight waanzinnig, behalve William.'

Reisden keek abrupt op.

'Dat weet ik zeker,' zei Daugherty. 'Ik heb jarenlang naspeuringen gedaan naar Knights. Je weet vast nog wel dat ik niet alleen naar jou zocht, ze hadden sowieso een erfgenaam nodig. De Knights hadden geen waanzinnigen in de familie, niet zoals die Gerrarts.'

Er viel een van die stiltes die je niet wilt verbreken, de ander moet als eerste iets zeggen. Reisden stopte zijn handen diep in zijn zakken en staarde naar de grond. 'Clement Knight heeft zichzelf van het leven beroofd,' zei hij ten slotte. 'Isabella waarschijnlijk ook, Gilbert is betrekkelijk gezond van geest maar heeft fobieën. Richard...'

'William heeft hen allemaal grootgebracht, jongen.'

'Hij heeft mij grootgebracht,' zei Reisden, 'tot ik hem vermoordde.'

Daugherty knikte, maar niet omdat hij het met Reisden eens was. William Knight had iedereen die hij aanraakte verwrongen gemaakt, als een lijst om nat hout, die het in een bepaalde vorm dwingt of doet knappen. Zo leerde William ze naar zijn pijpen te dansen. Als William een hond had zou hij hem hebben gedood, als hij een zoon had zou hij hem hebben geslagen; dat was William ten voeten uit; dat was wat Reisden ongetwijfeld als zijn erfgoed beschouwde.

'Jij bent William niet,' zei Daugherty.

'Ik lijk heel erg op William,' zei Reisden. 'Ik hou van macht. Ik hou ervan...' Hij aarzelde. 'Mensen te bezitten. Ik vind het heerlijk om deze allemaal te hebben.' Hij gebaarde naar de dossiers. 'Lieve kindertjes van me, papa Reisden heeft jullie nu, en jullie zullen niet bij het vuilnis belanden, maar eeuwig voortleven in een wetenschappelijke studie in de École de Médecine.'

'Daar is niets verkeerds aan.'

'Nee, maar ik wil wel winnen.' Zijn lippen verstrakten. 'Toen ik Perdita wilde, wilde ik belangrijker zijn dan de piano. Ik wilde volkomen zeker van haar zijn.'

'Uh-huh. William sloeg kinderen en jij neemt Tiggy mee naar de dierentuin.'

'En dan prijs ik mezelf gelukkig dat ik William niet ben, wat bij mij de vraag doet rijzen of ik het doe voor Tiggy of louter omdat ik mezelf wil goedkeuren.'

'Zou allebei het geval kunnen zijn,' zei Daugherty.
'Je bent een verstandig man,' zei Reisden.

Via de trap verlieten ze de kelder en de verslagen. Buiten, in het donker, beklommen een man en een vrouw moeizaam de trap van Jouvet, hij haar helpend, en Reisden keek naar hen, deels klinisch, om te zien wat de vrouw mankeerde, deels – Daugherty kende die blik – gewoon verlangend, peinzend, een man zonder vrouw die kijkt naar een man met vrouw. En daarna schudde hij zijn hoofd en wendde zijn blik af.

45

REISDEN BRACHT DE ZATERDAG DOOR IN DE SORBONNE MET HET schetsen van een plan voor een serie experimenten. Wanneer men echt wil werken regent het niet. Tegen vieren zat Reisden te staren naar woorden die een uur geleden zinnig waren, terwijl achter het raam van zijn Spartaanse universiteitskantoor de zon onderging na wat een warme en volmaakte dag was geweest. Perdita zou juist uit haar les komen; op een dag als vandaag, met zulk weer, zou hij op haar hebben gewacht.

Hij zou Perdita op het Conservatoire kunnen opbellen om ten eerste duidelijk te maken dat ze naar Courbevoie kon gaan om zondag te oefenen, omdat hij bij Barry's Tombe zou zijn; ten tweede voor te stellen samen naar Courbevoie te gaan om te praten; ten derde haar uit te nodigen naar een besloten plek te gaan, niet Courbevoie, een plek waar ze zouden kunnen praten, maar niet bij een bed, niet in het huis dat ze hadden gedeeld; ten vierde… Ik wil belangrijker zijn dan de piano, had hij tegen Daugherty gezegd. Ten vijfde, laat haar op tournee gaan; geef het op haar te bezitten; geef het niet op haar te begeren. Ten zesde.

'Ik zal Gilbert Knight niet vertellen dat ik je heb verleid,' zei hij hardop. Wat had hij ánders gedaan? Ongelooflijke kaffer, zelfingenomen idioot, wat had hij gedaan? 'Verleiden,' g-dallemachtig.

Barry Bullard belde. 'Ik heb wat meer informatie. Gaat u mee thee-drinken?'

Reisden voegde zich bij hem in een Chinees eethuisje in het middeleeuwse doolhof van straatjes in het Quartier Maubert, de sjofele oosterse rand van het Quartier Latin. De roetzwarte middeleeuwse muren waren bedekt met ventilatoren en gescheurde stukjes brokaat; aan de balken hingen lampions van rood papier waarin kaarsjes flakkerden. De lucht bleef achter in de keel steken, smerig van de rook uit de keuken en de tabakswalm van *mégots*, sigaretten gemaakt van de tabak van op straat gevonden sigarettenpeukjes. Reisden had er uit nieuwsgierigheid een gerookt; ze smaakten naar paardenmest en waren verbazingwekkend sterk. De vaste bezoekers van Maison Choi waren voor het merendeel Chinezen of sjouwers van de Halle aux Vins; twee mannen die over kunst spraken waren te beklagen en kon je maar beter negeren.

Bullard bestelde in Chinees met een Limehouse-accent een Chinese theemaaltijd voor hen, zonder naar het menu te verwijzen.

'Ik ben naar Armand zelf gegaan en heb hem gezegd dat ik mijn twijfels had over het schilderij. Hij kon me wel lynchen, terwijl hij maar over dat vervloekte Aubusson-tapijt van hem ijsbeerde. Hij kon zelf voor de echtheid van dat schilderij instaan, ziet u, daar had je bijvoorbeeld het aanwinstnummer, dat hij in blauwe inkt had aangebracht omdat hij door het gebruikelijke zwart heen was. En het heliotrooproze was een vervloekte Mallais-schaduw die ik al vijftien keer eerder had moeten zien; hij had er nog zo een in huis voor de tentoonstelling.'

'Heeft hij er nog een?' Reisden kuchte en dronk bittere groene thee.

'Die van Eugène de Cressous, geschilderd in '97. Inslay-Hochstein zegt dat het een typische late Mallais is, en ik zeg dat ik zoiets nog niet eerder heb gezien, en hij zegt dat dat niet zijn schuld is, en glimlacht gemeen.'

'En het overschilderen?'

'Karakteristiek, zegt hij.'

'Dus niemand heeft iets vervalst. Wat denkt u ervan?'

Bullard schudde zijn hoofd. 'Ik weet het niet. Ik weet het echt niet. Het Cressous-doek is fabelachtig. Gaat u maandagavond naar de opening van de Wintersalon? Ga eens kijken.' Hij kauwde peinzend op een stukje kip. 'Wou dat ik nooit mijn mond had opengedaan, om u de waarheid te zeggen.'

'Brengen we u in de problemen?'

'Neu. Armand zal wel bijtrekken. Maar...' Bullard legde zijn eetstokjes neer en tikte met een lange vinger op de planken tafel. 'Hij gelooft in die schilderijen, hij wil ze niet zomaar opgeven. Als hij zich er zorgen over maakt dat het schilderij van uw niet niet deugt, zal hij iemand over Mallais laten schrijven in het *Kunsttijdschrift*, de schaduwen in diens laatste werk laten prijzen en het *Gezicht op de Seine* als voorbeeld gebruiken. Maar dat is niet omdat hij denkt dat er iets mis mee is. Hij houdt echt van die schilderijen.' De hoeken van Bullards beweeglijke mond gingen omlaag. 'Doet bij mij de vraag opkomen of ik ze misschien zie vliegen. Het zijn verdomd goede schilderijen.'

'Weet ik. Ik was heel gelukkig met *Gezicht op de Seine.*'

'Iedereen wil gelukkig zijn. Daarom komen vervalsers ermee weg,' zei Bullard.

46

Anys Appolonsky verliet het Conservatoire. Het gebeurde tijdens de les van de Klas voor Gevorderden. Toen Anys achter de piano plaatsnam, zei Maître iets, niet veel erger dan de dingen die hij gewoonlijk zei, maar Anys slaakte een iel kreetje, sloeg de klep neer, en rende weg. Perdita kon haar in de gang horen huilen.

'Mademoiselle l'Américaine,' zei Maître. 'Speelt u maar in haar plaats.'

Ze stond op, ging achter de piano zitten en merkte pas toen ze een paar maten had gespeeld hoe boos ze was. 'Ik kan hier echt niet zitten terwijl ik haar daar hoor...' Ze liep naar buiten en omhelsde de arme Anys, wier Russische jammerklachten door de hele galmende gang weerklonken. De breiende moeders maakten plaats voor hen, maar lieten ze verder met rust. Anys huilde zo hard dat ze naar het damestoilet geholpen moest worden om over te geven, en daarna iemand nodig had om bij haar te zitten in het portaal terwijl de conciërge iemand van het Russische ziekenhuis belde. Breng haar niet naar het ziekenhuis, dacht Perdita; laat iemand haar maar mee uit eten nemen en haar vertellen dat ze een fantastische Tsjaikovski-vertolkster is, en haar daarna vroeg naar huis sturen en haar lekker lang laten slapen; maar niemand deed het, en ten slotte kwam iemand Anys een prik geven die tot gevolg had dat ze alleen nog maar mompelde, en nam haar in een huurrijtuig mee door de regen.

En zo bleef Perdita alleen achter.

Ze gebruikte haar stok om op de tast de weg te vinden naar het toilet in de kelder, waar ze uithuilde in een van de hokjes. (Er waren zo weinig vrouwelijke instrumentalisten dat ze de *salle des dames* helemaal voor zich alleen had. Dit vond ze zo'n droevig idee dat ze nog harder begon te huilen.) Met wie moest ze nu gaan lunchen, wie moest ze nu betuttelen en bemoederen? Van wie moest ze houden?

Wanneer ik beroemd en rijk ben, dacht ze, zal ik een fonds oprichten om arme Conservatoirestudentes te voorzien van moeders en katten; en daar moest ze tussen haar tranen door bijna om lachen. Het was troostend om te overwegen iemand te helpen, zelfs in je fantasie.

Madame Xico nodigde haar uit voor de lunch.

'Hoe gaat het met je "Sacha"?' zei de journaliste. 'O, stil maar, stil maar,' zei ze, Perdita op haar hand kloppend, toen deze, gekwetst als ze was, luidruchtig in tranen uitbarstte. 'Neem mijn zakdoek.'

Ze weigerde hem, en nam hem aan, en begroef haar warme gezicht in het vierkantje stukje geparfumeerde groene zijde. Madame Xico's zakdoek rook naar chypre, sigarettenrook, lippenrouge en hond, een erg moderne geur.

'Geloof me, je bent beter af zonder jouw Alexander. Nietwaar, Nicky? Kom, Nicky, geef juffrouw Halley eens een kus.' Perdita omhelsde Nicky en huilde tegen zijn gespierde nekje terwijl hij haar oor besnuffelde.

'Mannen zijn gekkenwerk,' zei madame Xico. 'Ik hou alleen maar van honden.'

Madame Xico was 'erg jong' getrouwd (een jaar ouder dan Perdita) met een oudere man die het voor het zeggen had in de Parijse uitgeverswereld. Voor haar huwelijk was ze helemaal geen schrijfster geweest, zei ze; haar man had haar aangemoedigd. En daarna had hij genoeg van haar gekregen. Hij wilde een jonger, plooibaarder iemand.

'Hij wilde een echtgenote,' zei Perdita bitter. 'Een voegzaam iemand, die hem nooit zou verlaten.'

'En hij? Hij wilde een meisje… Waarom gaan we niet weer eens winkelen? Zaterdag, na je les. Dan zal ik je mee uit nemen en je wat van Parijs laten zien. We zullen een salon bezoeken,' zei Milly. 'Die van Esther Cohen.'

'Dat zou ik leuk vinden.' Ze zou alles leuk vinden wat haar ervan weerhield aan Alexander te denken.

Er zat geen leven meer in de muziek. Perdita hamerde op de Paganini-Variaties en de zoveelste eindeloze, vervloekte, glitterende nocturne van Chopin, maar ze had het gevoel alsof ze een pianorol was, een stel mechanische vingers. O, die verdomde piano: ze kreeg rugpijn van het bespelen ervan. Ze liet haar hoofd op haar armen zakken, boven op het toetsenbord, een oefenruimte bezet houdend zonder te oefenen, een zonde.

Haar hele lichaam deed zeer, haar maag, haar armen, haar borsten waar hij zijn hoofd had gelegd. Ze huilde 's nachts stilletjes in haar kussen; ze werd vermoeid wakker, met barstende hoofdpijn en verstopte neusgaten van de tranen.

Ze zou Alexander vergeten, maar ze zou niet naar Amerika teruggaan. Ze zou in Italië gaan wonen. Ze zou leren roken, als madame Xico. Ze zou lange wandelingen maken op het strand; de mensen zouden met gedempte stem over haar praten. Ze zou nooit trouwen, hoewel ze wel aanzoeken zou krijgen van mannen die veel beter waren dan Alexander, en ze zou altijd in het zwart gekleed gaan. Een Italiaanse dirigent zou haar horen spelen, eenzaam in haar palazzo, en haar vragen voor hém te spelen... dat zou het begin van haar Europese carrière zijn.

Ze fantaseerde nooit over het vinden van liefde, over een huiselijk leven met haar echtgenoot; het was altijd muziek; ze was oppervlakkig. Alexander had dat geweten, en het een tijdje door de vingers gezien, maar wilde nu meer. Ze had het gevoel alsof ze bij haar pogingen om lief te hebben net zo was geweest als Florrie en de Jonge Getrouwde Vrouwen; zich niet eens ervan bewust hoe slecht ze was.

Ze veegde haar tranen af aan haar mouw, snufte, en begon weer te oefenen.

Ze ging naar de banketbakker om de hoek. De patisserie was te warm, vettig, en vol mensen die naar knoflook roken; het zweet brak haar uit. Ze kocht een kaassandwich en een fles Evian, en nam ze mee terug om in de rij te wachten op de volgende piano; maar ze kon de kaas niet naar binnen krijgen, ze plukte alleen wat piepkleine stukjes brood van de sandwich en hield ze in haar mond. In plaats daarvan oefende ze, met haar vingers op haar armen, de intonatie erbij denkend, haar verdriet wiegend.

Ze leed; ze was razend op hem omdat ze zo gewond was; het had niets weg van romantische teleurgestelde liefde, het had meer weg van diefstal, een duistere ziekte, een parasitaire infectie, die haar zonder waardigheid liet, met niets dan gebrek.

Ze had niemand die ze ergens deelgenoot van kon maken, zelfs niet van haar triomfen. Die week speelde ze op een middag de eerste serie van de Paganini-Variaties helemaal, bijna tot haar tevredenheid. Wat een genot! Wat een dag! Ze stond al op het punt Alexander te bellen om hem er deelgenoot van te maken, toen de realiteit weer tot haar doordrong.

47

'Ik zit nog steeds met madame Mallais en haar broer in mijn maag,' zei meneer Daugherty tegen Perdita. 'En haar kleinzoon komt er nu ook nog bij.'

Hij had haar uitgenodigd om te gaan theedrinken, maar Perdita was niet in staat geweest een café in te gaan, met al dat lawaai, de geuren en mensen; ze had gevraagd of ze het bij een wandeling konden laten. Het was buiten donkergrijs, nat, koud tot op het bot. Ze gingen op een bankje aan een boulevard zitten, alsof ze op een tram zaten te wachten. Haar handen waren ijskoud. Ze wilde teruggaan naar het Conservatoire, een oefenkamer zoeken om te huilen. 'Je ziet er behoorlijk pips uit,' zei meneer Daugherty. 'Jullie zijn er allebei slecht aan toe, heb ik de indruk.'

We verdienen het allebei, dacht ze. 'Vertel me eens wat over uw speurwerk.'

'Nou,' zei meneer Daugherty. 'Dotty's bedienden vallen af, voorzover we dat kunnen nagaan. En die Inslay-Hochstein? Toen mevrouw Mallais binnenkwam met Dotty's schilderij was er een man in de galerie. Een rechter die een bloemschilderij kocht voor de verjaardag van zijn zuster. Hij werd meteen verliefd op dat schilderij van Mallais, en vanaf het moment dat het werd uitgepakt, al die tijd dat "Armand" zijn identificatienummer erop sjabloneerde en het in zijn boek noteerde, tot het moment dat Dotty kwam en het wegnam, kon hij zijn ogen er niet van afhouden. Hij stond er als het ware met zijn neus bovenop. Het schilderij dat mevrouw Mallais bracht was het schilderij dat nicht Dotty nam.'

'Dus,' zei ze afwerend.

'Mevrouw Mallais dus. Zondert zich af achter die muur. Leeft met een man van wie jij zegt dat hij niet erg op haar broer lijkt. Had een hooglopende ruzie met haar kleinzoon over het verkopen van dat schilderij aan Dotty. De kleinzoon kopieert schilderijen.'

Daar wist ze niets van.

'Maar het zou Dotty kunnen zijn,' zei meneer Daugherty. 'Misschien.'

'Praat me niet over Dotty; ik ben in staat haar van ik weet niet wat te beschuldigen.'

Er viel een korte stilte in hun conversatie; meneer Daugherty sneed een ander onderwerp aan. 'Ik ben naar het Louvre geweest, Perdita, en ik vroeg me af waarom sommige mensen besluiten om kunstenaar te worden. Dacht dat ik het jou maar moest vragen, omdat jij er een bent.'

'Ik heb geen idee,' zei ze bits. 'Ik dacht dat het iets was waarmee ik jongens kon krijgen. Als ik toen had geweten wat ik nu weet, meneer Daugherty, zou ik een andere koers hebben gevolgd.'

'Je gaat het dus opgeven?' vroeg hij hoopvol.

Op de boulevard reed een paardenbus langs: sjamaanrammelaar, roffeltrom, grote trom, klokken, cymbalen. Achter hen bespraken twee vrouwen hun gezondheid, *poumons, misère, chérie, tsk!*: gestrijk en getokkel op violen. Haar handen waren ijskoud; ze stopte ze weg in haar mouwen. Wanneer ze terug was zou ze naar het damestoilet in de kelder gaan en ze onder warm water houden om ze warm te krijgen voor het oefenen, en misschien even huilen. 'Nee,' zei ze. 'Dat doe ik niet.'

'Het is totaal geen regelmatig leven, en meisjes hebben er geen' – meneer Daugherty schraapte zijn keel – 'profijt van.'

'Wat voor profijt?' Alleen al het moment vanmiddag toen een kleine glissando iets heel anders was geworden, iets wat je als zijde door je vingers kon laten glijden. Alleen al van die momenten.

'Laat maar. Je bent er al je hele leven mee bezig,' zei hij.

'Vanaf mijn vijfde.'

'Elke dag?'

'Zelfs zondags. Na de kerk,' zei ze gauw.

'Goeie genade, liefje, dan weet je ook niet beter.'

'Misschien niet,' zei ze. 'Maar als je weet dat je van één ding of van één mens houdt, wat moet je dan verder nog weten?'

O, Alexander, Alexander; zeg dat tegen Alexander, wilde ze zeggen.

'Het lijkt me zo,' zei hij, 'dat je nog heel wat moet leren.'

'Madame Mallais is niet het type dat iemand ertoe brengt iets verkeerds te doen,' zei ze. Ze besloot extra fair te zijn tegenover Dotty. 'En ik geloof ook niet dat Dotty iets heeft gedaan. Ze is te trots om te liegen,' zei ze.

'Liefje, trots is nou juist waar het bij chantage om gaat.'

'Denkt u dat iemand Dotty zou chanteren? Hoe?'

'Je kent haar,' zei meneer Daugherty. 'Wat gebeurde er in 1907 toen ze dat schilderij kocht? Heeft Reisden je daar ooit iets over verteld?'

'Negentienzeven? Met Dotty?' Perdita had toen een stuk van Liszt gestudeerd; ze speelde het tegen haar mouw, waardoor een en ander weer bij haar bovenkwam. 'Aan het eind van 1906 verliet haar echtgenoot haar en ging naar Caïro.'

'Huh.'

'Alexander ging hem achterna maar kon hem niet mee terug krijgen. In april kwam Alexander me in New York opzoeken.'

'Heb je hem niet gevraagd wat de reden was van zijn bezoek?'

Nee, dat was wel het laatste dat ze zou hebben gedaan. 'Het enige wat me interesseerde was dat hij er was,' zei ze.

'Uh-huh,' zei hij, 'uh-huh'; ze bracht hem in verlegenheid.

'Hij praatte over Dotty. Hij zei dat ze heel wat problemen had gehad.'

'Je zou hem moeten vragen wat voor problemen. Of misschien zou je het haar kunnen vragen, medeleven tonen, als vrouwen onder elkaar.'

Ze snoof. 'Ik praat geloof ik niet met haar.'

'Praat dan met hem.'

'Ik praat níét met hem.' Zou hij naar het avondje bij mevrouw Bacon komen? Naar Dotty's avondje op de zevenentwintigste? Zou er de zevenentwintigste wel een avondje bij Dotty zijn?

'Heb je morgenavond iets te doen?'

'Ik ga uit,' zei ze uit de hoogte, het niet nodig achtend te vermelden dat het maar met madame Xico was.

'We gaan op bezoek bij een schilder genaamd Juan Gastedon. Goede schilder, hij zou Dotty's schilderij gemaakt kunnen hebben... U zou met ons mee kunnen gaan, als u wilt.'

'Als hij een goede schilder is, is hij geen vervalser. Hij zou er geen tijd aan willen verspillen.'

Maar, dacht ze, waarom verspilde zij haar tijd aan Alexander, waarom verspilde zij haar tijd aan geloven dat zij hem wilde, terwijl zelfs zij wist dat ze hem had opgegeven voor de muziek?

48

ZATERDAG DE VIJFTIENDE WAS EEN HEERLIJKE DAG; ZELFS BIJ HET krieken van de dag kon je al voorspellen dat het mooi weer zou worden; maar terwijl ze buiten het Conservatoire in de rij stond, wachtend op de stormloop op de beste piano's, voelde Perdita zich erg duizelig, alsof ze ging vallen.

Natuurlijk was ze misselijk, hield ze zichzelf voor; ze had te hard geoefend, ze had de laatste tijd niet goed gegeten, en ze zou vanavond niet samen met Alexander in Courbevoie zijn. Had hij haar niet verteld dat gemoedstoestanden lichamelijke verschijnselen teweeg konden brengen? Maar terwijl ze zich stevig aan de ijzeren leuning vasthield, beverig en half kokhalzend, voelde ze hoe de paniek zich samenbalde in haar maag. Het deed er niet toe waardoor het veroorzaakt werd; haar gezichtsvermogen was slecht, het beangstigde haar om haar evenwicht te verliezen, het gaf haar het gevoel alsof ze zich aan iemand vast moest houden, en er was niemand.

Ze had gewoon medelijden met zichzelf, maar tussen de middag ging ze naar een dokter.

Ze had een veiligheidsring van haar grootmoeder, een eenvoudige gouden ring die voor een trouwring kon worden aangezien. Sinds de gebeurtenis van een maand geleden in Courbevoie had ze hem aan een ketting om haar nek gedragen, onder haar blouse en hemd. Ze had hem nog steeds aan de ketting hangen, samen met een Mona Lisa-medaillon dat meneer Daugherty voor haar had meegenomen uit het 'Louver'. Onderweg, in het huurrijtuig, deed ze de ring om. De dokter zou haar misschien willen onderzoeken, en ze was geen maagd meer. Ze schaamde zich voor deze list.

'En wat scheelt eraan, *jeune madame?*'

Dokter Magnin was een Engelsman die ten tijde van de Commune op de barricaden had gestaan; ze had zijn naam doorgekregen van de Canadese ambassade (zonder zich overigens af te vragen waarom ze de Canadese ambassade had gebeld in plaats van de Amerikaanse). Hij besteedde meer tijd aan het vertellen over de Commune dan aan het onderzoeken van haar, terwijl ze de vreemde ring om haar vinger ronddraaide.

Haar maag was van streek, zei ze, en ze had zich duizelig gevoeld. Ze voelde zich eigenlijk wel beter nu. Er was vast niets aan de hand geweest.

Nog iets?

Ze voelde zich slaperig... depressief...

Was de maandelijkse vloed soms verlaat... waren de borsten gevoelig...?

Ze slikte, plotseling bang. 'Ja.'

'Ah, madame, dan hebben we misschien voortreffelijk nieuws voor uw man!'

'Maar dat kan niet zo zijn. Mijn man gebruikt...' ze wist niet eens of ze het woord wel hoorde te weten.

Dokter Magnin ondervroeg haar. Nam haar man trouw voorzorgsmaatregelen? 'Ja,' zei ze scherp, 'zeer trouw.' Op een zorgvuldige manier? Elke keer? Natuurlijk; hij was een wetenschapper. Ah, een wetenschapper, zei dokter Magnin. Dan moesten haar aandoeningen niet meer zijn dan de natuurlijke schroom en gretigheid van de jonge echtgenote. Ze zuchtte en voelde een vermindering van emotionele spanning die maar gedeeltelijk opluchting was.

Was ze nog maar net getrouwd?

Ja, zei ze, haar vingers kruisend in de plooien van haar rok.

En neerslachtig? Tijdens zo'n prachtige periode van haar leven? Was ze misschien een ontwikkeld persoon?

Ze was een Conservatoireleerlinge – geweest.

'Ah!' zei dokter Magnin. 'Dat is het.' Ze was gevaarlijk overontwikkeld. Elke vorm van studie deed vrouwelijke onregelmatigheden sterk toenemen. Had ze al eerder last gehad van verlate vloed? Ah, zie je wel. Te lang dagelijks oefenen aan de piano was schadelijk voor het tere voortplantingsmechanisme; het had tot gevolg dat de natuur niet langer in staat was zich te bevrijden van de onzuiverheden van het stadsleven. Haar man moest van haar verlangen dat ze dagelijks een wandeling maakte, bloemen van het seizoen plukte, zichzelf in geestelijk en lichamelijk opzicht voorbereidde op het edele lot van de vrouw. En haar man moest natuurlijk niet beschroomd zijn; dit was niet de tijd voor voorzorgsmaatregelen.

'Madame, het is mijn ervaring dat de ontwikkelde jonge vrouw altijd bevreesd is voordat ze gezegend wordt met een gezin. Maar de toestand zelf is heel anders. Veel van mijn vrouwelijke patiënten hebben, nadat ze van hun gesteldheid vernamen, een gelukzaligheid, een extase, zelfs een gevoel van *vergeving van zonden* beschreven. De jonge moeder vervult de haar toegewezen rol in het leven. Ze denkt aan niets anders dan het kind; ze droomt van kinderkamers.'

Hij gaf haar wat maagtabletten en een pamflet: 'Enige interessante feiten van groot nut voor vrouwen', nam tien francs aan, adviseerde haar alleen gebotteld water te drinken, en stuurde haar weg.

In de les werden de preludes no. 11 en 13 van Chopin behandeld, heerlijk om te spelen, maar snijbloemen. Ze ging samen met de mannen de *salle* in en speelde slecht, en werd terecht berispt, een doorsnee zaterdagmiddag op het Conservatoire; en daarna zat ze te luisteren naar Paul Favre en alle andere mannen die de piano streelden als het lichaam van een vrouw. Ze zat met haar hand voor haar mond en neergeslagen ogen, alsof ze nadacht; maar ze voelde alleen maar hoe haar blouse op een pijnlijke manier om haar boezem spande.

49

'INTERESSANTE FEITEN. "EEN VAN DE MEEST FREQUENTE OORZAKEN van congestie van het bekken,"' las madame Xico, '"is de avondjurk met 'decolleté' en het klokvormige ondergewaad." Ondergewaad! Waar heb je dit vandaan?'

'Een dokter,' zei Perdita.

'Waarom gaan ze ervan uit dat vrouwen korsetten dragen?' vervolgde ze, het pamflet doorbladerend. 'Om aantrekkelijk te zijn voor mannen; om het goede soort vrouw te zijn, niet "lichtzinnig"; ik wil wedden dat jij er een draagt voor de baron. Henry wilde vroeger altijd dat ik me insnoerde totdat ik zevenenveertigenhalve centimeter rond het middel was; ik! De dokters raden vrouwen af ze te dragen, maar ze zeggen dat het "onnatuurlijk" is wanneer een vrouw niet aantrekkelijk wil zijn voor haar man... "Kinderen de hoogste plicht van de vrouw, Het prachtigste wonder van de natuur, Eerste aanwijzingen van de zegening van het moederschap, Kwalijke praktijken van abortus..." Moet je horen: "Alles wat een toename van bloed in de baarmoeder en eileiders veroorzaakt moet worden vermeden. Tot deze categorie behoort seksuele opwinding..."' Milly draaide het pamflet om. '*Bien sûr*, een Britse dokter... Mannen schrijven deze pamfletten voor mannen, om zichzelf gerust te stellen dat vrouwen niet bestaan. Eh, het is als een melodrama, deze vrouwen! De slechte vrouwen dragen de "klokvormige onderkleding" en roken en spelen de hele dag piano, en de goede vrouwen dromen over Het prachtigste wonder van de natuur... Ben je zwanger?' vroeg madame Xico.

'Madáme,' smeekte Perdita op zachte toon. Ze zaten in een openbaar café.

'Geeft niks, er is hier niemand die het iets kan schelen. Als het zo is, noem me dan Milly,' zei madame Xico. 'Ik noem jou Perdita. Is dat de reden waarom hij je heeft verlaten, omdat hij dacht…?'

'Nee. Natuurlijk niet.'

'Wat een slecht moment om je in de steek te laten, wanneer zijn nicht je moet introduceren in Parijs! Geloof me, hij denkt dat je hem met verantwoordelijkheid opzadelt.'

'Ik wilde alleen informatie,' zei Perdita, 'dat is de enige reden waarom ik naar de dokter ben gegaan.'

'Alsof je die niet voor zes franc kunt krijgen. Semiramis,' zei ze tegen de barkeeper, 'verkoop ons maar een exemplaar van… Ja, dat.' Madame Xico – Milly – overhandigde haar wat naar Perdita's gevoel een behoorlijk dik pamflet was. 'Als je hier iets aan hebt.'

Het was een tactvolle manier om te formuleren wat waarschijnlijk een vraag was over haar gezichtsvermogen. Ze zaten in de buurt van een goede lamp; Perdita haalde haar vergrootglas uit haar handtas, tuurde erdoor naar een pagina en knikte. 'Laat me je vergrootglas eens zien,' zei Milly Xico.

'Hij is extra sterk; Alexander heeft hem voor me gevonden. Hij is goed in het vinden van zulke dingen.'

'Moet je mijn vinger eens zien, de nagelriem is als kuikenveertjes. Jij leest niet veel, hè?'

'Alexander leest me 's avonds voor. Las me voor.' Wat een stem had hij, het was alsof je er naakt bij lag en gestreeld werd. Ze wilde daar niet aan denken; maar wie zou ooit weer een wetenschappelijk vergrootglas voor haar vinden?

'Ik wil wedden dat hij nog nooit een van míjn boeken heeft gelezen. Je gaat toch niet weer naar hem terug?' Milly leek hier heel erg in geïnteresseerd.

'Nee. Ik had een …' Ze dempte haar stem. 'Een *verhouding*, madame… Milly, dat is het enige woord ervoor, en het is voorbij. Ik ben niet geschikt voor het huwelijk; ik ben te verslingerd aan de muziek.'

'Dat denkt hij ook, omdat je niet aan hem verslingerd bent!'

Ze vervolgden hun conversatie op discrete wijze, terwijl ze naar de Grands Magasins de la Samaritaine, het Samaritaine-warenhuis liepen. Hoewel de zon was ondergegaan, was iets van zijn warmte overgebleven; er heerste een levendige drukte in de straten. Milly Xico's haar rook sterk naar thee; ze had het pas met henna geverfd. Ze nam Perdita bij de arm. Perdita vond dit contact geruststellend. Het was prettig een arm te hebben om vast te houden wanneer je de hele ochtend duizelig was geweest.

'Mannen zijn gekkenwerk,' zei Milly. 'Kijk eens naar wat mannen ons aandoen. Ze idealiseren ons wanneer we jong zijn, ze trouwen met ons, binden ons aan het moederschap of aan hun sociale leven of alleen maar aan het idee dat ze van ons hebben, en als we niet zijn wat ze denken dat we zijn, geven ze ons de schuld!'

'Hij wilde zien hoe het zou uitpakken,' zei Perdita, 'maar toen het niet bleek te gaan...' Hij had het allemaal gezegd: *Ik wil met iemand trouwen.* 'Milly, ik voel me een excentriekeling, hij is een goede man en hij wil met me trouwen, en ik wil hem, maar ik wil niet met hem trouwen.'

'Hij wil je niet. Mannen willen geen vrouwen, ze willen mama's en dochters. Hoe is je verhouding begonnen?'

'Milly,' protesteerde Perdita.

'We gaan wel op de promenades wandelen als je je geneert,' zei Milly. Ze daalden de trap af, die zelfs na deze dag zonder regen nog glibberig was; Perdita hield zich stevig vast aan de leuning. Ze baanden zich een weg tussen stapels dozen, trossen touw van schuiten, wrakstukken van de quai. Perdita ging op een tros touw zitten, omdat ze zich een beetje moe voelde.

'Vertel eens,' zei ze om tijd te rekken. 'Hoe heb jij Henry ontmoet?'

'O, Henry was een vriend van mijn ouders, hij kwam naar mijn huis, maakte me het hof, we gingen trouwen, enzovoort. En jij?'

'Langgeleden,' zei ze, 'was ik verloofd met iemand anders. Alexander... verscheen. De hele zomer ontmoetten we elkaar voortdurend, overal, leek het wel, hij was nieuw in de stad, hij viel iedereen natuurlijk op, ik dacht dat hij mij ook alleen maar opviel. Maar het kwam me voor dat hij altijd zo aanwézig was, in de schuur, in de zomerkeuken, op een dansavond.' Het was zinloos hier waarheidsgetrouw over te vertellen zonder te zeggen hoe ze zich had gevoeld. 'O, van begin af aan wilde ik hem gewoon aanraken... ik wilde mijn vingers op zijn gezicht leggen, hem voelen, het was meer dan alleen maar willen weten hoe hij eruitzag. Ik kon hem voelen, waar hij ook was in de kamer. Hij was als zon op mijn huid.'

'Ah, *oui*,' zei Milly, een tikkeltje ongeduldig.

'Er was geen plaats voor ons; er was nergens plaats; ik kon niets doen omdat ik verloofd en een respectabel meisje was. Ik gaf het op verloofd te zijn, ik moest wel, maar ik was nog steeds respectabel. En ten slotte ging hij weg, voorgoed, en we namen afscheid...' Die laatste avond had ze met hem in Gilberts keuken gezeten, stijf in haar nieuwe grijze mantelpak, eraan denkend hem bij een nieuwe naam te noemen, zelfs zijn hand niet aanrakend. 'We gingen samen naar het station. Hij stapte op de trein, en die stond op het punt te vertrekken, en ik stapte ook in.' Alleen al door 's nachts bij hem in de trein te zijn geweest, was ze zo goed als onteerd. 'Stap uit, ga terug,' had hij gezegd. Nee. 'Ik ga met je trouwen,' had ze gezegd. Ze wist hoe jong ze was geweest, en wat hij in haar had gezien. Ze dacht aan wat hij eens tegen haar had gezegd over Tasy: *We waren zeker van elkaar.* Hij was zeker van haar geweest.

En toen had ze hem getoond dat ze niet van hem hield.

'Ik kon niet genoeg een vróúw zijn, Milly. Ik wilde hem geheel en al, en toch wilde ik hem niet genoeg. Zijn eerste vrouw wilde altijd bij hem zijn; dat verlangt hij van de liefde. Ik wil ook bij hem zijn, maar...'

'Vrouwen zijn nooit genoeg voor mannen,' zei Milly. 'Neem nou mijn Henry. Ik was nooit genoeg voor hem. Ik kon hem nooit genoeg geven, wat ik ook deed, niets was goed genoeg, ik raakte nooit zijn kern. Ik was zijn licht, zijn maan, zijn sterren; maar ik was niet zijn kranten, zijn clubs, ik was niet zijn vrienden. Hij vroeg me voor hem te schrijven; ik schreef mijn levensverhaal. Hij gaf het uit. Hij toonde zijn vrienden hoe jong en mooi ik was, maar ik werd ouder, ik had voortdurend bronchitis – hij gaf nooit een cent uit aan het huis, het was altijd koud. Ik knipte mijn haar af; hij hield me bij zich omdat ik slimme dingen zei, en ik bracht vrouwen in huis, slimme, mooie vrouwen, mijn vriendinnen. Mijn speciale vriendinnen,' zei Milly, 'begrijp je?'

'Ja,' zei Perdita. 'Ik begrijp het, Milly.'

Het begon donkerder te worden en de avond werd frisser, maar geen van beiden stond op van de touwtros.

'En hij vond dat een tijdje leuk, maar kreeg er toen genoeg van. Hij bedroog me met een van hen, en vervolgens bedroog hij haar met mij; toen kregen we er allemaal genoeg van en ik pakte mijn biezen en ging de planken op en hij scheidde van me. Hij had een sterk ontwikkeld gevoel voor publiciteit, Henry; hij placht Polaire en mij in dezelfde kleren te steken en ons aangelijnd uit te laten; heel veel mensen willen nog steeds naar me kijken, dus met mij gaat het wel goed, ik red me wel. Maar verhoudingen tussen vrouwen kunnen nooit zo ongelijkwaardig zijn,' zei Milly. 'Geef mij maar vrouwen.'

Perdita was niet naïef; in de muziek leven sommige vrouwen met andere vrouwen. Zulke mensen waren zo nu en dan hinderlijk, meestal heel gewoon, soms goede vriendinnen; min of meer als andere mensen; eigenlijk méér als andere mensen dan zij was, die een man wilde met wie ze niet wilde trouwen. 'Vriendschappen met andere vrouwen zijn belangrijk,' zei ze. 'Met iemand praten die als jezelf is, die een gelijke is;

aan wie de wet niet meer macht geeft, of minder; die niet veel te oud of te jong is, of als dat wel zo is, daar geen voordeel uit probeert te halen... Dat is als een vriendschap met een andere musicienne.' Dat klonk bloedeloos, tenzij je een musicienne was.

'Zulke vriendschappen eindigen in bed, als ze iets voorstellen.'

'Tja, sommige wel en andere niet, Milly.' Bij Perdita's vriendschappen was dat niet het geval geweest en ze ging ervan uit dat het ook nooit zover zou komen; maar wat deden vrouwen, wanneer ze niet in staat waren van een man te houden, zelfs niet wanneer ze van hem hielden?

'Het is belangrijker dat ze bestaan dan waar ze eindigen.'

'Waar is niet belangrijk?' lachte Milly.

'Ik bedoel dat... het bed... maar een deel van het stuk is. Het is net als oefenen; elke keer dat ik aan een stuk werk bestaat de kans dat de muziek die ik onder mijn vingers vind anders zal zijn dan daarvoor; dat ik, omdat ik het stuk beter ken en bedrevener ben geworden, iets nieuws zal vinden, iets dieps, een idee, iets wat zo waar is dat het me bang zal maken, me in vervoering zal brengen en me zal veranderen. Liefde en vriendschap zouden op die manier waar moeten zijn, Milly, en het bed zou er maar een deel van moeten zijn, zoals een instrument in een orkest.'

'Welke ideeën je al niet opdoet op het Conservatoire. En dan denkt Esther dat ik romantisch ben!'

Perdita was blij te horen dat er een Esther op de achtergrond was. 'Wat er in bed gebeurt, bedoel ik, zou liefde moeten zijn, en liefde zou echt moeten zijn, niet voor de schijn of voor geld of voor wat dan ook behalve de waarheid.'

'En wat was jouw waarheid met hem?'

Ze dacht na, en haar vervoering spatte als een zeepbel uiteen. Wat ze in de spreekkamer van de dokter had gevoeld was, behalve paniek, opwinding geweest; ze had gelukkig willen zijn tot elke prijs, jattend en stelend wat ze wilde, alle regels brekend, alles grijpend, een carrière in de muziek, Alexander, Alexanders kind. 'Ik wilde hem hebben.' Ze aarzelde om dit gedeelte aan Milly te vertellen; het was niet iets wat Milly wilde horen en wat zij wilde vertellen. Ze deed haar armen over elkaar, waarbij ze de pijn in haar borsten en de doffere pijn in haar maag voelde. 'Ik... heb hem in bed gekregen. Ik was me bewust van het gevaar dat hij me een kind kon geven, maar ik hield van dat gevaar. Het maakte deel uit van mijn vrouwzijn tegenover hem.'

Ze had een misselijk, verstoord gevoel in haar maag. Ze zoog op een pepermuntje en bood Milly er een aan. 'Ik wilde dat hij inzag dat de zaken simpel waren,' zei ze, sabbelend op het pepermuntje, 'en bewijzen

dat ik van hem hield. Je zou hem moeten zien met zijn neefje. Hij is...
lief.'

'En het huwelijk?'

'Ik weet het niet. Het is voor getrouwde vrouwen moeilijk met muziek bezig te blijven.'

'Jij wilde het "prachtigste wonder van de natuur" en je wilde niet getrouwd zijn?'

'O, ooit wel, maar... Ik vind muziek écht belangrijk.' Het klonk als opschepperij, als Florries vriendinnen die zeiden: *We houden zoveel van onze kinderen, we hebben echt geen tijd om te studeren.*

'Misschien wil je geen mán,' zei Milly.

'Milly, maakt het dan zoveel verschil?' vroeg ze uitdagend.

'Ja.' Een tijdje kwam er geen woord van Milly. 'Ja, maar... Minnaars zijn altijd lastig. Echtgenoten en kinderen zijn nog erger. Iedereen die jou vastlegt is slecht. Wat zou je doen met een kind?'

Hoe zou ze op tournee kunnen gaan met een baby? Dat zou ze niet kunnen; op tournee gaan zou te veel van een baby vergen; het zou wreed zijn, alsof ze de baby van hot naar haar kon slepen omdat hij klein was. 'Ik hield mezelf voor de gek,' zei ze. 'Ik wilde het idee hebben dat ik alles kon doen.'

'Je zou ook alles moeten doen op jouw leeftijd. Dat is verstandig.'

'Maar niemand kan het. Ik althans niet.' Florrie had gelijk: de beste manier van leven is niet mogelijk.

'Flirten met zwanger worden,' zei Milly, 'voor mij is dat als omgaan met een man die dreigt je neer te schieten. Dat is Russische roulette, dat is niet romantisch. "Hij gooit me uit een raam op de vierde verdieping, o! Wat een vreugde dat er iemand zoveel van me houdt!" Je bent een idioot.'

'Ik wilde gewoon dat de dingen op de een of andere manier gebeurden, zonder dat ik moest kiezen. Als ik in moeilijkheden zou raken, zou het duidelijk zijn dat dat niet mijn bedoeling was geweest. Maar ik heb wel gekozen; alles wat ik heb gedaan heb ik gekozen.'

Voor haar en Milly was tenminste het ergste van een moeilijk moment gekomen en voorbijgegaan. Oef, zei Milly, wat was het koud! Perdita vond dat ook. De zon was ondergegaan. Ze veegden hun rokken af en slenterden de promenade op in de richting van het Samaritaine-badhuis en de trap naar de hoger gelegen quai, waarbij Milly Perdita's arm nog steeds vasthield, maar op een andere manier, meer als een vriendin.

'Heb je ooit geprobeerd zwanger van hem te worden?' zei Milly.

Perdita kreeg een kleur. 'Ik heb er niet aan gedacht. Had ik dat maar wel gedaan.'

'Wat een idioot!' zei Milly weer. 'Kijk, hier is de Samaritaine. We gaan hier winkelen en daarna gaan we nog een andere boodschap doen. Ik maak me zorgen over je.'

Milly leidde haar door de geparfumeerde chaos van het warenhuis; vleugjes parfum, schitteringen van het glas van de toonbankbladen, wervelingen van felle en zachte kleuren, de geur van knoflook en bont, en verkoopsters die vroegen: *'Mesdames, vous désirez?'*

'Niemand draagt flanellen ondergoed in Parijs, niet op jouw leeftijd.' Milly overhandigde haar een handvol zachtheid. 'En je zou een *soutien-gorge* moeten proberen omdat je een flinke boezem hebt.' Perdita trok zich terug in een paskamer. Het ondergoed was zwart en maakte haar Conservatoirekostuum van witte blouse en donkere rok heimelijk veel uitdagender; maar de *soutien-gorge* maakte haar blouse eigenlijk te strak onder de oksels.

'Dan zullen we een blouse voor je aanschaffen.' Milly vond een prachtige Franse blouse van heel dunne, donkere wol, zacht als bloemblaadjes, maar met een halslijn die Perdita wilde vastspelden. 'Nee, nee, die moet je openlaten, dat is dit jaar in de mode. Zeer geraffineerd, en met je rok samen vormt het een jurk. Die medaillon is een tikkeltje...' Milly's stem stierf twijfelend weg. 'De Mona Lisa, nota bene!'

'Ik had ook het gevoel dat hij "een tikkeltje..." was, maar ik heb hem van een vriend gekregen.'

'O, vrienden.'

Ze gingen naar de parfumtoonbank en maakten onder het toeziend oog van een verkoopster schaamteloos gebruik van de proefflacons. 'De luxe van arme vrouwen,' zei Milly, 'zich overdadig besproeien uit elke proefflacon op de parfumtoonbank.' Het Parfum van de Dame in het Zwart was Milly's favoriet, zei ze, omdat het te veel van het goede was; seks moest je aan het lachen maken, *hein*? *Majestic* was Dotty's parfum; jasses. Ylang-Ylang was sandelhout, een favoriete geur van Perdita. Milly zei dat ze een *horizontale* had gekend die het dronk. Perdita depte een druppel parfum op haar vinger en beroerde het vluchtig met haar tong. 'Tjoe! Milly, wat is er met die vrouw gebeurd?'

'Dood. Maar ze stierf beroemd, lieverd! Dat is de zelfmoord waar je je op moet richten, je niet laten doorboren door een mannelijke...'

'Mílly,' zei Perdita.

Milly vroeg de prijs van een avondjurk voor de première van *Chantecler* – te duur – en kocht een *fantaisie*, een bosje rode veren om haar hoed te garneren.

'En nu,' zei Milly zakelijk, 'die andere boodschap. Voordat je onverhoopt zwanger raakt, ga ik je leren wat elk jong meisje moet weten.' Ze liepen via de rue Auber naar het enorme, felverlichte en lawaaierige St.-Lazare-spoorwegstation. 'Zie je dat groepje vrouwen bij het café vlak bij de ingang? Nee, natuurlijk niet, maar geloof me, ze komen af op het felst verlichte café-uithangbord bij een spoorwegstation. Je moet hen vragen'– Milly verhief haar stem – '*s'il vous plaît*, dames, weet u hier in de buurt een handschoenenwinkel?'

Verscheidene schorre vrouwenstemmen antwoordden. Wat willen jullie met handschoenen, jij en je kleine vriendin? Vraag het aan een politieagent! Vraag het je pooier! Perdita concludeerde dat handschoenen geen handschoenen waren en dat deze vrouwen dachten dat Milly en zij agenten of erger, hervormers waren, zoals oom Charlie placht te zeggen.

'Zeg iets, Perdita,' zei Milly.

'*Nous ne sommes pas des gardiens de la paix,*' zei ze in zorgvuldig Frans.

'*Américaine, la petite?*' Milly en zij werden omsingeld en heen en weer geduwd: ellebogen, parfumgeuren, drankadem, tabak, knoflook en zweet. De vrouwen wisselden schor gefluister uit.

'Hé,' zei een van de vrouwen, 'jij bent Milly Xico!'

De vrouw kreeg Milly's handtekening en leidde hen weg van haar vriendinnen naar de trap van een naamloos hotel in een zijstraat. 'Madame Bézou, hier, bezoek haar.'

In het hotel rook het naar een treinstation in een slechte buurt, of een ziekenhuis, te veel mensen bijeen in een ruimte waar geen van hen lang wil blijven. Madame Bézou rook naar zepen: handzeep en schuurpoeder voor de vloer, carbolzeep en teerzeep, penetrante, zwaar geparfumeerde, licht vettige geuren. Haar haar had de kleur van verse roest en ze liep met de langzame, voorzichtige tred van een dikke vrouw. Ze praatte in halve zinnen, voortdurend onderbroken door een gekwelde onderdirecteur en zijn assistent die in en uit stormden om benodigdheden voor 'hotelgasten' te halen. Perdita hoorde een vrouw lachen of huilen op de gang, een zacht gesnik met grote uithalen zoals dat van Anys. Ze verfrommelde haar rok in haar vuist.

'Het is een kruistocht… bij mij, goed product… ik heb onderwijs genoten… kloosterschool,' zei madame Bézou. 'Op mijn veertiende op straat; dochter in Abbeville… achttien.' Ze steunde kortademig, heen en weer trippelend op pijnlijke voeten, omhoog reikend om een doos met het een of ander uit haar voorraad te pakken. 'Mannen hoefden alleen maar naar me te kijken… ik was altijd zwanger… eettafels, instrumenten zo smerig als de Bièvre…' Perdita's maag keerde zich om. 'Mijn dochter… maar één keer ongewenst zwanger geweest!' Ze ging met een piepende zucht zitten en tikte met haar vingers op de tafel. 'Mijn triomf, mesdames... *c'est du progrès*... wat je maar wilt... ik kan het bieden... schoon!'

'Handschoenen,' zei Milly. Ze opende de doos, rechtte Perdita's wijs- en middelvinger en rolde er efficiënt een 'handschoen' overheen. 'Hier kun je ze krijgen,' zei Milly. 'Hier zijn ze voor. Rol ze uit, trek er niet aan, en je hoeft je niet meer te bekommeren om wat mannen willen.'

Perdita nam het aangereikte doosje aan, betaalde en vertrok zwijgend, haastig en zwaar ademend de duisternis van de rue de Madrid uit lopend in de richting van de in het licht badende place St.-Lazare. Milly leidde haar de Hodgson's Bar in en ze gingen zitten, opzichtig, twee vrouwen tussen basstemmen van mannen. 'Je ziet bleek,' zei Milly.

'Ik wilde daar niet zijn.'

'Als je je eigen leven gaat leiden, chérie, en je krijgt een dikke buik, dan zal dat geen koningin van je maken. Wees verantwoordelijk voor jezelf. Mannen zullen je niet beschermen.'

Wat Alexander gebruikte, wat *zij samen* gebruikten – hadden gebruikt – kwam van zo'n plek: dat was het enige waaraan ze kon denken. Daaronder, als een oplichtende draad van paniek, was de gedachte dat Milly haar daarnet had laten zien waar ongewenst zwangere meisjes terecht konden.

'Ik neem een vermouth,' zei Milly.

'Ik ook,' zei Perdita. Ze wilde ongesteld worden en hier niet aan denken.

Toen hun bestelling arriveerde deed de geur van alcohol haar denken aan de medicinale stank van madame Bézous kamer. Rubber en azijn, desinfecterende alcohol, gedroogde kruiden, zeep op zeep, en daaronder, als een ondergrond, de donkere, muffe geur van madame Bézous misbruikte lichaam. Het papieren pakje van La Samaritaine lag op Perdita's schoot, met haar oude ondergoed erin, en de zwarte zijde en de blouse met laag uitgesneden hals zaten om haar lichaam; ze kon de geur van het Parfum van de Dame in het Zwart aan haar vingers ruiken, en de bittere nasmaak van Ylang-Ylang veroorzaakte een rauwheid achter in haar keel. Seks was niet eenvoudig, het beangstigde haar. Alles beangstigde haar plotseling, het 'schone product' van de onreine madame Bézou, de doos, het einde van haar verhouding met Alexander, de gevoelige zwaarte in haar borsten en heupen, het sensuele ondergoed dat ze droeg.

Het zou zoveel gemakkelijker zijn geweest om te doen alsof ze verrukt was over het huwelijk, om met Harry of Alexander of wie dan ook te zijn getrouwd.

In plaats van fatsoen, voelde ze een adembenemende, duizelingwekkende verwantschap, evenzeer met al die vrouwen daar, de Mona Lisa en Milly, als met de zedige maagd die zij was geweest. Het maakt allemaal niets uit, dacht Perdita, niemand wist echt hoe je met seks moest omgaan. Sommige vrouwen verdoezelden seks met romantiek of met medicinale opgewektheid, maakten er een zakelijke aangelegenheid, een religie of een romance van, sommigen noemden het illegaal of immoreel, sommigen wilde kinderen, maar iedereen werd ertoe gedreven. Seks was zoals toen je een kind was en je een losse tand voelde wiebelen en wist dat hij eruit zou vallen, wat je er ook over dacht of eraan deed. Seks was als met blote benen en voeten op het strand staan wanneer het vloed was: je stond stil maar voelde jezelf snel bewegen, naar de zee getrokken worden en zinken terwijl het zand zich rond je enkels ophoopte, je stond stil maar bewoog in alle richtingen tegelijk tot je in de rondte tolde en er beroerd van werd; en als je dan vast kwam te zitten, kwam er een grote golf die je rokken doorweekte, tegen je benen en buik sloeg en ze doorweekte, zodat je je er net op tijd uit worstelde en gilde en naar de kust rende; tot je een keer bleef staan terwijl het water steeg en je steeds natter en kouder werd en je in moeilijkheden zou komen en dat wist, maar toch bleef staan.

'Ik neem er nog een,' zei Milly.

Perdita schudde haar hoofd.

'Vorige week las ik over die vrouw,' zei Milly, 'in Avon, madame Pimoule, weet je wel? De man verkrachtte haar, wurgde haar, stak haar neer, stopte een zakdoek in haar keel en gooide haar in een greppel. Wanneer een politieagent wordt vermoord, zoals vorige week die Deray, bemoeit de regering zich ermee, bewapenen ze de politie. Maar wanneer een vrouw op dríé verschillende manieren wordt vermoord, is het een paar centimeter in een politieregister, meer niet, vaarwel, denk je dat ze vrouwen bewapenen?'

Perdita haalde een paar keer diep adem, probeerde aan iets anders dan seks te denken. De vermouth maakte haar duizelig.

'Op dezelfde dag werd in de rue Orchampi in Montmartre een conciërge, madame Toujan, verkracht en gewurgd. In Batignolles werd een twintigjarig apache-meisje, van jouw leeftijd, chérie, door haar vriendje doodgeschoten. In de rue Richter werd een kapster, madame Muller, aangevallen door twéé mannen. George zegt dat het allemaal bij de seksuele daad hoort. Wat mij betreft:' – Milly hief haar glas – 'wraak op alle mannen en lang leve de honden.'

'Waar is Nicky eigenlijk?' vroeg Perdita.

Milly lachte. 'Hij heeft vandaag een vriendinnetje. Het is tenslotte een broodwinning! Hij heeft papieren.'

50

DE MEEST IN AANMERKING KOMENDE PERSOON OP BULLARDS LIJST
van vervalsers was volgens Daugherty een Spaanse jongen genaamd
Gastedon. Op zaterdagavonden was Gastedon altijd op de openhuis-
feesten van een Amerikaanse vrouw genaamd Cohen. Bullard stelde
Daugherty voor aan een kennis van juffrouw Cohen, een ingenieur uit
Boston genaamd Peter Lawrence, die Daugherty er vanavond mee
naartoe zou nemen. Reisden zou later komen; hij had een ontmoeting
met een bankier over een lening.

Esther Cohens huis lag aan het meest afgelegen deel van een donkere binnenplaats. 'Wie heeft u uitgenodigd?' vroeg een vrouw bij de deur
aan Daugherty. Het deed hem denken aan de tijd dat hij zestien was en
mevrouw Adams' bordeel in Montpellier bezocht.

'Hij hoort bij mij, Esther.'

Esther Cohen negeerde hen nadat ze hen had binnengelaten; ze
beende de kamer door en ging met over elkaar geslagen benen op een
grote donkere troon zitten. Ze was een bezienswaardigheid: gekleed als
een monnik in een gewaad met een rozenkrans, haar haar zo kort geschoren als dat van een man.

Het vertoonde allemaal veel gelijkenis met de situatie bij mevrouw
Adams, maar dan gekostumeerd. Een man met een vrouwelijke haar-
lengte, uitgedost in een laken en leren sandalen, slofte naar die dame
Cohen en begon met haar te praten. Een andere man, van zo om en nabij de dertig, met een groot rond hoofd als een witte Halloweenpom-
poen, stond te praten met een in het blauw geklede vrouw, heel gewoon,

maar zijn handen lagen op haar billen, die hij op een lome manier bevoelde. Ze sloeg hem van zich af, zonder het te menen. Daugherty vroeg zich af of er een bovenverdieping was.

'Dat is Gastedon.'

Wat aan hem opviel waren zijn ogen, als die van een haai, rond en zwart. De vloer naast hem was bezaaid met papier, en uit een kinderschooltas haalde hij nog meer papier te voorschijn en begon daarop te tekenen. Hij tekende snel, alsof hij een weddenschap probeerde te winnen, en in sommige opzichten leek hij ook op een gokker, zoals hij zich op dat potlood concentreerde als op een dobbelsteen, zeven of elf, het papier aan voor- en achterzijde volkrabbelend. Daugherty zag hoe Gastedon het schapenprofiel van de langharige man en de plooien van het laken tekende, een portret van een man met horens, een naakte man met een stijve penis, compact, met elkaar overlappende lijnen. Daugherty kreeg hetzelfde gevoel als hij in het Louvre had gehad toen hij Jean-Jacques de Mona Lisa had zien schilderen. Kunst was als bouwen. Maar Daugherty had nog nooit een kunstenaar een penis zien schilderen.

'Het voorbeeld van de Grieken, Esther…' zei de man in het laken. Hij was een Amerikaan, zo te horen uit het Midwesten, Minneapolis.

Gastedon mompelde iets in het Frans, zonder op te kijken van zijn gedobbel met het potlood.

Esther, de portierster, knikte. 'Zo is het,' zei ze. 'De eerste mens die iets maakt moet er iets lelijks van maken.' Ze tilde haar geschoren hoofd op; ze had het kikkergezicht van een schoolfrik, maar loensende, levendige, asymmetrisch geplaatste ogen. 'Ze kunnen zich geen gratie of schoonheid veroorloven omdat het nieuw moet zijn, kunst is onvermijdelijk nieuw maar schoonheid is nooit nieuw.'

'Dat is,' zei de langharige man, gebarend als een Griekse redenaar, 'dat is precíés wat er niet klopt aan jouw theorie.'

'Raymond,' zei de man met het kogelronde hoofd. 'Geen enkele theorie klopt. Seks is nooit theoretisch…'

'Radiumschilderijen,' verkondigde een vrouw met een vollemaansgezicht gretig, terwijl haar brillenglazen fonkelden. 'Radium verhoogt de seksuele potentie…'

'Wat vindt u van de schilderijen, meneer Daugherty?' vroeg Peter Lawrence.

Hij knikte in de richting van de groep: Cohen, haar vrienden, en Gastedon. 'Ik heb naar de mensen staan kijken.'

'Dat is Raymond Duncan in die chiton, Isadora Duncans broer; de vrouw die met radium schildert is Laure Cheneau; Marie Laurencin in het blauw; de lange man is George Vittal, de dichter. Maar kijk eens naar Gastedons schilderijen.'

'Zijn er een paar van hem bij?'

'De meeste zijn van hem.'

Daugherty staarde gegeneerd naar de muren. Er hingen er een heleboel en ze leken op wat kinderen zouden maken. Kinderen die dol zijn op schunnigheden, van Franky's leeftijd. Hoekige roze bloesems, knalrode rozen in een vlezige pot, gele muren, gezichten die niet meer waren dan zwarte lijnen op zalmkleur. 'Tja,' zei hij beleefd.

'Gastedon probeert op een nieuwe manier te kijken,' legde Peter Lawrence uit. Het vocabulaire van de kunst was gegroeid; oude beleefde vormen volstonden niet langer. Gastedons kunst lijfde de taal van de techniek in, wat in wezen een prachtige manier was om de mechanische aspecten van mensen te tonen; zijn kunst bevatte verwijzingen naar dieren, primitieve kunst, de kunst van kinderen, opzettelijke grofheid...

Daugherty bekeek de schilderijen aandachtig. Er was een groot schilderij bij van Esther Cohen die eruitzag als een geplette pad; verder bloemen met scherpe doornen, in een vleeskleur; een naakt met spitse, zedige torso en benen en, achterstevoren op haar lichaam, een gezicht dat eruitzag alsof het een gewelddadige dood gestorven was.

Dit laatste trok zijn aandacht. Het gezicht leek op dat van het jonge hoertje dat hij ooit bij mevrouw Adams had gezien, zo dronken dat ze slingerde, en een taal uitslaand die je nooit uit de mond van een vrouw zou willen horen. Zodra hij dit had gezien, begon hij er meer te zien. Vlees als doornen, als landkaarten, als rotsen en padden; rozen als vrouwelijke geslachtsdelen... Hij wilde hier helemaal niets van weten. Er was een reden voor alle geheimzinnigheid, dacht Daugherty, voor de wachtwoorden, de vermommingen; er voltrok zich hier iets afschuwelijks.

Hij had plotseling het gevoel alsof hij ergens was beland dat verder weg was dan Parijs.

'Radium is de mannelijke kracht van de wetenschap,' zei de vrouw met het vollemaansgezicht op de achtergrond. 'Als ik schilder, ben ik een man.'

Alsof het er gemakkelijker op werd als je een man was.

'Wat vind je ervan?' Het was Reisden, die naast hem stond en eruitzag als een man die de hele dag zijn best had gedaan niet aan een vrouw te denken en er de pest over in had, met boze blik, het beu om heen en weer gesleurd te worden: als een van die schilderijen.

'Ik weet niet. Behoorlijk verontrustende dingen, Reisden.'

In het halletje hingen potloodtekeningen, van de vloer tot het plafond, sommige mooi ingelijst, sommige in goedkope lijstjes zonder passe-partouts. Op ooghoogte hing een tekening van George Vittal, met het opschrift *Voor Esther* en gesigneerd *Gastedon*, nadrukkelijk onderstreept. Op hetzelfde vel papier stond een kleurentekening van de blauwe vrouw, veel meer Louvre-kunst dan het schilderij.

'Gastedon?' zei Daugherty. 'Die ook?'

Reisden knikte terwijl hij de tekening bestudeerde.

'Ik zou hem voor de vervalser houden,' zei Daugherty.

'Als Mallais is hij beter.'

'Nee,' zei Daugherty tot zijn eigen verbazing. 'Ik bedoel… dit zijn tenminste geen vervalsingen.' Hij herinnerde zich wat Perdita had gezegd, dat een goede schilder zijn tijd niet aan vervalsingen zou besteden. 'Dat wil niet zeggen dat ik ze mooi vind.'

Jean-Jacques Mallais, madame Mallais' kleinzoon, kwam zijdelings de deur door, botste bijna tegen Daugherty op, herkende hem en knikte opgelaten. Achter hem liep een man van rond de vijfendertig, bruinharig, gespierd, met een onnozel gezicht en een grote Franse walrussnor – Daugherty had hem ook ergens gezien, maar kon hem niet plaatsen. Jean-Jacques droeg een met regen bespat, in pakpapier gewikkeld pakket. Een kopie van de Mona Lisa waarschijnlijk. De besnorde bode stond naar het verpakkingsmateriaal te staren, zijn lippen naar binnen zuigend. Achter hen drieën verscheen een man die eruitzag als koning Edward. Hij begon handen kussend en glimlachend de kring rond te gaan.

'Het is mijn ex-echtgenoot,' zei Milly, terwijl ze Perdita meetrok naar Esthers vestibule. 'Laten we hier even blijven. Ik wil zien wat hij doet.'

De koning Edward-man – Henry de Xico – hield een of andere toespraak. Hij ging voor de open haard staan; hij liet George Vittal aan één zijde van hem plaatsnemen en Gastedon aan de andere. Hij wuifde om beurten naar hen, als een goochelaar. Gastedon boog zich en tilde iets op dat het formaat en de vorm van een schilderij had en bedekt was met een doek. Als een goochelaar trok Xico met een snel gebaar het omhulsel eraf.

Het was de zoveelste Mona Lisa.

Hij was stralend. Het was dezelfde Mona Lisa, maar stralend alsof hij pas geschilderd was. Parelmoeren, romige huid; roze en rookachtige schaduwen in de beroemde glimlach; satijnen mouwen die zo stralend van kleur waren als een goudvis. Hij was niet hetzelfde als die in het museum. Maar hij zag er echt uit.

'G-d,' mompelde Reisden, 'dát maakt Gastedon wel tot verdachte, of niet soms?'

'Dat zwijn!' fluisterde Milly. 'Die vuile Henry! Hij wil dat George een *kopie* in de Seine gooit!'

De Xico was aan het praten. 'Vandaag over twee weken,' vertaalde Reisden voor Daugherty, 'op achtentwintig januari om twaalf uur 's middags, zullen Xico, Gastedon en Vittal op de Pont-Neuf komen. Ze zullen de oude Mona Lisa samen met de nieuwe laten zien. Ze zullen de oude Mona Lisa van de Pont-Neuf gooien en de nieuwe kronen... Dat moet ik Dotty vertellen, het zal bijna onder haar ramen gebeuren.'

Jean-Jacques Mallais pakte zijn schilderij uit. De besnorde man keurde Gastedons Mona Lisa nauwelijks een blik waardig, maar hij pakte die van Jean-Jacques op en zette het schilderij op een stoel.

De toespraak was afgelopen; de gasten drentelden weg. Gastedon vroeg iets aan de besnorde man. De man grabbelde in de grote zakken van zijn jas en haalde een in armoedig krantenpapier verpakte kleien kop te voorschijn, een wreed masker met een platte neus en uitpuilende ogen, zoals je op een Mexicaanse markt zou kunnen kopen. Gastedon legde het op de tafel en liet zijn handen erover glijden alsof hij nog nooit zoiets moois had gezien. Gastedon en de man zeiden iets tegen elkaar, waarna de man het ding oppakte, opnieuw inpakte en zijn hand ophield: ik wil geld. Gastedon keerde zijn zakken binnenstebuiten. Hij had geen geld.

'Gastedon is arm,' zei Daugherty tegen Reisden.

'En hij verbetert meesterwerken, en hij en Jean-Jacques kennen elkaar...'

Hij stokte alsof iemand zijn keel had doorgesneden.

Perdita was toch gekomen. Ze praatte met Esther Cohen en een kortharige Française in een pak. De Française was best knap, maar Perdita zag er knapper uit dan Daugherty haar ooit had gezien, nonchalant en een heel klein beetje gewaagd. Verdraaid, dacht Daugherty, ze heeft make-up op.

'Je wist dat ze kwam,' zei Reisden.

'Nee jongen, maar je bent oud genoeg om voor jezelf te zorgen.'

Reisden wierp een blik op hem en trok zich onopvallend terug tegen de muur, dun als ijs en tweemaal zo koud, terwijl hij haar gadesloeg.

Daugherty ging naar haar toe om gedag te zeggen; hij sprak niet over Reisden en zij vroeg niet waar hij was. Gastedon was Perdita aan het tekenen, allemaal rechte lijnen, een Mona Lisa-houding, wazige ogen. Tegen de tijd dat hij klaar was, was Reisden er ook, naar de tekening kijkend, naar haar kijkend, ogen die het papier konden doen ontbranden, maar hij zei niets. Ze wist niet dat hij er was, of ze wist het wel en liet het niet merken. Ze staarden langs elkaar heen. Ze pakte Daugherty's arm, bijna langs Reisden reikend, en stelde hem voor aan haar Franse vriendin. 'Dit is Milly Xico, meneer Daugherty; Milly, *je vous présente monsieur Roy Daugherty, un ami qui vient de Boston.*' De Franse vrouw glimlachte hem flirtend en spottend toe.

Met zijn drieën liepen ze langs de schilderijen, waar Daugherty niets zei omdat hij Perdita niet wilde vertellen wat er op deze schilderijen te zien was; in plaats daarvan keek hij toe hoe Reisden demonstratief het masker, de schets en de schilderijen bekeek, en niet naar hen toe kwam om gedag te zeggen. In de meest afgelegen kamer stond een kleine piano. Perdita werd ernaartoe gezogen; ze kon hem niet zien, maar ze moest hem geroken hebben. Ze speelde terwijl de Franse vrouw variétéliedjes zong.

Milly, zo heette die Franse vrouw; ze boog zich zo ver voorover dat Daugherty regelrecht de lage hals van haar blouse in kon kijken. Hij dacht dat haar haar geverfd was, en hij wist zeker dat ze make-up op had, en hij wist wel zo'n beetje wat voor soort vrouw ze was; maar wat moest Perdita met haar?

Ze pauzeerden even terwijl Perdita iets tegen de Française zei. 'Ze moet in een lagere toonaard zingen, vindt u niet, meneer Daugherty? Op deze manier.' Ze imiteerde het gegrauw van een zangeres.

Boven haar hoofd ontmoetten de ogen van de Française die van Daugherty. Ze waren blauw, als saffieren. Hij voelde een kleine schok in zijn maagstreek.

'*Milly, connaissez-vous cette chanson…?*'

Perdita begon met zachte, lage stem een liedje in het Engels te zingen dat Daugherty ooit in een negerbar had gehoord. (Hoe kwam *Perdita* daar nu aan?) Na een ogenblik viel Milly in, *la la la* met haar harde rauwe stem, en al die tijd keek ze naar Daugherty. Het was weer gaan regenen, en het gekletter van de regen op het dak van het appartement vermengde zich met hun stemmen. De mensen om hen heen vielen stil; Daugherty vergat Reisden helemaal terwijl hij naar Perdita en de Franse vrouw keek.

> *The stars are a-shining, hear the turtle dove,*
> *I say the stars are a-shining, can't you hear the turtle dove,*
> *Don't you want somebody,*
> *Somebody to love…*

Als een geestesverschijning ging er iets aan Daugherty voorbij: als de herinnering aan de tijd bij mevrouw Adams, zodat hij het heet kreeg in zijn pak en zijn boord te strak ging zitten. Vanaf de muren werd hij aangestaard door de vleesbloemen. De borsten van de Française waren enigszins sproeterig, de sproeten waren nauwelijks zichtbaar, als zand, alsof ze was wezen zwemmen aan een oceaanstrand. Hij wilde ze eraf vegen.

De avond liep ten einde. Jean-Jacques ging ervandoor, een laatste hoopvolle blik op Milly werpend. Milly had andere plannen.
Ze drentelde langs de stoel waar Jean-Jacques' schilderij op rustte. Ze keek naar de Mona Lisa; ze keek naar het vuur.
De logge Amerikaan, die met die bril op, zou tenminste goed zijn voor een late maaltijd. (Ze vroeg zich af of hij ook flanellen ondergoed droeg.) En dan had je nog Sacha-de-panter, die zijn kleine meisje aan het huilen had gebracht, haar bij het eerste zweempje van moeilijkheden in de steek had gelaten – maar desalniettemin de tekening had gekocht die Gastedon vanavond van haar had gemaakt. Waarom, om hem aan zijn muur te hangen bij zijn andere trofeeën? Om hem aan de vicomtesse te laten zien?
Vanavond was hij niet alleen een jager, hij was ook hongerig; die lichte ogen verlieten Perdita geen moment.
Als Milly er met de Amerikaan vandoor zou gaan, zou Perdita met de panter achterblijven. In Milly's verbeelding ontsponnen zich ruzies, verrassingen, zijden ondergoed in plaats van flanellen, jaloezie en begeertes...
'Laat je door "Sacha" naar huis brengen,' zei Milly in Perdita's oor.
'Nee!' fluisterde Perdita terug, maar Milly was verdwenen. In de open haard gaf het droge hout knallend vonken af en lag iets vets te sissen. Perdita ging een stapje opzij. De mensen waren hun jassen aan het halen. Ze wist niet waar Milly de hare had gelaten.
'Ik zal tot de huurrijtuigstandplaats met je meelopen,' zei Alexander, 'als je weggaat.' Hij haalde haar jas zonder te wachten tot ze ja of nee zei.
Ze liepen naar de huurrijtuigstandplaats, waarbij hij haar aan de arm leidde. Omdat ze niet spraken, was ze zich des te heviger bewust van andere gewaarwordingen: de druk van zijn hand op haar elleboog, zijn chemicaliëngeur, de natte wol van zijn jas, de warmte van zijn lichaam. Ze gingen in een deuropening op een huurrijtuig staan wachten. Er was er niet één; de standplaats was verlaten.
'Ik heb mijn magie verloren,' zei hij. 'Ik kon vroeger naar willekeur huurrijtuigen te voorschijn roepen.'
Ze stonden samen in de smalle deuropening. Ze had het koud, ze was moe en ze had bibberbenen; ze overwoog tegen hem aan te leunen.

Als ze hem aanraakte zou ze kunnen voelen wat hij dacht, wat voor uitdrukking hij op zijn gezicht had. Als ze hem aanraakte…

Ze bleef zorgvuldig een eindje van hem vandaan staan, luisterend naar zijn ademhaling.

'Milly Xico is op zoek naar een prooi,' zei Alexander.

'Meneer Daugherty? Ze houdt niet van mannen, Alexander.'

'Dan zal ze hem uitspugen voordat ze hem volledig verorberd heeft. Hij zal er geen blijvende schade van ondervinden.'

Als meneer Daugherty een vrouw was, dacht Perdita, misschien wel. Haar borsten schrijnden hevig; haar heupen voelden vol aan. Congestie van het bekken werd het genoemd in het pamflet van dokter Magnin. Ten gevolge van seksuele opwinding. Ze was… als iemand die van een verdovend middel af was, en er nu naar verlangde. 'Ik ben benieuwd of hij iets gaat doen dat hij niet goedkeurt.'

'Soms doe je dat, liefje.'

Zo weinig was er maar nodig, zo eenvoudig was het; een verspreking, een woord, *liefje*. Ze draaide zich om en legde haar handen op zijn gezicht, en voelde zijn hortende adem op haar palmen. Op dat moment hoorden ze een huurrijtuig achter hen; hij hielp haar erin en volgde haar.

Ze gingen naar Courbevoie; en in het huurrijtuig begonnen ze elkaar onbesuisd te kussen en omhelzen, zonder te spreken. Hij knoopte haar blouse vanaf de hals tot haar middel los; hij maakte de haakjes van haar corset open. Ze voelde zich triomfantelijk, angstig, droevig. Het was duidelijker geweest toen ze van hem hield, duidelijker toen ze wist dat ze hem zou verlaten; zelfs Milly's dubbelzinnige vriendschap was duidelijker dan dit, ook al begeerde ze hem onbeschaamd. Wat moet ik doen, dacht ze, en zelfs: wat moet ik denken? Maar ze kwamen in Courbevoie aan en ze had geen antwoord. Hijgend en verfomfaaid sloeg ze haar mantel om haar in de war gebrachte kleren; ze stapten bij de quai de Seine uit het huurrijtuig, en betraden de tuin van het huis dat niet langer echt van hen was.

In de tuin was het nog bijna warm, een nacht om naar de wintermaan te kijken en je adem als damp rond je gezicht te voelen. Ze waren er nog niet aan toe om naar binnen te gaan, om aan te treffen wat ze in het huis zouden aantreffen. Hij legde zijn arm om haar heen (zijn hand streek langs haar schrijnende borsten en ze ademde zwaar in, half snik, half zucht). De kilte van de rivier steeg op rond hun knieën, onder haar rokken, rond haar middel. Hij sloot de tuinpoort; ze huiverde terwijl ze de mist over haar huid voelde kruipen. Hij maakte haar jas open en begon met vlakke hand haar lichaam te masseren, alsof hij haar met zijn palmen centimeter voor centimeter naakt zag. Ze huiverde van genot en van de kou.

Er was wat plaveisel bij de rozenstruiken, een paar platte stenen; hij legde er zijn jas neer als kussen, legde haar erop, en ging boven op haar liggen, haar neerdrukkend; ze werd bijna verpletterd, en worstelde, maar de worsteling maakte deel uit van wat ze deden; ze drukte zich tegen hem aan. Het feit dat er iets in haar handtas zat had niet tot gevolg dat ze dit onder controle had, ze had helemaal niets onder controle, omdat ze datgene wat er in haar handtas zat niet zou benutten; ze was in gevaar, in moeilijkheden, in vervoering, erger nog, ze hielp hem. Ze maakte haar knopen los, ze trok haar smalle rok op en haar onderrokken opzij. Ze zou wat dan ook doen om hem te houden, dacht ze, wat dan ook, haar muziek opgeven, haar toekomst, haar goede naam, wat dan ook; ze kon zich er niet van weerhouden ze weg te geven.

Het was koud, ijskoud, het regende; haar haar viel om hen heen; ze waren verstrikt, verstrikt, in haar natte haar, in elkaars armen, ze waren weer bij elkaar.

51

HIJ LUISTERT NAAR HAAR PIANOSPEL. HET IS EEN CONCERT, ERGENS in een theater; zij zit op het toneel, met de rug naar hem toe, en hij is in de coulissen. Hij ruikt een theater: stof, spinnenwebben, de hardnekkige stank van gaslampen en hars. Sinds hij haar kent droomt hij geuren, net als zij. Er klinkt applaus; hij houdt de zaklantaarn met groen glas omhoog, die haar oriëntatiepunt is wanneer ze het toneel afgaat. Ze loopt vol vertrouwen naar hem toe.

Hij rijdt met haar in een auto over een vlakke eindeloze weg in Amerika, land van symfonieorkesten. Ze botsen tegen de boom met een explosie van glas; hij gooit zijn armen in de lucht en wordt uit de auto geslingerd. Haar schreeuw breekt af.

Nu zal ik gelukkig zijn, denkt hij. Het ergste is altijd dat je gelukkig bent omdat je het hebt overleefd.

Maar hij voelt een immense pijn, een smartelijk besef van verlies. Ze ligt op een marmerwit bed onder een dunne sluier, een gele wassen vrouw met gekneusde blauwe lippen, halfopen ogen. Hij houdt haar hand tussen de zijne. Haar handen en vingers waren gevoelig, die van een pianiste; nu lijken ze even te bewegen in de zijne. Hij neemt haar in zijn armen terwijl hij over haar huid wrijft, adem in haar blaast, haar zijn lichaamswarmte probeert te geven.

Hij wekte zichzelf in de poging haar te wekken, en hij wekte haar in het bed naast hem.

'Het spijt me, ik ga een eindje wandelen, ik kan niet slapen.'

Hij liep in de regen door de hoofdstraat met zijn gesloten luiken en de markt van Courbevoie, en probeerde paniek en wanhoop uit te bannen. Hij wilde de band tussen hen ontvluchten; die zou hen alleen maar pijn doen. Hij wilde elk ogenblik van de nacht bij haar zijn. Nadat er waarschijnlijk uren waren verstreken ging hij terug naar huis. Hij luisterde aan de slaapkamerdeur of hij haar hoorde ademen; hij bescheen haar steels met hun zaklantaarn. Ze lag opgerold in het beddengoed, slapend, haar armen om zijn kussen. Hij keek naar het op en neer gaan van haar adem en dacht aan de zaklantaarn met het groene glas in zijn droom. Hij wist niet hoe ze in werkelijkheid het toneel afging; de zaklantaarn was een droomverzinsel; maar hij zag haar weer naar zich toe komen, naar pijn en gevangenneming, over een pad van licht.

's Ochtends was Perdita weer misselijk; ze at een maagpepermuntje uit haar handtas en deed haar peignoir en slippers aan. Alexander sliep in de woonkamer, zijn jas niet eens over zich heen, met een op de grond gevallen wetenschappelijk tijdschrift naast zich, terwijl het haardvuur en de stookoven allebei bijna waren uitgegaan.

Ze zou een goede huisvrouw zijn. Met haar witte stok tastte ze in de kelder rond tot ze de stookoven in het midden vond en de kolenbak in een hoek. Ze sleepte een volle kolenkit van de bak naar de stookoven, rakelde de opgebankte kolen van de vorige nacht op en spreidde er een nieuwe laag kolen over uit. Ze ging moeizaam naar boven en bleef daar rillend staan wachten tot de hitte zou opstijgen, denkend aan de koude lucht op haar benen afgelopen nacht.

Ze oefende door de rand van de keukentafel te gebruiken als een geluidloos toetsenbord en hield daar toen mee op. Haar hoofd stond niet naar muziek, en haar vingers die op de tafel roffelden zouden hem wakker maken. Ze wilde hem laten slapen; totdat hij wakker werd was hij haar minnaar.

Toen de kamer warm begon te worden ging ze naar de keuken, putte water voor de koffie en zette de ketel op de gaspit van het fornuis, een van Alexanders handigheidjes; hij had het met nieuwjaar geïnstalleerd zodat ze het vuur van het fornuis niet hoefden op te stoken om koffie te kunnen zetten. Al zou Alexander rijk noch knap noch intelligent zijn, hij zou nog steeds de man zijn die het gemakkelijk maakte om 's ochtends water te verwarmen.

Terwijl ze bij het aanrecht koffie stond af te meten, rook het plotseling zo misselijkmakend dat ze slap in de knieën werd en er een golf speeksel in haar mond kwam. Ze liet het maatschepje vallen en boog zich over het aanrecht, weg van de zanderige, verbrande lucht. Ze kokhalsde en slikte, en toen ze ten slotte zeker wist dat ze niet zou overgeven, ging ze hijgend op de grond zitten en sloeg ze haar handen voor haar gezicht, zich afsluitend van de wereld, bijna ineenkrimpend.

'Perdita?' Hij stond bij de deur. Hij knielde niet neer om haar in zijn armen te nemen, zoals hij zou hebben gedaan voordat ze uit elkaar waren gegaan; vervolgens deed hij het toch, maar zelfs terwijl hij haar omhelsde voelde ze de afstand. Vandaag hadden ze moeten leren om weer verstandig te zijn, hadden ze terug moeten gaan naar Parijs en afscheid moeten nemen, of in het allerbeste geval het erover eens moeten worden dat meneer Daugherty hen niet zou scheiden. Misselijkheid leidde af van die belangrijke zaken; moest je haar nu zien, hoe ze probeerde niet over te geven op zijn overhemd. Hij is teleurgesteld in mij, dacht ze, en terwijl ze dacht aan alle mensen die teleurgesteld in haar zouden zijn, deed ze haar ogen dicht en kreunde.

'Lieve help.' Hij droeg haar terug naar de slaapkamer (het was als een parodie op een huwelijk) en hielp haar uit haar peignoir. Daaronder droeg ze niets. Afgelopen nacht hadden ze niet aan kleren gedacht. 'Wil je je nachtpon?'

'Ja,' zei ze zwakjes.

Hij hielp haar de nachtpon aantrekken en begon hem voor haar dicht te knopen. Zijn vingers gleden heel zacht over haar borsten, misschien per ongeluk, maar ze voelde zich pijnlijk bekeken en vroeg zich af of haar boezem voor hem even groot aanvoelde als voor haar. Er viel een stilte. Misschien stond hij naar haar te kijken. Zijn hand bleef op haar borst liggen, alleen de vingertoppen, alsof hij daardoor beter kon denken, alsof hij overwoog wat hij moest zeggen.

'Ben je al eerder zo misselijk geweest?' zei hij.

'Een beetje,' zei ze, 'een tijdje.'

Gedurende een ogenblik zei geen van beiden iets; ze vroeg zich af of hij dacht dat ze niet wist wat deze misselijkheid betekende, en of hij er zelf onzeker over was; en toen zei hij: 'Ben je niet naar een dokter geweest?' net toen zij zei: 'Ik ben gisteren naar een dokter geweest.'

'En wat zei hij?'

Hij zei dat ik niet zwanger ben, hoefde ze alleen maar te zeggen, en alles zou weer zijn zoals het hoorde; ze zouden de kans hebben om verstandig te zijn ten opzichte van elkaar, elkaar op te geven of op zijn minst beter te kiezen; ze zouden alle kansen hebben die ze eigenlijk niet hadden. 'Ik heb hem gevraagd,' zei ze, 'of de voorzorgsmaatregelen van de soort die wij nemen ooit konden falen. Hij zei van niet…' Ze zei verder niets maar ze maakte de zin niet af, zodat hij puur een vraag werd.

Alexander ademde één keer diep in. 'Hij heeft het mis,' zei hij.

'Ik dacht ook dat hij het mis zou kunnen hebben,' zei ze. Nu had ze het gezegd en kon ze het niet terugnemen.

'Maar hij heeft je onderzocht...'

Ze schudde haar hoofd verontschuldigend, nee, en wist niet of ze zich verontschuldigde voor de onbekwaamheid van de dokter of voor het feit dat ze het antwoord van de dokter had geaccepteerd.

'Je kunt je maar beter laten onderzoeken,' zei hij.

Er kwam een dokter langs, een Fransman die verontwaardigd was dat hij op zondag te hulp werd geroepen. De dokter porde en prikte efficiënt en afstandelijk in haar buik, hij keurde haar niet goed, terwijl hij haar heen en weer draaide, haar knie ongeduldig opzijschoof, alsof hij haar leven veel beter geleid zou kunnen hebben dan zijzelf, tot elke beweging van haar lichaam aan toe. Ze droeg haar veiligheidsring, maar hun halfgemeubileerde huis zou niemand voor de gek houden; hij noemde haar mademoiselle. Hij vertelde haar niets; hij ging de salon in, waar Alexander zat te wachten, en vertelde het Alexander. Ze lag in het bed en hoorde de dokter zeggen, op een sarcastisch-joviale toon, dat mademoiselle niet doodging, haha, verre van dat; *mais non, elle est bien florissante*. Ze was florissant. Ze stond op; ze slikte moeilijk, knoopte haar peignoir dicht tot de hals en begon haar haar te borstelen. De deur ging achter de dokter dicht en er viel een lange stilte terwijl ze op Alexander wachtte en de borstelslagen telde, achtenzeventig, negenenzeventig...

Hij kwam de kamer in en ging naast haar zitten; na een ogenblik pakte hij de borstel uit haar handen en nam hij haar handen in de zijne. De zijne waren ijskoud en trilden een klein beetje. Hij sloeg zijn armen om haar heen.

'Wil je met me trouwen?' zei hij.

Er was moed voor nodig om dat te zeggen, maar het leek zoiets ongepasts om te zeggen, ze beet op haar lip om niet te lachen. Ze zou nu met hem trouwen, ze moest wel. Ze had willen bewijzen dat ze van hem hield.

'Je hoeft niet. Er zijn alternatieven.'

Ze moest wel; ze was ongehuwd zwanger. Sommige meisjes gingen 'op langdurig familiebezoek' om vervolgens alleen terug te keren en te doen alsof er niets was gebeurd. Maar stel je voor dat je het Parijse Conservatorium vroegtijdig verliet omdat je op langdurig familiebezoek ging? Dat was vreemd. En bovendien wilde ze met hem trouwen. Ze bedekte haar gezicht en lachte met een pijnlijke opeenvolging van hikgeluiden, en hij hield haar stevig vast en schudde haar bijna door elkaar. 'Niet doen,' zei hij, 'niet doen, Perdita, niet doen.' Ten slotte sloeg hij haar, snel en verontschuldigend, in het gezicht. Het deed haar verbijsterd opkijken; ik moet een aanval van hysterie hebben gehad, dacht ze; maar toch viel ze ruggelings op bed, haar hand op haar wang. Ze klonk net als Anys, net als de vrouw die bij madame Bézou in de gang huilde, net als alle vrouwen.

'Je wilt niet met míj trouwen,' legde ze uit.

'We kunnen net lang genoeg getrouwd blijven om het kind wettig te maken, als je het kind wilt krijgen,' zei hij. 'En je hoeft het niet te krijgen.'

Ze dacht aan madame Bézou. Dat was het alternatief dat hij bedoelde.

Toen ze voor het eerst de liefde hadden bedreven, had hij haar verteld dat *concepti* (dat was het Latijnse woord dat hij had gebruikt) slechts zaailingen waren. Wieden was niet immoreel, had hij gezegd.

'Wieden' was wat ze behoorde te doen, dat wist ze. Ze zouden niet met elkaar moeten trouwen; dat was heel duidelijk naar voren gekomen.

Zaailingen. Vrijwilligers trokken ze in de lente uit de tuin, niets anders dan twee blaadjes en een steel, verslappend en uitdrogend op het bakstenen pad. Toen ze een klein meisje was, had ze ze allemaal gered en opnieuw geplant in een hoek van de tuin.

Ze kon nu geen klein meisje zijn.

Ze zat met hem in een breekbare stilte in de keuken en dronk warme melk, op smaak gebracht met koffie. Het smaakte nog steeds zwart en zanderig. *Ik wil dat gevaar*, had ze gisteren nog tegen Milly gezegd. *Het zal me beangstigen en in vervoering brengen en veranderen. Het is diep en noodzakelijk.* Ze rook op haar hand het overblijfsel van het Parfum van de Dame in het Zwart, zoet-rot en bedorven, wat haar deed denken aan de rubber-en-azijn atmosfeer bij madame Bézou. Ze legde haar handpalm op haar maag en ze voelde hoe de misselijkheid zich als een kluwen touw spande en verstrengelde.

Ze betrad de salon en ging bij de Érard staan. Ze speelde niet, maar raakte met de vingers van één hand de toetsen aan. Ze kon geen toets afzonderlijk aanraken, ze kon geen toets naar beneden duwen, het geluid zou te hard, te mooi zijn geweest.

Twee keuzemogelijkheden: haar carrière, hun kind. Alexander had haar al te kennen gegeven dat ze niet allebei kon hebben.

'Wil je een wandelingetje maken?' zei hij.

Ze gingen naar de Grande Jatte, waar ze nog nooit waren geweest, een eilandje met slechts twee straten waar een dikke mist hing. Ze liepen langs scheepswerven – ze kon teer, pijnhout en verf ruiken, en die penetrante geuren deden het speeksel weer in haar mond komen. Ze gingen een paar trapjes af tussen een scheepswerf en een villa, en sloegen een glibberig kleipad in waar ze zijn arm moest vastpakken en haar rok moest ophouden vanwege de modder en de bladeren, stuntelig, onhandig en vrouwelijk.

Dit was een verlaten terrein, het pad niet meer dan een spoor tussen jonge bomen, het hele eiland hermetisch afgesloten, een zomerplaats getroffen door de winter. Hij leidde haar tot vlak bij de waterkant, waar de Seine aan de oever knabbelde. Hij ging met zijn rug tegen een boom staan en hield haar tegen zich aan, zijn handen op haar armen. Ze dacht: één duw, één struikeling zou haar in de Seine hebben doen belanden, en ze wilde het bijna. 'Ben je weer duizelig?' vroeg hij. Nee; ze dacht aan vrouwen: echtgenotes, moeders, vriendinnen, prostituees; centimeters in de dagelijkse krant; stemmen bij een spoorwegstation; het tikken van breipennen van moeders in de gangen van het Conservatoire. Een rivier van vrouwen, die individueel mensen waren maar samen onzichtbaar en stil, zodat niemand aan hen dacht.

Hij omhelsde haar, dat was het enige wat hij kon doen; hij wandelde met haar in het plukje bos achter de scheepswerven en villa's aan de Grande Jatte, waar Seurat, Monet en Mallais hadden geschilderd. Hij keek met blinde blik naar de lage bogen van wilgen, vaag in de mist. Toen hij stilstond ging zij in zijn armen staan, bijna onmerkbaar verstard. Hij wist niet wat hij moest doen: met haar, aan haar, voor haar.

Ze had bij de piano gestaan en niet gespeeld, alleen de toetsen aangeraakt. Hij had niet nog eens *Het spijt me* gezegd, het was iets waarop spijt niet meer van toepassing was. Hij stond op grote, eenzame afstand van zijn leven en van het hare.

Hij had haar niets te bieden, niets te geven, zelfs geen liefde. Hij had gedacht dat hij ervaring had. Zijn voorzorgsmaatregelen hadden nog nooit gefaald.

Hij wilde haar houden.

Door de mist wandelend kwamen ze op een pad met aan het einde daarvan een paarse vlek. Niet alleen de deur van de vissershut was paars; de hele piepkleine eenkamerconstructie was van een fel roodpaars dat Reisden deed denken aan Esther Cohens schilderijen. Van de scheepswerf boven kwamen de geuren van lijm en verf en de urinestank van pas gezaagd eikenhout. Bij de vissershut had iemand een klein rokerig vuur gebouwd in een kring van stenen en vochtige bladeren, en een meisje van ongeveer dertien zat gehurkt bij het vuur een aan het spit geregen vis te bakken, terwijl haar jongere broer kleine beetjes gras in de sissen-de vlammen stond te schoppen. Hun vader stond op de oever beneden te vissen.

Hij keek een ogenblik naar de kinderen, stil, gebiologeerd.

Het meisje stond op, vochtige bladeren van haar wollen kousen ve-gend. De vader, die zag dat een vreemde naar zijn kinderen stond te kij-ken, klom de helling op.

''Sieur, 'dame, vous cherchez…?'

Werktuiglijk vroeg Reisden waarom de hut paars was, en wanneer hij was geschilderd.

Het meisje rolde met haar ogen en knielde weer neer bij het vuur, hen negerend. 'Het is vanwege Nathalie,' legde haar vader uit. De jon-gen knikte gewichtig. 'Het was haar lievelingskleur,' zei haar vader. 'Toen ze zes was…'

'Toen ik zes was,' bromde Nathalie. 'O, toen ik zes was! Het is een stómme kleur, papa. Al mijn vriendinnen lachen me uit.'

'Stom,' stemde het jongetje in.

En hij bleef maar naar hen kijken. *Monsieur, uw maîtresse is in ver-wachting*: dat was wat de dokter tegen hem had gezegd. Hij dacht aan de kinderverhalen die hij Tiggy had voorgelezen. Verhalen voor kinderen gingen altijd over dreigingen: het kind dat aan stukken werd gesneden en werd begraven onder de jeneverbes, het kind dat tot slaaf werd ge-maakt, het kind dat het bos in werd gestuurd naar het hongerige mon-ster. Reisden keek naar Nathalie en haar broer onder aan de helling, en zag de vader naar hem opkijken, op zijn hoede en niet-begrijpend, met de ogen van de goede bosbewoner of de levensreddende herder. 'Zorg goed voor uw kinderen,' zei Reisden abrupt.

Deze onschuldigen hadden nooit van Mallais gehoord. Reisden ver-nam dat de hut in 1903 was geschilderd, en liet hen kibbelend over het moment dat de vis gaar was achter… 'Papa, denk je niet dat ik oud ge-noeg ben om álles te weten?' Terwijl hij met Perdita de helling op klom, hoorde hij hoe ze achter hen in een bijna-ruzie verwikkeld waren, hun stemmen scherp van opluchting.

Zorg goed voor uw kinderen, hoorde ze Alexander zeggen, en geen van beiden zei nog iets anders totdat ze naar Courbevoie teruggelopen wa-ren. Op het marktplein stopten ze bij de kerk. De dienst was voorbij; ze gingen naar binnen.

In de schemering van de St.-Denis gaf een geflakker van kaarsen aan waar het beeld van de Maagd Maria stond. *Mijn ziel maakt groot de Here… Zie, de dienstmaagd des Heren; mij geschiedde naar uw woord.* Perdita liet zich in een stoel zakken en luisterde naar de stilte van de Franse kerk, hol en weergalmend, een urn voor muziek.

Een beslissing proberen te nemen over kinderen en moederschap in een Franse kerk...

Het zou zo gemakkelijk zijn te denken dat er geen beslissing was, en het je noch tot eer noch tot schande aan te rekenen. Maar dat zou in de buurt komen van Florrie en haar vriendinnen, die zeggen: *We moeten dit doen* en *We moeten dat doen*.

In het schip hoorde ze de priester iets zeggen en toen een baby huilen; en wat haar aan haar plicht deed denken maakte lawaai tussen de pilaren en de bogen en deed haar aan haar muziek denken.

Als ze het meest van Alexander hield, op de manier waarop hij meende bemind te willen worden, zou ze doen wat hij het beste vond en wat werkelijk het beste voor hen was, en dat was geen kind te krijgen, althans niet nu; maar de weg daarnaartoe ging via madame Bézou. Als zij de goede vrouw was die ze meende te zijn, zou ze het huwelijk en het moederschap aanvaarden en afscheid nemen van wat ze verder nog zou kunnen zijn geweest.

Ze zou het kind kunnen krijgen en het af kunnen staan aan iemand anders. Aan wie, aan oom Gilbert? (Nee; natuurlijk zou hij het willen, maar hij had een erfgenaam; het zou heel wreed zijn tegenover het kind.) Ze zou het aan Alexander kunnen geven, die wat betreft kinderen van toeten noch blazen wist en het waarschijnlijk in een taxi zou laten liggen, zoals hij zijn paraplu's liet liggen. Ze kon het kind krijgen en het houden, maar niet trouwen, en daar zou ze niets mee winnen, want ze zou haar goede naam verliezen en niet in staat zijn op tournee te gaan. Het publiek heeft niets op met vrouwen zonder echtgenoot.

Wat zou er gebeuren als ze het 'wiedde'? Voor haar zou het zijn zoals wat er met Richard was gebeurd. Een gevoel van opluchting, aanvankelijk van dankbaarheid, en daarna een besef van iets vreselijks.

Voor Alexander zou het vreselijk zijn, en hij wilde het niet weten. Moest je hem eens zien met Tiggy; en hij maar tegen haar zeggen dat ze het kind van hem weg kon nemen, maar wat had hij tegen de man op de Grande Jatte gezegd? Hetzelfde dat hij tegen haar had moeten zeggen.

'Wieden' zou een paar dingen oplossen; het was óók een verantwoordelijke daad. Maar ze zouden weten wat ze hadden gedaan. En het zou van invloed zijn op zijn zelfbeeld, en op wat ze eigenlijk voor elkaar voelden, en op haar muziek...

Verachtelijke, kleine, oppervlakkige ziel, arme fanaticus, dat was het enige waar ze over inzat: dat het aborteren van een kind haar muziek zou schaden.

St.-Denis was gebouwd in de achttiende eeuw, een met licht gevulde kubus met een koepel en een Lodewijk-XVI-altaar, waar de Fransen tijdens de Revolutie ongetwijfeld de Rede hadden aanbeden. Vanaf de binnenkant van de deur keek Reisden naar Perdita, die in een kleine biezen stoel zat in het gedempte licht van het schip. De oranje veren hingen af van haar hoed, haar wangen waren bleek, haar gehandschoende handen gevouwen.

Hij betwijfelde ten zeerste of haar God haar arbortus zou adviseren, en dus zou ze met hem trouwen, hoe dan ook; en een huwelijk voor de vorm was te Europees voor haar Bostonse ziel. Ze zou voorgeven dat ze een huwelijk wilde in de volledige zin van het woord. Ze zou proberen er iets van te maken.

Mijn vrouw, fluisterde een boosaardig element van hemzelf. Mijn kind.

Hij zon op ingenieuze plannen om haar te redden. Daartoe behoorde het haar toedienen van substanties die uiteindelijk systemische vergiften waren, waardoor er een 'miskraam' werd veroorzaakt eer ze zichzelf had vastgelegd... O g-d. Schandelijk en typerend. Hij was een leugenaar en een moordenaar, hij was erin getraind.

Er kwam een groepje mensen uit de sacristie het gangpad op: een man in wie Reisden de slager van de hoofdstraat herkende, een grote, besnorde man van dertig, kaarsrecht in een nauwsluitend pak; een oude vrouw en een vrouw van middelbare leeftijd; een priester; twee of drie kinderen; en als laatste een jonge vrouw met een baby. Het was een doop. De groep verzamelde zich rond het doopvont, scherp als een Vermeer in het krijtachtige licht. Nee, dacht hij, nee, nee, nee. De baby begon te huilen. Hij zag dat Perdita zich plotseling omdraaide in haar stoel, ingespannen luisterend, alsof het gehuil haar eigen stem was.

Zonder enige waarschuwing en zo lichamelijk alsof het tafereel water was dat in zijn gezicht werd gesmeten, zag hij een explosie van kaarsen, nacht, iets in een witte sluier. Een bruiloft. Nee. Een kindermuts die in een koperen doopvont dreef, het water eromheen helemaal rood, de doopkleertjes van een kind die met rode klonters waren besmeurd, en hij probeerde zijn ogen af te wenden; en gek genoeg zag hij het meisje, Nathalie, aan de oever van de Seine zitten, brood aan haar haak rijgend. De haak glinsterde; ze sloeg haar ogen op en keek naar hem.

Hij ging naar buiten en bleef trillend op de trap staan, in de regen, ingespannen kijkend naar de plassen, waarin voor hem nog steeds rode klonters dreven. Hij verafschuwde het moralisme dat geloofde dat, als er keuzes moesten worden gemaakt, een ongeboren mensenleven altijd beter was dan dat van een volwassen vrouw. Zijn irrationele geest zag boeken en instrumenten, een kom vol bloed, en een kind.

Nooit een kind doden; nooit een kind pijn doen; denk aan Richard. Perdita kwam naar buiten en ging naast hem staan. Haar gezicht was een half uur van smart. Hij was blij dat zij het zijne niet kon zien. 'Ik kan het niet. Het spijt me,' zei ze, 'Alexander, het spijt me, ik zie geen andere oplossing, voor mij zou het moord zijn.'

Van haar had hij morele sentimenten verwacht, maar niet van hemzelf, niet die prangende hallucinatie, noch deze opluchting.

'Moord duurt voort,' zei hij. 'Doe het niet.' Hij wist niet of hij haar de waarheid vertelde of een enorme leugen. Bij een doop, dacht hij, zeggen de Guérarts: *Deze keer zal het anders zijn*, en als ze tegen hun kinderen praten zeggen ze: *Ik heb je gewild. Ik wil je. Geef me jezelf. Lijd pijn voor me.*

'Ik ga met je trouwen,' zei ze. 'Ik bedoel dat ik het wil, als jij me aanvaardt. Niet voor de vorm, Alexander. Ik ben geen moment gelukkig geweest sinds je wegging. Ik zal me nu niet aan de muziek kunnen wijden; meneer Ellis zou me niet voor het publiek zetten met een baby en zonder echtgenoot, en ook al zou ik het kunnen, ik ga niet met een baby op tournee, het zou wreed zijn. Ik hou van je,' herhaalde ze, bijna voor zichzelf; 'vanaf het moment dat ik je voor het eerst ontmoette heb ik van je gehouden, en nu, Alexander, wil ik op een betere manier leven, wil ik al het andere opzij zetten en mijn héle hart aan jou geven.'

Ze stak haar handen uit, hopend op de zijne. Hij klemde ze in één hand en sloeg zijn arm om haar heen. Elk woord ervan zou van het toneel zijn gehoond. Ze had nooit willen trouwen sinds het moment op de Instituutstrap, drie jaar tevoren. Ook nu wilde ze het niet. Als ze eerlijk was geweest, zou ze hebben gevraagd om een huwelijk voor de vorm.

Hij vroeg emotionele duidelijkheid van een verward meisje, tien jaar jonger dan hij, die wilde doen wat het beste was. Ze streefde naar meer dan ze aankon. Dat doe je altijd.

'Ik wil jou,' zei hij. 'Ik wil dat het goed uitpakt voor ons.'

Dit laatste woord deed hem even stokken, *ons*, zoals hij het in geen tien jaar had gebruikt, met de betekenis van mijn vrouw en ik. En gedurende een ogenblik was hij verpletterend gelukkig, gelukkig zonder het te geloven, zonder het te willen geloven.

Iedereen wil gelukkig zijn, zelfs de vervalser; zelfs de vervalser wil voorgeven dat zijn werk echt is.

52

LEONARD BEGRIJPT HET NU: DE BARON DE REISDEN DOET NIETS voor de Mona Lisa omdat hij zelf een vrouw heeft. Ze is een mooi meisje, verfijnd, maar met een vage blik, en geurend naar parfum. Om haar hals draagt ze een goedkoop medaillon met een portret van de Mona Lisa. Het is een vreemd klein detail, smakeloos, spottend. Ze vertrekken samen. Ze geeft hem een arm, en seks roert zich tussen hen als een miasma.

Leonard volgt hen.

Hij ziet hen in de mist stilhouden bij een huurrijtuigstandplaats. Ze praten; ze bewegen zich samen, dan afzonderlijk; ze wenden zich naar elkaar toe, ze kussen elkaar. Ze wiegen heen en weer in de deuropening, een vierbenig monster met twee ruggen. Er stopt een huurrijtuig voor hen, dat moet wachten tot ze zich hebben losgemaakt uit hun omhelzing.

Ik mis haar zo. Ik moet met u spreken, moet over haar praten. Ik ben haar niet waard. Leugenaar, leugenaar.

Leonard staat verlaten op straat, bevend.

Zondag. Leonard neemt de tram naar Asnières. Hij wacht aan de overkant van de begraafplaats en houdt Barry's Tombe, symbool van trouw, in de gaten. Op het kleine eiland is de mist zacht en warm als eekhoornbont, maar met plotselinge rillingen als er kille vlagen over het gras blazen. Twee zwarte duiven pikken in het grind; in de mist zijn de lantaarns omgeven met een halo. Beneden de muren murmelt de Seine, en vanuit de mist die ze omgeeft luiden de belletjes van de schuiten, de klokken van spookkerken aan het einde van de rivier.

Op het kerkhof staan verdachte lanterfanters te wachten. Een oude vrouw is al een uur een klein graf aan het verzorgen. Een man met een hoge hoed op en een zwarte overjas aan staat bij Barry's Tombe te wachten, maar het is niet de baron. Een man maakt zich los van het geelverlichte poorthuis, een man in een uniform, met een insigne dat gezag aanduidt glimmend op zijn pet.

Een vrouw loopt over straat onder een rode paraplu waar bloed uit lekt.

Hier zijn de rivier, de klokken en een aangemeerde schuit, in de mist opgehouden door de zondag; er is maar één agent, maar een schuitenvoerder lanterfant op het dek van zijn schuit, zonder ergens mee bezig te zijn of binnen de warmte op te zoeken, en op de straat buiten het poorthuis is een *tondeur de chiens*, met zijn geverfde schaar en zijn kam, nu al voor de derde keer dezelfde witte poedel aan het knippen.

En daar heb je de baron, aan het einde van de begraafplaats, een lange donkerharige man, elegant in een gekreukte zwarte overjas, niet op de plek waar hij hoort te staan, maar half verscholen onder een paar bomen. Hij praat met een man met een witte baard, die op zijn zakhorloge kijkt alsof ze alle twee ongeduldig uitzien naar het moment dat een vrouw of moeder klaar is met haar taken bij de grafstenen.

Ze staan dicht bij het ijzeren hek rondom de begraafplaats. Leonard zet zijn paraplu op, een man op weg om een fles wijn, de krant, een brood te kopen; hij trekt zijn sjaal op om zijn gezicht te bedekken. Bij het ijzeren hek is een tramhalte; achter het hek staan de baron en zijn metgezel. Hij wacht bij de tramhalte, het gezicht van hen afgekeerd, terwijl hij zweterige centimes in zijn zak laat rinkelen en luistert.

'Ik heb met Aristide Berthet op het Fysio. Psych. lab over deze brieven gesproken. Volgens Berthet is de spelling zo slecht dat de man waarschijnlijk andere verbale, en dus psychische problemen heeft, mogelijk zeer ernstige. Ze zijn allicht opgemerkt toen hij werd gekeurd voor het leger. Hij zou een landloper kunnen zijn; het is onwaarschijnlijk dat hij meer dan ongeschoold werk verricht. Een karakteristieke achtergrond voor een impulsieve moord.'

Leonard voelt hoe zijn lippen zich verbreden tot een ongelovige sneer. Ah, dat is hij niet. Hij heeft een goede baan. Hij kan tenslotte lézen. Impulsief? Nee! Uit liefde, liefde, liefde!

Hij gaat bijna het hek over om hen dat te zeggen, maar is dat niet wat ze willen? Dan zouden ze hem in de val hebben laten lopen.

'Volgens Berthet valt het te verwachten dat Onze Kunstenaar plotseling gewelddadig wordt.' Dat is wat ze willen, ja, ze willen een monster dat ze hebben geschapen in de val lokken, de man die impulsief moordt, dat is wat ze in de kranten hebben gezet; dat is degene die ze zoeken. Ze bekommeren zich totaal niet om Leonard.

Leonard drukt zijn sigaret uit en loopt ziedend weg.

53

Op MAANDAG DE VIERENTWINTIGSTE, OVER ACHT DAGEN, ZOU ZE
met Alexander in het huwelijk treden. Het zou gewoon een officiële ceremonie zijn, zei hij tegen haar, zoals het tekenen van een contract.
Wilde ze een huwelijk in de kerk, wat veel meer voeten in de aarde had?
Nee.

Er zouden formaliteiten afgehandeld moeten worden, zei hij, omdat
de Franse ambtenarij nu eenmaal zo in elkaar zat: er moesten papieren
worden verzameld en getekend. Hij zou dat allemaal voor zijn rekening
nemen; zij hoefde alleen maar te oefenen voor het concert bij mevrouw
Bacon.

Wat betekende het concert bij mevrouw Bacon nu nog? Ze was een
beroeps met een verplichting; die zou ze nakomen; maar het kon niets
betekenen.

Hij zou het Dotty vrijdagavond vertellen, zei hij, na het debuut, zodat Dotty het hele weekend zou hebben om aan het idee gewend te raken. 'Ik hoop dat ze niet moeilijk zal doen over de zevenentwintigste.
Het is nu des te belangrijker dat je recensies krijgt,' zei hij.

Waarom? Het maakte niet uit, zei ze.

'Het zal beter voor ons zijn als je je met muziek bezighoudt,' zei hij.

Ze zou zich aan Alexander en het kind wijden, zei ze; ze zou zo goed
als ze kon Dotty's schoonzuster zijn; ze zou leren hoe ze een Europese
huisvrouw moest zijn, hoe ze Alexander tot eer kon strekken.

Maar er zou tijd over zijn voor haar muziek, zei hij, en hij wilde dat
ze ermee doorging.

Hij moest 's middags een boodschap doen, waar hij best van af zou willen zien, maar zij stuurde hem naar Asnières. 'Ga maar,' zei ze, 'ga alsjeblieft, ik wil even alleen in ons huis zijn. Ik voel me prima.' *Ons huis*, zei ze, als een echtgenote. Maar toen hij was vertrokken, ging ze aan de piano zitten, vermande zich, bracht haar handen op de toetsen en oefende.

Ze besteedde er ruim drie uur aan, en vervolgens, toen ze moe was, bedacht ze wat ze moest doen.

Na het concert bij Dotty zou ze niet alleen de tournees met meneer Ellis als haar impresario en alle mogelijkheden voor muziek in Amerika opgeven: ze zou nauwelijks meer oefenen. Ze had te veel van haarzelf aan de muziek gegeven. Als ze niet uitkeek, als ze zich door de muziek liet overheersen, zou ze het huwelijk benaderen zoals Florrie nu de muziek benaderde: halfslachtig en vol excuses. Ze zou van Alexander en het kind houden.

Ze was slechtziend, zodat de dingen tijd kostten. Het wasgoed uitzoeken kostte Perdita vijfentwintig minuten, een normaal ziende vrouw tien. Een normale vrouw die wilde gaan winkelen, ging winkelen; voor Perdita was het een project dat dagen kon duren: eerst een ziende vriendin opscharrelen om haar te helpen, vervolgens gaan winkelen wanneer ze beiden vrij waren. Liefde toont zich in het gebruik van tijd, in details en keuzes: toonladders oefenen tegenover de was uitzoeken; de tuin verzorgen, les nemen; om twaalf uur 's nachts sandwiches eten in een trein, ervoor zorgen dat het eten op tafel staat wanneer hij thuiskomt, de baby knuffelen, de noten in een andere uitgave controleren omdat er in de eerste editie fouten kunnen staan, zich zo kleden dat het de goedkeuring van Dotty zou kunnen wegdragen, er voor hem zijn, er zijn; doen wat je tot de persoon maakt die je verkiest te zijn. Liefde is onuitputtelijk, maar de details blijven zich aandienen, en de test van de liefde was wat ze koos, de was of toonladders.

Het viel allemaal in één klap op haar, en ze zat stil, haar handen hulpeloos, niet in staat te spelen.

Ze huilde (het kwam alleen maar van de schok; ze kwam er wel overheen), en oefende een beetje en veegde haar ogen af aan haar mouw, en raakte de toetsen een voor een aan, vóélde ze, nu ze nog steeds het recht had ze te voelen zoals zij dat wilde, als de kroon op een orkest, een stem in het koor van muziek, het prachtigs dat haar was gegeven om het op te geven.

In Alexanders huishouden zouden er bedienden zijn, nam ze aan. Ze zou met bedienden rekening moeten houden, met een huishoudster, een kindermeisje. Zouden zij en Alexander hier wonen? En zo niet, waar dan wel? Wat zou ze dragen tijdens de huwelijksplechtigheid? Wie zou haar helpen bij de aanschaf ervan? Milly? Maakte het uit? Dotty was degene die dat iets kon schelen, en Dotty zou woedend zijn.

Zou Dotty het aan haar kunnen zien? Ze legde haar hand op haar platte buik. Het maakte niet uit; Dotty kon tot negen tellen; al was ze nu boos zonder reden, later zou ze een grond hebben.

Dotty zou er op de een of andere manier van overtuigd moeten worden dat ze goed genoeg was voor Alexander. Ze zou een goede huisvrouw moeten zijn. Ze dacht aan meubiliar, aan borden voor etentjes, aan tafelzilver, aan servetten van damast; ze vroeg zich af waar servetten vandaan kwamen, wie ze vouwde, wie ze streek, wie ze op tafel legde en ze opruimde en ze wegbracht om ze weer te laten wassen. Dotty maakte zich druk om een verbogen theelepeltje omdat het er een van vierentwintig was; omdat het gerepareerd of vervangen moest worden door eenzelfde of een erop lijkend lepeltje. Zij zou zich ook druk moeten maken over theelepeltjes. Ze zou zich aan Dotty's ingewikkelde spelregels moeten houden, met het verzinnen waarvan Dotty zich haar hele leven had beziggehouden.

Als het moest, dan zou ze het doen.

Ten slotte stond ze op en deed de lampen aan; het was inmiddels tamelijk donker. Het huis was koud en vochtig; de hele dag hadden ze geen van beiden aan de stookoven gedacht. Ze trok haar trui aan en toen haar jas.

Ze begon honger te krijgen. Ze tastte rond op het aanrecht en in de kelderkast; er was niets te eten. De conservenblikken waren eendere cilinders; ze haalde haar vergrootglas uit haar tas en hield de blikken bijna tegen haar neus gedrukt om de etiketten te zien, maar het licht was te slecht.

De markt zou inmiddels afgebroken zijn; ze zou naar een café moeten gaan.

Ze besloot een willekeurig blik te openen, maar ze kon geen blikopener vinden tussen de scherpe en vreemde vormen in de halflege laden; ze voelde zich zo uitgeput en hol dat ze aan de keukentafel ging zitten. Op tafel vond ze de opener (het moest Alexander zijn geweest die hem niet terug had gelegd, dacht ze, en uit een plotselinge frustratie schreeuwde ze bijna naar hem). Ze koos wat ingeblikte doperwten bleken te zijn. Ze ging bij het aanrecht staan en at met haar vingers erwten uit het koude nat, en voelde zich toen plotseling niet zozeer misselijk als wel doodsbang.

Er werd op de deur geklopt. 'Mademoiselle? Mademoiselle Perdita? Ik dacht laat ik je maar eens opzoeken,' zei madame Mallais.

Natuurlijk – ze vermande zich – nadat ze hier misschien wel uren had gezeten, met een jas aan en de rolgordijnen waarschijnlijk niet neergelaten. Als zij haar buurvrouw was en ze had iets vreemds gezien, zou ze ook op bezoek zijn gegaan en zou ze het ook gênant hebben gevonden om in iemands privé-leven binnen te dringen. 'Het is goed hoor,' zei ze. 'Kom binnen.'

'Heb je je keuken nog niet ingericht?' Ze dachten van wel, maar... 'Ik heb wat soep meegebracht,' zei madame Mallais. Geen soep maar *soupe*, Franse stoofschotel. 'En een *demi-bâtard* brood, en een stuk van mijn gemberbrood.' Er verspreidde zich een gemengde lucht van warm eten zoals wanneer er een mand wordt geopend, alsof iemands moeder op bezoek was gekomen, troostend en niet te veel vragen stellend. Eén uit de onzichtbare rivier van vrouwen.

Ze maakten de stoofschotel warm op de gaspit, gingen in de keuken zitten en aten brood met boter en dronken warme melk vermengd met koffie en besprenkeld met kaneel. Wonder boven wonder hadden Alexander en zij kaneel gekocht.

'Ik ga volgende week trouwen,' zei Perdita ten slotte. 'Daar ben ik blij om; ik heb al zo lang met hem willen trouwen.' De woorden maakten haar keel droog, ze waren zo waar en zo onvolledig.

De twee vrouwen zaten in de keukenstilte. Madame Mallais had de keukenklok gevonden en hem op gang gebracht, zodat er nu een hol Frans *toc, tac, toc* klonk. We hebben een keukenklok, dacht Perdita, maar nog steeds geen pepermolen, die Alexander onontbeerlijk vindt.

'Het is anders om getrouwd te zijn,' zei madame.

'O, ja.' Perdita drukte haar polsen tegen haar ogen.

'Ik was er helemaal niet zo gelukkig mee. Ik was altijd de bediende geweest,' zei madame Mallais, 'en nu was ik madame. Ik moest een hoed en leren schoenen dragen, en handschoenen om mijn handen net zo wit te laten worden als die van een vrouw die de hele dag in de salon zat.'

De klok tikte onbarmhartig in de stilte.

'Ja,' zei Perdita. 'Het is... iemand anders zijn, andere dingen doen, zomaar ineens. Iemand zijn die ik niet ken. Dingen doen waar ik niet goed in ben. Dat is moeilijk. Maar ik zal me wel redden.'

'O, maar je zult bezig zijn met je *piano*!' Madame Mallais boog zich naar voren en greep haar hand stevig vast. 'Dat zal zo blijven. En dat zal je kracht geven.'

'Ik krijg een baby, madame Suzanne, en... ik zie nogal slecht... ik zal er mijn handen vol aan hebben.'

'Ah,' zei madame praktisch. 'Dus daarom ga je zo snel trouwen?'

Ze knikte woordeloos.

217

'Ben je gelukkig?' zei madame.

'Ik wilde met hem trouwen,' zei Perdita weer.

'En de baby, is dat naar de zin?'

'Dat is góéd,' zei ze, zichzelf enigszins verbazend. Het was inderdaad zo. Ze hield zo gebrekkig van Alexander dat ze dacht dat ze helemaal niet van hem hield; maar ze wist hoe ze van een baby moest houden. Nu ze haar besluit genomen had, durfde ze de veranderingen in haar lichaam als iemand anders te beschouwen, als het begin van een persoon: o, dacht ze, ik wil jóú geen pijn doen.

'De muziek zal je niet loslaten,' zei madame Suzanne plechtig.

Ze dacht aan Florrie die haar glissando's probeerde te doen. 'Nee, het zal me heus wel loslaten,' zei ze.

'Het... wassen liet mij niet los,' zei madame Mallais op haar nasale manier. 'Jij glimlacht, maar ik hield van wassen. En ik was tuinier. Niet erg getalenteerd, maar toch...! Toen ik hier kwam werd de was nooit goed gedaan, niemand schrobde het vuil uit Mallais' overhemden, en er waren niet genoeg rozen, alleen onkruid, maar ik kon het niet opgeven, hier.' Perdita hoorde een holle klap; madame Mallais had met haar hand op haar boezem geslagen. 'Mijn innerlijke stem zei tegen me, ga wassen, ga de tuin verzorgen, en je zult...'

'Je zult afgeleid worden,' zei Perdita. 'Je zult er meer tijd aan besteden dan aan andere dingen. Ik zou afgeleid zijn, madame.'

'Druk zonder iets af te maken.' Madame Suzanne zuchtte. 'Zelfzuchtig, slonzig – kalm...'

Perdita schudde haar hoofd. 'Ik wil het voor Alexander beter doen.'

'Ik kon mijn handschoenen niet aanhouden,' zei madame Suzanne. 'Ik had mijn rivier en mijn vuil nodig. Ik moest mezelf een beetje terugtrekken,' zei ze, 'om überhaupt iemand te kunnen liefhebben.'

Jezelf terugtrekken? Je kunt jezelf niet terugtrekken van een baby, dat wil je niet. Van een veeleisende aangetrouwde nicht, die Alexanders enige familie was? Van Alexander? Hij was de enige die er bij haar op aandrong met de muziek door te gaan, maar hij meende het niet. Muziek zou de liefde maar in de weg zitten.

'Alsjeblieft,' zei madame Suzanne, terwijl ze Perdita's beide handen in de hare nam. 'Blijf alsjeblieft pianospelen, mademoiselle Perdita. Ik hoor je uren achtereen doorgaan, helemaal in je eentje, en ik wil er mijn hoofd onder verwedden dat het je net zomin zal loslaten als mijn werk mij heeft losgelaten, en er komt alleen maar ellende en verdriet van.'

'Wat bedoelt u, madame?'

Een van die lange stiltes die misschien iets zou hebben betekend voor iemand met een normaal gezichtsvermogen maar voor Perdita alleen maar frustrerend was. 'Ik kan het je maar beter niet vertellen,' zei madame Suzanne. 'Het was iets wat mij is overkomen, maar het zou jou niet kunnen overkomen.'

'Ik kan het niet,' zei Perdita. 'Hij denkt dat hij wil dat ik doorga, maar hij wil een ander, en ik moet de ander zijn die hij nu wil. Ik hou echt van hem, en ik wil graag zijn kind krijgen.' Haar stem begon te trillen. En ik ga niet huilen, zei ze vastberaden bij zichzelf, ik ga niet huilen; maar het denken over de baby nekte haar; ze dacht aan de muziek die ze niet in staat zou zijn te delen met de baby of te geven aan de baby, omdat ze de muziek opgegeven zou hebben, en ze sloeg haar handen voor haar gezicht en werd opgenomen in de moederlijke armen van madame Mallais en huilde, onbedaarlijk snikkend, rouwend om de piano.

54

LEONARD SCHEPT ER EEN VREEMD GENOEGEN IN BOOS TE ZIJN OP DE baron. Het past bij het weer, dat vreemd warm is, vreemd… vrij en los, bijna ademloos, bedriegend, als een vrouw. Op maandag is het Louvre gesloten; anoniem, met een bolhoed op en een bruin geruit pak aan, begeeft hij zich tussen de horden kooplustigen. Buiten de Samaritaine, de Grands Magasins du Louvre en de Cour Batave zijn vrouwen onder veelkleurige paraplu's de tafels aan het volladen met witgoed-koopjes of druk in de weer met het uitzoeken van kussenkleedjes en op tafels uitgestalde kanten blouses; hij botst tegen hen op, en zegt korzelig: 'Párdon, m-mevrouw,' alsof het die blonde die hij met zijn elleboog heeft weggeduwd, die musachtige brunette, die slungelige vrouw te verwijten valt. 'Kijk uit waar u loopt, m-madame! Wie denkt u wel dat u bent?' Hij is op zoek naar een glimlach, een verontschuldiging, maar hij kan er niet om vragen, dat zou hem belachelijk maken, met zijn gestotter; zijn woede maakt de dingen gemakkelijk; als hij boos is kan hij zich naar willekeur door deze vrouwenmenigte bewegen, boers tussen het zijde en het kant, in de regen.

Stuk voor stuk, denkt hij, stuk voor stuk zijn ze niet meer dan ze horen te zijn; stuk voor stuk zijn ze in een fiacre geweest, hebben ze als een dier in een deuropening gestaan, iedere vrouw is half een monster, dat haar benen spreidt voor een man. Maar niet voor hem, heel gewone Leonard, gentleman Leonard, Leonard krijgt niets; erger dan niets. 'Ik doe het als je me lief vindt,' zegt een vrouw in de menigte. En er ratelt een wagen langs; water spat op vanonder de wielen.

'Hij kent u van gezicht. Hij weet waar u werkt. We moeten het opnieuw proberen,' zei inspecteur Langelais tegen Reisden.

De moordenaar was niet komen opdagen in Asnières. Het kon ook zijn dat hij wel was komen opdagen, maar zoals Reisden het zelf zou hebben gedaan: hij was vroeg gekomen en had de agenten hun plaatsen zien innemen. In plaats daarvan had hij opnieuw een brief gestuurd.

U was niet bij Barries Tomme Ik zag u daar bij ut hek met een andre man maar u lieg IK BEN GEEN MOORDENAAR *U zij dat u zou* HELPE *maar een Leuge u Hout niet van haar Help haar ommilluk offu sal ut berauwe.* Het was een ansichtkaart van de Mona Lisa, en hij zat vanochtend bij de vroegste post.

Dreigend, smekend: *ik ben geen moordenaar*, las Reisden. *Help.* 'Hij is aan het instorten.'

'Kunt u van Jouvet vandaan blijven?'

'Ik woon er.'

'Blijf dan zo veel mogelijk binnen. De politie zal de wacht houden. Wees op uw hoede. Begeef u niet in menigten, meneer.'

Een keer per maand was Reisden aanwezig bij de beoordeling van patiënten, en op maandagochtend de zeventiende was een van de patiënten een kind, een bleekzuchtige, bange jongen die weerdemonen zag. Wanneer de zon scheen was hij min of meer normaal, maar wanneer het regende: 'zorgen de dampen in de atmosfeer ervoor, monsieur, dat ik demonen uit de greppels zie opstijgen. Wat me dwarszit, monsieur, *ce qui me concerne bien* is dat *ze er altijd zijn*, en dat ik ze alleen door het weer af en toe kan zien.' De ochtend was zwaar en vet van de regen, die tot langzame druppels opzwol en over de ramen van Jouvet zigzagde; het kind sprak met doffe, moeizame stem, terwijl zijn ogen van de ene hoek van het vertrek naar de andere schoten, iets heimelijks en onzichtbaars volgend. Ik moet Jouvet van de hand doen, dacht Reisden, dit is ondraaglijk; hij keek naar zijn tegen elkaar geplaatste vingertoppen, die wit waren, en aanschouwde vervolgens hoe de gegevens van de jongen werden opgenomen. *Fabre, Étienne, tien jaar, hardnekkige hallucinaties,* bloeddruk zus en zo... Étienne Fabre, tien jaar, zou in het archief komen en op een dag in een wetenschappelijk werk; en misschien was er een remedie tegen demonen.

Een technicus tikte op de barometer buiten de beoordelingskamer; sommige gevallen van geestesziekte variëren met de barometerdruk. 'Stuk, *merde*!'

'Ik zal hem bij Auzoux afgeven,' zei Reisden.

'U mag de straat niet op,' zei zijn secretaresse betuttelend.

'Ik ga wel met de auto.'

Het etablissement van dr. Auzoux was een eeuwenoude, verzakte rariteitenwinkel aan de rue de l'École de Médecine. Hij beschikte over een behoorlijke sortering medische en laboratoriumbenodigdheden – glazen dekstrookjes voor objectglaasjes, mesjes om te hakken en te snijden, formaldehyde per liter, gelede geraamtes van kat tot mens – maar hij onderscheidde zich door zijn etalage vol elegante, onheilspellende rariteiten, verbleekte tweekoppige katjes die in troebele flessen zweefden, mieren in barnsteen. In de winkel wierp gaslicht een groen schijnsel in het duister, en een gemummificeerde klerk en drie klanten draaiden zich tegelijk om, om naar hem te kijken.

'Barometer stuk? Dan heb ik mijn weddenschap gewonnen, u bent de zevende vandaag!' De klerkmummie draaide het gaslicht hoger om in schaduw gehulde, hangende barometers te beschijnen. Alle glazen buizen leken gebroken, het kwik samengebald op de bodem. 'Hij is niet stuk, het komt door de luchtdruk, meneer!' kakelde hij. 'De barometers kunnen het niet meten!'

Er lag een zware depressie boven heel Europa, zei de klerk; die bracht regen vanaf zee. 'Ah, daar hebben we behoefte aan, regen,' zei een van de klanten sarcastisch. Buiten was de lucht zo zwaar dat het leek of je door natte wol ademde; de regen viel bijna dralend, hangend in de atmosfeer, en deed een verstikkende mist ontstaan. 'Men zegt dat er in Zwitserland en het hele berggebied overstromingen zijn.'

Reisden bezocht zijn notaris en veranderde zijn testament ten gunste van Perdita. Hij geloofde niet in de macht of het verlangen van Haar Kunstenaar om een gevaar voor hem te vormen, maar hij voegde aan het testament een verzegeld codicil toe dat geopend moest worden wanneer hij vóór het huwelijk mocht komen te overlijden, een codicil waarin hij verklaarde zich met Perdita te hebben verloofd, haar kind als het zijne erkende en er voorzieningen voor trof. Hij vermoedde dat hij dit alleen maar deed vanwege de poëtische naam voor zulke verzegelde documenten (ze worden geheime testamenten genoemd; zoiets wil je hebben, zoals je een enorme zwarte cape en een huisgeest wilt hebben). Maar toen hij voor de eerste keer *mijn kind* schreef, kon hij even niet verder, overmand door een golf van schaamte en verlangen.

Demonen in de lucht.

Hij ging naar een lijstenmaker met Gastedons tekening: Perdita als de Mona Lisa, mysterieuze glimlach, wazige ogen, maar de handen had Reisden duizenden keren gezien wanneer ze aan het oefenen was, de rechterhand gekruist over de linker terwijl de vingers van de linkerhand zich kromden voor een akkoord. Hij ging terug naar zijn kantoor en vulde vellen papier met ideeën terwijl hij opnieuw aan het malen was. Wie waren de getrouwde pianistes in Parijs? Ze zou ze moeten kennen. Wie zou haar privé-lessen kunnen geven? Wanneer zou ze haar carrière weer enigszins kunnen oppakken: wanneer het kind drie was, of vier?

Hij schreef haar een *petit bleu: Ik hou van je. Oefen, oefen, oefen.* Hij zou haar zoveel muziek geven als hij kon, nu hij het allemaal had afgepakt.

55

'Vertel me eens wat je hebt ontdekt over mijn schilderij, schat.'

Maandag aan het eind van de middag, voor de opening van de Salon d'Hiver, ging Reisden bij Dotty langs met financiële rapporten over de verdachten. In het grijze, verstikkende regenlicht leken alle spiegels beslagen en waren de vergulde stoelen van staal. In de andere helft van de salon was een dienstmeisje aan het stoffen en de kussens van de stoelzittingen aan het opschudden. Dotty deed de tussendeur dicht en ging bevallig in een kleine stoel zitten, hem naar zijn leunstoel gebarend.

Hij liet Dotty de cijfers zien. Madame Mallais leefde eenvoudig, betaalde haar rekeningen op tijd en had een bankrekening. Jean-Jacques Mallais leefde van de kopieën die hij maakte. De schilder Gastedon bietste van zijn vrienden; zijn huur voor een vervallen atelier in Montmartre werd betaald door Esther Cohen.

'Dus ze zijn allemaal arm, behalve de weduwe, wat je ook zou verwachten.'

Dotty pookte de kolen in de haard op en gebruikte de punt van de pook om er een sintel aan te prikken.

'Schat,' zei ze, 'heeft meneer Daugherty met je gesproken over een andere verdachte? Verzwijg je iets voor me?'

'Nee.' Hij had Daugherty niet gezien sinds de detective zaterdagavond met Milly was vertrokken. Duizend jaar geleden. 'Wie?'

'Die charmante meneer Daugherty van je kwam me vanochtend opzoeken,' zei Dotty met iets scherps in haar stem. 'Hij vroeg me naar míjn financiën en vond ze nogal verdacht.'

'Verdacht?' zei Reisden. 'Hoezo?'

'Hij scheen te denken dat ik het deed voorkomen alsof ik de eigenares van dit alles was.' Ze gebaarde naar de erfstukken van de familie Gresnière. 'Hij was beledigend, schat, werkelijk, en ik ben bang dat ik beledigd bén. Hij insinueerde, schat, dat ík mijn Mallais weleens kan hebben laten kopiëren en verkopen,' zei Dotty, 'omdat ik het geld nodig zou hebben.'

'Waarom? Je zou bij mij kunnen aankloppen of bij Ferval...' Dotty's andere trustee. 'Er is geen reden waarom jij geld nodig zou hebben.'

Ze keek op haar handen neer, raakte de huid van de linkerhand aan met de lange vingers van de rechter, ging met haar vingers op en neer over de wijsvinger van haar linkerhand, waarbij ze de kleine zwellingen bij de gewrichten aanraakte. 'In de woorden van meneer Daugherty word ik gechanteerd door een of andere "stomkop die denkt dat ik geld heb omdat ik in een museum woon". De afperser, die even onwetend is als meneer Daugherty, vraagt meer dan ik kan betalen, en om een of andere reden kan ik niet bij jou aankloppen.'

'Word je gechanteerd?' zei hij terloops. Het was een ingenieuze theorie, maar niet waarschijnlijk. Hij had Dotty vanaf zijn twaalfde gekend; ze had geen geheimen meer, althans niet voor hem.

'Ik, schat?' Dotty boog zich naar voren alsof hij iets boeiends had gezegd. 'Nee. Ik ben maar een vogel in een vergulde kooi. Ik heb niets te verbergen. Ik wilde gescheiden leven van Esmé, mijn wensen zijn overtroffen, hij is dood. Ik heb geen minnaars,' ze telde af op haar beringde vingers: 'geen geheime drugsverslavingen, geen onwettig kind uit mijn jeugd dat zich als kapper wil vestigen; ik heb niets. Ik vraag me alleen af waarom hij aan chantage denkt.'

'Om niets uit te sluiten, zou ik denken,' zei hij.

Ze staarde hem aan, een niet te duiden uitdrukking in haar blauwe ogen; het was bijna bezorgdheid, maar haar lippen waren opeengeperst.

'Hij kent mij niet,' zei ze; 'hij kent jou wel.'

'Heb ik jouw schilderij gestolen?' zei hij. 'Ik hoop het niet.'

'Nee, liever, maar je hebt iets waarvan je niet wilt dat ik het weet; je gaat weer om met juffrouw Halley. Carmencita Gomez de Castro was bij juffrouw Cohen. Juffrouw Halley kwam aan met een vrouw met een slechte reputatie, maar vertrok met jou, en juffrouw Halley kwam niet aan in haar hotel; ik wilde haar zondagochtend wat vragen en kwam erachter dat ze het weekend doorbracht "bij haar Amerikaanse vriend in Versailles". Lieverd, ik was me er niet van bewust dat jij een Amerikaan was.'

'Dat is ook niet zonneklaar,' zei hij, glimlachend om zijn belachelijke paniek te verbergen.

'Geen grapjes. Je zei dat het uit was.'

'Dat was ook zo. Maar nu niet meer.' Nu ga ik met haar trouwen, zei hij niet. 'Wat heeft dit met je schilderij te maken?'

'Ik word niet gechanteerd, maar ik vraag me af of jíj wordt gechanteerd, lieverd.' Ze stond bevallig op om een vaas bloemen op een tafel bij de ramen te herschikken. Ze verschoof een paar van de broeikasstelen en nam het resultaat in ogenschouw.

'Ik? Natuurlijk niet.'

'Juffrouw Halley is niemand, lieverd. Ze heeft geen familie, geen achtergrond, geen middelen. Nog geen tien dagen geleden was je het met me eens en nu ben je bij haar terug. Wat is er sindsdien gebeurd?'

Alles, Dotty.

'Ik denk dat ik je op weg moet helpen,' zei ze. 'Wat er gebeurd is, is dat meneer Daugherty is gekomen. Meneer Daugherty, die de vriend is van juffrouw Halley; meneer Daugherty, die jij op mysterieuze wijze hebt leren kennen in Amerika; meneer Daugherty, die vindt dat jij met haar moet trouwen om haar reputatie te redden. Meneer Daugherty, die op jouw verzoek de zaak "onderzoekt", heeft knullige insinuaties gedaan over mij en mijn arme schilderijtje. Dat vind ik laag. Ik hoef me nergens zorgen over te maken. Lieverd, laat ik het je nog eens vragen: jij wel?'

'Nee,' zei hij krachtig. 'Dotty, dat is onzin.'

'Heeft hij jou in zijn macht?'

'Nee.'

In de andere kamer toonde het dienstmeisje een ongewone belangstelling voor het stoffen van één klein ornament. Dotty tikte op het glas. 'Frérin, volgens mij ben je beneden nodig.' Ze keek peinzend toe terwijl het dienstmeisje vertrok. 'Nu zullen ze proberen te luisteren door de luchtopeningen. Ik beschuldig juffrouw Halley niet van slechte bedoelingen. Tasy was jong, getalenteerd en muzikaal. Juffrouw Halley is jong, getalenteerd en muzikaal. Dat kun je vergoelijken. Maar, schat,' zei ze, 'wat is er voor... vreemds... voorgevallen in Amerika, toen meneer Daugherty daar drie jaar geleden contact met je had?'

'Niets.'

'Je moet niet tegen me liegen... Ik heb vanmorgen met Armand Inslay-Hochstein gesproken,' zei ze. 'Hij zei dat hij tijdens het toezicht houden op de inrichting van de Mallais-tentoonstelling de gelegenheid heeft gehad mijn Mallais nog eens nauwkeurig te bekijken. Hij feliciteerde me met een opmerkelijk schilderij en vroeg me toestemming er een artikel over te schrijven. Dus meneer Bullard heeft mijn aanschaf alleen maar waardevoller gemaakt.' Ze leunde achterover in haar stoel terwijl ze met haar gevouwen handen haar mond aanraakte alsof ze zat te bidden. 'Ik ben volkomen gerustgesteld. Ik geloof dat er geen reden meer is om iets te onderzoeken. Meneer Daugherty kan weggestuurd worden. Lieverd, zou je dat kunnen doen?'

Hij stond op. 'Dit is precies wat Inslay-Hochstein zou doen als het schilderij een vervalsing was.'

'Maar Armand is er heel zeker van dat het geen vervalsing is.'

Hij keek haar aan. 'Dotty, Bullard zei tegen me dat hij dit zou doen.'

'Die meneer Bullard van jou zit me tot hier.' Ze stond ook op. 'Het schilderij kan me niet schelen. Meneer Bullard is het in zijn bol geslagen; de waarde van het schilderij is veilig, dat is het enige wat mij interesseert. Ik maak me zorgen om jóú, lieverd. Kun je meneer Daugherty wegsturen?'

'Ja, maar dat wil ik niet.'

'Je bindt je steeds meer aan een meisje dat niet van je houdt.' Ze overbrugde de afstand tussen hen en legde haar handen lichtjes op zijn schouders terwijl ze hem in het gezicht keek. 'Sacha, weet je nog hoe je eraan toe was toen Tasy was gestorven? Herinner je je nog dat ik je kwam opzoeken?'

'Natuurlijk herinner ik me dat.'

'We dronken thee in een café in Bedford Street.' Ze duwde haar gezicht tegen zijn schouder en sloeg een arm om hem heen, de andere hand, tot vuist gebald, nog steeds op zijn schouder, alsof ze hem wegduwde. Haar stem was licht en snel, alsof ze het had over wat ze zou dragen naar de Wintersalon. 'Je zei dat je Tasy dood op de grond kon zien liggen. Je zei dat je je eigen gedachten niet kon verdragen. Ik schrok me een ongeluk,' zei ze gedempt, 'ik zei tegen je: breng jezelf in veiligheid, ga hulp zoeken, beloof me dat je niets zult doen; dat was het enige wat ik kon doen, omdat je altijd eerlijk tegen me was geweest; en je beloofde het me. Tja, lieverd,' zei ze, terwijl ze haar hoofd ophief en hem aankeek met half hatelijke, half bange ogen, 'je liet een briefje voor me achter met verontschuldigingen, en dat was niet wat ik in mijn hoofd had; en ik wil niet dat dat nog eens gebeurt.'

'Dat zal niet weer gebeuren. Ik heb je slecht behandeld,' zei hij. 'Ik was toen ziek. Dat was negen jaar geleden.'

Ze sprak met gedempte stem vanwege de bedienden. 'Ik wil niet dat je eenzaam bent, maar je mag niet verliefd worden op iemand die je zult verliezen. Zij wil haar werk en een aardige heer die haar niet in de weg zit. Als ze eerlijker zou zijn of als ze meer van je zou houden, zou ze beseffen dat ze je geen recht zou kunnen doen.'

'Je begrijpt haar verkeerd.'

'Je weet dat je haar zult verliezen. Stuur hen weg, want anders ga ik uitzoeken wat voor macht meneer Daugherty over jou denkt te hebben.'

'Zoiets doe je niet, liefje,' zei hij.

'Ik wel,' zei ze. 'Ik moet wel, schat, en ik zal het doen ook, omdat ik je niet wil verliezen.' Ze duwde zich van hem af en ging in haar stoel zitten, lang niet zo bevallig als anders; ze keek hem aan met schitterende ogen in een vaal gezicht. 'Is het echt nodig? Kan deze onzin niet geruisloos verdwijnen?' Ze stak haar hand uit om voor de thee te bellen.

Hij legde zijn hand over de zilveren theebel.

'Het is helemaal niet wat jij denkt,' zei hij. 'Ik zal je óf vrijdagavond laat óf zaterdagochtend alles vertellen; tot die tijd kan ik dat niet. Het zijn niet de zorgen van de jonge Werther. Maar ondertussen moet jij de zaak laten rusten.'

Ze beantwoordde zijn blik met opgeheven hoofd.

'Beloof het me,' zei ze.

'Wat?'

'Wat je de laatste keer hebt beloofd. Maar deze keer moet je niet tegen me liegen.'

'Dat kan ik wel beloven,' zei hij. 'Maar ik wil dat jij mij ook wat belooft.'

'Natuurlijk, lieverd; wat?'

Beloof me dat je bij me zult blijven, dacht hij. Vraag me waarom ik terug ben bij Perdita. Laat me je vertellen dat we gaan trouwen, en dan, liefje, moet je ons helpen het er goed van af te brengen.

'Beloof me dat ik, wanneer ik hulp nodig heb, bij jou terecht kan,' zei hij.

Ze staarde hem aan. Hij hoorde niet om hulp te vragen. Dat was niet het soort band dat hij en Dotty hadden.

56

Op de een of andere manier slaagden ze er na dat drama in elkaar naar de opening van de Salon d'Hiver te vergezellen alsof er niets gebeurd was. Het is een voordeel om in een diplomatieke familie te zijn opgegroeid; je leert je emoties in gescheiden laatjes te bewaren.

De Salon d'Hiver is de grote wintertentoonstelling van in zwang zijnde, erkende kunstenaars. Het Grand Palais was inmiddels zo'n uur open en nu al het menselijke equivalent van een verkeersopstopping op de quai. Een scharlakenrode schouder botste tegen hen op, bezaaid met knopen en afgezet met gouden tressen; elektrisch licht fonkelde op een stroom diamanten. Aan de met kastanjebruine stof beklede muren hingen bosschages uit de tijd na Corot en bloemenvelden uit de school van Monet, elegant en geruststellend. Tegen Reisdens borst gedrukt glimlachte en wuifde Dotty naar een vriendin, met pruilmondjes en gebaren boven het kabaal uit converserend. Haar glacés zwaaiden in de lucht; de citroenkleurige en zwarte veren in haar haar kietelden zijn neus. Haar mond was vertrokken tot de halve glimlach van een Française die op een feest wordt gezien. Achter haar zag Reisden flitsen van Tout-Paris: laag uitgesneden japonnen, avondkleding, strakke hoge boorden; de met juwelen getooide vingers van een vrouw; een kritische, naar links en rechts neigende hoge hoed; de discrete rode knipoog van een lintje van het Légion d'Honneur in het knoopsgat van een smokingjasje, en het dikke rode bankiersachtige gezicht van de Russische attaché Agafonov.

'Sacha, daar is de Infanta Eulalia!' Het lid van de Spaanse koninklijke familie nijgde haar hoofd. Dotty maakte de geëigende diepe nijging, bijna een revérence, een wonder om in deze menigte gedaan te krijgen. Reisden boog toen een enorme officier van de Zieten-Huzaren het zicht op de Infanta belemmerde. 'Schat!' Dotty wuifde langs zijn schouder, alweer gericht op de volgende ontmoeting.

Achter hen nam een bekende societyschilder de gelukwensen in ontvangst voor zijn laatste product, een groepsportret van de muzikale dochters van een hertogin die thuis hun toonladders oefenden; hij stond aan één stuk door 'dank u, dank u zeer,' te mompelen. Dotty draaide zich om en knikte bemoedigend naar het schilderij.

'U hebt het karakter van het interieur prachtig getroffen.'

'Dank u zeer, madame la vicomtesse.'

Achter hen, tegen een palmboom gedrukt, stonden twee Japanse vrouwen naar elkaar te gebaren, zijden bloemen in hun enorme pruiken, de uiteinden van hun slepende mouwen boven hun hoge kleppers met regen bespat. 'Okura,' tjirpte de een tegen de ander; *au courant* zeiden ze, besefte Reisden.

'Daar is Armand,' zei Dotty.

In de lawaaierige menigte had Armand Inslay-Hochstein de ultieme lof geoogst: lege ruimte om hem heen; hij negeerde zijn toeschouwers, en bestudeerde in plaats daarvan een heel klein doek dat in een hoek hing. Hij was zo rond de vijfenvijftig, een zware, knappe man, met grijzend stekeltjeshaar en een lange, vierkante baard; een Assyrische koning. Hij knikte, zei een paar woorden tegen de schilder, gaf hem zijn visitekaartje en liep verder, de schilder achterlatend, die met open mond tegen de muur geleund het kaartje voorzichtig met beide handen vasthield, als een levend en kloppend hart. Een stroom nieuwsgierigen verzamelde zich om naar het kaartje te kijken. Een machtig man, Inslay-Hochstein.

'Stel me eens aan hem voor,' zei Reisden. Dat deed Dotty, en ze liepen een paar minuten met de handelaar rond, waarbij ze zijn kunstenaars begroetten, en tweemaal stilstonden om een doek van een nieuwe schilder te bekijken. 'Hoe haalt u er in deze drukte nu uit wat u mooi vindt?' vroeg Reisden aan hem.

'O schat, hij is een van de juryleden van de tentoonstelling,' zei Dotty. 'Hij heeft alles wekenlang bekeken.'

Inslay-Hochstein begon sonoor en bedaard te lachen, zonder zich erom te bekommeren betrapt te zijn. 'Men moet een beetje toneelspelen, monsieur de Reisden. Wat ik hier zie, madame, zijn de kunstenaars. Kunnen zíj ermee door? Dan deel ik misschien mijn kaartjes uit.'

'En bestudeert u een schilderij altijd zorgvuldig?' vroeg Reisden.

'Altijd.'

'Maar Dotty's Mallais niet?' zei Reisden onschuldig. 'Ze heeft me verteld dat ze het nauwelijks een uur nadat u het voor het eerst onder ogen kreeg heeft meegenomen.'

'Nadat het mijn galerie binnenkwam, monsieur; ik had het jarenlang bezichtigd!'

'Het was volstrekt onnodig om Armand in het nauw te brengen,' zei Dotty.

Het kostte ze een uur om zich langs geklets en ellebogen een weg te banen naar de zalen die aan Mallais gewijd waren. Hier was het betrekkelijk rustig: een paar goedgeklede mensen die naar de tentoonstellingsbordjes keken om te zien wie wat had uitgeleend, een groep met paraplu's uitgeruste culturele toeristen die als jonge ganzen achter een docent aanliepen.

'Ik was alleen maar een inconsistentie aan het ontrafelen,' zei hij. '*Gezicht op de Seine* hangt hier toch.'

'Natuurlijk,' zei Dotty.

Dotty bleef achteloos naast *Gezicht op de Seine* staan om haar waaier te onderzoeken die in de menigte kapot was gegaan, en werd vrijwel onmiddellijk beloond met de verschijning van graaf Robert de Montesquiou, broodmager, zwaar opgemaakt, met een giftig-lijzige manier van praten, en een sliert jongemannen achter zich aan. 'Hebt u dat wálgelijke doek van Lara gezien, vier meisjes die musiceren alsof ze met hun dikke vingers in een doos petitfours graaien – maar dit – dit, lieve burggravin – u zou eens moeten horen wat onze onvergelijkelijke Inslay-Hochstein hierover zegt – het beloofde lándschap, liefje!' Montesquiou trok één gebogen wenkbrauw op en richtte zijn monocle op het doek. Dotty glimlachte minzaam; haar Mallais was zijn geld waard.

De toeristen stroomden samen rond Dotty en de dandy, om het schilderij, graaf Roberts monocle, Dotty's zijden kleding in citroenkleur met blauwgrijs, en de loshangende dassen van de jongemannen te bezichtigen. De docent dreef zijn kudde ganzen de volgende zaal in. '*Veuillez m'accompagner s'il vous plaît, 'sieurs, 'dames!*'

In de staart van de groep toeristen, en zich kennelijk vermakend, liep madame Mallais.

'Pardon,' zei Reisden tegen Dotty en de graaf de Montesquiou, en ging achter haar aan.

'Hier zien we, 'sieurs, 'dames, herinneringen aan de grote schilder.' Het retrospectief was net zozeer een eerbetoon aan Mallais als aan de prachtige doeken. In glazen vitrines verspreid in het vertrek zag Reisden kwasten en een palet, foto's, Mallais' panfluit, zijn grote strohoed, en een van de beroemde beschilderde vesten. Daarboven hing een ingelijste kleurenkarikatuur uit *Spy* van Mallais in smoking, met strohoed en een met verf bespat impressionistisch vest: Schilder, met Vest en Baard.

De docent ging voor een van de grote doeken staan. Het schilderij werd gedomineerd door een blauwe spar, en daaronder strekte zich een opmerkelijke schaduw uit, stralend van kleur op het gras. 'Net als *Gezicht op de Seine*,' begon hij, 'is *Spar en schaduw* (1898) een meesterwerk uit de late periode. Het is in bezit van de bekende verzamelaar graaf Eugène de Cressous...'

Dus dat was het doek van Cressous, de andere gekleurde schaduw: een mirakel. De schaduw was een combinatie van verschillende tinten diepblauw, lichtgroen en geel, opwaarts bespikkeld alsof hij het gras uitsprong. De boom stond er vierkant, massief, als een rots bij, een onbeweeglijk zilverachtig blauw, bijna de kleur van de lucht, zijn roerloosheid even indrukwekkend als de levendigheid van de schaduw. Reisden had het topje van deze spar boven de muur zien uitsteken, een boom als alle andere. Het gaf hem hetzelfde gevoel dat Perdita soms moest hebben: volkomen blind te zijn.

Madame Mallais stond voor het schilderij, een kleine gezette vrouw met grijs haar, één hand in een vuist op haar heup, als een vrouw die op de vogelmarkt naar een haan kijkt die ze zou kunnen kopen. Haar haar was opgestoken in een wasvrouwenknot, stevig als een brioche, en daarbovenop prijkte een hoed, onmodieus klein en een beetje stoffig. Die lange zwarte sluier die over haar rug kronkelde was vast en zeker de crêpe van Mallais' begrafenis. Ze droeg een piepklein tasje met ijzeren mazen en een scharnierende bovenkant, een soort waarvan Reisden zich herinnerde dat Dotty die had bezeten in de jaren negentig van de vorige eeuw; daarbij droeg ze een omvangrijke tapijtachtige groene jas en wollen handschoenen, netjes versteld.

Ze zag dat er naar haar werd gekeken en bloosde, plotseling verlegen. Breed rood gezicht, grijs haar, rimpels; de manier van doen van een dienstbode tijdens haar avondje uit; genietend van de schilderijen wanneer ze niet werd gadegeslagen, verlegen wanneer dat wel zo was. Mallais' wasvrouw zou zich bij Mallais' openingsfeestjes nooit op haar gemak hebben gevoeld.

'Ik kom uit Courbevoie,' zei hij. 'Ik ben Alexander von Reisden, Perdita's verloofde.'

Dat waren de juiste woorden. Ze keek hem stralend aan; de rimpels waren afkomstig van een levenslange glimlach.

'O, u bent haar vriend!' Ze sprak het uit als *vriengd*; om dat accent alleen al zou ze weggelachen zijn uit Parijs. 'Ik heb u op de markt gezien, toen u een van die gepatenteerde aardappelschilmesjes kocht. Ik zei zo bij mezelf: dat is een serieuze, die doet er twintig minuten over om een mes te kopen. Ik ben de weduwe Mallais, Suzanne Mallais.'

Ze keken elkaar aan als twee zojuist aan elkaar voorgestelde mensen, die beiden om dezelfde persoon geven. Ze was ongeschoold en sprak haar eigen naam als Suzang uit. Maar een onnozele hals was ze niet: madame Mallais stond hem secondelang aan te kijken, terwijl ze zijn hand vasthield en warm glimlachte; maar hij voelde zich gezien, alsof hij een jachthond was en al zijn raskenmerken werden opgeteld. Madame Mallais wist niet helemaal zeker of hij wel goed genoeg was voor Perdita en was van plan dat uit te zoeken.

'*Je vous félicite*,' zei ze: 'Mademoiselle Perdita en ik hebben gisteravond samen een hapje gegeten. Arm kind, ze denkt dat ze geen goede echtgenote zal worden. Maar ze is gewoon jong, en dat geneest zichzelf.' Ze keek naar de snit van zijn smokingjasje. 'Neem een goede huishoudster, m'nsieur, en een goed kindermeisje; *help haar door te gaan met haar muziek*, dan komt het wel in orde met haar.'

Ze hield haar hoofd scheef als een uil en keek naar hem: nou?

'Ik hoop dat ze zich aan de muziek zal wijden,' zei hij een beetje stijfjes. Hij was het niet gewend dat andere mensen iets van zijn zaken af wisten, of ze zo persoonlijk tot hun eigen zaken maakten. Maar hij had gezegd dat hij haar buurman was; in Courbevoie werd hij daarmee haar zaak.

'Gaat u haar helpen?' drong madame Mallais aan.

'Zoveel als ik maar kan. Ze had in Amerika een carrière moeten hebben.'

'M'nsieur, kunst is voor een vrouw *bieng* moeilijk,' zei madame Mallais. Ze stak haar verstelde handschoenen uit in een gebaar dat half aarzelend, half zegenend was. 'Ze wil het zo graag, maar ze denkt dat ze het niet kan.'

'Ik hoop dat u een vriendin voor haar zult zijn.'

Ze zei niets, haar hoofd nog steeds scheef. Ze liet hem er niet onderuit komen, ze drong niet aan, maar ze had het antwoord op haar vraag nog niet gehoord. En u? Hoe zit het met u? Staat u aan haar kant, bent u haar vriend? Kunt u helpen? Plotseling zag hij de jonge vrouw van de schilder, bezig de groenteboer, de slager en de handelaar in kunstbenodigdheden krediet af te vleien. Mallais was niet per ongeluk met haar getrouwd.

'Ik wil haar,' zei hij. 'En ik wil het kind, en zij zegt dat ze met me wil trouwen. Ik hoop het. Maar met mij trouwen betekent dat ze hier moet blijven, dat ze het roer moet omgooien.' Hij was zich te veel aan het verontschuldigen, als een schuldig man. 'Wist ik maar wat ik moet doen. Had ik de antwoorden maar.'

'U moet voorzichtig zijn met antwoorden,' zei ze. Hij dacht dat ze hem uitlachte; toen besefte hij dat hij op de een of andere manier de inspectie met succes had doorstaan. 'Het zijn tenslotte mijn zaken niet!' zei ze. 'Maar ik mag uw vrouw graag. Jullie moeten allebei niet te snel met antwoorden komen; ze zijn niet duurzaam.'

Mijn vrouw. 'Dank u,' zei hij.

Ze knikte. Ze zwegen enkele ogenblikken. 'Ik zal op bezoek komen tot ze me niet meer kan luchten of zien,' zei madame Mallais. 'Vindt u de schilderijen mooi?' voegde ze er enigszins schuchter aan toe.

'Heel mooi. Het is vreemd om op de plek te wonen waar ze geschilderd zijn.' Hij keek naar het bordje van de *Spar en schaduw*. Zij ook. 'Je krijgt het gevoel dat je erg weinig ziet.'

'Ah, dat is schilderen. Eerst was het gewoon mijn sparretje, en dan kwam het schilderij en zag hij er opeens zó uit.' Hij bedacht hoe het voor haar geweest moest zijn om met Mallais te leven. Volkomen blind.

'Maar *Spar en schaduw*! Alleen al de gedachte!' Ze snoof.

'Wat was uw titel?'

'O, die hadden we niet. We noemden het het schilderij boven het buffet.'

'Wie verzint de catalogustitels?'

'Monsieur Armand, die is daar erg bedreven in.'

Inslay-Hochstein weer. 'Achttienzevenennegentig, op zijn vroegst?'

'Het is laat in het voorjaar,' antwoordde ze. 'Vergeet-mij-nietjes, de eerste mosterdplanten... ja, het is mei of begin juni. Maar welk jaar, wie zal het zeggen?'

Hij kon haar niet meer volgen. 'Vergeet-mij-nietjes?'

'Dat is wat er mis is met de titel!' zei ze. 'Het is geen schaduw, het is mijn tuin.' Ze leunde over het fluwelen koord naar voren en bewoog haar duim vlak boven een lichte veeg in het blauw, wat haar op een boze blik van een bewaker kwam te staan. 'Dat is mijn lavendel, dat zilvergroene, en die gele toetsen, dat is wilde mosterd. Sommige mensen trekken hem eruit; ik voor mij zie hem gewoon als een bloem die het te goed doet,' zei ze.

Geen kleurrijke schaduw?

'Maar deze bijvoorbeeld.' Ze wees op het schilderij ernaast. 'Van deze weet ik dat hij gemaakt is in – in welk jaar is Claudie ook weer getrouwd? – 1892,' zei ze triomfantelijk. Op het schilderij stond een rossige jonge vrouw in lila glimlachend voor een grote bank rozen. 'De stof was gestreept, nooit had ik een jurk gemaakt die zo moeilijk te naaien was, en we zaten er vreselijk over in of de kleur wel bij haar haar zou passen – dus toen alles uiteindelijk goed bleek te zijn, moest ze natuurlijk geschilderd worden! O, daar is mijn kleinzoon,' zei madame Mallais.

Reisden verwachtte een schilderij en zag de jongen.

'Jeang-Jacques, *viengs un peu,* het is onze buurman...'

Jean-Jacques Mallais, Roy Daugherty en Milly Xico hadden samen de zaal betreden. Milly was lukraak met madame Mallais' kleinzoon en met Daugherty aan het flirten. George Vittal, achter hen, was aan het declameren. 'De poging om de zichtbare werkelijkheid te reproduceren pretendeert in de plaats te treden voor de seksuele daad, maar het is een *tribade,* geen penetratie...' Daugherty had een rode nek, vanwege Milly's gebroken maar volstrekt openhartige vertaling van Vittals opmerkingen, en misschien vanwege Milly's decolleté.

'*Oh, là, là,*' mompelde madame Mallais; de jongen staarde Milly met verbijsterde bewondering aan.

'Ik zou Milly niet serieus nemen,' zei Reisden.

'Ah, m'ngsieur, wanneer u kinderen hebt, praat u wel anders!'

Madame Mallais brak het gesprek van haar kleinzoon met Milly keurig af door hem ertoe te bewegen met Reisden kennis te maken. Jean-Jacques was stuurs, en zijn ogen dwaalden over Reisdens schouder af in de richting van Milly's schelle stem. Hij wilde ingenieur worden, zei de jongen binnensmonds; hij hield niet van schilderen. Hij liep warm voor steden van de toekomst, tropische klimaten, Afrika. Hij praatte over de verdiensten van inheemse materialen, dakbedekking van palmbladeren, in de zon gedroogde steen, en paalwerk boven meren. 'Constructie, monsieur, is zichtbaar gemaakte cultuur, uitgedrukt in zijn technisch meest vooruitstrevende, geschiktste, en eenvoudigste vorm!' Waarschijnlijk een citaat uit een of andere tekst, maar een die hij ter harte had genomen; de blauwe ogen van de jongen glommen.

'Als je ingenieur wilt worden,' zei madame Mallais beschermend, 'moet je naar huis gaan en studeren, het is te laat om nog uit te gaan.' Ze wierp een veelbetekenende blik op Milly Xico.

Jean-Jacques zuchtte en zei: 'O, óma.'

'Mijn kleinzoon brengt me naar de tramhalte,' kondigde madame Mallais vastberaden aan. 'Goedenavond. Goedenavond, m'ngsieu' de Reisden. Mocht ik een huishoudster tegenkomen of een...?'

'Ja, beslist. Goedenavond madame; het was me een groot genoegen.'

'O, óma, werkelijk, ik ben geen kind meer, hoor.'

Milly, onaangedaan door het vertrek van haar bewonderaar, stond met haar kin omlaag naar een landschap van de tuin te kijken. Dotty was nog steeds met Robert de Montesquiou aan het praten; George Vittal hield een verhandeling voor een paar studentikoze types, boven hen uittorenend, en met een onmetelijke ernst gebarend. Op de zijden revers van zijn smokingjasje zag Reisden een piepkleine constructie, bevestigd waar normaal gesproken zijn boutonnière zou hebben gezeten: een zalmkleurig, bologig hoofd op veren, dat knikte en zijn kaak heen en weer bewoog terwijl Vittal praatte.

Esther Cohen en Gastedon hadden de zaal betreden; Gastedon stond voor *Spar en schaduw* en bestudeerde het aandachtig. Vittal drentelde naar hem toe; Gastedon wees; Vittal gebaarde. Gastedon wees op de lijn van de tuin, die de lijn van takken weerspiegelde. Armand Inslay-Hochstein was gearriveerd en sloot zich bij hen aan. Inslay-Hochstein maakte hetzelfde gebaar; ja, dat is het, zei hij; de schilder en de handelaar bleven praten, terwijl Vittal af en toe een opmerking tussendoor maakte, en daarna begon Inslay-Hochstein gewoon naar Gastedon te luisteren, met dezelfde geïntrigeerde blik in zijn ogen als wanneer hij een goed doek had gezien.

'Waar hadden jij en mevrouw Mallais het over?' vroeg Daugherty.

'Sst,' zei Reisden zachtjes. 'Kijk naar die twee. Kennen ze elkaar?'

Daugherty tuurde naar de handelaar en de schilder. 'Nee.'

Inslay-Hochstein bracht zijn hand naar zijn vest, aarzelde, haalde er vervolgens een kaartje uit en overhandigde dat aan Gastedon. Zonder dat van tevoren te hebben beraamd? Gastedon wierp er een blik op, keek er nog eens naar en bleef openlijk naar het kaartje staren. Als hij een ambitieuze schilder was die niet had geweten dat hij met een van de machtigste handelaren in Parijs had staan praten, zou hij misschien net zo verbijsterd kijken als hij nu deed.

'Wat heeft ze nou gezegd?' vroeg Daugherty.

Inslay-Hochstein behandelde Dotty's Mallais alsof het een vervalsing was, die gesteund moest worden; maar hier was de man die hem geschilderd zou kunnen hebben en ze kenden elkaar niet.

'We hebben het over de *Spar en schaduw* gehad,' zei Reisden zachtjes. 'De "schaduw" is overigens een tuin; en Dotty zegt dat Inslay-Hochstein...'

'Tuin?' zei Daugherty.

'Wat?' zei Reisden, zijn ogen nog steeds op de handelaar en de schilder gericht. 'Niet zo hard praten.'

'Heb ik je ooit die foto van Mallais en zijn vrouw laten zien, van vlak voor zijn dood? In dat boek dat ik heb gekocht, weet je wel? Heb je die ooit gezien?'

'Nee, ik geloof het niet.'

'Nou,' zei Daugherty, 'er is geen tuin.'

Daar had je ze, madame Mallais en haar man, zittend onder de spar, op de foto uit 1899, het jaar voordat hij verdronk. Een paar jaar later dan de veronderstelde datum van het doek van Cressous. En geen bloembed onder de spar; niets om te schilderen; niets dan gras.

'Nu heeft madame Mallais daar een bloembed,' zei hij. 'Misschien was ze dat van plan toen het schilderij gemaakt werd.'

'Misschien,' zei Daugherty.

Ze had erover gesproken alsof ze had gezien dat het geschilderd werd. *Eerst was het gewoon mijn sparretje, en dan kwam het schilderij en zag hij er opeens zó uit... We noemden het het schilderij boven het buffet.*

'Wie is die Cressous?'

'Een kunstverzamelaar. Zeer bekend en zeer deskundig.'

'Zou hij het niet hebben geweten als hij een vervalsing had gekocht?'

57

GENERAAL GRAAF EUGÈNE DE CRESSOUS WOONDE IN EEN CHÂTEAU ongeveer honderd kilometer van Parijs. Hij was een forse man met een rode gelaatskleur van wie je zou verwachten dat hij op een jachtpaard over zijn domein zou galopperen of een leidende functie zou hebben in Parijs; maar Cressous zat in een rolstoel sinds hij veertig jaar daarvoor beide benen had verloren in de Sedan, en in plaats van West-Afrika te koloniseren had hij zijn energie gericht op de impressionisten.

Hij woonde in zijn galerie, de voormalige balzaal van zijn château. De muren stonden van de vloer tot aan het plafond in lichterlaaie: Renoir, Monet, Cassatt, Sisley; wegen, bomen, velden, vrouwen in roeiboten, vrouwen in tuinen.

'Mooiste schilderij dat Mallais ooit heeft gemaakt!' bulderde Cressous. 'Ik ken die foto van hen. Ze heeft later een tuin op die plek gemaakt, hè? Heel mooi van haar. Het leven dat de kunst nabootst. Een hommage aan mijn schilderij.'

'Hebt u haar ontmoet?'

'Nooit het genoegen gehad. Teruggetrokken soort vrouw.' Cressous liet Reisden zijn andere Mallaises zien. Hij had er acht, waarvan er vier naar de tentoonstelling waren gegaan. Totdat de schaduwen gingen lengen praatte hij over het verschil tussen het roze van Mallais en dat van Renoir, over Mallais' gebruik van impasto, en over het dateren van een doek aan de hand van de kwasttechniek.

'Hebt u ooit problemen gehad met dieven?' vroeg Reisden.

Er waren vier bedienden in de zaal, allen van het mannelijke ge-

slacht. 'Hoe zit het met dieven? Problemen met dieven gehad, jongens?' zei generaal de Cressous, en in koor riepen ze:
'Niet... veel... meneer!'
'Dus dit is zonder enige twijfel het schilderij dat u hebt gekocht.'
'Natuurlijk.'
Cressous, een expert, had een vervalsing gekocht. Inslay-Hochstein, een slimme en eerlijke man, had er een verkocht.
Tenzij...

Reisden reed naar Bergac, waar Mallais was verdronken. De rotsen van Bergac waren als de schilderijen van Gastedon: zwaar, ruw en wreed. Het water knabbelde eraan met zuigende geluiden en de golven spatten ertegen uiteen, het pad doorwekend. Van bovenaf gezien kolkten de golven hypnotiserend, een uitnodiging om te springen. Reisden stond er op de klip naar te kijken en bestudeerde het door de regen geplette gras en de klei aan weerszijden van het pad. De regen waaide recht in zijn gezicht en stak als naalden.

In het café bij het treinstation had hij een gesprek met de serveerster en de koetsier van de stadsfiacre. Mallais had niet eerder in Bergac geschilderd. Hij was op een dag in januari aan het eind van de middag gearriveerd. Hij had gezegd dat hij van de Bergac-rotsen had gehoord en de golven wilde schilderen. Het had gestormd, hoewel niet zo hevig als vandaag. Ze hadden hem herkend aan zijn met verf besmeurde vest en zijn strohoed die hij maar met moeite op zijn hoofd kon houden. De koetsier van de fiacre had hem tot het eind van het pad gebracht. Mallais had zijn strohoed in het huurrijtuig gelaten en was, op zijn wandelstok steunend, het pad op gelopen.

'Je had hem niet mee moeten nemen, Jules,' mokte de vrouw achter de *comptoir*. 'Een beroemde schilder nog wel.'

'Dacht dat hij alleen maar de golven wilde schilderen,' mompelde de fiacrekoetsier met een rood hoofd.

'Sinds er rotsen zijn, zijn er mensen van de Bergac-rotsen gesprongen, monsieur,' zei de serveerster tegen Reisden, 'maar toch was het bij deze geen opzet.'

Reisden belde Daugherty vanuit het postkantoor in de eerstvolgende grote plaats. 'Ik wil de medische gegevens hebben van Mallais, en ik wil financiële gegevens over madame en Inslay-Hochstein; en als ik terug ben wil ik je een hypothese voorleggen.'

Woensdagochtend gebruikte hij met Daugherty het *petit déjeuner* in de Deux Magots. Het regende ook hier stormachtig; de luifels boven het café klapperden in de wind. Reisden zag de rijtuigen en automobielen passeren op de Boulevard St.-Germain: vossen die zwart werden in de regen, de livrei-jassen van de koetsiers bedekt met zwarte regencapes, en de auto's met hun gordijnen dicht, mechanisch voorbijtuffend met de voorgeschreven tien kilometer per uur om de paarden niet te laten schrikken.

'Ik heb twee theorieën,' zei Reisden. 'In beide speelt Inslay-Hochstein een rol. In de ene helpt madame Mallais hem. Vertel me eens wat je weet over hun financiën.'

'Hier heb ik ze.' Reisden leende zijn notitieboekje en bekeek de cijfers.

Van 1900 tot 1907 had madame Mallais heel weinig verkocht. Maar in 1907 had ze in zeer korte tijd drie doeken van veel hogere kwaliteit van de hand gedaan: *Gezicht op de Seine* aan Dotty, later in de lente *Spar en schaduw* aan Cressous, en begin november aan Betsy Ducret d'Hédricourt *De oude appelboom*, die niet op de tentoonstelling was geweest; de eerbiedwaardige Betsy weigerde haar schilderijen uit te lenen.

De twee schilderijen die madame sinds 1907 had verkocht leken echte Mallaises te zijn: redelijk niveau, niet middelmatig, maar ook niet van het niveau van de drie mirakels uit 1907.

'Ze had het geld niet nodig.' Daugherty had de financiële cijfers opgeluisterd met schetsen van appelbomen en sparren, en een niet onaardige kopie van de lantaarnopsteker in *Gezicht op de Seine*. 'Maar Bullard zegt dat Inslay-Hochstein in 1907 bijna op de fles ging.'

'Omdat hij onvoorwaardelijke teruggave heeft,' vermoedde Reisden.

Rond 1900 had Inslay-Hochstein Amerikaanse verzamelaars ontdekt. Vanwege de onvoorwaardelijke teruggave was hij favoriet geworden bij Amerikanen die beducht waren voor vervalsingen; de Amerikanen hadden hun geld grif uitgegeven; Inslay-Hochstein had zijn gewone voorzichtigheid uit het oog verloren. Maar in maart 1907 was er paniek uitgebroken op de Amerikaanse effectenbeurs. Enkele verzamelaars die contant geld nodig hadden, hadden geprofiteerd van de onvoorwaardelijke teruggave en hun zeer dure schilderijen gewoon weer ingeleverd.

Inslay-Hochstein was wanhopig geweest, totdat madame Mallais had besloten drie belangrijke werken te verkopen – werken van een zo hoge kwaliteit dat ze wel gekocht moesten worden.

'En bovendien,' zei Reisden, 'aanvaardde ze als betaling schilderijen in plaats van geld.'

'Waarom wilde ze meer schilderijen hebben?'

'Dat wilde ze niet,' zei Reisden. 'Als het aan haar had gelegen zou madame Mallais een perceel hebben gekocht of het geld in gouden munten hebben omgewisseld en ze in de tuin hebben verstopt. Inslay-Hochstein heeft haar overgehaald,' zei hij, 'omdat hij schilderijen had en zonder geld zat.'

'Is dat legaal?'

'Legaal en profijtelijk, naar is gebleken. Toen de markt zich herstelde kocht hij haar schilderijen terug voor een betere prijs.'

Reisden tikte met het uiteinde van zijn pen op de cijfers en keek toen peinzend de boulevard over. Er ging een fietskoerier voorbij, die met zijn wielen een vlakke straal water sproeide.

'Stel dat Inslay-Hochstein de voorraad Mallais-schilderijen heeft doorgekeken,' speculeerde Reisden. 'Hij vond drie doeken die uitmuntend zouden kunnen worden, maar niet voltooid waren. Hij liet ze door iemand – wie? Gastedon, die hij niet kende? – voltooien. Drie onverkoopbare doeken werden drie schitterende Mallaises. Madame Mallais tekende voor de oorsprong ervan, en in ruil daarvoor gaf hij haar echte schilderijen. In de loop van tien maanden verkocht Inslay-Hochstein de Mallaises. Toen herstelde de markt zich. Hij verkocht verder geen post-mortem-Mallaises meer; dat was niet nodig en hij is naar verluidt een eerlijk man; maar hij verkocht de schilderijen die zij had gekocht en maakte er een grotere winst op voor haar. Om met Bullard te spreken, het is een verdomd goede deal en iedereen is tevreden. Zelfs de mensen die de doeken hebben gekocht.'

'Misschien denkt ze dat het verkopen ervan legaal was,' zei Daugherty. 'Ik ken dat soort oude tantes, Reisden. Ze zal nooit iets illegaals doen, maar als de schilderijen uit stock kwamen, als haar man er een gedeeltes van geschilderd had, zou ze het *idee* gehad kunnen hebben dat er niets mis mee was, en ze zou het niet al te nauwkeurig hebben gecontroleerd. Ze verkoopt immers geen dode honden. Bullard weet zelfs niet zeker of *Gezicht op de Seine* een vervalsing is, en Cressous maakt zich niet druk over zijn *Spar en schaduw*.'

Reisden zelf had ze schitterend gevonden. En Cressous had zijn schilderij niet alleen gekocht, hij liet het ook tentoonstellen. 'Ze zijn ontzettend goed.' Hij dronk van zijn koffie, die koud en bitter was. 'Ik hoop niet dat madame erbij betrokken is. Ik heb de vrouw ontmoet; ik geloof niet dat ze met haar veertienjarige kleinzoon ruzie zou maken en hem uit huis zou zetten om vervalsingen te kunnen verkopen.'

'Wie is het dan? Broer Yvaud?'

'Ik heb een theorie over Yvaud.' Hij was er onzeker over; hij wilde dat die waar was, maar het was even onwaarschijnlijk als dat Cressous een vervalsing zou kopen.

Een grote stoet, kennelijk een begrafenisstoet, kwam langzaam de avenue in. De regen doorweekte de zwarte pluimen op de hoeken van de koets en de pluimen die uit de hoofdstellen van de paarden kwamen, totdat de geïrriteerde paarden de natte boeketjes uit hun ogen schudden. Achter de lijkwagen aan liep een enorm gevolg doodbidders, in het zwart gekleed, met zwarte paraplu's, zwarte crêpe en zwarte pluimen in hun hoge hoeden. Achter hen droegen mannen met flambarden borden met gouden en rode belettering. STEUN DE STAKENDE VERPLEEGSTERS VAN LILLE, VEEARTSEN STEUN DE HOEFSMEDEN VAN DE TRAMLIJNEN, WE EISEN EEN ACHTURIGE WERKDAG, en het onvermijdelijke LANG LEVE DE ARBEIDERS, DOOD AAN DE HEERSENDE KLASSEN. Een chauffeur in een donkergroene Mercedes leunde op zijn claxon en scheurde langs, met zijn spatborden water op de stakers plenzend.

'Misschien heeft ze ze zelf geschilderd,' zei Daugherty.

'Madame Mallais, nota bene?'

'Tja, ik heb zitten denken, Reisden.' Daugherty keek de hoefsmeden op de weg na. 'Vanaf de keer dat jij en ik naar juffrouw Cohen zijn geweest. Over het schilderen...' Daugherty slurpte van zijn koffie. 'Je hebt geen scholing nodig om te schilderen zoals Gastedon en Mallais, je hoeft alleen je ogen te gebruiken. Ik heb zo'n idee,' hij priemde met een vinger naar de optocht, 'dat om het even wie, een van die paardenhandelaars bijvoorbeeld, als hij de moeite zou nemen en erover bleef nadenken, een soort schilderij zou kunnen maken.'

Voor hen, op de cafétafel, lag Daugherty's opengeslagen notitieboekje, vol schetsen. Allemaal knap, allemaal amateuristisch.

'Ze heeft haar man zien schilderen; ze zou alle trucjes kennen.'

Henri Rousseau was douanebeambte geweest, Gauguin zeeman en effectenmakelaar, Corot was in de leer bij een stoffenhandelaar. Mallais had gewerkt als verfleverancier en tuinder. Reisden dacht aan alle tuinders die geen Mallais geworden waren. 'Een wasvrouw zou kunnen schilderen, dat wil ik graag geloven,' zei Reisden. 'Iedereen zou kunnen schilderen. Een advocaat ook.'

Daugherty keek hem aan, afwerend verlegen achter zijn brillenglazen.

'Maar ik denk niet dat ze het zou doen,' zei Reisden. 'Ze zou het niet in haar hoofd halen. Het zou het vak van haar man zijn.'

Dat ontkende Daugherty niet. 'Maar ze zou hem met zijn doeken geholpen kunnen hebben,' zei hij.

'Dat zou gekund hebben,' zei Reisden.

'Ze heeft misschien alleen willen uitproberen wat ze ervan terecht zou brengen.' Daugherty's stompe pen trok cirkels over de opengeslagen pagina van zijn notitieboekje; Reisdens blik onderscheppend krabbelde hij *Mme M? Waarom?*

'Maar waarom dan maar drie schilderijen?' zei Reisden. 'Waarom is ze opgehouden?' Zoveel had hij wel van Perdita begrepen: ophouden deed je niet.

Het begon harder te regenen; een ober ging met een bezem naar buiten en gaf een por tegen de doorzakkende luifel, die als een Niagara leegstroomde, het beslagen glas bespattend. Hij dacht aan madame Mallais die hem bezorgd op het hart had gedrukt Perdita met haar muziek te laten doorgaan.

'Als ze er eenmaal mee begonnen was, en zo goed schilderde, zou ze niet ophouden,' zei Reisden.

'Wie is het dan?'

'Tweede voorstel,' zei Reisden, 'dat bijna alles oplost, als je het serieus kunt nemen. Het verklaart waarom madame Mallais en Inslay-Hochstein de schilderijen met een gerust hart konden verkopen en waarom Cressous de zijne kocht. Laten we broer Yvaud eens nader bekijken. Was Mallais artritisch?'

'Weet ik niet. Zijn dokter is dood.'

'In 1900 ging Mallais naar Bergac, waar zelfmoordenaars van de rotsen plegen te springen, en hij verdween. Geen lichaam. Geen onderzoek, want mensen zijn vreselijk beleefd na een zelfmoord. Maar in plaats van zelfmoord te plegen, is hij via het klippad naar het volgende dorp gelopen, heeft hij zijn baard afgeschoren en is te zijner tijd als broer Yvaud opgedoken. Mallais leeft nog,' zei Reisden, 'en schildert nog steeds.'

'Huh.'

'Denk er eens over na.'

'Het is onzinnig. Waarom zou hij doen alsof hij dood is?'

'Dat is de moeilijkheid,' zei Reisden.

58

HIJ DENKT DAT JE HEM NIET EENS HERKENT, HIJ DENKT DAT JE DOM bent, hij denkt dat je een moordenaar bent, mijn g-d!
De baron heeft weer een advertentie geplaatst in de rubriek met oproepen. Hij verontschuldigt zich niet. Hij zegt niet dat hij de Mona Lisa mist, hij praat niet over de politie. Hij vraagt om een nieuwe ontmoeting. Leonard mag zeggen waar, alsof dat iets uitmaakt.
Als hij het de baron van tevoren vertelt, zal de politie er zijn.
Leonard is geduldig geweest. Maar met goedheid kom je toch nergens, goedheid leidt tot honger, goedheid brengt de Mona Lisa toch niet in de hemel?
Hij zou dat monster moeten zijn, die man die door de politie verzonnen is. Dan zouden de zaken anders liggen. Dan zóú hij twee messen hebben. Het ene een pennenmes, het andere een boevenmes, een *surin*, twintig centimeter lang en vlijmscherp geslepen. Zo'n monster zou gerespecteerd worden.
Terwijl hij op het balkon staat te roken, ziet hij een grote zwarte lijkwagen de quai du Louvre afrijden. Daarachter loopt een menigte geaffecteerde heren, getooid met zwarte handschoenen, zwarte smokingjasjes en zwarte broeken, zwarte hoge hoeden met zwarte pluimen en brede zwarte paraplu's: de Vakvereniging van Begrafenisondernemers en Doodbidders, preuts, proper en levenloos. Van bovenaf, op het balkon, zien ze eruit als een rivier van zwart, gepluimd met de grijze regen. Doeken met grote rode letters erop wapperen tussen hen in.
DOOD, ziet Leonard.

Milly komt Leonard opzoeken; ze is nog steeds op die lijst uit.

'Uw vriendin, dat m-meisje op zaterdag, met de baron de Reisden. Wie is dat?'

'Perdita Halley? Stel je voor, een Conservatoirestudente, nog getalenteerd ook, en dat wil ze allemaal opgeven voor een man. Hij wil haar alleen maar beminnen in bed, en zij wil bemind worden, dus gelooft ze hem. Toe nou, Leonard, ik heb die lijst nodig.'

Jij hebt me verteld hoe ik haar kan vinden, denkt Leonard. Perdita Halley. Op het Conservatoire.

59

MAANDAG REGENDE HET. HET WAS TE WARM, BIJNA OM TE STIKKEN. Dit is mijn laatste maandag op het Conservatoire, dacht Perdita, terwijl ze de maandagochtend rook in de oefenzaal, de flauwe maagomkerende geur van transpiratie. De volgende maandag zou ze getrouwd zijn, een liefhebbende echtgenote.

Maar deze laatste week had ze het concert op vrijdag: ze ervoer de aangename verschrikking van laatste oefensessies waarbij ze de kleine oneffenheden polijstte, lunchte terwijl ze zich zorgen maakte over de dynamiek van een overgang in het stuk van Chopin, en onder het teruglopen naar het Conservatoire plotseling op een vingerzetting kwam die het probleem zou ondervangen. De uren glipten door haar vingers zonder dat ze er erg in had.

Alexander stuurde haar op maandag een *petit bleu*. Toen ze die nacht in slaap viel, besefte ze dat ze hem nog niet had teruggeschreven.

Op dinsdag bracht Perdita de dag in haar eentje door in Courbevoie; Alexander was de stad uit. Om theetijd kreeg ze onverwacht bezoek: madame Suzanne die crackers en pepermuntthee kwam brengen. Ze gingen in de tuin wandelen, ondanks de regen die als peperkorrels op hun paraplu viel. Perdita schuifelde het tuinpad af, slippend in de klei en zich vasthoudend aan het touw dat Alexander naast het pad had gespannen totdat ze een betere reling zouden krijgen. Zij en madame zochten beschutting onder een boom. Achter hun tuinmuur, op de quai de Seine, was een man 'Le Temps des cerises' op een accordeon aan het spelen. Hoe deed hij dat in deze regen?

Madame Suzanne drukte haar opnieuw op het hart te blijven spelen. 'Datgene waar je hart naar uitgaat geeft je kracht voor de rest,' zei madame Suzanne. 'Vrouwen zijn er niet voor gemaakt om niets aan hun hoofd te hebben. Ze moeten sloven en hun hoofd hoort om te lopen. Speel piano! Een half uur per dag, minstens; je weet nooit waar het toe kan leiden. Het is belangrijk.'

'Nee,' zei Perdita, die een goed idee kreeg, 'u komt hier in uw tuin spitten.' U zult úw piano hebben, dacht ze. 'We zullen de muur afbreken, als u wilt.'

'Ah,' zei madame triest. 'Je bent een aardig meisje.'

In het huis praatten ze onder het theedrinken over misselijkheid en wat je daaraan kon doen: gedroogde muntbladeren voor kruidenthee, pepermunt van de *pharmacien* en droge zoute Engelse crackers. Alleen water van Evian of Perrier drinken, raadde madame Suzanne aan; geen grote maaltijden, veel kleintjes; rust houden; je voeten warm en droog houden (ze moesten daar allebei om lachen, het regende zo hard); flanellen ondergoed dragen. En toen zei madame plotseling iets over zichzelf.

'Toen ik een meisje was,' zei ze, 'en ik Claudie nog niet had, schilderde ik ook.'

Perdita's adem stokte; ze slikte. 'Is dat zo, madame?'

'Ik kom van het platteland, moet je weten, en ik zou het nooit aan hebben gekund met "Suzanne Mallais" te signeren alsof ik een kunstenaar was; maar ik schilderde wel.'

'U gaf het op toen u trouwde,' raadde Perdita.

'Ik gaf het op, zoals jij dat van plan bent. Maar daarom zeg ik: *wijd je aan je piano*. Jaren later,' zei madame Suzanne, 'toen Mary Cassatt hier in Parijs een tentoonstelling had, ging ik ernaartoe. En daar stond de naam op de schilderijen,' zei ze. 'Mary Cassatt. Niet Philippe of Jules, maar Mary, Mary! Een vrouw! Alsof "Suzanne" mogelijk was geweest!' Ze draaide zich naar Perdita toe; Perdita zag het onregelmatige, roze waas van haar gezicht. 'O, jullie ontwikkelde vrouwen, jullie vrouwen met kansen, zoals mademoiselle Cassatt en jij, mademoiselle, jullie zouden een lichtend voorbeeld voor mij zijn geweest toen ik jong was.'

Ik zal niet schuldig zijn, dacht Perdita. Ik koos wat ik moest kiezen.

'Wilde u doorgaan met schilderen nadat u getrouwd was?' vroeg ze.

Buiten smeet de wind regen tegen de ramen; van achteruit de tuin kwam het geweeklaag van een schuit op de Seine.

'Ah, mademoiselle, het liet me niet los.'

'Bent u…' Perdita haalde diep adem. 'Bent u ooit op úw beslissing teruggekomen?'

Madame Suzanne aarzelde. 'Nee,' zei ze bruusk, alsof de vraag iets was dat als onbelangrijk ter zijde geschoven moest worden.

'U werkte als... wasvrouw,' zei Perdita. 'En dat maakte u gelukkig.'

'Ja, ik ging naar de rivier en deed mijn was, en ik dácht als een schilder... ik zág als een schilder,' zei madame Suzanne. 'En het tuinieren. Ik had er plezier in dingen te maken.'

Lieve hemel, lieve hemel. 'U kúnt nu schilderen, madame, u weet dat het kan. U kunt morgen naar de Grand Bazar gaan – vandaag nog! – om een ezel, verf en linnen te kopen, en u kunt schilderen, al was het maar voor een half uur. U hoeft zelfs niet te signeren,' zei ze, 'maar u kunt het doen. Het is allemaal mogelijk.' Oefentijd of niet, 'ik ga vandaag met u mee, nu meteen, zelfs in deze regen.'

Zwijgen van de kant van madame, dus Perdita hoopte dat ze erover nadacht; maar toen: 'Ah, ik had het bij het verkeerde eind, niet? Elk soort werk is hetzelfde. Als het belangrijk voor je is, kun je er niet maar een half uur aan besteden; het is een leven.'

Perdita pakte haar hand: de hand van madame Suzanne, madame die maar had gewenst en gewenst en niet had geweten dat wat ze wenste mogelijk was; maar die wist dat het een leven was. 'Alstublieft,' zei ze, '*alstublieft*, madame, ga u nú wijden aan het schilderen.'

60

WOENSDAGOCHTEND WAS ZE MISSELIJK EN MOEST ZE TELKENS HET raam openzetten om frisse lucht te krijgen. De regen en de wind roffelden tegen het raam en het was ijskoud. Zittend aan de piano, met jas, das en hoed, maar zonder handschoenen, werkte ze zuigend op een pepermuntje aan 'passie – lichtheid van toucher – expressiviteit'.

Woensdagmiddag, les van Maître: de laatste les op woensdag, de op één na laatste van alle lessen. De selectie die hij haar voor zaterdag gaf was vlinderlicht en sprankelend: Chopin-snijbloemen in een kristallen vaas. Twee van zijn andere studenten, onder wie Paul Favre, gaven de volgende week concerten; hij maakte melding van de hunne, en, na een aarzelende stilte, van het hare.

Na de les vroeg hij haar te blijven.

'Uw programma, wat speelt u?' Ze had hem het programma weken geleden al laten zien. Ze vertelde het hem opnieuw.

'U moet het veranderen.'

Dit was treiterij. 'Nee,' zei ze, schappelijk maar vastbesloten, alsof ze met een impresario onderhandelde. 'Dit is het meest geschikt, gezien mijn sterke punten en de akoestiek ter plaatse.'

'Mademoiselle Amerikaanse, u speelt niet voor Amerikanen, maar voor onze critici.' Daar zat wat in; ze aarzelde. 'U moet iets Amerikaans spelen. Stephen Foster misschien, "Old Folks at Home".'

Ze had schoon genoeg van deze man. Ze trok haar handschoenen uit, stopte ze in haar jaszakken, ging aan de piano zitten en begon te spelen. 'Concord House': modern, massief klinkend, moeilijk om uit te voeren maar goede, echte muziek, een uitdaging voor goede, echte pianisten; Foster schreef voor zangers. Vrouwelijke pianisten zijn als snijbloemen, hou toch op! O, geef ons Chopin, natuurlijk Chopin, en Liszt en Schubert, maar ook het grovere geschut, de krachtige, de massieve muziek...

Doodse stilte toen ze ophield. Ze spitste haar oren om gezucht, schuifelende voeten, wat dan ook te horen.

'Geen enkele vrouw kan zulk soort muziek spelen,' zei Maître. 'Als je dat muziek wilt noemen. De kracht van het bovenlichaam ontbreekt.'

'Op het Conservatoire gebruiken we Érards, monsieur, maar het is moeilijk om uit een Érard een massief Duits geluid te krijgen. Deze componist gebruikt een Steinway, en' – troefkaart – 'hij was van mening dat ik sterk genoeg was voor het stuk toen ik met hem samenwerkte.'

Het was niet nodig om te vermelden dat de componist een verzekeringsagent in New Jersey was, die ze in de ondergrondse had ontmoet. Hij was net zo iemand als madame Suzanne; maar hij componeerde wel echte muziek.

'Wanneer u in Amerika voor uw man speelt zal hij u ongetwijfeld elk instrument geven dat u maar wilt,' zei Maître. 'Getalenteerde vrouwen worden veel meer verwend dan echte kunstenaars, dat kan ik u verzekeren.'

'Getalenteerde vrouwen kunnen ook echte kunstenaars zijn,' zei ze. Ze had onbewust haar handen op het bovenste gedeelte van haar buik gelegd; ze betrapte zich er de laatste tijd op dat ze dat deed. Ze legde ze ineengevouwen in haar schoot.

'Mademoiselle Amerikaanse, toen ik een jonge, idealistische man was, geloofde ik in de ambitie van vrouwen. "Vrouwen willen kunstenaars zijn, net als mannen! Kijk naar Clara Schumann!" Wat heb ik er een tijd aan verspild. Talent is bij een vrouw als een prachtige vatting voor een juweel; het trekt de aandacht van mannen, en zo wordt de vrouw de markiezin van dit of de gravin van dat, en dan is ze geslaagd in het leven. Maar voor een man, mademoiselle, is het talent zelf het juweel!'

Ze begreep hem, maar ze kon er niet in meegaan. 'Maar begrijpt u dan niet, meneer, dat u, wanneer u ervan uitgaat dat alle vrouwen alleen maar op een huwelijk uit zijn, schept wat u om zich heen ziet? U bent voor geen van ons gemakkelijk, maar u leidt de mannen op tot beroepsmusici. U leidde Anys op tot de moeder van een beroepsmusicus. U hebt de mannen gezegd dat ze de piano moesten bespelen als een vrouwenlichaam; u hebt ons niet verteld dat wij de onze moesten bespelen als een mannenlichaam. Ons behandelt u niet alsof de piano sensueel is of noodzakelijk voor vrouwen.'

'Grofheid is geen argument, mademoiselle Halley; praten als een man is niet hetzelfde als spelen als een man. Mannen scheppen muziek, vrouwen krijgen kinderen. Ik heb ooit een getrouwde vrouw aanbevolen voor een betrekking, en toen alle afspraken gemaakt waren, kon madame ze niet meer nakomen, madame stichtte een gezin. Ik stond voor gek.'

Ze drukte haar beide handen in haar schoot en werd meteen misselijk. 'Vrouwen willen wel degelijk kunstenaars zijn, net als mannen, meneer! *Je m'excuse*.'

Ze vluchtte naar het damestoilet in het souterrain. Ze had beschamende dingen gezegd, omdat ze het opgaf, had hem het idee gegeven dat ze met hem van mening verschilde terwijl dat eigenlijk niet zo was; de plaats van een moeder was bij haar kind, die van een vrouw bij haar man. Maar om daarvan uit te gaan, in plaats van de vrouw er zelf over te laten beslissen, daar had Maître ongelijk in.

Op een dag zou er een vrouw zijn met een ziel die diep genoeg was om vrouw en moeder en kunstenares te zijn, en met het geluk om alles te kunnen doen; en wat zou er met zo'n vrouw gebeuren als Maître haar lot al voor haar had beslist? Als ze al getrouwd was, zou ze het conservatorium niet als student mogen betreden. Als ze het wel mocht, zou ze opgeleid worden tot moeder van getalenteerde mannen. Als ze hoe dan ook goed presteerde, zou Maître haar niet aanbevelen bij een impresario of boeker. Ze zou smoren in de woestijn van haar talenten; wat ze ook deed, ze zou minder worden dan ze had gedroomd.

Het enige wat Perdita had gedaan was het moeilijker maken voor die vrouw.

61

TOEN PERDITA WOENSDAGAVOND HAAR PARAPLU BIJ DE BALIE AF-
haalde, zei de conciërge dat een man een roos voor haar had achtergelaten.

'Dat is niet toegestaan, mademoiselle,' waarschuwde de conciërge
haar.

Alexander wist het natuurlijk; zelfs telefoontjes werden ontmoedigd;
ze belde hem meestal vanuit een café. Toch was het lief van hem; ze
hield van bloemen. Ze voelde zich schuldig omdat ze hem niet had geschreven. Het was niet dat ze niets te zeggen had, maar wanneer ze probeerde te schrijven cirkelde haar pen boven de schrijfplank terwijl ze
erover nadacht hoe ze zich tegenover hem moest gedragen, hoe de goede echtgenote die ze wilde zijn zich zou gedragen, zou schrijven en voelen. Hij had niet geschreven sinds het briefje op maandag; misschien
had hij dezelfde moeite met schrijven; misschien was de bloem een verontschuldiging. Ze rook eraan; hij had bijna al zijn geur verloren. 'Wie
heeft hem achtergelaten? Een lange man met een cello-achtige stem?'

'Alsof ik tijd heb me druk te maken om de liefdesaffaires van de studenten! Er zit een briefje bij.'

Buiten geselde de wind haar paraplu als was die een zeil, de regen
roffelde op de stof. Ze haastte zich de hoek om naar Café de la Vielle.
Een beetje misselijk van de lucht van kippenstoofschotel en sigaretten,
haalde ze haar vergrootglas te voorschijn om het briefje te lezen; maar
ze moest het hebben laten vallen, het was verdwenen. Wat had erin gestaan? Ze betaalde voor een telefoontje naar Alexander. 'Bedankt voor
de roos.'

'Roos?' Hij had geen roos gestuurd. 'Je hebt een bewonderaar.'

'Een hopeloze bewonderaar.' O, het was leuk weer met hem te flirten. Ze zou bijna vergeten hoe graag ze hem mocht.

'Ik word bedreigd; ik kom wel met een huurrijtuig.'

Dat deed hij en hij nam een handvol elegante bloemen met gladde stelen mee, die roken naar Chinese kruiden. Ze liet hem de anonieme briefjesloze roos zien, die klein was en nogal verlept, en zijn blaadjes liet vallen alsof erop was gestaan. Ze lachten erom. Ze zei tegen hem dat het zo fijn was hem te zien, zo goed om bij hem te zijn; het soort dingen dat een echtgenote tegen haar man zou zeggen, het soort liefdesbriefjes dat zij had moeten schrijven.

Maar ze vertelde hem niet over madame Suzanne, en ze schreef hem donderdag ook niet, al probeerde ze het wel.

62

BARON REISDEN ZIET U IK WEET WIE U MIJSJE IS. HELP DE MONA LISA of ik zal me over u mijsje ontferme. Ik zallu zien voor u mij ziet.
Leonard probeert er niet aan te denken dat hij het briefje heeft verzonden, het is niets voor hem. Natuurlijk niet, hij heeft het geschreven alsof het van het monster afkomstig was, hij heeft het de stijl van een monster gegeven door het rond de doornen van een roos te wikkelen, en hij heeft het door een loopjongen laten bezorgen. Het schrijven van de brief doet zijn rusteloosheid maar heel even afnemen. Hij zuigt op zijn duim, die hij aan een doorn heeft geprikt, en voelt zich tegelijkertijd boos en romantisch, alsof hij haar vraagt met hem uit te gaan. Hier zal wel op gereageerd worden.

Het briefje ligt op de keistenen, omgekruld door de bloemstengel. De inkt loopt uit in de regen, en het dunne groene papier wordt papperig. De overblijfselen van het briefje glijden over de keistenen, de stenen *bouche d'égout* af, en het Parijse riool in.
Water sleurt het briefje via de stenen pijpen van het riool mee naar een van de grote gewelfde tunnels, het Centrale-Verzamelbassin van het rioleringssysteem. De loop van een oude tak van de Seine volgend, voert het water het briefje de hele boulevard Haussmann langs. Het wervelt rond onder de Opera (het beroemde meer van *Het spook van de opera* maakt deel uit van het rioleringssysteem) en gaat bij de nieuwe Métrowerken onder het Gare St.-Lazare door. Bij het Lazare mengt het briefje, dat inmiddels pulp in water is geworden, zich met het water

van de andere twee grote tunnels, het Rivoli-Verzamelbassin en het Louvre-Verzamelbassin, en koerst noordwaarts op Asnières en de monding van de Seine af.

Het heeft zo lang en zo hard geregend dat al deze rioleringen vol zijn.

En Leonard voelt zich ook vol, propvol en rusteloos, want nu hij dat idee eenmaal heeft gekregen is het zo gemakkelijk om te overwegen méér te doen dan een briefje, een briefje is nutteloos als de baron niet antwoordt, en *je weet dat hij dat niet doet,* zegt een stem in zijn hoofd.

De Seine is aan het stijgen. Het is verontrustend. In de grijze schemering heeft het water een vreemde metaalachtige kleur, als roest, en een geur aangenomen; het kruipt de trap op naar de Vert-Galant. Er komen overstromingen uit de bergen; in de krant staat dat er in Zwitserland lawines zijn.

Leonard houdt zijn lantaarn dicht bij het glas van de Mona Lisa. Op de achtergrond ziet hij rotsblokken die op het punt staan te vallen en gezwollen water dat op het punt staat de lager gelegen rivier te verzwelgen. Hij ziet een rivier op de voorgrond; een piepkleine toren die eruitziet als de Eiffeltoren; rechts de onmiskenbare vorm van de Pont-Neuf. Watervallen hangen als pluimen van de bergen af in de richting van het dal dat zich buiten het raam van de Mona Lisa bevindt.

63

'Goed,' zei Reisden, 'waarom zou Mallais doen alsof hij dood was?'

Ze zaten op de gang bij de leeszaal van de Sorbonne, waar Reisden geacht werd onderzoek te doen. Het was te vroeg voor de gebruikelijke horde rokende studenten; ze hadden de bank voor zichzelf.

'Stel dat Mallais naar foto's schilderde,' zei Reisden. 'Impressionisten schilderen naar de directe impressie – uiteraard – van kortstondige lichteffecten. Maar als Mallais broer Yvaud is en daadwerkelijk artritisch, dan is hij ook langzaam geworden. Hij zou zo gerieflijk mogelijk willen schilderen, in een warme kamer, met foto's om hem te herinneren aan de vormen van de schaduwen, en voor de kleuren zijn verbeelding gebruiken.'

'Dat lijkt me niet verderfelijk.'

Reisden gebaarde naar de muurschildering tegenover hem, een Puvis de Chavannes getiteld *Het gezang der muzen wekt de menselijke ziel*. De menselijke ziel, een nogal gedrongen meisje in draperieën, hield beide handen bij haar oren in de houding van *Munchs De schreeuw*.

'Kijk eens naar hoe die man schildert, allemaal lijnen, allemaal abstracties. Hij placht modellen te fotograferen voor de uitdrukkingen en poses. Maar impressionisten moeten het vlietende moment vangen terwijl het voorbijgaat, en het niet' – hij deed alsof hij een foto nam – 'laten stollen.'

'Er zijn verschillende manieren om te schilderen?' zei Daugherty. 'Ah, ja. Die zijn er, niet?'

Reisden zweeg tactvol. Hij keek toe hoe Daugherty van zijn notitie-boekje naar de muurschildering en van de muurschildering naar zijn notitieboekje keek.

'Ik zou naar Courbevoie kunnen gaan,' zei Daugherty. 'Mijn veldkijker meenemen en naar die Yvaud kijken. Het zou machtig opwindend zijn als hij nog leefde.'

'Misschien komt hij vandaag naar buiten.' Vooralsnog regende het namelijk niet.

'Wat doe jij vandaag, Reisden?'

'Vanochtend,' zei Reisden beslist, 'werk ik. Vanmiddag ga ik bij bankiers langs om leningspapieren te tekenen.'

Hij was een concept-rapport verschuldigd en controleerde artikel-verwijzingen, een noodzakelijk karwei dat hij verafschuwde. Hij zat in de leeszaal te wachten tot zijn gebonden tijdschriftjaargangen bij zijn plaats werden afgeleverd, staarde naar de witgroene schaduw van de studentenlamp en dacht aan Jean-Jacques, de zwakke schakel van de Mallaises. Een academicus heeft toegang tot informatie over studenten. Reisden dacht aan wat hij zou kunnen vinden in het inschrijvingsbureau van de Sorbonne; hij was al in het juiste gebouw, en zijn banden waren nog niet afgeleverd; hij liep naar beneden.

Jean-Jacques deed het uitstekend in de technische wetenschappen, was chronisch te laat met het betalen van collegegeld, woonde in de rue Maître Albert, en (een van die willekeurige feiten die universiteiten over studenten verzamelen) had als kunstenaarsmodel gewerkt in een atelier in de buurt van de place de la Sorbonne.

Dat was twee blokken hiervandaan. Hij vroeg de leeszaal zijn tijd-schrijften te reserveren.

Bij het atelier had hij geluk. Het model, een enorme jongen uit het zuiden genaamd Philipon Soubise, had het baantje van Jean-Jacques gekregen en kende hem. Soubise was ook een techniekstudent – hij had de spieren van een man die met blote handen gebouwen in elkaar zet – en trakteerde hem af en toe op een biertje. 'Arm als een half paar schoe-nen die jongen, en trots! Zijn grootmoeder zou hem graag willen hel-pen, maar dat wil hij niet. Ik weet niet waarom. Werkt als een tram-paard. Sinds ik hem ken heeft hij maar één keer een nummertje gemaakt, maar dat was dan ook wel wat! Het zijn de kleine kereltjes die al het geluk van de wereld hebben bij de vrouwen, weet je, wij groten moeten er maar om bedelen.' Soubise boog zich voorover. 'Milly Xico. Het is toch niet te geloven?'

De oude rue de Bièvre, waar Milly Xico woonde, was in het jaar 1300, toen Dante daar delen uit de *Goddelijke Komedie* had geschreven, een gracht geweest. Hij was nu gedempt, maar de straat liep nog voortdurend onder water. Vervallen voorgevels bogen zich voorover in een poging hun gezichten in het water te zien. Een afvoerpijp stak uit een raam op de tweede verdieping; terwijl Reisden ernaar keek spetterden ondefinieerbare substanties uit de pijp in een plas zodat er langzame, uitgesleten kringen ontstonden.

'Madame Xico?' zei de conciërge. 'Derde deur links, tweede binnenplaats.'

Reisden stak een binnenplaats over die bijna in een hal was veranderd; de hemel was slechts een grijze vochtige spleet boven hem. Een abrupte open plek tussen gepleisterde balken bevatte een met schuim bedekte fontein en een loden gargouille waaruit water druppelde. Hij liep gebukt onder een achttiende-eeuwse stenen brug zo breed als een raam door, sloeg rechtsaf voorbij balken uit de Renaissance die in ruw gips waren gegoten – het herinnerde hem aan Jouvet – en kwam uit op een binnenplaats waarop een spichtige lindeboom de ruimte deelde met twee gepotte dracaena's. Hij klopte aan de enige deur.

'J'arrive!'

Haar appartement rook naar schimmel en sigaretten. Ze had zitten werken; achter haar zag hij een manuscript op blauw papier dat op een houten inklaptafel lag uitgespreid. Haar mopshond lag te snurken bij de haard. Het appartement was klein, een centrale kamer gemeubileerd met een versleten tapijt, een doorzakkende met tapestry beklede sofa, een boeddha waarvan het verguldsel afbladderde, één rechte stoel die bij de tafel was getrokken, en veel planten: duurzame ficussen, vrouwentongen, in vochtige lucht gedijende varens. Door een halfopen deur heen kon hij haar bed zien. Ze trok de deur dicht en bood hem koffie aan.

'Of ik ooit met hem... ben uitgegaan? Eh, ja. Eén keer. Om aan een kopie van de Mona Lisa te komen, natuurlijk!'

'Houdt u van de Mona Lisa?'

'Ik aanbid haar zonder meer.' Ze keek hem aan over de rand van haar kopje. 'Maar waar blijft ze nu? Hij heeft haar nog niet aan me gegeven.'

'Heeft Jean-Jacques het ooit over de schilderijen van zijn grootvader gehad?'

Dat had hij niet.

'Heeft hij bij uw weten ooit een kopie van een Mallais geschilderd?'

'Hij schildert niets anders dan de Mona Lisa. Dat zei hij tegen me. Hij wil maar één ding kopiëren, en toeristen kopen voornamelijk kopieën van de Mona Lisa.'

'Heeft hij ooit over zijn grootvader gesproken?'

Nee.

Ze praatten even over Perdita en vielen toen stil. Ze keek hem heel even recht aan, half pesterig, half uitdagend, half op zoek naar informatie – welke helften opgeteld meer dan één waren, en dat was die blik ook. Er was een eigenaardig aantrekkelijke gereserveerdheid aan haar, ze had iets van een korist in een middeleeuws manuscript; haar grote ogen waren omringd met kohl alsof ze waren geschilderd voor een psalter, en dat alles werd bekroond door het fameuze, met henna geverfde kroeshaar. Ze was over de dertig; haar neus was te groot voor haar gezicht, haar kin te spits, haar mond te dun en nadenkend; ze had onder haar ogen de gekneusde volheid van beginnende wallen, en de deukjes in de hoek van neus en mond die aangeven waar de lijnen zullen komen. Ze was bijzonder aantrekkelijk en wist dat.

'Nog wat koffie, monsieur de Reisden?' Ze fixeerde hem met haar verbluffend mooie saffieren ogen. Ze keken elkaar aan met een blik waarin even met de gedachte werd gespeeld. Er was een minieme aarzeling, die behalve voor hen, voor iedere toeschouwer onzichtbaar was; bij beiden een nauwelijks merkbaar hoofdschudden.

'Wanneer Jean-Jacques uw Mona Lisa aflevert, zou u dan tegen hem willen zeggen dat ik hem graag wil ontmoeten?'

Jean-Jacques' adres was een studentenhotel, de goedkoopste soort behuizing, en Jean-Jacques huurde een kamer onder de dakrand, het goedkoopste soort kamer. Hij nam niet de moeite hem op slot te doen. Zijn dakkamertje bevatte twee Mona Lisa's waaraan nog gewerkt werd, zijn boeken en zijn te drogen gehangen slecht gewassen ondergoed en sokken; geen Mallaises, geen zeventien jaar oude ingenieur, geen aanwijzing.

Reisden liet een briefje voor hem achter: *Ik zou graag met je willen spreken over de schilderijen van je grootvader*, en gaf zijn adres.

'Een man die dol was op de Mona Lisa?'

Inspecteur Langelais had Reisden verteld dat de Mona Lisa ergens in de buurt van de Maubert-markt had geleefd. Het was vlakbij; hij ging ernaartoe. De politie was hem al voor geweest, maar de verkopers van viooltjes en tandpoeder, warm ingepakt en ellendig in de kou, waren spraakzaam. Bij het standbeeld van Dolet veegde de sigarettenverkoopster La Brûlante grijs haar uit haar ogen. Ja, er was een man geweest, zei ze, een van haar eigen mégots aanstekend met een hand vol nicotinevlekken. Hij was een postbode of een nachtwaker. Nee, viel Michie, die kazen verkocht, haar met haar beverige stem in de rede, hij was een heer; hij gaf haar juwelen. Hij was een Italiaan, voegde de éénbenige ketellapper eraan toe; ze noemde hem Leonardo.

Haar Kunstenaar.

'Dat is de man. Wat weet u nog meer? Hij heeft haar vermoord en loopt nog steeds vrij rond.'

Hein! Maar niemand had hem gezien; niemand wist hoe oud hij was of waar hij woonde. 'Ze zei dat hij in een paleis woonde,' zei Michie, waar hij niet veel mee opschoot. Eh, zei de ketellapper, tenslotte was de Mona Lisa *un tout petit peu*, en hij maakte met zijn gespreide hand de schommelbeweging die iets aangeeft tussen seniliteit en de meer acceptabele soorten gekte. Had ze niet gezegd dat president Fallières en de graaf van Parijs haar klanten waren, en dat afgelopen nieuwjaar Victor Hugo rozen voor haar had meegebracht?

'Evengoed,' zei Michie op haar koude vingers blazend, 'moet er iets van waar zijn geweest, van dat paleis. Misschien had hij zijn eigen huis.'

64

Voorbereidingen treffen om te gaan trouwen betekende in Frankrijk eindeloos formulieren indienen: hun geboorteakten, Tasy's overlijdensakte, verdere verklaringen en akten omdat ze beiden buitenlands waren. Reisden was getrouwd geweest, zijn vrouw was in het buitenland gestorven, hij was katholiek maar atheïst, en Perdita was protestants, allemaal dingen die *anormale* waren. Sinds de scheiding van kerk en staat trouwden de meeste mensen tweemaal: op het stadhuis, om wettelijke redenen, en in de kerk om de curé en de familie een plezier te doen. Zij zouden alleen een burgerlijk huwelijk hebben, wat tot gevolg had dat ze onverwacht bezocht werden door een priester uit St.-Sulpice, die zijn best deed om Reisdens verloren ziel terug te winnen en zijn vrouw te bekeren.

De ceremonie zou plaatsvinden op de *mairie* van het eerste arrondissement: smaakvol ingericht, respectabel, de keus van modieus agnosticisme. De lunch na afloop zou gehouden worden in Voisin aan de rue St.-Honoré, in een besloten ruimte. Ze zouden de wittebroodsweken doorbrengen in Nice, aangezien iedereen de wittebroodsweken doorbracht in Nice. En ze zouden bij terugkomst, althans dat hoopte hij, het geluid horen van gezaag en gehamer bij de reparatie van Jouvet.

Het was hem nog niet gelukt de papieren te tekenen; die ene bankbeambte die absoluut noodzakelijk was voor de hypotheek was tijdens de recente overstromingen in Zwitserland en was nog steeds niet terug.

Op donderdag kwam Perdita tussen de middag, na geoefend te hebben, met een huurrijtuig naar dr. Jouvets appartement om het te bekijken. Ze was zenuwachtig en ingetogen, één dag voor haar eerste Parijse concert, maar ze maakte een goede indruk. Het personeel deed niet eens alsof het aan het werk was; hij moest haar de patiëntenbeoordelingskamers en de labs 'laten zien' om hen in de gelegenheid te stellen haar fatsoenlijk te bekijken. Hij en zij gingen de smalle trap op naar *chez Jouvet* en ze nam alles ernstig in zich op, zonder reactie. Hij liet haar dr. Jouvets piano zien. 'Ik heb hem voor je laten stemmen,' zei hij. Ze raakte beleefd de toetsen aan. Aas om haar hier te houden, dacht hij, en dat weet ze.

Ze namen een huurrijtuig en staken de Seine over. Hij was officieel buiten zijn oevers getreden als gevolg van hetzelfde noodweer waardoor zijn man van de bank werd opgehouden, maar er was niet veel om aan haar te beschrijven; de rivier was zo'n dertig centimeter hoger dan normaal. Ze gingen naar een juwelier in de rue de la Paix, waar hij de presentjes voor de getuigen uitzocht – handschoenen, een gouden *pensée*speld met parels voor Dotty, een zilveren sigarenknipper voor Daugherty, en hetzelfde voor de andere twee getuigen, namelijk zijn advocaat en André du Monde. Hij kocht de ringen voor hem en Perdita en liet ze achter om ze te laten graveren. Perdita zou haar jurk van Worth dragen; de mannen zouden in jacquet zijn (Daugherty moest er een huren). Dotty zou volmaakt gekleed zijn, zoals altijd, en zich ergeren over het feit dat er geen tijd was geweest om nieuwe kleren te kopen. Tien jaar geleden was Reisden er gewoon met Tasy vandoor gegaan; de vormelijkheid van dit huwelijk beviel hem, alsof hij het verschil tussen nu en toen benadrukte.

Ze luchten in de Ritz (na met je verloofde trouwringen te hebben gekocht, hoor je in de Ritz te lunchen). Ze was erg stil. 'Alles goed met je?'

'O, ja. Met jou?'

'Zenuwachtig voor morgen?'

'Beter voorbereid kan ik niet zijn.' Ze glimlachte. 'Zenuwachtiger voor maandag, Alexander.'

'Jouvet,' zei hij. 'Wat denk je? Ik woon er, maar wij hoeven dat niet te doen.'

'Wat je wilt, Alexander.'

'Zou je liever in Courbevoie willen wonen?' Heb een mening, liefste, dacht hij. Perdita zonder meningen maakte hem nerveus.

'In Jouvet zou je dichter bij je werk zijn.'

'Ik wil,' zei hij, 'dicht bij jou zijn.'

'Jouvet dan.'

'We kunnen ze allebei houden, als je wilt. Courbevoie is een beter huis voor een gezin.'

Ze glimlachte vermoeid. 'Twee huizen. Daar zal ik mijn handen aan vol hebben.'

'Wat voor piano is het in Jouvet?'

'Het is een Bösendorfer Concert Imperial,' zei ze, waarbij ze onbewust glimlachte en haar hoofd schudde. 'Hoe kan Jouvets nicht die nu niet genomen hebben, Alexander? Het is alsof je een Stradivarius op zolder hebt liggen.'

'Ze heeft hem voor jou laten staan,' zei hij, slechts ten dele schertsend.

'Ik zal hem op slot doen en de sleutel weggooien,' zei ze.

'Ik zal mijn gezag als echtgenoot laten gelden,' zei hij. 'Je moet niet overwegen jezelf van de piano te beroven. Ik wil dat we gelukkig getrouwd zullen zijn, liefste.'

Ze zat er zwijgend bij.

65

Toen hij donderdagmiddag naar buiten ging met de kleinste bruiloftsgast, was de verwachte overstroming zichtbaar geworden; de Seine was vanaf twaalf uur 's middags vele centimeters gestegen. Vanuit het huurrijtuig dat even stilstond keken hij en Tiggy naar de Vert-Galant; de trap die naar de rivier leidde was verdwenen en water stroomde over het plaveisel bij de voet van de oude wilg. 'Kijk, je zult zien dat jouw parkbomen met hun voeten in het water komen te staan,' zei hij tegen Tiggy.

'Zal dat ze pijn doen?'

'Nee, chéri. Dat overkomt hen vaak in de winter.' Een man ging sprongsgewijs over het half ondergelopen plaveisel, zodat het leek alsof hij op water huppelde. Tiggy lachte.

In Au Paradis des Enfants, de grote speelgoedwinkel, werd Tiggy meegedeeld dat er absoluut een feestartikel voor een kind van zijn leeftijd moest worden gekocht. 'Wie is het?' vroeg Tiggy. 'Ben ik het?'

'Misschien.'

'Ik bén het,' zei Tiggy met grote voldoening. Ze keken bij tinnen treinen, tinnen trams, echte boten die je kon laten varen in het Luxembourgbassin; blokken om een château mee te bouwen; bordspelen: Ganzenbord, Slangen en Ladders. 'Dat is geweldig,' besloot Tiggy. 'Het is een fantastisch spel, ik speel het bij Paul thuis.'

'Zullen we dat dan nemen?'

'O, we moeten erover nádenken.' Terwijl Tiggy inwendig de voors en tegens van alle mogelijke speelgoedstukken afwoog, keek zijn oom naar het speelgoed in de volgende afdeling, speeltjes voor *bébés*: zilveren rammelaars en bellen, ivoren bijtringen, ballen, blokken en eindeloos veel boeken om aan een heel klein kind voor te lezen. Hij betaalde voor Tiggy's keuze (het was toch Slangen en Ladders geworden) en deed er een bal met een belletje erin bij.

'Dat is voor een baby,' zei Tiggy. 'Niet voor mij.'

Hij draaide de kleine rode rubberbal in zijn vingers, kneep er nerveus in, onderzocht het onbedrukte oppervlak ervan terwijl het belletje rinkelde.

Na de bruiloft zou alles gemakkelijker voor hen zijn, dat kon niet anders, wanneer ze al hun verhoudingen konden benoemen: echtgenoot, vrouw, vader, moeder. Hij zou verliefd kunnen zijn op zijn vrouw, zijn zoon, zelfs een beetje op de man van zijn vrouw en de vader van zijn zoon, meer dan bij de ingewikkelde verbintenissen die hij nu had.

Hij had Perdita deze week niet geschreven en had gemerkt dat zij hem evenmin had geschreven. Ze hadden te veel innerlijke reserves. Maar een kind… Hij zag deze bal over de vloer rollen naar een baby, die zijn handje uitstak om hem te vangen, en hij werd overmand door emoties: hopeloos, wanhopig, bezorgd, verward, wensend dat de toekomst stukken beter zou zijn dan hij dacht dat hij zou worden.

66

De laatste vierentwintig uur voor een concert oefende Perdita niet meer. Nadat ze Alexander had verlaten, maakte ze een wandelingetje met Milly. Ze zouden naar de promenades zijn gegaan, maar de Seine spatte daar bijna overheen, dus was het op de quai du Louvre, terwijl Milly over de Seine uitkeek en Nick-Nack ertegen blafte, dat Perdita met haar ellebogen op de muur geleund haar oudere vriendin vertelde dat ze ging trouwen.

Milly's stilte was sluw. 'Waarom ga je niet bij madame Bézou langs?'

'Dat ben ik niet van plan.'

'Vanwege de edele, mystieke vrouwelijke plicht? Het Prachtigste wonder van de natuur? Ben je hier wel aan toe?' zei Milly. 'Trouwen, alles voor hem opgeven?'

Perdita hief haar kin. 'Het is het beste.'

'O, mijn g-d! De ideale vrouw doet het beste! Is híj dan tenminste gelukkig?'

'Ja. Ik hoop het.'

'En jij?'

Ze wilde niet te veel denken aan wat ze ieder voor zich voelden. 'Ik ben gelukkig,' zei ze vastberaden. 'Ik neem dit kind.'

Ze liepen zwijgend over de quai. De hemel was donkergrijs en het was zo koud dat Perdita haar schouders optrok en haar handen op elkaar klemde in haar mof. De Seine rook zuur, als klei. Er schraapte iets over het plaveisel.

'Dat was een halve boom. Je zou het water eens moeten zien, het is

zo geel als ganzenpoep. Geel water en een grijze hemel, en takken die als skiërs over de rivier glijden. Ik vind je erg dom, hoor. Het is niet meer dan een kopje thee en wat krampen, en dan word je ongesteld.'
'Milly, hou op alsjeblieft.'
'Je bent gewoon bang. Ga dan naar iets netters dan madame Bézou. Het stelt niets voor.'
'Ik ben bang voor wat ik van mezelf zou vinden.'
Milly zei niets, en toen: 'Wat vind je dan nu van jezelf?'

Ze staken de straat over en liepen door de Tuilerieën naar het café; Milly nam haar mee om met wat vrienden thee te gaan drinken. Milly's mopshond snuffelde in het gras. Perdita ging op een bank zitten. Het grind was nat; haar schoenen maakten een soppend geluid. Aanstaande moeders hoorden hun voeten droog te houden. Achter haar droop het vocht van de takken van een boom. Ze schoof haar mof omhoog over één arm, deed haar handschoen uit, en liet een tak door haar vingers gaan, waarbij ze de knobbelige zwellingen van zijn knoppen voelde. Hoe lang geleden was het dat ze knoppen had gevoeld op madame Mallais' appelboom, in madame Mallais' tuin vol licht? Nog geen twee weken.

Van knoppen naar bladeren en bloemen; van bloemen naar appels, naar zaden, om nog meer appelbomen te maken, om nog meer appels te maken. Ze had een besef van haarzelf als vrouw, zoals mannen over haar dachten: een plek om kinderen te kweken, een boomgaard. Haar borsten waren zwaar en de tepels schuurden tegen haar korset. Amy Beach, dacht ze. Katherine Ruth Heyman. Julie Rivé-King. Olga Samaroff... Op het Conservatoire deed het gerucht de ronde dat het vaststond dat Samaroff met Stokowski ging trouwen en haar carrière opgaf. Nog een bewijs van het feit dat Pianoles voor Gevorderden aan vrouwen niet besteed was; Samaroff had na afronding van haar Conservatoire-opleiding maar een paar jaar opgetreden. Een man met haar talent zou zijn hele leven opgetreden hebben.

'Waar ben je werkelijk bang voor?' vroeg Milly, terwijl ze naast haar ging zitten.

Ze was bang dat dit kind een dochter zou zijn en zou leren musiceren; en dan zou de dochter opgroeien en een dochter krijgen, terwijl de mannen pianospeelden. Ze was bang voor het appartement in Jouvet. Het stond zo vol met spullen, stapels boeken waar ze geen wijs uit kon worden of mee om kon gaan, meubels die Dotty volgens Alexander niet mooi vond, kleine onvertrouwde korrelige vormen die ze in haar handen had gehouden en waar ze met haar vingers in had gepord. (Dr. Jouvets ushabti's: wat waren ushabti's?) Ze was bang voor dr. Jouvets tafel-

zilver, zwaar in de hand liggend en ruikend naar zilverpoets en toewijding. Hoe zou ze weten wanneer het gepoetst moest worden?

Ze was bang voor de piano.

Ze herinnerde zich nu huiverend hoe ze haar trillende vingers naar
de laagste bastoetsen had gebracht, extra toetsen in het onzichtbare
zwart had gevonden, en de laagste toon had laten klinken, C onder de
laagste C, een gebrom. Hij was vals, natuurlijk. Ze had niets liever gewild dan vliegensvlug haar stembenodigdheden halen, om hem te hó-
ren, de volledige klank van de piano, het prachtige middenregister, de
verdiepte gloed van de extra snaren, de vrouwelijke stem van de discant.
Ze wilde hem bespelen, zich erin verliezen, uren achtereen, dagen achtereen, voor altijd.

'Ik ben bang voor doen wat ik wil doen in plaats van wat ik zou moeten doen.'

'*Merde,*' zei Milly, 'dat is makkelijk, doe gewoon wat je wilt.'

'Dat kan ik niet.' Ze dééd wat ze wilde, ze ging trouwen, daar had ze
voor gekozen.

'Ik heb je een keer horen spelen,' zei Milly. 'Je was goed.'

Ik bén goed, protesteerde ze inwendig. 'Kom morgen naar me luisteren,' zei ze. 'Je kunt me nog één keer horen. Misschien twee keer, als
Dotty geen toeval krijgt en haar salon afgelast.'

'Zeg: "Dit is een ramp en hoefde ik maar niet het idee te hebben dat
ik moet trouwen." Dan kom ik.'

67

Het waren de vrienden van Milly, Esther en George, die het mysterie van de Mona Lisa oplosten.

Toen zij en Milly op de thee kwamen zaten Esther en George over hun boeken te praten, waarbij ieder over zijn eigen onderwerp kletste zonder naar de ander te luisteren. 'Er zijn zeshonderd exemplaren verkocht van Georges *Klinkende Vergiften*,' zei Esther zonder het minste spoortje jaloezie. 'Van mijn boek zijn vierennegentig exemplaren verkocht in drie jaar.' Ze leek er nogal trots op te zijn. 'Willen jullie thee?' Ze had een schorre stem; het was vreemd om een mannenstem thee te horen aanbieden.

'Zou je met mij de liefde willen bedrijven?' vroeg George Vittal aan Perdita.

'Nee, dank u,' zei Perdita.

'Dan zal ik je mijn gedichten moeten voorlezen.' Hij pakte haar hand vast; Perdita trok hem voorzichtig terug, hij pakte hem weer. Ze glimlachte, haar hand weer terugtrekkend en hem resoluut tot een vuist ballend.

'De maskers hebben niets te zeggen,' begon George.

'Kunst is als het huwelijk en vervalsing is als vriendschap,' praatte Esther erdoorheen. 'Bij vriendschap heeft macht altijd zijn neerwaartse curve. Je kracht om te manipuleren wordt almaar groter tot er een tijd komt dat je niet wint, en hoewel je misschien niet echt verliest, toch is van tijd tot tijd die zege niet zeker, je macht houdt langzamerhand op sterk te zijn.' Esther moest wel een ontzaglijke adembeheersing hebben, dacht Perdita; zodra ze aan een zin begonnen was kon ze er eindeloos mee doorgaan. 'Alleen bij een nauwe band zoals het huwelijk kan de invloed met de jaren toenemen en steeds sterker worden zonder ooit aan verval ten prooi te raken. Dat kan alleen maar wanneer er geen ontsnappingsmogelijkheid is.'

'Ik wil je beminnen,' zei George, 'maar je half beminnen...'

'Ik heb me anders aardig uit het huwelijk losgemaakt,' zei Milly. 'Iedereen kan het.'

'Jij en Henry zijn niet gescheiden, hij is jouw plaatsvervangende kunst.' Perdita voelde zich tot Esther aangetrokken. 'Ze moet kunst hebben, want voor Milly is zonder een kunst zijn zonder lucht zijn. Ze denkt dat ze niet wil ademen. Leer haar zingen.'

'Ik wil niet leren zingen,' zei Milly.

'Ik kan je wat elementaire stemtechniek leren,' zei Perdita plompverloren. Dit was niet muziek vergeten, zoals ze zou moeten doen, maar het eerste het beste excuus aangrijpen. 'Het maakt niet uit,' zei ze. 'Als je niet beter wilt zingen, dan moet je het niet doen.'

'Het is in elk geval niet iets om boos over te zijn,' zei Milly.

'Ik ben niet boos,' zei Perdita.

'Je bent wel boos,' zei Milly, 'maar je bent een brave vrouw en een brave vrouw kan niet boos zijn.'

'Ik ken tal van mensen,' zei George Vittal pesterig. 'Meestal/Kunnen ze hun lot niet aan/Hun ogen bewegen besluiteloos als dode bladeren...'

'Jíj moet schríjven, Milly, daaraan moet je je wijden.' Esthers jongemannenstem had een soort arrogante onschuld, dacht Perdita; Esther zou nooit hoeven nadenken over echtgenoten of kinderen, of over wie dan ook behalve zichzelf en haar vrienden. 'Je moet je door het leven laten leiden,' zei Esther. 'Je kunt niet leven naar andermans ideeën, ze zullen je beslist nooit gelukkig maken.'

Perdita dacht aan madame Mallais, die zo timide op de achtergrond was getreden door haar was te doen en te dromen van schilderijen terwijl haar man ze maakte. 'Vrouwen kunnen zich niet zomaar door het leven laten leiden,' zei ze tegen Esther. 'Ik ken een vrouw die haar leven lang als wasvrouw heeft gewerkt en op haar man heeft gewacht; maar ze wilde schilderen.'

'Ik ken een vrouw met eenzelfde soort geschiedenis,' zei Milly.

'Ik ook, Milly,' zei Esther.

'Wasvrouw,' zei George Vittal, 'dat is de vrouw van Mallais. Zij wilde schilderen?' Belachelijk, zei zijn toon. 'Mallais moet vernietigd worden,' zei hij, 'maar madame Mallais? Dat is de moeite niet.'

'Waarom kan een vrouw niet schilderen?' vroeg Perdita.

'Als ze wilde schilderen was ze dat wel gaan doen, vooral na de dood van haar man,' zei Esther. 'Mallais is nu al tien jaar dood en wat doet ze nu?'

'O, het is een brave vrouw,' zei Milly, 'ze zorgt voor haar zieke broer en haar kleinzoon, of voor de reputatie van haar man...'

'Nee, dat is niet zo,' fluisterde Perdita plotseling. Onder de tafel klemden haar handen zich samen. Ze had het eerder moeten zien.

'Is ze geen brave vrouw?'

Madame was op de achtergrond getreden. 'Ze heeft geschilderd,' zei ze hardop. 'Ze heeft wel degelijk geschilderd.'

'Dat interesseert geen mens,' zei Milly, 'ze is immers een vrouw!'

'Mij interesseert het wel,' zei Perdita zacht. Madame zat in grote moeilijkheden. Ze had niet met haar eigen naam durven signeren; ze had gesigneerd... *oh lieve hemel, Dotty's schilderij.* Kon ze dat gedaan hebben? En kon ze al die Mallais-kenners bij de neus genomen hebben?

Het was niet waarschijnlijk, maar dat deed er niet toe. Wat het Perdita liet zien, was hoe onverzoend ze was met haar eigen lot. *Ik ken tal van mensen,* had George voorgedragen; *meestal/Kunnen ze hun lot niet aan...* Zij kon haar lot niet aan dat eruit bestond een goede moeder en vrouw te zijn; ze deed er niet eens haar best voor.

Want als het zo was dat madame Mallais schilderde, was Perdita blij.

68

NADAT HIJ BIJ DOTTY OP DE THEE WAS GEWEEST STOND REISDEN bij thuiskomst ontmoedigend nieuws te wachten. Monsieur Delestre, die de definitieve toestemming moest verlenen voor zijn lening, was nog steeds niet terug uit Zwitserland. Het tekenen van de papieren moest van vrijdag naar zaterdag verschoven worden, wanneer de bankier er ongetwijfeld weer zou zijn.

De andere vijf boodschappen op zijn bureau waren van Barry Bullard. Ze ontmoetten elkaar in Maison Choi.

'Ik heb nieuws,' zei Bullard. 'Voor de provinciale tentoonstelling in Normandië van 1863 schijnt Hippolyte Duféray een *Gezicht op de rivier de Somme, met koeien* geschilderd te hebben. Won een gouden medaille. Vervolgens bedenkt Duféray zich en zegt tegen de jury: "Het is niet van mij, ik heb het gesigneerd, maar het is door mijn getalenteerde stiefdochter, Suzanne, geschilderd."' Bullard haalde diep adem en barstte los. 'Het was verdomme een scháduw,' zei hij. 'Armand-tering-Inslaytakken-Hochstein zei verdomme dat het een kleurrijke schaduw was, en dat ik iets dergelijks vaker had moeten zien. Ik kan het hem vergeven dat hij liegt maar niet dat hij zegt dat ik geen kennis van zaken heb.'

'Madame Mallais? Ik denk niet dat het zo is. Ze heeft er de visie niet voor. Ik denk dat het Mallais is.'

'Ze heeft de stock.'

Reisden legde Bullard zijn theorie voor. 'Ze heeft vroeger geschilderd, Jean-Jacques schildert kopieën en Gastedon... Er is geen gebrek aan potentiële vervalsers. Maar Inslay-Hochstein steunt de schilderij-

en. Cressous, die beslist een expert is, denkt dat zijn Mallais een Mallais is. En ik denk het ook. Het is Mallais die schildert.'
'Ik weet het niet,' zei Bullard. 'Waarom? Wist ik maar wat ze aan het doen waren.'
'Hoe kom je erachter,' zei Reisden, 'bij ze inbreken?'

Hij reed naar Courbevoie. De maan stond hoog aan de hemel, in het laatste kwartier; hij stopte op de Levalloisbrug en keek stroomopwaarts naar de trosjes licht die de huizen op de steile oever aanduidden. Hij haalde het huis van Mallais eruit, een donker blok; één olielamp scheen door de luiken.

Hij had Daugherty gebeld vanuit Jouvet, en Daugherty was gaan winkelen. De uitrusting werd op de keukentafel uitgestald: een zaklantaarn, omwikkeld met zwarte tape die een spleet van het glas openliet; Perdita's gevlochten boodschappentas; een stuk dun touw. Reisden legde de laatste spullen op tafel: een stethoscoop en een stift Afrikaans zwartsel, die was overgebleven van André du Mondes amateurproductie van *Othello*.

'Dit is erg onzinnig,' zei Reisden nerveus.

'Ik ga er wel naar binnen,' zei Daugherty. 'Jij hoeft het niet te doen.'

Reisden schudde zijn hoofd.

Ze deden de lichten uit en sloegen het huis onder hen gade, dat schimmig was geworden door de mist en het licht van gaslantaarns boven de muur. Daugherty floot zachtjes. Ze wachtten tot het laatste licht achter madame Mallais' luiken uitging, en wachtten daarna nog een uur. De klok van de St.-Denis sloeg elf uur. Reisden knoopte zijn jas tot zijn kin dicht, om zijn witte overhemd en boord te verbergen. Zijn bleke huid besmeerde hij met *vaseline boriquée*, daarna met de zwarte make-up, en hij trok zwarte leren handschoenen aan.

Het plan was als volgt. Wanneer Reisden eenmaal op de zolder was, zou Daugherty bij het huis van Mallais aanbellen, en doen alsof hij verdwaald was. Hij zou iedereen in huis wakker maken. Reisden zou de stem van Mallais herkennen… of niet. Iedereen zou weer gaan slapen, en Reisden zou vertrekken met alle bewijsstukken die hij op de zolder aangetroffen had.

Volkomen onzinnig. 'Het lijkt wel iets uit Arsène Lupin,' mompelde hij. 'Goed. Klaar.'

Ze liepen met de ladder uit het schuurtje, een houten ladder met gelijke uiteinden zoals men bij schilderwerk gebruikt, over het kleipad naar het achterste gedeelte van de tuin. Ze zetten de ladder tegen de muur. Reisden tilde hem op, om het gewicht te testen – veel te zwaar –

klom omhoog, en knielde boven op de muur neer. Madame Mallais was bij haar pogingen om een muur te bouwen niet zover gegaan dat ze er zoals gebruikelijk glasscherven bovenop had aangebracht; een geluk bij een ongeluk. 'Duw de ladder omhoog,' fluisterde hij. Daugherty gromde terwijl hij de ladder optilde; Reisden hees hem op, vloekte, hield hem in evenwicht, en liet hem naar de andere kant overhellen. De ruimte tussen huis en muur was zo krap dat de ladder bijna vast kwam te zitten; Reisden trok hem met een ruk terug voordat hij een schrapend geluid maakte, en liet hem toen naar beneden glijden tot één uiteinde op de grond rustte. Hij klom naar beneden en zette de ladder vervolgens schuin tegen de huismuur, net onder de vensterbank van het zolderraam.

Voorzichtig, zonder zich te haasten, begon hij via de ladder naar het raam te klimmen, zoals een inbreker normaal gesproken te werk zou gaan. Het was geruststellend dat hij theatermake-up ophad terwijl hij dit deed; de geur ervan en het maskerachtige gevoel maakten alles enigszins onwerkelijk. Hij zette zich schrap tegen het raamkozijn terwijl hij het luik probeerde open te doen; op de klink natuurlijk. Hij bracht voorzichtig zijn pennenmes tussen de luiken omhoog, stuitte op de klink, en tikte hem met een ruk van zijn pols omhoog. Het zware luik zwaaide open.

De zolder stond vol schilderijen.

Het was moeilijk te zeggen hoeveel het er waren, de zolder was geen volledig vertrek maar een lage, spits toelopende opslagruimte, als een graanzolder op het platteland. De schilderijen stonden allemaal omgedraaid tegen de muur.

Daugherty was inmiddels boven op de muur geklommen. Vanaf de zolder duwde Reisden de ladder van het raam weg. Daugherty ving hem op.

Nu was hij op de zolder, en daar kon hij tot Daugherty terugkwam niet meer af.

Het vertrek was zo laag dat hij niet rechtop kon staan. Hij liet zijn geïmproviseerde donkere lantaarn in het rond schijnen en zag overal schilderijen, kleine en grote, in stapels, in rijen, tegen elkaar aan leunend. Hij knielde neer, telde ze grofweg, en begon ze te bekijken. De eerste paar zagen eruit als schilderijen van Mallais: studies van de Grande Jatte, de Pont de Lavallois, de Notre-Dame in de schemering. Als het vervalsingen waren, dan zag hij het niet.

Het volgende leek op een Cézanne.

Hij trok het voorzichtig te voorschijn, zonder geluid te maken. Mallais was nog steeds de schilder, maar een Mallais die het grote Cézannerestrospectief bij Vuillard had gezien: het retrospectief van 1906, zes jaar na de dood van Mallais. Het schilderij toonde een raam van een Parijs' gebouw, in alle schakeringen van crème en geel, van nieuw hout tot albast. Het was een merkwaardig en prachtig schilderij, bijzonder kleurbewust in weinig meer dan schakeringen van wit; maar wanneer had Mallais op deze wijze geschilderd?

Minutenlang vergat hij bijna waar hij was, en bekeek hij alleen de schilderijen. Nog meer Cézanne, iets Gauguin-achtigs. Studies, waarschijnlijk voor *De oude appelboom*, een intens, vervagend roze, samengesteld uit groen, rozerood, een rijpend bruin; de bloesem waaide van de boom en vulde het schilderij met een roze licht. Een studie voor *Spar en schaduw*, die hij apart zette. De Renault- en Citroënfabrieken en de 'Pont Noir' in de schemering: tere, sensuele paars- en roodtinten, roestige, elektriserende geeltinten, en onder een straatlantaarn een man met een bolhoed die een vrouw oneerbare voorstellen deed, hun geschetste gezichten en gestaltes donker aangegeven, haar jurk een opzienbarend olijfgroen. Kleuren, intense kleuren, die alles wat de schilder in het veld of de tuin gezien kon hebben ver te buiten gingen, de ene kleur hartstochtelijk tegen de ander bewegend. De bootjes, schuiten en bomen van Parijs scheurden uiteen door de druk van louter kleur, verdronken en losten op in kleur, boordevol licht.

De meest recente schilderijen waren met stukjes ijzerdraad aan de schoorsteenmuur gehangen: ze moesten nog drogen. Het ene donkergetinte doek na het andere, studies van de regen, van paraplu's, opgetrokken schouders van paarden onder gaslicht en elektrisch licht. Hij liet de bundel van zijn geïmproviseerde zaklantaarn erlangs glijden, zette bij een ervan grote ogen op en haalde het naar beneden.

Het was zijn auto, zijn donkergroene Mercedes, die in blauwe schemering op de hoofdweg geparkeerd stond. Eén kant van de motorkap stond omhoog; een man in een zwarte motorjas, met een zaklantaarn in zijn hand, stond ingespannen en volkomen geconcentreerd de warboel van heldere kleuren van de motor te bekijken. Het schilderij gaf een gevoel van luchtledigheid, van teruggetrokkenheid; het vrij onduidelijke gezicht was gevormd uit schaduwen en de weerschijn van vuur. Zelfs het licht was kunstmatig, met uitzondering van de schemering die als een blauw geheugensteuntje aan de randen van de lijst hing.

Het was een novemberavond geweest, november twee maanden geleden, vlak nadat hij het huis voor het eerst had bezichtigd; de auto sloeg niet aan, hij had er een bougie verkeerd ingezet en hem geblokkeerd, en terwijl hij eraan had staan sleutelen, ermee tobbend zoals hij tobde over de verhouding met Perdita, was een oude Française die met haar boodschappen op weg naar huis was, blijven staan om naar hem te kijken. Hoe hij ook zijn best deed, meer dan dat kon hij zich van haar niet herinneren. Maar hij herinnerde zich haar wel.

Bijna onder zijn voeten hoorde hij de vage neusklank van haar stem. Hij hield zich doodstil, en voelde zich net een voyeur.

'Mademoiselle Perdita's vrijer had het op jouw opening over gekleurde schaduwen, misschien zei hij me alleen maar gedag, maar zijn nicht bezit *Avondlicht* moet je weten, en hij is schrander. Het staat me helemaal niet aan.'

Reisden sloot zijn ogen. *Jouw opening.*

'Oudje,' zei de man teder. Een beschaafde stem, zoals Perdita had gezegd; een oude stem, bevend en pijn verradend. Het was veertien jaar geleden dat Reisden Mallais had horen praten; hij zou niet durven zeggen wie hij nu hoorde.

Achter hem begon het openstaande raamluik plotseling te kreunen.

'Hoor jij ook iets boven?' zei ze.

Verdórie nog aan toe, hij had het niet dichtgedaan.

'Dat elléngdige luik is zeker opengewaaid. Ik ga even kijken.'

Waar was Daugherty? Je kon je op de zolder nergens verschuilen. Reisden stopte de zaklantaarn in zijn zak en ging plat op de vloer liggen, zwart in het duister. Vanaf de verdieping onder hem trok ze de trap naar beneden die naar de zolder leidde; een flikkerende waaier van licht bescheen in beweging gebrachte stofdeeltjes.

'Ik ken je langer dan vandaag,' zei Mallais. 'Dan blijf je daar de halve nacht naar ze zitten kijken.'

Een zucht van haar, half een lach. 'Was het het waard?' vroeg madame Mallais. 'Was het het echt waard, voor die schilderijen?'

'Dat weet jij toch ook wel?' gromde de oude man teder. 'Goede handen, heb je... wat was dat? Maagd Maria!'

De bel rinkelde opnieuw: Daugherty eindelijk. Reisden hoorde een gefrustreerd gesprek beneden, de ene partij alleen Engels pratend, de andere alleen Frans. Was wat waard? Wat hebben jullie gedáán? De Mallaises nestelden zich in bed; hij hoorde een gefluisterd welterusten, gemopper over een kat, en ten slotte het zachte gesnurk van de twee oude mensen die samen lagen te slapen.

In het donker knoopte hij op de tast één uiteinde van het touw aan de klink van het luik. Hij waagde het erop de zaklantaarn weer aan te doen om het schilderij van hemzelf en de studie van *Spar en schaduw* te selecteren. Ze pasten precies in de gevlochten boodschappentas. Daugherty duwde de ladder naar hem toe. Hij zwaaide zijn lichaam het raam uit en de ladder op. Hij schoof het touw door het halfgesloten luik boven de klink, deed het luik voorzichtig dicht, en trok met een snelle ruk, alsof hij een motor opstartte, de knoop open en het koord los. De ladder af met de schilderijen, de ladder van de zijkant van het huis naar de muur verplaatsen, de ladder opklimmen, de schilderijen overdragen aan Daugherty, de ladder optrekken – dat snertding woog minstens vijftig kilo; er brokkelde een stukje van madame Mallais' cement af. De ladder kantelen, voorzichtig neerzetten, naar beneden klimmen; en klaar was Kees.

'Ze schilderen *allebei*.' Reisden zat bij het vuur met een dubbele brandy (in een theekopje; ze hadden geen cognacglazen). 'Hij leeft. Sommige schilderijen zijn van hem; ze zei "jouw opening, jouw schilderijen". Maar deze is van haar.'

Daugherty hield het schilderij met beide vuisten vast, en liet zijn ogen vandaar af naar de studie voor *Spar en schaduw*, en vervolgens naar Reisden glijden.

'Tot de Romantici ging het er bij schilderen net zo aan toe als bij loodgieten of timmeren,' zei Reisden. 'Het werkte met een leerlingen-systeem. In een atelier had je een meester, een paar ambachtsgezellen en een paar leerlingen of assistenten.' Van Dyck had alleen de gezichten en handen van zijn modellen geschilderd; een van zijn assistenten had niets anders dan draperieën gedaan. 'Mallais' vingers waren gezwollen toen hij Dotty's portret tekende, vier jaar voordat hij zogenaamd stierf. Ik weet nog dat hij het potlood liet vallen. Stel dat hij wilde schilderen maar zijn handen hem in de steek begonnen te laten en hij niet zo goed of zo snel meer kon werken. Wat zou jij gedaan hebben?'

Daugherty dacht na. 'Ik zou niet gezegd hebben dat ik dood was.'

'Ik evenmin, en dat begrijp ik ook niet, maar ik denk dat hij haar heeft opgeleid om hem te assisteren. Maar assistenten worden zelf ook schilders. Ik vermoed dat ze nu de smaak te pakken heeft.'

Daugherty keek van het ene schilderij naar het andere.

'Maar dat is toch niet legaal?'

Reisden dacht aan de Inneses, de Blakelocks, zelfs Corot die zijn zegen gaf aan de Corots van zijn studenten. De visie van één man wordt die van een hele familie. 'Nee. Maar wel begrijpelijk.'

'Ze zijn op dezelfde manier geschilderd,' zei Daugherty. 'Hij heeft deze geschilderd en zij de andere?'

'Ik weet niet wat zij heeft geschilderd.' Reisden schudde zijn hoofd. 'Dat kunnen jij en ik niet zien. Ik zal ze allebei naar Bullard brengen. Hij kan het verschil zien.' Hij haalde zijn zakhorloge te voorschijn: over tweeën. De piepkleine datumwijzertjes waren verschoven naar vrijdag,

21 januari, de dag van Perdita's debuut. Vanochtend Bullard, dan de bank; vanmiddag Perdita's concert bij mevrouw Bacon. Vanavond zou hij Dotty op de hoogte brengen van het huwelijk. En over drie dagen zou hij met Perdita trouwen.

Ze waren er niet aan toe. Vannacht had hij in het huis van Mallais iets van de kwaliteit van het huwelijk van de Mallaises geproefd, een duurzaamheid die je kon aanraken, als steen. Een kwaliteit, misschien, van dat gezamenlijke werk. Hij en Perdita hadden dat niet.

Lieve Perdita – voor het eerst in een week tijd kon hij haar schrijven, al was het alleen in zijn hoofd. *Madame Mallais is een vervalster*. Maar hij kon haar niets schrijven over de kwaliteit van dat huwelijk, de warmte en duurzaamheid ervan, of waarop het was gebaseerd. Na haar gevraagd te hebben haar eigen werk op te geven, was dat wreed.

69

Afgezien van Pearl waren Roy Daugherty's ervaringen op het gebied van seks sporadisch en commercieel geweest, zoals sokken kopen. Op zaterdagavond had hij Milly en haar hondje thuisgebracht, en er was van alles gebeurd. Hij herinnerde zich onsamenhangende dingen: het licht nog aan, een uitgetrokken draad op het kussenkleedje, en Milly's mopshond die hen gadesloeg, hijgend en kwijlend.

De hele zondag had hij als een toerist door de stad gezworven. Veel vrouwen in Parijs hadden kleine hondjes als dat van Milly. In de ondergrondse droegen vrouwen poedels in manden; glinsterende ogen piepten uit hun moffen; in hun armen hielden ze mini-schnautzers in kleine wollen jasjes, alsof het baby's waren. Op de quai, bij een van die boekenstalletjes die op de balustrade zijn geplaatst, zag Daugherty een ansichtkaart van een vrouw die een hond omhelsde. *Paris, Ville d'Amour*. Zoveel Frans kende hij wel. Parijs, Stad van de Liefde.

Toen hij nog eens goed keek, zag hij dat de vrouw Milly was.

Hoewel hij begunstigd was door een Française die op ansichtkaarten stond, voelde hij zich op een vreemde manier gekleineerd en teleurgesteld. Wat hij had gehad was alleen maar een speciale manier van toerist zijn, wat een man moest doen wanneer hij in Parijs was om te bewijzen dat hij een man was. Wat hij wilde was iets meer, niet een ansichtkaartvrouw maar een echte, geen kermisglitter maar goud.

Wat hij wilde was wat hij hoopte dat Reisden en Perdita hadden.

Reisden had hem over hun huwelijk verteld toen ze terugreden naar Parijs. Ze waren naar de oever van de Seine gegaan, hadden de auto bij een brug geparkeerd en gingen staan uitkijken over het water. De dag begon net aan te breken en het was steenkoud. Aan de overkant van de rivier, afgetekend tegen de lucht, stond de Eiffeltoren in fletser wordende lampen.

'Je zult heel gelukkig worden,' zei Daugherty.

Reisden zei niets.

'Waar of niet?'

Gedurende een ogenblik kwam er geen woord over zijn lippen. 'Ja,' klonk het ten slotte explosief, met een zweem van onzekerheid.

Onder de brug stond een groot standbeeld van een man, misschien drie meter hoog, een soldaat met een wijde kniebroek, een platte pet en een baard. Reisden zei dat de Parijzenaars hoog water in de Seine maten door te kijken hoe ver 'de Zoeaaf' onder water stond. Ze praatten over wanneer het huwelijk zou plaatshebben, en waar je de juiste soort jacquet en broek kon huren, dat soort beleefde conversatie.

'Waar of niet?' zei Daugherty weer. 'Gelukkig?'

'Ja, zeker.'

Zodra hij thuis had ontbeten ging Daugherty Perdita opzoeken.

Het was de ochtend van haar debuut, maar ze zei dat ze toch maar zat te wachten, en dat ze met hem over madame Mallais wilde praten. Aan de overkant van haar gebouw leidde een trap naar een dwarsstraat zes meter daaronder. Ze gingen halverwege de trap zitten en keken naar grijze keistenen en grijze Franse gebouwen beneden hen. Perdita was bleek onder haar grote hoed. Ze bood hem een maagpepermuntje aan uit haar handtas. Hij herinnerde zich bezorgd dat ze dat vorige week ook had gedaan en wilde vragen of haar maag van streek was, maar kreeg toen een ingeving. O, hemelse goedheid, wat hadden de kinderen zich nu toch op de hals gehaald? Hij kon het maar beter niet vragen, wilde niet meer weten dan hij moest weten, hij feliciteerde haar alleen maar.

'Dank u,' zei ze, met opgeheven hoofd, zoals toen hij haar had betrapt met Reisden.

Ze vroeg hem over mevrouw Mallais, en omdat hij het idee had dat hij haar van streek zou maken met wat zij wisten, draaide hij eromheen tot ze hem op de man af vroeg: had mevrouw Mallais een van die schilderijen geschilderd?

'Nou,' zei hij, 'ja. Ik geloof het wel.'

Zij en haar man hadden ze samen geschilderd, legde hij uit, voornamelijk haar echtgenoot. Zij was een soort… zijn assistente. Ze schilderde gedeelten van zijn schilderijen. Stukjes. Zo nu en dan.

'Nooit een van haarzelf?'

Nou, ja. Eén keer. Eén keer waarvan hij het zeker wist.

'Ze heeft het gedáán,' zei Perdita, en... tja, er waren geen woorden voor hoe ze eruitzag; ze bewoog zich nauwelijks en veranderde nauwelijks van lichaamshouding, maar ze balde haar vuisten alsof ze de Red Sox stond aan te moedigen die aan het eind van de negende inning een achterstand inliepen, met drie mannen op de honken en twee outs: erop of eronder, Red Sox, kom op! 'Ze heeft écht geschilderd. Ze schíldert.' Het ontroerde hem op een manier waarop hij niet ontroerd wilde worden, omdat ze er zo gelukkig uitzag. Hij had haar nog niet gevraagd of ze gelukkig zou worden in haar huwelijk, en nu durfde hij dat niet meer.

'Haar man heeft het haar opgedragen,' zei Daugherty.

Perdita schudde haar hoofd. 'Het was haar idee.'

'Liefje,' zei Daugherty voorzichtig, 'het kan weleens niet legaal geweest zijn, wat zij heeft gedaan, dus is het beter als haar echtgenoot het haar heeft opgedragen. Ze hebben ze verkocht alsof het zijn schilderijen waren.'

'Hij moet haar dat hebben toegestaan. Hij vindt dat het in orde is. Meneer Daugherty,' zei ze hoopvol, 'hij moet haar gemachtigd hebben te doen wat ze deed.'

'Het is vervalsing,' zei Daugherty mistroostig.

Ze werd bleek. 'U bedoelt dat ze ervoor gestraft zal worden?'

'Ze moet ermee ophouden,' zei Daugherty, en voegde er eerlijk aan toe, 'dat in elk geval. Reisden hoopt dat hij het voor elkaar kan krijgen dat ze alleen maar hoeft op te houden.'

'U kúnt haar niet dwingen op te houden,' zei Perdita. 'U kunt haar echt niet dwingen op te houden. Ze wilde zo graag schilderen. Ze moet er jarenlang elke dag aan hebben gedacht, meneer Daugherty, terwijl ze in plaats daarvan een goede echtgenote was en als wasvrouw werkte. Nu doet ze het, en niet omdat ze een misdaad wil plegen, ze schildert niet voor het geld, ze probeert niet te vervalsen; ze schildert voor zichzelf; ze maakt haar werk omdat ze niet anders kan; u kunt haar niet dwingen op te houden.'

'Liefje, je bent onredelijk,' zei Daugherty. 'Daar zou ze nog goed mee wegkomen.'

'Wanneer gaat u haar weer opzoeken?' vroeg ze.

Hij zou morgenochtend met Reisden op pad gaan.

'Ik ga met jullie mee. Dit kunnen jullie gewoon niet doen en dat zal ik zeggen ook.'

Dat was dat, ze vroeg het hem niet, ze deelde het hem mee. Perdita vroeg hem haar naar haar hotel terug te brengen; ze zou Reisden en hem op het concert zien.

'Liefje,' zei hij voordat ze naar binnen ging, 'zul je nu gelukkig worden met Reisden?' Hij bedoelde het als een vraag, maar het klonk als een instructie.

Hij zocht een café uit bij de Madeleine en nam zo'n klein versterkend kopje zwarte café-koffie. Hij krabbelde wat in het wilde weg, een lantaarnopsteker omringd door lichtstralen, Perdita's hartstochtelijk gebarende handen (hij verloor zich in lijnen, probeerde de elegantie en woede ervan te pakken te krijgen). *Hij heeft haar gemachtigd! Hij vond dat het in orde was!* Vrouwen zeiden altijd dat hun mannen hun hadden opgedragen het te doen. Hij kreeg Perdita's handen niet helemaal goed, en hij probeerde het opnieuw op een schone bladzij, enigszins gegeneerd; het waren maar krabbeltjes.

Op de plaza voor de kerk was een soort uitgraving, een bouwterrein, waarschijnlijk voor de Métro. Enkele mensen hadden zich eromheen verzameld. Daugherty legde geld op het koffieschoteltje en slenterde ernaartoe. Ze staarden allen omlaag in het trapgat. Onder aan de trap was de vloer donker geworden.

Toen hij nog eens goed keek zag hij dat de duisternis water was.

70

NAAST DE RIOLERINGEN WAREN ER NOG ANDERE TUNNELS UITGE-
graven in de grond onder de straten van Parijs. Oude Romeinse lood-
mijnen, vroeg-christelijke catacomben en de overblijfselen van middeleeuwse putten deelden de grond met spoorwegtunnels, de rioleringen,
en nu ook de Métro.

Bij het graafwerk voor de Métro waren er verscheidene malen rioleringsbuizen geraakt. Bij St.-Michel had langzaam weglekkend vocht uit
een rioleringsbuis waarschijnlijk de kortsluiting van een week geleden
veroorzaakt. Op donderdag gebeurde er in de tunnels van het Gare
d'Orsay iets ernstigers.

Tijdens het graafwerk voor de Noord-Zuid, de grote nieuwe Métro-
lijn die Orsay en St.-Lazare met elkaar zou verbinden, hakten ingenieurs per ongeluk in een van de zijwaartse rioleringsbuizen van het Centrale-Verzamelbassin van de Linkeroever, de grootste riolering aan de
Linkeroever. Ze vulden de opening onmiddellijk met cement en barri-
cadeerden hem. Deze reparatie zou meer dan sterk genoeg zijn geweest
om normale waterdruk te weerstaan.

Maar wanneer het boven de Galeries Lafayette regent, regent het in
het hele noordoostelijke deel van Frankrijk; en het regende al dagen on-
ophoudelijk. De Yonne en de twee Morvins waren dagen geleden al
buiten hun oevers getreden, en de doorweekte grond was zo ondoor-
dringbaar als steen; het water kon nergens anders heen dan naar Parijs.

Het was bekend dat de Seine tijdens de omvangrijkste en gevaarlijk-
ste overstromingen een centimeter per uur was gestegen. Een café-ei-

genaar in Ivry, een eindje stroomopwaarts van Parijs, begon deze ochtend om het uur de waterstand in de pijlers van zijn aanlegsteiger te kerven, omdat niemand hem anders zou geloven; het water steeg meer dan drieënhalve centimeter per half uur. Als dit zo doorging, zou het na een dag op halve manshoogte zijn gekomen.

Hoewel het twee dagen niet had geregend, was de Seine zo vol dat de rioleringen niet op een normale manier afwaterden. Op vrijdag vroeg in de ochtend drong het Centrale-Verzamelbassin van de Linkeroever het water inmiddels terug door zijn eigen zijtakken, waaronder de verzwakte zijwaartse rioleringsbuis onder de hoek van de boulevard St.-Germain en de rue de l'Université.

De rioleringsbuis knapte. De doornatte grond werd geïnfiltreerd, zodat de honingraat van kleine buizen en grond tussen de buis en het straatniveau verzwakt raakte. Langs de rue de l'Université begon het water via keldermuren souterrains in te sijpelen. Maar het grootste deel van het water verspreidde zich razendsnel in de onvoltooide Noord-Zuid-Métrolijn.

71

REISDEN HAD VRIJDAGOCHTEND ONGEVEER TWEE UUR GEWERKT IN Jouvet en nam een pauze om koffie en broodjes te halen voordat hij Barry Bullard zou bellen. Bij de metrohalte van St.-Germain-des-Prés, bij de ruïnes van de oude kerk, had zich een menigte verzameld die omlaag staarde, de betegelde ingang in. Een dikke, gefrustreerde vrouw baande zich een weg de trap op, leunend op een wandelstok; ze stond stil; haar hoed, versierd met een opgezette eekhoorn, knikte op kniehoogte van de voorbijgangers toen ze naar hen opkeek.

'*Tout est en panne,*' verkondigde ze bitter.

'Alweer kortsluitingen?' vroeg een zenuwachtig uitziende man met een bolhoed.

'Nee, het is water!' zei een jongere vrouw, driftig zwaaiend terwijl ze achter de dikke vrouw aan de trap op rende. 'Water in de halte van St.-Michel, Chambre des Députés, overal, alles is gesloten, neem me niet kwalijk, ik ben te laat! Rijtuig? Rijtuig!'

Reisden dacht aan de schimmelige stenen kelder van Jouvet en het archief. Hij ging de Métrotrap af. De geur van de overstroming was onmiskenbaar, zelfs bij het *guichet*, een mengsel van verrotte groenten, fecaliën en klei, de geur van de riolen. Tijdens de ergste regen stonk het in de kelder van Jouvet ook zo; die stank drong door in de archiefladen en deed hem denken aan de geur bij autopsie.

Onder de felle lampen was het station zo schoon als een ziekenhuis, en de lage, wit-betegelde bogen glommen alsof ze pas waren afgesponst. Reisden hoorde ver weg in de tunnel een zwak geraas alsof er een trein aankwam of een brandslang open was blijven staan; dat was alles. Een groepje ingenieurs had zich rond de tunnelopening verzameld. Reisden voegde zich bij hen.

'Wat de overstroming van de rivier betreft,' zei de gezette, bebaarde ingenieur Ducat, 'die zal tot zondag doorgaan, als het weer goed blijft, en het water zal maandag of dinsdag gaan zakken. Het rioleringssysteem zou daarvoor moeten zorgen. Maar wat uw kelder betreft, monsieur, is dit het probleem.'

Hij bevoelde de betegelde muur. De vingers van zijn handschoen kwamen er nat van af, en op de plek waar hij de voegspecie tussen de tegels had aangeraakt, vormde zich een vochtparel.

'Waterdruk; de grond is vol. Zo dicht bij de rivier, monsieur, zal uw kelder de komende dagen water afscheiden, zo niet erger.'

De ingenieurs keken de tunnel in waar zich plassen water hadden gevormd, op één punt diep genoeg om de rails te bedekken. Reisden keek ook. Waar de rails onder de waterspiegel zonken rimpelde het water. Plotseling trilde het oppervlak en verschoof het, een paar centimeter van de rails in één keer bedekkend.

Half negen; Jouvet maakte zich op voor een lange dag van patiëntenbeoordeling en labwerk, en ze waren met te weinig personeel; verscheidene medewerkers waren te laat. Reisden ging naar beneden en bevoelde de keldermuren.

Ze waren vochtig.

Negen uur. De gebruikelijke patiëntenbeoordelingen waren op de eerste verdieping in volle gang, maar de labtechnici werden gemobiliseerd om het archief te verplaatsen. Om het gewicht zo licht mogelijk te houden zouden ze alleen de laden nemen, niet de kasten.

Reisden belde de bank op en zei dat hij het die ochtend niet zou redden. Dat gaf niets; de beambte die over deze zaak ging was nog steeds niet terug.

Om half tien kwam de neef van de conciërge met opzienbarend nieuws: de lage gedeeltes van de voorstad Ivry stonden onder dertig centimeter water. Hij was Parijs in gekomen via de Austerlitz-Orsay spoorlijn, die in een geul langs de rivier liep. 'Hij wordt opengehouden door pompen,' zei hij opgewonden. 'De wielen van de trein deden het water opspatten, woesj! Hoog genoeg om de ramen te wassen.'

'We kunnen maar beter haast maken met die patiënt uit Orléans,' zei madame Herschner.

'Volgens mij doen we er goed aan haast te maken met iedereen ten oosten van Parijs,' zei Reisden, aan de bankier denkend die onverklaarbaar genoeg niet uit het oosten had kunnen terugkeren.

De technici begonnen de archiefladen een voor een door te geven de trap op en brachten ze ook met de lift omhoog. Samen met het archief gingen geruchten de trap op. Het meest spectaculaire gerucht was dat de metrostations van de Noord-Zuidlijn tot St.-Lazare allemaal waren gesloten.

Om half een stortte op de hoek van de boulevard St.-Germain en de rue de l'Université een deel van de straat in.

In Jouvet voelden ze eerst de schok, alsof iemand met een enorme rubberen hamer tegen het gebouw had geslagen; vervolgens hoorden ze het gerommel aan het eind van de straat. Tot hun ongeluk zat er in de wachtkamer ene Gimault die in een ingestorte mijn had gezeten en ofwel neurologisch letsel had of heel, heel erg bang was. Hij schreeuwde en stormde naar buiten, waarbij hij een paneel in een van de glazen deuren brak. Reisden ging achter hem aan en vond hem midden op straat, bloedend uit een snee in zijn hand en trillend opkijkend naar de lucht: *'Tout va s'écrouler! Tout!* Alles stort in!'

Aan het eind van de straat, bij de Boulevard St.-Germain, was een gedeelte van de keistenen zomaar in de verzakking verdwenen. Uit het gat kon men hetzelfde geraas horen als in het Métrostation. Ondanks de kou en de vochtigheid steeg er een onmiskenbare stank uit op. 'Gebarsten hoofdriool,' zei iemand overbodig. Dicht bij het gat vormde zich een kleine plas, volmaakt vierkant, wat wees op een verzakking eronder.

'Iedereen achteruit! *Y a rien à voir.*'

Het gedeelte van de straat werd gebarricadeerd met planken en stukken rioolbuis. Twee politieagenten en een man met een bolhoed leidden het verkeer van de hoek vandaan, maar het verkeer bleef meteen aan beide kanten van de zinkput vastzitten. De boulevard St.-Germain is een hoofdstraat aan de linkeroever; fiacres, bestelkarren, huurrijtuigen en auto's hoopten zich op als mieren; over de avenue strekte zich een staart van verkeer uit. De man met de bolhoed, een stadsingenieur, begon te mompelen over overbelasting van het plaveisel en verdere verzakking. In de verwarring kwamen koetsiers van hun bokken om zich met elkaar te onderhouden.

Zelfs bij deze verwarring kon je nauwelijks geloven dat er iets mis was. Voor het eerst in dagen was het een stralende dag. Op het puntdak van Jouvet glommen de dakleien alsof ze in de was waren gezet; het windvaantje van ijzer en hout zwaaide heen en weer in de bries. Alleen de laden die vanuit de kelder over de binnenplaats werden gesjouwd hadden iets sinisters, als de bagage van vluchtelingen.

De begeleider van de mijnwerker Gimault kwam met zijn patiënt gefrustreerd terug uit het treinstation Orsay; de pendeldienst tussen Orsay en Austerlitz was buiten bedrijf, er was geen huurrijtuig te krijgen, er reden geen trams. Gimault moest naar het treinstation Austerlitz aan de andere kant van Parijs. Reisden stelde zijn auto ter beschikking. Hij zou ruimschoots de tijd hebben om ze daarheen te brengen, terug te keren naar Jouvet en vóór vijf uur bij de Amerikaanse ambassade en Perdita's debuut te zijn.

Maar het verkeer zat overal bijna net zo vast als op de boulevard St.-Germain. Iedereen in Parijs leek op straat te zijn, vechtend om huurrijtuigen. Mensen banjerden voor zijn bumper; paarden trappelden nerveus en chauffeurs leunden op hun claxons. De onverstoorbare buspaarden met hun oogkleppen voor spanden zich in om hun oude vierkante bussen te trekken, die zo vol waren dat er mannen in de raamlijsten zaten. Hij stopte om twee kooplieden mee te nemen die ook naar het Gare d'Austerlitz moesten.

'Waarom zit het verkeer zo vast?'

'De Métro is gedeeltelijk uitgevallen.' Dus het was waar.

Toen hij ze had afgezet sloeg hij de weg over de Austerlitz-brug in met de bedoeling terug te gaan via de quais of de rue de Rivoli. Afgezien van de wirwar van auto's en paarden leek alles normaal, zelfs vrolijk. De Seine golfde met schuimkoppen tegen de pijlers; na de regen was de anders wazig blauwe lucht kristalhelder en de laag staande zon liet elk detail uitkomen van de stroomopwaarts gelegen vrachtdepots, bruggen en fabrieken. Het enige teken van de overstroming was dat een bank of meerpaal op de promenade, die gisteren nauwelijks nat zou zijn geweest, vandaag half onder water stond, slechts een waternevel was.

En toen keek hij stroomopwaarts.

Stroomopwaarts was de lucht altijd wazig door de fabrieken en de grote schoorstenen: de elektriciteitscentrale in Ivry, de persluchtfabriek aan de quai de la Rapée. Maar vanmiddag was er boven de hoge schoorstenen van de elektriciteitscentrale van Ivry, waar hij rookpluimen verwachtte te zien, alleen schone lucht. Iets had alle fabrieken in oostelijk Parijs stilgelegd.

Reisden kende de verbanden tussen geld en calamiteiten. Hij was de afgelopen twee maanden bezig geweest de banklening voor Jouvet te regelen. Geld was in Parijs niet bijzonder schaars; hij had niet meer moeilijkheden gehad dan je gewoonlijk ondervindt, totdat deze week een bankbeambte, die nodig scheen te zijn voor de goedkeuring, niet uit Zwitserland was teruggekeerd.

Hij had deze week nauwelijks de kranten gelezen, maar hij dacht er nu aan terug. Overstroming in Zwitserland, overstroming ten oosten van Parijs. Overstroming in het gebied dat stroomopwaarts van Parijs is gelegen.

Na een overstroming is er heel moeilijk aan geld te komen; iedereen heeft het nodig voor herstelwerkzaamheden.

Hij ging naar de bank en drong aan. Er was geen haast bij, zei de bank, en dat was waarschijnlijk ook zo. Maar aan het begin van een ramp is er een samenzwering om te geloven dat alles in orde zal komen. Zeg: 'De leenkoers zal volgende week twee punten hoger zijn, en dat kan ik me niet veroorloven,' en je zult een koortsachtige activiteit teweegbrengen die erop gericht is te bewijzen dat je het mis hebt. Ter wille van Jouvet had Reisden het mis of was hij te voorzichtig, maar hij was genadeloos vasthoudend en hij kreeg zijn lening; en nadat de papieren notarieel waren bekrachtigd, stopte hij onderweg bij een kruidenier en kocht ingeblikt voedsel, gebotteld water en blikken met de crackers die Perdita's maag tot rust brachten.

Hij wilde haar laten weten dat hij aan haar dacht, dat hij Jouvet voor haar beschermde, dat hij voorraden voor haar aanlegde; want het tekenen had tot half zeven geduurd, lang nadat de bank was gesloten. Haar concert was al voorbij, en hij had het gemist.

72

De Seine is aan het stijgen in de richting van de Mona Lisa. Het regent niet meer, de zon schijnt, de lucht is helder lichtblauw; maar de rivier dijt steeds verder uit, met vlekken en schubben van licht als de huid van een enorm beest. Van de promenades is niet meer te zien dan golfjes; lantaarnpalen steken stijf uit de stroom omhoog. De rivier heeft het achterste gedeelte van het Île de la Cité afgebroken; de Vert-Galant is in water veranderd.

In de Salon Carré, onder het elektrische licht, glimlacht de Mona Lisa, geel-groen achter haar glas, en de rivier windt zich als een slang om haar schouders. De toeristen kijken naar haar, en vervolgens kijken ze naar de Seine. Ze zijn geschokt en opgewonden.

Men zegt dat alle rivieren vrouwen zijn, maar een buiten zijn oevers tredende rivier is een man. Het water is boos, gewelddadig. De oude sluis bij la Monnaie wordt kapot gebeukt, waarbij het hout als lucifers uitstroomt over het oppervlak van de rivier, zich opstapelt tegen de bogen van de bruggen en het water hoog doet opspatten. De Seine is breed, verheven, ruw, machtig, een visioen in het centrum van Parijs, een watervlakte die zich opent als een wond.

Leonard leest de kranten. In de rubriek met oproepen verzoekt 'R' de 'MONA LISA KUNSTENAAR' hem zaterdagavond om tien uur voor de Notre-Dame te ontmoeten. Bevestig poste restante, rue du Louvre. Maar bij de uitgaansberichten staat tussen de foto's van knappe meisjes een foto die hij herkent: op de Amerikaanse ambassade zal juffrouw Perdita Halley, studente aan het Conservatoire, vanmiddag een uitvoering geven van...

Er worden geen brieven meer geschreven. Wat de baron weigert te doen voor Leonards vrouw, zal hij doen voor de zijne.

Leonard rookt zijn sigaret op het balkon. Door condens aan de binnenkant is het oppervlak van het glas grijs en wazig geworden. Hij ziet in het glas niet meer dan een zweem van een man, een wezen van suggestie en weerspiegelingen, een onbekend iemand, een monster.

73

IN DE SALON VAN DE AMBASSADE TESTTE PERDITA DE PIANO, KROOP
eronder om een stroeve pedaal te repareren en verbeterde een paar
toetsen. Telkens wanneer ze iemand hoorde komen krabbelde ze overeind om ingetogen aan het toetsenbord te worden aangetroffen, kleine
meisjesachtige arpeggio's spelend. Mensen die verantwoordelijk zijn
voor piano's wantrouwen mensen met viltvijlen, wat veel verklaart over
de staat van sommige piano's. Vier uur. Nog een uur te gaan. De voedselleveranciers arriveerden.

Milly waaide binnen. 'Je bent geen ideale vrouw,' zei Milly, 'ik wacht
net zo lang tot je dat toegeeft. We waren trouwens toch in de buurt, hè
Nicky?'

'Ik ben geen ideale vrouw,' zei Perdita, 'en dank je wel, Milly.'

Perdita was mevrouw Bacon vergeten te vragen om een dienstmeisje. Milly hielp haar in haar concertjurk: kort concertkorset waarmee je
kunt zitten, kanten onderchemise, petticoat, met kant afgezette onderrok, dan de jurk van Worth zelf. Milly naaide de okselhaakjes met een
overhandse steek dicht en bracht toen zorgvuldig de sjerp aan en naaide die erop. Nu het haar: losgemaakt uit zijn gewone opgerolde vlecht,
helemaal uitgekamd (het hing tot haar middel), geborsteld, achterover
getrokken over 'haarballen' om het de modieuze opbollingen te geven,
weer opgerold in een psycheknoet op haar achterhoofd, en stevig vast-
gezet met haarspelden, waaronder de twee zuiver decoratieve gouden
haarspelden, de enige die door het publiek werden gezien. Paderewski's
haar kon dan wel alle kanten op vliegen, bij een vrouw zou dat slonzig

staan. Kleine pareloorhangers, sober parelsnoer om haar hals en, dankzij Milly, een beetje kohl en rouge.

Kwart voor vijf, en niets anders te doen dan wachten. Perdita liep de *salle des dames* op en neer, haalde een paar keer diep adem en at een cracker en een pepermuntje. Haar maag speelde op, maar ditmaal van de zenuwen.

'Ik ga even kijken hoeveel er zijn.'

Ze hadden al het mogelijke gedaan voor publiciteit: kaarten naar alle in Parijs wonende Amerikanen, aankondigingen in de *American Register*, en zelfs speciale kaartjes bij madame Bacons open huis gisteren. Alexanders madame Herschner had overuren gemaakt. Eigenlijk deed het er allemaal niet meer toe, zelfs de critici deden er nu niet meer toe; maar het zou veel beter zijn om, wanneer ze opkwam om te spelen, geroezemoes te horen en die dicht opeengepakte anticipatie te voelen die een goed publiek met zich meebrengt.

Milly kwam kauwend terug. 'Het is een geweldig feestmaal en daar komen ze meestal wel op af, maar ik zie niemand behalve de vicomtesse. Ik heb tegen haar gezegd dat je je nog aan het verkleden was.'

Dotty opende de deur. 'O, juffrouw Halley, je bent al klaar. Maar er is niemand. Zelfs Sacha is er niet. Ik denk niet dat er iemand komt.'

Perdita voelde zich slap worden in de knieën; ze deed ze op slot. Alexander was er niet. Ze dacht eerst aan hem en pas daarna aan de critici. 'Ik denk,' zei ze vastberaden, 'dat de mensen gewoon een beetje laat zijn.'

'George is er niet,' zei Milly, 'en hij zei dat hij zou komen. Hij schijft voor drie tijdschriften.'

Ze wachtten zo lang als ze fatsoenshalve konden en begonnen toen. Er was geen enkele criticus komen opdagen. Tien mensen zaten verspreid in een akoestiek die bedoeld was voor honderd mensen. Mevrouw Bacon introduceerde haar, praatte over haar verschillende tournees en onderscheidingen, wat in deze lege zaal belachelijk klonk. Toen speelde ze. Ze speelde goed; dat wist ze.

Ze had haar Parijse debuut gehad en was zo grondig genegeerd dat het was alsof ze nooit had bestaan.

Na de toegift verontschuldigde ze zich en trok zich terug op het damestoilet, waar ze tegen de muur leunde, niet huilend; ze mocht vijf minuten voor zichzelf hebben maar ze mocht niet huilen. Ze hield zichzelf voor dat het niet uitmaakte omdat ze de piano opgaf. Ze dronk een glas water en keerde glimlachend terug om haar gastvrouw te bedanken en met de luisteraars te praten. Iedereen zei dat de chocoladegâteau uitstekend was. Meneer Daugherty zei dat ze het heel goed had gedaan. De romantische vreemdeling die altijd opduikt bij concerten pakte Perdita's hand en hield hem heel stevig vast, terwijl hij tegen haar zei dat ze prachtig had gespeeld. De aangeschoten oude dame, die tijdens het largo had geniest, zei het hem na. 'Ik ben zo blij dat ik ben gekomen,' kwetterde de oude dame, 'trek het je maar niet aan, liefje, gewoonlijk zijn er véél meer mensen, maar we zitten met dat vréselijke water in de Métro.'

'Welk water?' vroeg Perdita.

'Nou ja, het is bijna een *overstroming*, en nog heel plotseling ook.'

'Ik dacht dat je dat wel wist,' zei nicht Dotty. 'De rivier is sinds vanmorgen zestig centimeter gestegen; de Orsay-Austerlitztunnel staat onder water; de Noord-Zuidlijn is buiten bedrijf. Toen ik langs de Tuilerieën kwam stonden er hórden mensen op de trams te wachten, ze staarden zo naar mijn arme oude koets, dat ik me als Marie-Antoinette voelde. Ik dacht dat je het wel wist.'

Ik zál voortaan denken dat zíj het wist, dacht Perdita. Ik ga met haar neef trouwen.

Ten slotte, toen iedereen op Milly en Dotty na was vertrokken, kon Perdita zich op het damestoilet terugtrekken. Terwijl ze haar armen omhooghield, knipte Milly de stiksels bij de naden door en kon ze weer ademen.

'Sacha heeft ons helemaal in de steek gelaten,' zei nicht Dotty buiten de deur, 'maar ik neem aan dat je bij mij komt dineren?'

Ze leek opgetogen dat Alexander niet was gekomen. *Die vrouw* had vóór het concert geweten dat de trams en de Métro buiten bedrijf waren, en had niet de moeite genomen na te gaan of Perdita op de hoogte was. Volgende week zou ze aardig moeten zijn tegen nicht Dotty. Volgende week en de rest van haar leven. 'Het spijt me, maar madame Xico heeft me gevraagd om bij haar thuis naar een pianist te komen luisteren,' zei ze.

Milly zei geen woord, de hemel zij dank.

Dotty vertrok en nam de jurk mee naar haar huis. (Ze was tenminste ergens goed voor.) Perdita ging de *dames* in om zich van haar korset te ontdoen. Terwijl ze de lusjes loshaakte, wreef ze over de moeten die de korsetbaleinen hadden achtergelaten en voelde misselijkheid in haar keel naar boven kruipen.

Ze zou er vandaag niet aan denken dat ze geen recensies kreeg.

Het maakte niet uit, hield ze zichzelf voor.

'Waar zullen we Perdita mee naartoe nemen, Nicky?' vroeg Milly. 'Om te vieren dat ze geen ideale vrouw is?'

'O Milly, je hoeft me nergens mee naartoe te nemen; dat was om van Dotty af te komen.'

'Brave kleine meisjes schuiven aan bij het vrijdagse diner bij hun toekomstige schoonzusters,' zei Milly. 'Slechte vrouwen gaan naar Montmartre.'

Het Louvre sluit om vier uur. Leonard steekt zich in zijn beste kleren, een zwart pak. Het jasje ervan is lang, komt bijna tot aan zijn knieën. Vanboven zijn kot kijkt Jean-Jacques' kopie van de Mona Lisa glimlachend op hem neer. Hij staart haar aan, met pijn in het hart, resoluut. De Métro is buiten bedrijf. Leonard loopt via de rue de Rivoli. Hij kijkt in de etalage van een messenwinkel; en glinster, glinster, glinster, de lemmeten werpen elektrisch licht naar zijn gezicht, alsof de messen het wateroppervlak van een rivier zijn.

Hij komt laat aan. Er zijn veel minder mensen dan hij heeft verwacht. Het meisje speelt voor een bijna leeg huis. Ze ziet er vandaag niet verdoofd uit; Leonard vindt haar leuk; ze heeft mooie enkels, mooie voeten.

De baron geeft niet om haar; de baron is er niet. Het zal gemakkelijk zijn haar te volgen.

Leonard staat achter in de kamer. Hij kijkt naar zichzelf in de spiegel boven de federale wandtafel van mevrouw Bacon, boven de crackers, kaas en desserts. Daar staat een vreemde, kaas etend, met zijn hand bij zijn mond: een sterke, donkere man in slecht passende kleren van een heer.

Leonard herkent zichzelf nauwelijks.

Een mes, in zijn zak gestoken, steekt door de voering van het jasje naar buiten. Leonard kan het zien, achteloos zichtbaar. Hij herinnert zich niet het te hebben meegenomen en gedurende één minuut voelt hij zich gedesoriënteerd. Hij had dat mes weggegooid, in de rivier. Dat dacht hij tenminste.

Hij begeeft zich naar de uitgang, waar zij zal vertrekken. Maar in het voorste gedeelte van de kamer draait iemand zich om, een vrouw met hennarood haar.

Het is Milly.

Milly, Nicky en Perdita gingen naar Montmartre. Ze namen de kabeltram naar de top van de heuvel, vonden de bar en kochten bier voor de beroemde pianist die zijn eigen stukken speelde, grillig en sentimenteel, met titels als 'Stukken in de vorm van een peer'. Perdita wilde er een leren, maar ze zou geen piano meer spelen. Ze luisterden naar een donkere alt die zigeunerliederen zong, Hongaars dat bijna Spaans klonk, verrukkelijke portamenti di voce in mineur. Ze kon in elk geval luisteren, dacht ze. Ze aten worstjes op de place du Tertre. ('Ik zie dat iemand ons achtervolgt,' zei Milly schalks.) Ze gingen naar de bar van Aristide Bruant, waar men opeengepakt zat in een warm, lawaaierig, nauw krot, terwijl de oude *chansonnier* hen *cochons* noemde en boven hun hoofden liedjes gromde.

Milly dronk flink wat van het bier en werd tamelijk levendig. Ze liepen terug naar het Pension voor Jongedames, helemaal vanaf Montmartre, in straten vol met andere mensen die ook liepen. Het regende nog steeds niet en het was niet erg koud; de sfeer was bijna die van een feest. De Seine zou zondag niet meer stijgen, dacht iedereen, of maandag. De Métro en de trams zouden morgen weer gaan rijden.

'Het is beroerd,' zei Milly vlak voor ze bij de deur van het pension kwamen. Ze begon huilerig te worden. 'Je bent echt een goede pianiste, weet je dat?'

'Je hebt het tenminste gehoord,' zei Perdita. Alexander niet, en hij had ook geen bericht achtergelaten. 'Bedankt, Milly.'

'O, bedankt, zegt ze,' zei Milly. 'Maar wat doet ze? Ik zou iets te zeggen gehad kunnen hebben, maar mijn man heeft het allemaal afgepakt. Nu pakt jouw man alles van jou af. Het is een grof schandaal.' Ze pakte Perdita's hand en stopte er een pakje in: een klein rond kartonnen ding ter grootte van een doosje rouge, verzegeld met touw en was. Ze sloot Perdita's vingers eromheen. 'Denk na. Een theelepeltje van het poeder in een kop thee, meer niet.'

'Milly,' zei Perdita.

Milly hield haar handen om die van Perdita geklemd. 'Je weet niet wat het is om jezelf te verliezen. Geen woorden meer te hebben, geen manier om te zeggen wie je bent.'

Perdita zag een kans. 'Het kan nog steeds.'

'O, nee, nee, het is met mij gedaan... Ik zou meer van La Midinette kunnen schrijven, ik ken de formule, ze was een succes, Henry wil meer van dat soort werk, maar niemand zal over mij te weten komen... zelfs Nicky niet, hè schatje? Ze willen wat ze willen.' Milly snotterde, uiterst somber. 'En jij wilt bemind worden, chérie; en je *man* wil een goede, degelijke, lieve, betrouwbare meisje-kind-mama die naast hem slaapt en zijn baby krijgt, en je weet dat het een leugen is, hij weet niet wat je bent, maar je zult worden wat hij wil, omdat je het meest van de leugens houdt, je weet niet wat je bent, je weet alleen wat je wilt zijn,' zei Milly.

'Morgenochtend zal het allemaal veel beter lijken,' zei Perdita.

'Ja, ik moet naar huis gaan en naar bed,' zei Milly. 'Helemaal alleen met Nicky... Weet je' – ze boog zich plotseling naar voren, en even plotseling draaide ze zich om en schreeuwde – 'dat Leonard ons de hele avond heeft achtervolgd? Hij dacht dat ik hem niet zag,' zong ze, 'maar ik zag hem wè-hel. Dag Leonard.'

Voetstappen vluchtten de straat in. 'Díé heeft zijn vet gehad,' zei Milly. 'Hij denkt dat hij het recht heeft ons te volgen. Ik haat mannen.'

Toen Milly en Nicky waren vertrokken, stond Perdita met het doosje in haar hand, zich ervoor schamend, zich er zelfs voor schamend zoiets weg te werpen. Morgen zou ze haar schepen achter zich verbranden en meneer Ellis telegraferen dat ze ging trouwen. Ze knielde neer, vond met haar hand de opening van het riool en schoof het doosje erin. Uit het riool kwam een sonoor gehuil, alsof iemand over de mond van een reusachtige fles blies.

Ze dacht dat ze voetstappen terug hoorde keren. De mysterieuze Leonard? Ze drukte snel op de zoemer en werd binnengelaten.

En Leonard, aan de overkant, weet waar ze woont.

74

'Tien man, lieverd; wat een ramp.'

Reisden trof Dotty aan in haar salon, elegant in blauwe zijde en diamanten, gekleed voor het diner maar voor de verandering alleen; Perdita had haar laten zitten, zei ze. Ze had aan de piano gezeten, en op het gehoor de polonaise gespeeld uit Perdita's concert. 'Ze was erg goed,' zei Dotty, halverwege ophoudend, 'nogal fortissimo, maar ze wist precies wat ze deed. De toegift was opdringerig modern, niet iets waar het grote publiek van houdt, maar dat was er ook niet. Jammer voor haar... Er waren ook geen critici. Arme juffrouw Halley. Jij was er zelfs niet.'

Ze sloot de pianoklep en bleef zitten, met beide handen op de klep, de vingers uitgespreid alsof ze wilde gaan spelen, starend naar de piano die ze uit Oostenrijk had meegenomen. 'Toch was ik erg jaloers op haar. En,' zei ze luchtig, 'wat is er aan de hand?'

Hij nam naast haar plaats op het zitje in de vensternis, en leunde tegen het kozijn. Hij was bij mevrouw Bacon komen aanzetten toen iedereen allang vertrokken was, en was naar Jouvet teruggegaan om te helpen bij het verhuizen van de dossiers. Nu stond de *premier étage*, de tweede verdieping van het gebouw, zo vol met archiefladen dat hij bijna onbegaanbaar was geworden, en het water lekte door de stenen van de kelder naar binnen. Ze waren gedwongen de kelder leeg te pompen, en hij was uitgeput, maar de verslagen waren gered en hij had zijn lening gekregen.

'Jíj bent aan de hand,' zei hij. 'Wat er ook gebeurt, regen of hagel of hoog water, op de zevenentwintigste zal jij als haar gastvrouw optreden en ervoor zorgen dat de critici en je vrienden komen, hè?'

'O, natuurlijk, schat,' zei ze rusteloos, terwijl ze hem aankeek.

Achter haar raam had zich een menigte verzameld op de kade, langs de brugleuningen. Hij opende het raam dat het dichtst bij de Pont-Neuf was en keek naar buiten. De Seine was enorm verbreed, een grote zwarte vlakte die fonkelde in het lamplicht van de bruggen. Aan de overzijde van de rivier waren de promenades aan de quai helemaal verdwenen, en sommige lantaarns op de quai waren ook uitgegaan. Mannen leunden over de brug met netten en raamgewichten aan touwen, om het hout en de dobberende vaten en flessen wijn te strikken die door de rivier werden aangevoerd.

'Eh, 'sieur!' riep een man vanaf de kade, een druipende fles omhooghoudend. Lachend gooide hij hem naar Dotty's tweehonderd jaar oude ramen. Dotty gilde. Reisden leunde naar buiten en ving hem.

'Niet slecht,' zei hij, het halfdoorweekte etiket bekijkend. 'Kom mee naar buiten, Dotty, dan gaan we *vin ordinaire* uit de fles drinken en naar de rivier kijken.'

'Sacha toch.' Dotty sloot de luiken en deed ze met een klap op de klink. 'Je bent het op een afschuwelijke manier voor je uit aan het schuiven. Laat die nonsens voor wat het is, het is binnenkort weer voorbij. Je hebt me beloofd dat je me zou vertellen wat er met je aan de hand is, en dat wil ik nu horen.'

Ze stak haar hand uit naar de fles, die hij haar gaf, onderzocht het ding alsof het de eerste termijn van zijn geheimen was, en keek naar hem op. Daarna vervaagde haar glimlach, en stond ze daar met de wijn in haar hand. Ze zette de fles op het tapijt en ging zitten, nog steeds naar hem starend, haar gezicht betrokken.

Ze weet het al, dacht hij. Dat was altijd zo geweest.

'Ja,' zei hij. 'Ik ga met Perdita trouwen.'

Een minuut lang zei ze helemaal niets.

'Dotty?' vroeg hij.

'Ik zou enige opheldering op prijs stellen,' zei ze. 'Ik teken wel wat protest aan. Het enige wat ik van jou heb gehoord is dat ze hier geen toekomst had. Jij wilde haar niet. Jij wilde haar opgeven.' Ze ging staan en liep naar haar raam met het prachtige uitzicht op de Seine. 'Is het mogelijk dat juffrouw Halley in belangwekkende staat is? Ze zag er bleek uit, en die jurk paste haar niet helemaal. Worth is gewoonlijk niet zo onachtzaam.'

Hij zei niets; het had geen zin om iets te zeggen.

'Sacha. Schat.' Ze streek ongeduldig haar rok glad. 'Dat had ik echt niet van je verwacht. Je weet hoe je zo'n situatie moet afhandelen.'

'Ik wil het kind.'

Ze maakte een ongeduldig gebaar. 'Heb je al een avondmaaltijd gehad, of iets wat erop lijkt?' zei ze. 'Ik vind dat we echt even moeten eten. Ik heb nog helemaal niets gehad.'

Een nieuwe Frérin, een ander meisje dan degene die had geluistervinkt, bracht een blad binnen. Soep en sandwiches, verkwikkend voedsel voor het schoollokaal; hij voelde zich als Tiggy. Onder het eten vroeg hij hoe Tiggy de overstroming opnam. Ze fronste haar voorhoofd. 'Hij heeft een verdronken hond in de rivier gezien, en dat maakte hem aan het huilen.'

Hij wilde Tiggy wakker maken en hem knuffelen en het verdriet wegpraten, hoewel hij vermoedde dat het alleen tot gevolg zou hebben dat Tiggy het zich weer levendig zou herinneren. In plaats daarvan dronk hij koffie, terwijl hij Dotty vertelde over het water dat door de keldermuren kwam. Ze probeerden over koetjes en kalfjes te praten, maar konden niet meer doen alsof alles normaal was.

'Zo,' zei ze, met een aarzelende glimlach. 'Je wordt een *père de famille*. Je hebt besloten dat je verliefd bent. En zij wordt een mama, en men heeft een sentimentele *tendresse* voor een baby en de betrokken man; maar hoe zit het met haar carrièretje? Als ze voor een baby moet zorgen, is dat natuurlijk voorbij.'

'Ik wil dat ze hier doorgaat; ik weet niet hoe ze dat moet doen. Kun jij haar helpen, ook na de zevenentwintigste?'

Ze klemde haar lippen opeen na die woorden en dacht na, haar gezicht plotseling ouder en heel bleek.

'Wat is er?' zei hij.

'Ik eh... nou ja, ik vind... o, lieverd, waar ben je mee bezig? Neem me niet kwalijk, maar zij is gewoon haar avontuurtjes trouw, ten koste van iets waar ze in feite heel goed in is. Jij speelt een rol, omdat je graag vrouwen behaagt die je leuk vindt, en dit meisje krijgt een kind van je – wat je blijkbaar ook wilt. Maar wat je nu zegt is in tegenspraak met ieder voornemen dat je ooit hebt gekoesterd, je hele leven lang, en ik ken je al twintig jaar.'

'Je maakt het wel moeilijk om voornemens te wijzigen,' zei hij.

'Je trouwt met dit arme meisje omdat je haar zwanger hebt gemaakt. Dat is alles. Ze zal totaal niet op haar plaats zijn. Ze zal níét gecontracteerd worden, en ik kan haar niet voor eeuwig in mijn salon hebben. En jij zult tweemaal zo ongelukkig zijn als zij; ik ken je, lieverd; wanneer je je herstelt van je dwaasheid om met haar te trouwen, zul je beseffen wat je haar hebt aangedaan.'

'Hou op,' zei hij.

'Je weet dat ik gelijk heb. Schat, je doet haar kwaad.'

'Hou óp. Het is al geregeld, Dotty.'

Ze ging staan en pakte zijn hand. Ze stonden op een onbeholpen manier tussen de leren stoel en een klein tafeltje in geperst.

'Ik wil dat je verliefd wordt,' zei ze, 'natuurlijk wil ik dat, maar op een verrukkelijke manier, als een zomermiddag op het platteland, waarbij men aan het einde van de middag eenvoudigweg heel erg gelukkig is geweest. Je zou een sensuele, mooie, gewillige vrouw moeten hebben, om wie je je totaal niet bekommert.'

'Zoals Cécile de Valliès.'

'Die is precies goed.'

'Die is oppervlakkig.'

'Verwar...' Ze aarzelde bij het woord. 'Verwar geluk niet met gekwetst worden, schat.'

'Dit is niet net zoiets als Tasy.'

'Waarom niet?' vroeg ze.

Ja. Hij keek naar hun twee ineengestrengelde handen, haar lange slanke hand met de trouwring en de oude diamanten, de zijne met de zegelring van de Reisdens. Zij is echt, dacht hij, en hij werd een behoedzaamheid gewaar die al zo lang bestond dat hij het zich al bijna niet meer bewust was dat hij die jegens haar betrachtte. Je liegt altijd. Je zegt nooit iets dat iemand op het spoor van Richard zal brengen.

'Ik ben niet rechtvaardig tegen je,' zei hij. 'Ga zitten.'

Hij deed de zegelring af, legde hem in haar hand, en sloot haar vingers eromheen. 'Luister. Drie jaar geleden, in Amerika, heeft Perdita me iets verteld wat ik nooit ben vergeten. Ze zei: er zijn momenten dat je kunt ophouden met liegen, maar als je dat moment uit de weg gaat, verlies je de kans om ermee op te houden. Dotty,' zei hij, 'er is een geheim, een echt geheim.'

Ze slaakte een lange, scherpe zucht. 'Is dit datgene waar juffrouw Halley van op de hoogte is? En meneer Daugherty?'

'Ja.'

'En dit is wat er in Amerika is gebeurd?'

'Ja.'

Ze leunde achterover, een arm op de zijden armleuning van haar stoel, haar lichte haar geaccentueerd door haar jurk, haar ogen stralend, nieuwsgierig, en merkwaardig geamuseerd, alsof ze een langverwacht cadeau had gekregen. Ze hield zijn ring in haar linkerhand, en stak alle vingers van haar rechterhand er om beurten doorheen.

'Als je later boos op me bent omdat ik het je nu pas heb verteld,' zei hij, 'begrijp dan goed dat ik alles eenvoudig wilde houden tussen ons. Dit is niet eenvoudig. Het zal voor ons allebei moeilijk zijn. Dit is waarom ik dacht dat ik Tasy had vermoord.'

Ze keek op, een flits van blauwe ogen.

'Twintig jaar geleden,' zei hij, 'was er in Amerika een jongen die Richard Knight heette. Hij stond onder voogdij van zijn grootvader, William, die rijker was dan al onze families bij elkaar en helaas niet geestelijk gezond. William sloeg Richard omwille van de discipline: met zijn stok, met een stoel, met een haardpook. Richard zou de dood ingejaagd worden. Maar in plaats daarvan werd William vermoord.'

'Ik heb van die Richard gehoord,' mompelde ze. 'Dat was degene die verdwenen was, degene wiens lichaam jij hebt gevonden.'

'Naar verluidt was Richard getuige van de moord en werd hij ontvoerd en vermoord.'

Hij keek naar haar handen, niet naar haar gezicht.

'Dat is niet zo,' zei hij. 'Richard heeft zijn grootvader vermoord en is weggelopen.'

Dotty's hand vormde zich krampachtig tot een vuist om de ring.

'Ik kan me mijn ouders niet herinneren. Als kind woonde ik in Zuid-Afrika. Mijn verleden was een serie toverlantaarnplaatjes, zonder enige betekenis of samenhang: een insect op een blad; een water spuitende olifant in een rivier; de bovenkant van een sigarendoos. Ze hadden geen van alle iets te maken met Amerika. Ik wil dat je weet,' zei hij, 'dat ik me niets herinner van Amerika. En om de een of andere reden, ik weet niet waarom, heeft Leo von Loewenstein mij geïdentificeerd als de zoon van Franz von Reisden.'

'Je had dit bij je,' zei ze, haar hand openend. 'Dat heeft hij me verteld. Hij zei dat de ring aan een stukje touw in je zak zat toen hij je vond. Je vader had hem aan je toevertrouwd.'

'Ik weet nog dat Leo hem aan me gaf,' zei hij.

'Hij zat in je zak,' zei Dotty, 'aan een stukje touw omdat hij te groot was voor je hand. Je had een gat in je broek gemaakt en het touwtje vastgebonden.' Ze sloot haar hand weer om de ring, strekte haar vingers, en staarde naar de ring op haar handpalm.

'Leo heeft me meegenomen naar Oostenrijk. Ik heb jou ontmoet.'

'We vertelden elkaar alles,' zei Dotty. 'Schat, het is veel te laat om nog geheimpjes voor me te hebben.'

'Jij en ik kregen samen Engelse les. Voor een Oostenrijker uit Zuid-Afrika was ik behoorlijk goed in Engels. Ik heb mijn accent sindsdien veranderd, maar, liefje, ik heb je er een paar dingen van meegegeven. Zeg *fire* of *parlor* en luister naar Roy Daugherty.' Hij kon horen dat hijzelf de klinkers een tikkeltje rekte.

Dotty glimlachte, een krampachtige beweging van de lippen. 'Schat, ik kan je verzekeren dat ik niet zo praat als meneer Daugherty. En niets van dit alles is waar. Ik weet hoe dit zal aflopen,' zei ze, 'omdat ik weet wat er in Amerika gebeurd is.'

'Wéét je het?' zei hij. 'Wat weet je, Dotty?'

'Kijk niet zo, ik was van plan het je pas te vertellen als jij het mij vertelde, hoewel je zult toegeven dat ik wel wat heb laten doorschemeren. Ik had toentertijd een gesprek met Elisabeth Harany, wier neef consul was in Boston, en ze zei dat algemeen bekend was dat Gilbert Knight al jaren gek was. Hij dacht dat zijn neefje nog in leven was, en had om de een of andere reden besloten dat jij Richard moest zijn. Wekenlang heb je het niet ontkend – dát is het mysterieuze eraan – en toen vond je zowaar Richards lijk. Het was erg slim van je, maar die arme Friedrich Harany dacht dat hij je nog uit de gevangenis zou moeten halen. Ik neem aan dat Gilbert Knight denkt dat je Richard bent; maar het is te gek voor woorden dat jíj dat denkt; hoe verklaar je dan dat je Richard dood hebt aangetroffen?'

'Het was het lijk van iemand anders.'

'O, toe nou, Sacha! Werkelijk! Ze hebben zeker lijken te veel in Amerika.' Dotty ging staan en hield de ring tussen het uiterste topje van haar duim en wijsvinger voor hem op, alsof het iets was wat ze van de straat had moeten oprapen. 'Dit is jouw ring. Doe hem om. Hij was van je vader. Hij zat in je zak. Je had een gat in de zijkant van je zak gemaakt en hem met een touwtje vastgebonden. Dat heeft Leo me verteld. Ik weet het allemaal nog… Schat, je moet deze dingen nooit aan iemand vertellen. Je bent mijn neef. Ik weet alles van je af. Hoe zou ik dit níét kunnen weten?'

Ze hield nog steeds de ring vast. Hij pakte hem niet aan. Ze keek hem aan zonder met haar ogen te knipperen, alsof hij haar schilderij van Mallais was, een bibelot dat ze overwoog aan te schaffen, een kabinet waarvan het verguldsel misschien vervangen moest worden; haar ogen onderzochten de zijne op ongerijmde details. Langgeleden had ze iets gezien, anders zou ze hem nooit gevraagd hebben of hij door Daugherty gechanteerd werd; nu zag ze ook iets; haar gezicht veranderde nauwelijks, maar hij zag ongerustheid en behoefte in haar ogen.

'Je bent mijn neef,' zei ze heel zachtjes. 'Ik ken je, Sacha.'

Hij zei niets. Je bent mijn neef, dacht hij.

'Als je mijn neef niet zou zijn,' zei ze, 'en je zou iemand zijn die ik hoe dan ook zou kunnen bewonderen, zou je niet onder valse voorwendselen geprobeerd hebben op vertrouwelijke voet met me te komen. Dan zou je me niet voor je hebben laten lijden. Bovendien zou je me dit nu niet verteld hebben. Ik ken je, Sacha.' Ze hield de ring voor hem op.

Maar terwijl ze dat deed – dat zag hij heel duidelijk – sloeg ze haar ogen neer om weer naar de ring te kijken, en terwijl ze hem ophield, draaide ze hem haast onmerkbaar, ongemakkelijk tussen duim en wijsvinger rond.

Zo kwam het dat hij, in plaats van hem om te doen, hem meenam naar de kandelaber op de piano en hem zelf bekeek: de versleten vatting vol krassen, de carneool met zijn piepkleine gegraveerde zegel. Hij had zich nooit afgevraagd waar de ring vandaan kwam. Hij was van Franz von Reisden geweest; daar had hij nooit aan getwijfeld.

'Wat is er mis mee?' zei hij.

Haar mondhoeken verstrakten. 'Schat...'

Hij hield de ring voor haar op. Ze pakte hem niet aan. Ze liep de kamer door en bleef met haar hand op de deurkruk staan, alsof ze voor hem vluchtte, klaar om Dumézy opdracht te geven zijn jas te halen en hem uit te laten.

'Nee, Dotty,' zei hij. 'We zijn helemaal niet uitgepraat.'

Ze bleef met haar rug naar hem toe staan, zonder iets te zeggen.

'Zeg me wat er mis is met de ring. Dat kan ik maar beter weten.'

Ze draaide zich om, om hem aan te kijken; een dame blijft niet met haar rug naar iemand toe staan met wie ze in gesprek is. 'Schat, hoe moet ik dat weten? Ben ik soms een expert, zoals meneer Bullard?' Haar ogen gleden weg van de zijne.

Hij draaide zich om en keek waar zij naar keek: naar het schilderij van de school van Watteau dat de plaats van haar Mallais had ingenomen.

Ze was geen expert; ze had er alleen heel veel kijk op. Ze had hem gevraagd of ze haar Mallais wel zo opvallend moest tentoonstellen, of ze hem wel naar het retrospectief moest zenden. Als ze iets misdadigs had gedaan, zou ze eenvoudigweg hebben geweigerd het schilderij tentoon te stellen. Nee, ze had het ingezonden, zichzelf wantrouwend, 'Armand' vertrouwend.

'Dotty,' zei hij. 'Hoe lang heb je al geweten dat er iets mis was met je Mallais?'

Ze staarde hem aan, haar blauwe, opengesperde ogen lichtgevend, bijna onschuldig, zoals haar voorvaderen naar de vijand zouden hebben gestaard voor de laatste onverbiddelijke aanval. 'Dat is onzin, Sacha,' zei ze. 'Het schilderij kwam rechtstreeks van de familie; Armand Inslay-Hochstein heeft het me verkocht. Mijn Mallais is net zo echt als jij.'

75

Bij de quai d'Orsay, voor het hotel, was er een feestje onder de elektrische lampen. Vanaf de Pont-Royal waren mannen brandhout aan het strikken, waarbij ze met raamgewichten aan touwen zwaaiden. Tonnen schommelden en deinden in het zwarte water, spelend als zeehonden, en zonken vervolgens om onder de brug te verdwijnen. Iemand ving er een, installeerde hem op het trottoir op twee stoelen, en draaide er een tap in. Een ober kwam naar buiten met glazen.

Ze hadden samen een spelletje gehad, hij en Dotty, toen ze in 1896 beiden in Parijs waren. Ze plachten elkaar gewichtige vragen te stellen, waarop ze naar waarheid moesten antwoorden.

'Waar ben je het bangst voor?' had hij gevraagd.

Uitgelachen worden, had ze gezegd.

Wat wil je het liefst?

'Een Mallais!' Ze had Mallais net ontmoet. Ze hadden in de Tuilerieën gelopen, herinnerde hij zich, zij was achttien, hij zeventien.

Armand Inslay-Hochstein had Dotty een optie op een Mallais geboden: een heel mooi schilderij van een kunstenaar die moeilijk te verzamelen was. Hij had haar ingelicht over de oorsprong ervan, die smetteloos was. Hij had er ook een onvoorwaardelijke garantie op gegeven. Dotty had hem mee naar huis genomen – en hem gewoontegetrouw in haar salon gehangen; en Dotty had geen elektriciteit in haar salon. Geen paarse schaduwen zichtbaar bij Dotty thuis; Reisden vroeg zich af of Inslay-Hochstein daaraan had gedacht.

En Dotty had geweten dat er iets mis was, of dat gevoeld; maar had besloten dat niet te zeggen, totdat Barry Bullard haar in paniek had gebracht.

Onder de lampen van het Gare d'Orsay leunde een man met een bolhoed over de brug en bescheen met een lamp een verticale strip op een van de pijlers. Het zou wel middernacht zijn; hij nam de hoogte van de rivier op. De hoogte ging in de menigte van mond tot mond. Vijf meter veertig, twee meter boven normaal. Een stijging van een meter vijfennegentig in twee dagen.

Dotty had hem verteld dat het debuut een fiasco was geweest, wat betekende dat zij Perdita's enige kans was, en wat had hij gedaan? Hij telde af op zijn vingers. Hij had haar verteld dat hij ging trouwen. Met Perdita ging trouwen, die zij wantrouwde. Omdat Perdita zwanger was. En dat hij overigens niet Dotty's neef was. Wat had hij proberen te doen? 'Haar de waarheid vertellen' verklaarde het niet.

Hij had geprobeerd Perdita haar kansen te laten missen.

Wat wil je het liefst? Liefde. Controle. Niet eenzaam zijn, nooit alleen gelaten worden met de puinhoop die Richard heeft gemaakt. Nooit alleen ongelukkig zijn.

Waar ben je het meest bang voor?

Krijgen wat ik wil, en ongelukkig zijn met iemand die ik ongelukkig heb gemaakt.

Wat wil je hebben dat je niet zou mogen krijgen?

Schat, had Dotty gezegd, je doet Perdita kwaad.

Wat wil je hebben dat je niet zou mogen krijgen? Wat is dat ene dat je niet, nooit kunt wensen?

Iemand tikte hem op de schouder; hij schrok op en draaide zich om. 'Daugherty.'

'Ik riep je,' zei Daugherty.

'Sorry. Ik was in gedachten.'

'Dat was te zien,' mompelde Daugherty. Reisden maakte plaats voor hem. Daugherty had een paar glazen van de *vin ordinaire* meegenomen – na zijn tocht door de rivier zeer *ordinaire*, je zou hem door een snor heen hebben moeten drinken– en ze gingen met hun ellebogen op de balustrades staan kijken naar het kolken van het zwarte water in de rivier.

'Heb je *Misdaad en straf* gelezen?' vroeg Reisden.

'Herinner ik me niet. Ik heb van de titel gehoord. Van een of andere politieagent?'

'Een Russische roman,' hielp Reisden hem op weg. 'Dostojevski.'

'Die boeken lees ik niet.'

Reisden knikte. 'De held pleegt een moord, wordt gepakt en naar Siberië gestuurd. Hij is vernederd, somber, doodziek van zichzelf; hij ontkent alles; hij wil niet meer leven. Dan komt hij met zichzelf in het reine. Dat zou je soms wel willen, het verheven Dostojevski-einde, gevangenis en de Groot-Inquisiteur en berouw, en Sonja in de sneeuw. Een verandering van bewustzijn... Als ik naar Siberië werd gestuurd,' zei hij, 'zou Perdita met me meegaan. Maar binnen een maand zou ze kennisgemaakt hebben met iemand uit het Keizerlijk Siberisch Orkest, en zouden we er precies zo voorstaan als nu. Ze trof een keer een cellist op een strand in New Jersey, terwijl er behalve ons maar vier mensen op het strand waren.'

Wat wil je hebben dat je absoluut niet kunt krijgen?

Niet Perdita. Niet alleen haar.

Wat ik met jou heb, Daugherty, en met haar en Gilbert en met niemand anders: ontdekt te zijn. De waarheid te zeggen, geloofd te worden, er openlijk de verantwoordelijkheid voor te nemen en er zo op de een of andere manier overheen te komen, het te laten beginnen voorbij te zijn.

Het drong plotseling, op verpletterende wijze, tot hem door waarom hij het Dotty had verteld. En het had niet gewerkt.

Achter hen probeerde iemand in de geul van de spoorlijn te vissen, zijn hengel als een zweep heen en weer zwaaiend en lachend. 'Esmé, de man van mijn nicht placht te vissen,' zei Reisden. 'Dotty heeft me verteld dat hij, toen Tiggy klein was, hen op een middag meenam naar Courbevoie, en dat hij met Tiggy op de oever ging vissen terwijl zij rondwandelde en de landschappen van Mallais zag. Hij kan er niet veel plezier aan hebben beleefd, hij was een sportvisser, forel en zalm, en uit wat ze zei maak ik op dat ze die middag niet veel tijd met hen heeft doorgebracht, maar nadat ze het schilderij gekocht had vertelde ze me dat het de enige keer was dat ze echt allemaal samen waren geweest.' Hij vroeg zich af of ze die dag de paarse vissershut had gezien. Beneden hen, op de overstroomde quais, maakten de nog brandende straatlantaarns trillende strepen in de Seine. 'Ze kocht dus haar Mallais. We zien nooit waar we naar kijken. We zien wat we zien. Die lantaarns: lichtgolven gaan door het hoornvlies, de lens, het kamerwater en het glasachtig lichaam, en vallen op het netvlies; neurochemische prikkels worden overgebracht via de oogzenuw; en daarachter is het bewustzijn, die de lantaarn nog het meest van allemaal vervormt. We zien nooit de echte straatlantaarn, alleen maar licht weerspiegeld in water.'

'Kan nog steeds zien dat het een straatlantaarn is.'

'Dat hangt ervan af; breng het water genoeg in beroering en het is een impressionistisch meesterwerk. Ik betrap mezelf erop dat ik steeds onwetenschappelijker over het bewustzijn denk: een kwestie van zorgdragen, een kwestie van' – hij zocht gebarend naar woorden – 'het recht verwerven om het te zien?'

Niemand zag Richard. Niemand wilde dat, zelfs hijzelf niet. Niemand wilde zien wat er met de Mallaises aan de hand was; ze wilden alleen de schilderijen bewonderen. 'Dotty wil haar Mallais, ik wil Dotty's neef zijn,' zei Reisden. 'Dat is allemaal noodzakelijk en in zekere zin gezond. Maar ik wil ook de echte straatlantaarn zien, en ik wil dat iemand anders het samen met mij ziet.'

'Dat heeft wel wat weg van detective zijn,' zei Daugherty.

'Nee. Het is…' Hij zocht naar woorden. 'Het is alsof je een extra paar ogen hebt waarop je kunt vertrouwen, als je die van jezelf niet gelooft.'

76

Leonard weet waar het meisje van de baron woont.

Bij het krieken van de dag gaat hij naar de rue de Rocher, waar hij haar gisteren heeft gezien. Vanaf de hoek houdt hij de deur van het pension in de gaten. Het is vroeg en donker; zijn adem vormt dampwolken in de koude lucht.

Weerspiegeld in een plas, weerkaatst in een gaslantaarnballon, verschijnt het meisje in haar witte jurk, haar rok een beetje opgetrokken, het pedaal gebruikend terwijl ze pianospeelt.

Ze is in gevaar. Er zit iemand achter haar aan, een duistere man.

Iemand bedreigt haar, zegt hij tegen haar. Hij kent de naam maar wil hem niet zeggen. *Iemand* geeft om niets anders dan haar lichaam; *iemand* heeft geen hart.

Hij staart de zwartheid in.

77

'Ruïnes en doden,' las de beheerster hardop voor uit de *Figaro* bij het ontbijt van zes uur 's ochtends in de ontbijtkamer van het Pension voor Jongedames. 'Gisteren steeg de Seine zestig centimeter. De Navigatiedienst denkt dat de overstroming zal voortduren tot zondag...' Volgens de *Figaro* waren in het gehele Ile de France de rivieren buiten hun oevers getreden; het overstroomde Bourgetmeer kwam nu bijna tot aan Chambéry; in Marseille was de strandboulevard overstroomd. Ivry en de andere stroomopwaarts van Parijs gelegen voorsteden waren ernstig aan het overstromen. Het weer was gelukkig opgeknapt; het regende niet meer en de Seine zou niet zo lang meer stijgen. 'Het vervoer is zeer onbetrouwbaar,' zei madame Audipat. 'Jongedames, jullie zullen snel naar het Conservatoire moeten lopen, als jullie de beste piano's willen hebben.'

Is de dag van een rampzalig concert al erg genoeg, de dag daarna is nog veel erger. Vandaag, juist deze dag, zou Perdita's laatste dag op het Conservatoire zijn geweest; een lesdag, met nog een laatste dosis vlinderlichte Chopin; de mannen in de klas zouden weten dat ze gisteren had gespeeld, maar vandaag zou er niets in de kranten staan; en ze had een akelig gevoel in haar maag, en ze wilde alles liever dan snel naar het Conservatoire lopen.

Vandaag ging ze naar Courbevoie. Ze had boodschappen achtergelaten voor zowel meneer Daugherty als Alexander om haar hier op te bellen; en in de tussentijd ging ze weer naar bed. Ze werd heerlijk pas over negenen weer wakker en ontbeet opzettelijk uitgebreid in een lege eetzaal die warm was van het zonlicht. Er was geen koffie van anderen die een gruizige nasmaak achterliet. Ze nam warme melk, en boter en honing op haar brood. Niemand zat achter de pensionpiano, dus speelde zij erop, een voorwerp in de vorm van een piano, een stap van een vensterbank vandaan; maar ze hoefde niet te spelen. Ze zou niet nummer achtendertig zijn, maar ze zou een echtgenoot hebben, een kind, een eenvoudiger leven. Hoe lang was het geleden dat ze had ontbeten in de zonneschijn?

Ze had bezoek, zei madame Audipat met afkeurend ontzag: de vicomtesse de Gresnière.

Van Alexander? Over het huwelijk, de zevenentwintigste of madame Suzanne of wat? Ze gingen met Dotty's rijtuig naar het Parc Monceau en wandelden op de paden, en gingen toen op een bank zitten praten. Perdita wilde dolgraag weten of Alexander Dotty over het huwelijk en madame had verteld. Dotty wilde alleen maar praten over het concert van gisteren. Ze prees Perdita's optreden en wilde zich ervan vergewissen dat Perdita voorbereid was voor haar eigen salon. 'Je neemt mijn salon even serieus als die van madame Bacon, mag ik hopen.'

'Ja, mevrouw,' zei Perdita, een bos vragen uit haar stem werend.

'Goed. Ik heb reclame voor je gemaakt. Zelfs bij deze akelige weersomstandigheden zullen er een paar bruikbare mensen zijn.' Dotty stelde haar gerust dat de japon van Worth al was geperst, stelde tijden op dinsdag en woensdag vast waarop Perdita de piano kon uitproberen, en herinnerde haar eraan donderdag heel vroeg te komen zodat Dotty's kamenierster haar haar kon doen.

Dotty's eigen kamenierster zou Perdita's haar doen? Dit was menens.

Maar Dotty bood Rosines diensten niet aan voor maandag, voor het huwelijk; ten slotte moest Perdita wel iets zeggen. 'Hebt u Alexander gisteravond nog gezien? Ik maakte me ongerust toen hij niet bij mevrouw Bacon was.'

'Hij heeft... me verteld dat jullie van plan zijn te gaan trouwen.' Dotty zweeg, wat niets voor haar was, en legde na een ogenblik haar smalle koude hand onoprecht op die van Perdita. 'Het spijt me zeer.'

Perdita zei niets, verontwaardigd.

Dotty haalde haar hand weg. 'Weet je, liefje, Sacha is eigenlijk niet erg... stabiel. Hij heeft zenuwinzinkingen gehad; als íéts niet goed voor hem is, dan is het wel Jouvet. Ik ben bang dat hij op een volgende moeilijke periode afstevent. De belemmeringen, welke dat ook mogen zijn, die je misschien op het idee brengen te gaan trouwen, kunnen heel gemakkelijk weggenomen worden. Ik weet wat het is om je zorgen te maken over de geestelijke gesteldheid van een echtgenoot,' zei Dotty.

Dat was zo, en Perdita had medelijden met haar.

'Toen ik trouwde dacht ik dat ik tot alles in staat was. Zelfbedrog, liefje, is de grootste zonde. Ik hoop dat je een onherroepelijke beslissing betreffende hém in elk geval zult uitstellen tot na donderdag. Donderdag zal belangrijk voor je zijn,' zei Dotty. 'Ik ben van plan hier zeer invloedrijke mensen te laten komen, liefje.'

Perdita ging naar de lokale brasserie om de hoek, waar een telefooncel was; ze kon zich er niet langer van weerhouden hem op te bellen. De verbinding met Jouvet was krakerig en zwak.

'Morgen, schat.' Hij klonk uitgeput en noemde haar *schat*, wat gewoonlijk zijn woord was voor Dotty. 'Ik heb een patiënt naar de trein gebracht en ben naar de bank geweest. Ik heb de lening gekregen, maar ik ben er zo lang mee bezig geweest dat ik jou niet heb kunnen horen. Ik heb gehoord dat er gisteren erg weinig publiek was; wat jammer.'

'Dat kan gebeuren.'

'Heb je goed gespeeld?'

Ze glimlachte naar hem in de telefoon; lieve Alexander, die haar de goede vraag stelde. 'Ja, ik was geweldig.' Ze had het goede antwoord moeten geven: *Ja, nu ben ik bereid om met je te trouwen.* 'Alexander, Dotty was hier vanmorgen. Wat heb je tegen haar gezegd?'

'Ik heb haar over Richard verteld,' zei hij. 'Ze heeft het niet goed opgevat.' Dat zou wel een eufemisme zijn. 'Eerder had ze tegen me gezegd dat ik betrokken was bij een of ander schandaal in Amerika, dat jij en Daugherty daarvan wisten, en dat in elk geval híj het tegen me gebruikte. Als ze iets van die aard tegen jou heeft gezegd, spijt me dat zeer.'

Op een dag zou ze Dotty in een vetvlek veranderen. 'Nee. Ze heeft niets van die aard gezegd. Ze wilde zich ervan vergewissen dat ik haar concert even serieus zou nemen als dat van mevrouw Bacon, omdat er invloedrijke mensen zullen komen. Ik moet er vroeg zijn om me te laten "opmaken" door Rosine. Ze was vriendelijk,' zei Perdita, 'min of meer, hoewel ik niet weet wat ze dacht. Maar ze wil niet dat ik met je trouw.'

'Dat spreekt vanzelf,' zei hij. 'De rest verbaast me... Een ogenblikje, madame Herschner wil iets.' Hij bedekte het mondstuk; ze kon hem in het Frans horen praten.

'Weet je dat je in de *Figaro* staat?' zei hij.

'Een recensie?'

'Hier sta je, onder "Theetijd" in de late editie. Perdita, dit is heel goed. "Kan men nog steeds spreken van vrouwelijk genie, dat versleten begrip? We weten niet langer wat we moeten zeggen wanneer we op ware grootheid stuiten. Tot ons komt een grote kunstenares – een serieuze kunstenares – een mooie, onvergelijkbare, unieke kunstenares!" Dit is heel, heel goed.'

Ze zuchtte, half geamuseerd door de hyperbool, half voldaan. 'Wie zou dat geschreven kunnen hebben? Er waren geen critici.'

'Niet ondertekend. Verderop staat er "verbijsterend" en "een vergelijking met Samaroff waardig". Daar moet Ellis genoeg aan hebben.'

Maar er was geen sprake van Ellis, die wilde dat ze op tournee ging; er viel een korte stilte aan de telefoon. 'Gefeliciteerd, liefste,' zei hij rustig.

'Ja,' zei ze.

'Ik ben bang dat ik begrijp waarom Dotty je kwam opzoeken.'

Zij ook. Dotty's vrienden hadden de kranten gezien. Aan het eind van de recensie vermeldde 'Theetijd' dat het jonge genie donderdag zou optreden tijdens de ontvangdag van de vicomtesse de Gresnière. Dotty wilde niet dat haar salonster haar in de steek zou laten. 'Ik zal beter oefenen,' zei ze. Dat was haar geraden, wilde ze een goede indruk op Dotty beginnen te maken.

Maar dat was niet de manier waarop ze werd verondersteld indruk op Dotty te maken.

'Als je klaar bent,' vroeg hij, 'kom je dan hier? Ik wil met je praten. Ik kan naar Courbevoie zijn gegaan, maar als dat zo is, kom ik weer terug. Probeer alsjeblieft niet te gaan lopen; neem een huurrijtuig.'

'Ik ga met je mee naar Courbevoie,' zei ze. 'Ik weet waar het over zal gaan. Meneer Daugherty heeft gisteren met me gepraat. Alexander, je kunt haar niet laten ophouden. Dat meen ik. Ze heeft met me gepraat,' bekende Perdita. 'Ze zei niet dat ze schilderde, maar het scheelde niet veel. Ze heeft haar hele leven willen schilderen.'

'Weet je wel,' zei hij, 'Perdita, weet je wel wat ze haar kleinzoon heeft aangedaan? Wat hoogstwaarschijnlijk zowel zij als "Yvaud" heeft gedaan omdat ze willen schilderen?'

'Allebei?'

'Ik spreek je nog wel, maar pas als ik terug ben; en jij kunt niet gaan, ik neem de auto.'

'Alexander, ik ga wél.'

Ze wilde een plichtsgetrouwe vrouw voor hem zijn, in elk opzicht behalve dat ene, maar het liep bijna uit op een ruzie over of hij haar mee zou nemen naar Courbevoie of niet. 'Blijf daar,' zei hij, alsof ze een hond was. 'Doe het voor mij. Ik zal je door iemand laten halen.'

Doe het voor mij. 'Goed,' zei ze. 'Als jij dat vraagt. Maar ga niet zonder mij naar Courbevoie.'

78

MILLY XICO KWAM VLAK VOOR TIENEN BIJ HET HOL VAN DE PANTER aan.

'Ik heb iets wat u begeert,' zei ze, terwijl ze zelfverzekerd in een van de twee leren stoelen in zijn kantoor plaatsnam. Hij ijsbeerde door de kamer, net als zijn naamgenoot, en praatte in het Engels met meneer Daugherty. Ze schonk hen beiden een oogverblindende glimlach. Ze had een koraalrood pakje aan, met een laag uitgesneden, matgroene zijden blouse. Ze boog zich voorover, pronkend met vertakte koraal, glazen smaragden en decolleté, en bekeek de uitwerking die ze op hen had. De Amerikaan gaapte haar aan, en leek boos op zichzelf te zijn. 'Sacha-schat' trok alleen een wenkbrauw op.

'Meneer de Reisden. Meneer Dohairtee.' Ze haalde verscheidene velletjes dun, blauw, met paarse inkt beschreven papier en een exemplaar van de *Figaro* van die ochtend te voorschijn en sloeg 'Theetijd' op. Ze had de rubriek omcirkeld met dezelfde paarse inkt.

'U?' zei de baron.

Ze spreidde de velletjes blauw papier waaiervorming uit alsof het valuta waren.

'Mijn man,' zei ze, 'mijn ex-man schrijft voor de *Musical Review*, *Musica*, *L'Illustration*, *Comaedia* en de *Grande Revue*, hij is een druk bezet man, Henry, het is opmerkelijk hoeveel toneelstukken en concerten hij bijwoont. Uw vrouw is een aantrekkelijk meisje, precies Henry's type, hij is van haar gecharmeerd. Dat zal hij zijn, wanneer hij haar ziet. Hij zal van mening zijn dat ze fantastisch speelt.'

Ze overhandigde hem de papieren en hij las ze door terwijl zij sprak. Ze waren goed, dat wist ze. Het was een lange nacht geweest.

'Henry staat op het punt een afschuwelijke misdaad te plegen,' zei Milly.

Meneer Daugherty zat naar hen te kijken, net zo nieuwsgierig als Nicky, met dezelfde uitpuilende ogen achter zijn bril.

'Henry heeft altijd schulden,' zei Milly. 'Een paar maanden geleden is er een Amerikaanse miljonair naar Parijs gekomen, en hij heeft een schilderij gezien dat hij wil hebben. Het is…' Ze bevochtigde haar lippen op de manier die volgens Henry onweerstaanbaar was voor mannen. 'Dat kan ik niet zeggen. Hij heeft Henry gevraagd of hij hem wilde helpen het schilderij te stelen.'

Meneer Daugherty leunde voorover, met dichtgeknepen ogen, alsof dat zijn begrip van het Frans zou bevorderen.

'Kent u George Vittal?' vroeg ze.

'*Tienduizend nieuwe perversiteiten?*'

'George denkt dat hij een anarchist is. Henry heeft hem het idee aan de hand gedaan om een misdaad te plegen ter wille van de kunst. George gaat een kopie – van dit schilderij – in de Seine gooien. Over zes dagen, op achtentwintig januari.'

Haar verjaardag. Ze tilde Nicky op, begroef haar kin in de zachte vetplooien in zijn nek, en keek met zwartomrande vrouwelijke ogen naar de baron, terwijl ze een glimlach probeerde te onderdrukken. 'George gaat een kopie in de Seine gooien,' zei Milly. 'Maar deze Amerikaan heeft handlangers in het museum. Wanneer hij de kopie vernietigt, zullen ze het origineel door een andere kopie vervangen. Zo zal de indruk gewekt worden dat George het origineel heeft gestolen en vernietigd.'

Ze deed haar handtas open en stak hem een exemplaar van Georges *Klinkende Vergiften* toe. 'Ik ben op George gesteld, maar kijk hoe hij schrijft. Hoe kan ik hem zeggen dat hij die kopie niet in de Seine moet gooien? Hij zou het origineel erin gooien als hij het had.' Dit beschouwde Milly als een geniale zet, het bezigen van Georges eigen woorden. Mannen geloofden andere mannen altijd.

'Henry hoeft alleen George maar te overreden en de Amerikaanse miljonair zal Henry's schulden aflossen. George zal verschrikkelijk in de problemen raken. Ik voel me nog steeds Henry's vrouw, ik kan hem dit niet laten doen, het is écht verkeerd. Als een mán het nu tegen hem zei…'

'Om welk schilderij gaat het?' zei de panter, precies op het juiste moment, het boek vergeten in zijn hand.

'De…' Milly haalde haar zakdoek te voorschijn. 'Ik kan het niet zeggen.' Ze depte haar mond alsof ze op discrete wijze een stukje sla tussen haar tanden uit haalde. Achter de zakdoek lachte ze. Ze deed het voorkomen alsof de lach tragisch gebeef was. 'De Mona Lisa.'

Op dat moment zou hij naar lucht happend moeten zeggen: 'De Mona Lisa?' Maar hij zei: 'De Mona Lisa? Worden de kopieën gemaakt door Jean-Jacques Mallais en Juan Gastedon?'

'Natuurlijk; u was er toch ook zaterdag.'

'En wat moet ik doen?' zei de panter, het boek neerleggend.

'Henry opbellen, of hem schrijven. Zeg hem dat u weet waar hij mee bezig is; dat hij ermee op moet houden, anders schakelt u de autoriteiten in. Dat zou voldoende moeten zijn. Als u dat doet,' zei Milly, terwijl ze haar ogen bevallig neersloeg naar de velletjes blauw papier, om ze vervolgens op te slaan en hem bewonderend in het gezicht te kijken, 'kunt u zich verheugen in mijn eeuwige dank, monsieur, en die van uw vrouw.'

Ze stond op en wierp hem een blik toe die Sarah Bernhardt waardig was, tragisch, majesteitelijk, opofferend. Ze schonk hem één dapper glimlachje en stormde vervolgens de deur uit voor hij vragen kon stellen.

Nicky fietste met zijn kleine beentjes en gromde, maar ze liet hem niet los voor ze de hoek om was. 'Chou-*ette*, Nicky! Iemand die Henry niet eens *ként*, belt hem nota bene op om hem te zeggen dat hij de Mona Lisa niet moet stelen…'

Ze kon onmogelijk verliezen. Wat de panter ook deed, ze zou het verslag ervan inleveren; daar werd je immers voor betaald! Mocht 'Sachaschat' met Henry praten, prima. Maar deed hij het niet, dan had Milly natuurlijk niet alleen op hem gerekend.

Het Gare d'Orsay was vol mopperige en katterige reizigers; sommigen hadden kennelijk de nacht daar doorgebracht. Milly betaalde voor een telefoongesprek en ging in de rij staan om het apparaat te mogen gebruiken. Om haar heen niets dan smartelijke verhalen: 'Maar ík zit hier al sinds gistermíddag vast!' Ze sloot de deur van het hokje en vroeg de telefoniste haar met Julie de Charnaut te verbinden.

'Milly?' Julies benepen stem was nauwelijks verstaanbaar. 'Weet je wat Henry me heeft áángedaan, ik schaam me zo, ik ga zelfmoord plegen…'

'O, arme Julie.' Ze luisterde. Het was vreselijk. 'Maar je moet dapper zijn, Julie, ik heb net gehoord dat Henry met iets afschuwelijks bezig is. We moeten hem redden…'

'Echt?' zei Julie, wat opgewekter klinkend.

'Ja, maar je *mag het aan niemand doorvertellen…*'
Milly verliet zich nooit alleen maar op mannen.

Het meisje van de baron komt niet samen met de andere jonge vrouwen naar buiten. Leonard wacht op haar, en laat zich dan scheren bij de barbier verderop. Hij wordt gebiologeerd door het vallen van leidingwater, het glinsteren van de spiegels in de ochtendzon, de schreeuw van licht op het blad van het scheermes. Hij wil gladgeschoren worden, net als de baron. Hij koopt een scheerriem en een slijpsteen.

Tegenover het Pension voor Jongedames, bij de trap die naar de lager gelegen rue de Madrid voert, haalt hij het mes met zwiepende bewegingen over de slijpsteen tot je alleen al door de aanblik ervan zou gaan bloeden.

Ze is nog niet naar buiten gekomen.

Vandaag was er geen huurrijtuig meer te krijgen. Bijna alle treinen van St.-Lazare naar Courbevoie hadden een enorme vertraging opgelopen, ontdekte Reisden door het station op te bellen; hoewel het binnenstromende water in de Métro scheen te zijn gestelpt, was de elektrische bedrading 'gecompromitteerd', dat prachtige Franse woord dat inhoudt dat men nieuwe kabels zal moeten spannen, en de Métro naar Courbevoie reed niet.

De lekkage in de kelder was zo ernstig dat ze er een bouwingenieur bij moesten halen, en Reisden moest op hem wachten. Samen met Levallet inspecteerde hij de kelder. De pomp was niet toereikend; de vloer stond bijna geheel onder water. Levallet trok bezorgd aan zijn pijp, terwijl hij in de fundamenten van de enorme balken, de *poutres*, onder de toren prikte. De lucht was verzadigd van de geur van schimmel en natte aarde.

Daugherty arriveerde, klaar om naar Courbevoie te gaan. Reisden zette hem en Levallet aan het werk om het vacuümapparaat te demonteren; ze konden de pomp gebruiken om de kelder droog te houden. De gasleidingen en de hoofdleiding van de elektriciteit zaten onder aan de keldertrap; die moesten droog blijven.

De omvang van de overstroming kon in kaart worden gebracht aan de hand van de patiënten die niet kwamen opdagen. Er kwam niemand uit het bovenstroomse gebied, Ivry, Alfortville of Charenton. Reisden verving de ontbrekende personeelsleden en noteerde de ziektegeschiedenis van Leclerc, Fabien, mogelijk schizofreen, en Aubry, Germaine-Élisabeth, een minuscule, tandeloze vrouw wier voornaamste ziektebeeld een hartstochtelijke onorthodoxheid leek te zijn. 'Is het christelijk om mensen te laten verdrinken? Wat God zijn betreft, een vrouw als ik zou het beter doen!' Hij kon niets uitrichten; hij liep rusteloos heen en weer, aantekeningen makend op een klembord, denkend aan de onder water lopende kelder, denkend aan Perdita die op hem wachtte.

Hij droeg de leiding over aan Eve Herschner, en liet het telefoonnummer van Courbevoie bij haar achter. 'Als de ingenieur vindt dat we de balken moeten stutten, doe het dan.' Hij haalde Daugherty op, die de archiefkasten naar de binnenplaats had helpen verhuizen, en ze gingen op weg naar het Pension voor Jongedames aan de rue de Rocher.

Het was zachtjes gaan sneeuwen. De elektrische tramdienst was ook buiten bedrijf. De paardenomnibussen en gasomnibussen klosten en sputterden over de straten, overhellend door het grote aantal passagiers; de paarden leunden vermoeid in hun gareel, nauwelijks in staat hun hoeven op te tillen. Lopen was sneller dan wachten. Reisden gaf met zijn lange benen en nervositeit het tempo aan; Daugherty sjokte achter hem aan, het hoofd tussen zijn schouders getrokken tegen de kou.

Vandaag leek de Seine geen vlakte, maar een barrière, onmetelijk hoog en breed; de kracht van het water deed de Pont des Arts enigszins trillen. Aan de Vert-Galant wierpen de wilgentakken een slepende schaduw in de stroom. Tiggy zou hem wantrouwen omdat hij de overstroming had onderschat; Tiggy zou bang zijn.

'We hadden je auto kunnen nemen,' mopperde Daugherty.

'Zodra we het station bereiken is er niets meer aan de hand. De treinen naar Courbevoie rijden nog.'

Voor de imposante gevel van St.-Lazare waren pompen water uit de Métro aan het wegspuiten; het water hing in de lucht zoals het water van de fonteinen van Versailles zich in de windrichting verspreidt, en in plaats van in de riolen weg te lopen, bleef het in centimeters diepe plassen bij de rioolopeningen liggen. In het station versperden geïrriteerde mensen de kaartjesloketten; de treinen reden, maar de hal weergalmde met aankondigingen over treinen die vertraagd waren of stil waren komen te staan. De trein naar de voorsteden had vertraging, hoorden ze, maar werd uiterlijk over een half uur verwacht.

'Haal jij Perdita maar op. Ik ga nergens meer lopend heen,' zei Daugherty. 'Misschien neem ik deze volgende trein gewoon wel, dan kunnen jullie in je eentje komen.'

'En laat je mij in mijn eentje met Perdita,' zei Reisden nerveus.

'Zoeken jullie maar uit wie wat schildert,' zei Daugherty. 'Dan warm ik het huis wel voor jullie op.'

Leonard ziet Reisden aankomen.

Reisden wachtte Perdita op in de salon waar de Jongedames mannelijke gasten konden ontvangen. Het was een piepklein, oudevrijsterachtig vertrek: bloemenschilderijen, kleine stoelen bekleed met gebloemd fluweel, een met parelmoer versierde piano. Hij voelde zich vernederend mannelijk. Hij hoorde haar de trap af komen, stap voor voorzichtige stap. Mijn vrouw, dacht hij, en plotseling kon hij niet naar haar kijken; zijn hard bonkte, hij ging zitten en keek naar zijn voeten. Hij hoorde Perdita aan de beheerster uitleggen dat dit monsieur de Reisden was, die haar meenam naar madame de Pouzy in Versailles, waar ze het weekend zou logeren. Hij nam haar kleine tas; hij hield haar arm vast; hij keek toe hoe ze tekende bij vertrek; in plaats van de richting van Gare St.-Lazare in te slaan, leidde hij haar de straat over en de trappen af die naar de rue de Madrid leidden. Halverwege de trappen is een portaal, en daar bleef hij met haar staan, samen schuilend in een ondiepe, met steen omlijste deuropening.

Hij kon haar niet recht aankijken; hij kon omlaag kijken naar haar hoed met de oranje veer, naar haar vingers op zijn mouw, maar hij kon haar niet onder ogen zien. Hij dacht aan William, aan Tasy, aan alle gevaar waarin hij haar bracht, aan alle dingen die verkeerd waren gegaan, alles wat ze verloor. Ik kan dit niet, dacht hij, het is niet goed; ze is er niet rijp voor. Ik ben er niet rijp voor.

'Hallo,' zei ze opgewekt en ademloos vanonder haar hoed. 'Hier ben ik. De jouwe.'

Lieg niet, dacht hij. 'O, liefje, en ik weet niet wat ik met je aanmoet.'

Een man stond hen vernietigend aan te kijken, wachtend tot ze de trap af gingen. Reisden gebaarde hem verder te lopen; hij en Perdita gingen plat tegen de muur staan om de man door te laten. Maar er was iets mis. De man kwam de trap af, maar langzaam, tree voor tree; hij staarde woest naar Reisden. Er was iets mis met de blik van de vreemdeling, of de manier waarop zijn ogen stonden, misschien zelfs dat niet, maar er was iets ondefinieerbaars mis met zijn gezicht, een onderdrukte gewelddadigheid en aarzeling, er was iets heel erg mis met die langzame, agressieve manier van afdalen. De twee mannen staarden elkaar aan, de vreemdeling boven, met woeste blik, beledigd; Reisden beneden; Reisden schoof Perdita naar de ondiepe bescherming van de deuropening en ging voor haar staan. Even waren ze centimeters van elkaar verwijderd; daarna ging de man hen voorbij, zijwaarts de trap af lopend, nog steeds naar hen kijkend.

'Wat is er gebeurd?' zei Perdita.

'Ik weet het niet.' Hij leidde haar snel de trap op. Dat is hoe Haar Kunstenaar zich zou gedragen, dacht hij, agressief en timide, maar daarna besloot hij: nee, Haar Kunstenaar had hem niet zo makkelijk laten ontsnappen; het had twee mannen in een krappe ruimte betroffen, en hij had onbewust aan Haar Kunstenaar gedacht; hij had een schurk verzonnen om zijn gevoelens te vereenvoudigen, omdat het zo gemakkelijk is om een vrouw te beschermen tegen een man die niet jezelf is.

Hij nam haar mee naar het St.-Lazarestation om te lunchen. Hij wist een hoektafeltje te bemachtigen en zat er op zijn hoede bij, haar waakhond, om haar te beschermen of louter te bezitten. Daugherty had blijkbaar een trein kunnen nemen; hij was nergens te bekennen. De volgende trein naar Courbevoie zou over een uur – of twee, of drie – vertrekken en het restaurant en het station waren afgeladen, er was geen plaats meer vrij in de wachtkamer beneden, en het café was al bijna door zijn koffie heen. Hij rolde haar handschoen naar beneden en streek over de aderen op haar pols. Ze hing lusteloos tegen hem aan. Hij herinnerde zich dat ze niet tegen de geur van koffie kon, omdat *ze zwanger is van mijn kind*, dacht hij, en raakte in paniek.

'Ik ben zenuwachtig voor het trouwen.' Hij zou het nooit tot maandag overleven.

'Ik ook,' zei ze, en glimlachte naar hem.

'Ga mee naar buiten; dan kijken we of we een huurrijtuig naar Courbevoie kunnen krijgen.'

Op de place de Rome stonden drommen huurrijtuigen, waarvan sommige beschikbaar waren, maar geen van hen was bereid zo ver te gaan.

'Laten we gaan lopen.'

'Naar Courbevoie?'

'Nee, zomaar, voor de frisse lucht.' Ze veegde de mist van haar gezicht.

Hij wilde haar niet over Haar Kunstenaar vertellen.

'Zou je met me mee willen gaan naar het hotel?' vroeg hij haar.

Ze kregen een kamer onder de dakrand, het soort kamer dat, met minder gestrande reizigers, een bediendenkamer zou zijn geweest. Hij bevatte een smal, ijzeren ledikant met een matras ter dikte van een zakdoek, een grenen ladekast en een sputterende gaslamp met een rode kap die wedijverde met het grijze licht uit het raam. Hij sloot het ondeugdelijke slot: een ceremonie van bezit, een bescherming tegen alles wat hen bedreigde, van de man op de trap tot hun eigen verschillen. Ze stond midden in de kamer en zocht op de tast haar weg; ze botste tegen het bed, ging erop zitten, voelde hoe dun en goedkoop de matras was.

Het was louche om je verloofde mee te nemen naar een hotel. Het impliceerde maar één ding, net als met haar naar Courbevoie gaan. Hij ging naast haar zitten en sloeg zijn armen om haar heen, maar als bij toeval. Hij wilde haar alleen maar omhelzen, met haar praten, omhelsd worden. Ze hadden de laatste tijd te weinig met elkaar gepraat. Hij voelde zich bedreigd, als door de dief op de trap, door zichzelf, door haar, door het vuur tussen hen dat zoveel van liefde weghad, en niet echt liefde was.

'Ik zou met je naar het stadhuis moeten gaan,' zei hij, 'en vanmiddag nog met je moeten trouwen.'

'Deed je het maar. Wil je dat?'

'Ik denk dat ik het meer achter de rug wil hebben dan dat ik het vanmiddag wil doen.' Hij wilde de openbare ceremonie die ze maandag zouden krijgen, in aanwezigheid van Dotty en Tiggy; hij wilde dat de trouwerij zo veel mogelijk voorstelde.

Ze hield zijn handen vast, drukte ze tegen haar wangen. 'Ik wil de jouwe zijn.'

'Liefste. Geef me je ring.' Ze haalden de smalle gouden veiligheidsring van haar grootmoeder van zijn ketting af. 'Ik, Alexander Josef, neem jou, Perdita...' Hij schoof de ring over haar vinger, gaf haar zijn zegelring, en liet haar nazeggen wat hij zich nog vaag herinnerde van de Engelse huwelijksceremonie; ze sprak de woorden tegen hem en deed zijn vervalste ring weer om zijn vinger.

'Repetitie,' zei hij spottend.

'Nee, ik wil dat het echt is.'

Ze bedreven de liefde, elkaars voorkeuren respecterend, alsof ze elkaar angstvallig lieten zien verrukt te zijn over elkaar en het huwelijk. Na afloop sponsten ze elkaar af met het water uit de lampetkan, in bediendenkringen het surrogaat voor een privé-bad. De hemel had de donkere tint van de schemering aangenomen, de kamer werd alleen verlicht door de roodgetinte gaslamp met zijn rode kap; al het andere was in lagen schaduw gehuld. Hij was bezorgd over haar, wilde haar beschermen, als een holbewoner in de nacht.

Ze reeg haar korset dicht. Ze moest het aan de onderkant hard aantrekken; het ging niet meer zo gemakkelijk dicht; dus knoopte hij de veters open en maakte ze wat losser. Hij legde zijn hand zachtjes op haar buik, het kind beschermend. Het kind sterkte hem. Leven, dacht hij; leven in plaats van de dood; een huwelijk, een kind, een kans. Alstublieft. Ze glimlachte onzeker en sloot haar ogen even.

'Wat is er?' zei hij.

'O,' zei ze, 'het verraste me. Ik ben het niet gewend dat iemand anders mijn korset verstelt. Dat heeft niemand ooit gedaan. Het is... intiem...' Ze begon snel de rest van haar kleren aan te trekken. 'Het verraste me.'

'Je bedoelt dat ik het je beter zelf kan laten doen. Of het had moeten vragen voordat ik het deed.'

De achterkant van haar korset bleef een paar centimeter openstaan. De onderrok kon niet naar behoren aan het korsetlijfje worden vastgeknoopt. Ze knoopte de onderrok los en kromde haar rug terwijl ze aan de veters trok en ze gladstreek. Hij wilde dat ze dit samen deden, zoals ze alles samen zouden doen; hij wilde niet dat ze zich op deze manier terugtrok. Hij knoopte zijn eigen boord vast; hij zou het met alle liefde aan haar hebben overgelaten. Ze kreeg het korset niet helemaal meer zoals het was geweest, en kon één knoop van haar rok niet meer sluiten. Ze knoopte de bijpassende jas erover dicht met een afwerende, zorgelijke uitdrukking op haar gezicht.

'Het spijt me,' zei hij. 'Ik wil niet dat je boos op me bent.'

'Ik ben niet boos. Alles gebeurt tegelijk,' zei ze terwijl ze de stof gladstreek. 'In ieder geval zijn we getrouwd. Bijna getrouwd... Ik doe deze ring niet meer af tot ik de echte krijg.' Ze zwaaide met haar vuist, een bescheiden, elegante variant van een juichkreet, en schonk hem een flauw glimlachje. 'Maandag.'

'Maandag.'

Ze schudde haar haar uit en begon het met snelle, bezorgde halen te borstelen, waarna ze het met beide handen opnam en in een knot draaide. 'Alexander. Wat zal er met madame Mallais gebeuren?'

'Ik weet het niet.'

'Ze moet absoluut de gelegenheid krijgen om te schilderen. Ze is goed, Alexander; zelfs die kenner van de impressionisten vindt dat.'

Hij zei niets. Hij wilde haar geven wat hij kon.

'Ze deed wat ze kón,' zei Perdita. 'Ze schilderde niet voor het geld. Ze deed het om te schilderen. Dat is geen vervalsing.'

'Was het maar waar,' zei hij.

'Wat zal er dan met haar gebeuren?'

'Ik weet het niet.'

'Zou Dotty niet iets kunnen doen om het haar wat makkelijker te maken?' zei ze.

Beiden zwegen.

'Zou jij het haar willen vragen?' zei ze.

'Dotty en ik vragen elkaar momenteel geen gunsten.'

'Ik vraag het haar wel,' zei ze. 'Het kan me niet meer schelen of ik recensies krijg; maar madame Mallais is belangrijk.'

'Je moet niet met Dotty over madame Mallais praten.'

'Ik wil geen recensies.'

'Niet vanwege recensies,' zei hij. 'Er zijn al recensies. Vanwege Dotty; ik wil weten wie haar schilderij heeft gemaakt voor ik haar daarover moet ontgoochelen.'

'Die in de *Figaro*,' zei ze, half vragend.

'Ik heb acht recensies gezien,' zei hij. 'Genoeg Parijse citaten om een poster mee te vullen. Milly Xico heeft ze allemaal geschreven; ook "Theetijd".'

'O,' zei ze toonloos.

Ze waren begonnen met madame Mallais; maar uiteindelijk was het niet madame waar ze het over moesten hebben. 'Ze zijn niet echt, maar je kunt ze geven aan... je kunt ze gebruiken, als je wilt.'

Ze liep naar het bed en ging langzaam zitten, tussen de omgewoelde lakens, hun zorgvuldige liefdesbetuigingen. Hij gaf haar de tijd zich te bezinnen over haar gevoelens omtrent die recensies – met name 'Theetijd', die ze voor echt had gehouden. Ze zei niets, zodat hij het alleen moest opknappen.

'Je zou het niet prettig vinden om Ellis vervalsingen te geven,' zei hij ten slotte, 'maar je vraagt ieder ander niet teleurgesteld te zijn in madames vervalsingen.'

Ze balde haar hand op haar schoot tot een vuist. 'Nee, ik zou ze gebruiken,' zei ze, 'als er een volgend concert zou komen.'

'Nu doe je dwars.'

'Recensies zijn bedoeld om mensen ertoe aan te zetten naar het volgende concert te gaan, Alexander. Mensen gaan in eerste instantie niet voor de muziek naar concerten; ze gaan omdat hun vrienden gaan, of omdat er iets te eten zal zijn, of omdat er een beroemd iemand speelt. Maar soms blijven ze voor de muziek... Waarschijnlijk zou ik de recensies dus wel gebruiken, als er een volgend concert zou komen.'

'Is het dus zo,' zei hij, 'dat men probeert beroemd te worden ter wille van de muziek? Dat komt in de buurt van madame Suzanne.'

'Alexander.' Ze hief haar hoofd, defensief als alleen iemand kan zijn die geen goede argumenten heeft, en vol vuur. 'Ze schilderde niet om net te doen alsof ze haar man was, en ik speel niet om recensies te krijgen. Ik ben blij wanneer ik oprechte recensies krijg, of ze nu goed of slecht zijn; maar voor de publiciteit maakt het me niet uit of ze mijn jurk of de hapjes of zelfs mijn ogen bespreken; het maakt me echt niet uit. Mensen komen vanwege een lovend stukje in de kranten; mensen komen met hun vrienden mee, of voor de chocoladetaart; en dat is allemaal van waarde, omdat...' Ze stokte. 'Omdat ik geloof in wat ik doe. Ik geloof in de muziek. Als ik niet in jou en ons huwelijk en onze baby geloofde, zou ik alle recensies zonder meer aangrijpen, en ze waarderen, en ze op alle mogelijke manieren gebruiken. Het spijt me, Alexander, het is niet jouw soort eerlijkheid, maar dat is wat ik zou doen.'

'Ze signeerde schilderijen waaraan ze had meegewerkt of die ze zelf had gemaakt met zijn naam,' zei hij. 'Ze joeg haar kleinzoon het huis uit omdat ze vervalsingen verkocht en hij dat wist. Daar mag je haar niet mee weg laten komen. Dan zou ik je niet respecteren.'

'Ze hielp haar mán. Híj keurde haar gedrag goed,' zei Perdita. 'Hij respecteert haar. En wat ze ook deed, haar man deed het net zo goed.'

Ze pakte de rest van haar spullen in en ze verlieten de kamer in een breekbare stilte. De liften werkten niet meer; ze namen de trap. Hij ging in de lange rij voor de receptie staan wachten om de sleutel in te leveren. Op alle leren stoelen in de hal zaten mensen, de meesten met stapels bagage om hen heen, duidelijk geen hotelgasten. De lucht was warm en bedorven, te lang door te veel mensen in- en uitgeademd. Bij een palm in een pot lagen twee kinderen onder hun jassen te slapen, met pakjes als kussens onder hun hoofd. Perdita zuchtte in de bedorven lucht.

Hij sloeg zijn arm om haar heen. Ze verstijfde.

'Je probeert haar te beschermen door oprechte recensies met publiciteit te verwarren.'

'Alexander,' zei ze, 'de meeste kritiek op vrouwen bestaat niet uit recensies; het betreft haar kleding en haar accent en haar man en nooit haar werk. Wie zou een oprechte recensie geven van schilderijen die *madame Suzanne* geschilderd heeft? Iedereen zou zeggen dat ze de vrouw van haar man is, geen wonder dat ze net als hij schildert, en ze zou alleen maar als een zonderling behandeld worden. Maar ze kán schilderen, ze hóórt te schilderen, en natuurlijk schildert ze net als haar man, omdat ze het van hem heeft geleerd.'

'Hou op.'

'Jij begon,' mompelde ze.

Bij de receptie was een grote Italiaanse familie aan het protesteren tegen de hotelier: maar ze hadden absoluut, absoluut een suite voor gisteren gereserveerd, ze konden het ook niet helpen dat hun trein net was gearriveerd; ze hadden bijna schipbreuk geleden. 'We komen uit Bordeaux...' Een Duitse officier die uit Keulen kwam, vertelde dat de Rijn een hoogte van zes meter vijfenzeventig had bereikt, het hoogste peil in twintig jaar; een reis die gewoonlijk minder dan een dag in beslag nam had hem nu drie dagen gekost.

Perdita haalde haar vergrootglas en haar bril te voorschijn en begon haar post te lezen, die ze bijna bij het puntje van haar neus hield. Hij was zich ervan bewust dat hij op zijn nummer werd gezet. Wanneer ze samen waren, vroeg ze hém meestal haar post voor te lezen.

'Ik lees het wel voor,' zei hij. 'Als je wilt.'

'Goed,' zei ze. 'Dank je,' voegde ze eraan toe. Ze deelde ze een voor een aan hem uit.

'Brief van mevrouw Bacon: je was geweldig, er was te weinig publiek, hoopt dat je het nog eens zult doen.' Ze fronste haar wenkbrauwen. 'Van ene juffrouw King: ze heeft zich zó vermaakt, ze zal beslíst weer naar je komen luisteren, en ze zal haar zús meenemen. Van Milly: je moet niet trouwen, je bent te goed. Van...'

Met een schok herkende hij het dunne groene papier.

79

'LEONARDO?' ZEI PERDITA. 'IS DAT LEONARD? MILLY KENT IEMAND die Leonardo heet; hij was gisteren op het concert.' Ze huiverde. 'Hij heeft ons gisteravond achtervolgd.'

Als hij gisteren op mevrouw Bacons ontvangst was geweest, zou hij in één ruimte hebben gezeten met Haar Kunstenaar. Vandaag had Haar Kunstenaar voor Perdita's deur staan wachten. Vandaag waren ze hem op de trap tegengekomen.

Reisden blafte zich een weg naar voren in de rij voor de telefoon. De Préfecture was onbereikbaar, lichtte de telefoniste hem in; in het hele Île de la Cité was de telefoondienst uitgevallen. Bij de Sûreté kwam een gekwelde politietelefoniste aan de lijn. 'Anonieme *brieven*? We hebben momenteel met plundering te maken, monsieur.'

Jij bin een mooi mijsje. Ik kom je Halen & je begrijp het wel
PAS OP VOOR UT MONSTUR

Haar Kunstenaar was eenzaam, ze hadden hem eenzaam gemaakt; *zijn brief niet beantwoorden, niet met hem praten…*

'Ik ga naar de Préfecture,' zei hij tegen Perdita. 'Ze zullen naar Milly gaan zoeken, die weet waar deze man kan worden gevonden. Jij gaat naar boven en sluit jezelf in. Hij weet niet waar je bent. Ik wil er zeker van zijn dat je veilig bent.'

'En jij dan?'

'Ga er nou voor één keer eens niet tegenin, wees eens niet eigenwijs, dóé het gewoon.'

80

Bɪᴊ ᴅᴇ Pʀᴇ́ғᴇᴄᴛᴜʀᴇ ᴡᴇʀᴅᴇɴ ᴘᴇᴛʀᴏʟᴇᴜᴍʟᴀᴍᴘᴇɴ ᴇɴ ᴢᴇʟғs ᴋᴀᴀʀsᴇɴ uitgeladen. Er stond dertig centimeter water in de kelder; de politie verwachtte dat de elektriciteit zou uitvallen. Inspecteur Langelais was naar Bercy gegaan om plundering een halt toe te roepen. 'Geef me papier en een kaars.' Reisden ging de verlaten verhoorkamer in, en terwijl hij zijn handen warmde boven de kaars schreef hij Langelais alles wat hij wist over Haar Kunstenaar. Hij heette waarschijnlijk Leonard. Reisden beschreef de man op de trap. Hij sloot de brief bij.

Vanaf de kamer op de tweede verdieping waar hij zat te schrijven, kon hij de Boulevard du Palais en de Pont St.-Michel zien, zwart van de mensen die naar de rivier keken. Leonard mocht dan krankzinnig zijn, hij was een Fransman, en vanavond zorgde de Seine voor het grootste kosteloze spektakel van Frankrijk. Vanavond zou hij naar de gebieden rond de quais, het Quartier Latin, de Maubert en het Orsay gaan.

Niets wees erop dat Leonard van Courbevoie wist. Daugherty was daar. Perdita zou veilig zijn bij Daugherty totdat Leonard gevonden werd; tot die tijd zou hij niet toestaan dat Perdita zich in het stadscentrum waagde.

Hij had deze middag met haar moeten trouwen.

Reisden stak bij de St.-Michelbrug de rivier over, zich een weg banend door de menigte, opvallend lang, op zijn hoede voor Leonard. Niets. Tot beneden aan toe, op de laagste, niet overstroomde kadetrappen, stond het vol met studenten, die takken of stukken hout in de Seine doopten om de stroming te testen en te zien hoe ze weggegrist werden. Hij ging onder een elektrische lamp staan die met een halo was omgeven. Niets; niemand kwam doelbewust op hem af. Op de quai de Conti waren de lampen uitgegaan; hij hield onwillekeurig zijn adem in terwijl hij door het donker liep. Hij ging niet rennen.

Vanavond was het geen feest in het Gare d'Orsay, maar er waren ook geen huurrijtuigen; het station was gesloten en donker. Hij bleef er nog wat rondhangen, met zijn rug tegen de stationsmuur, de mensen op het plein aandachtig opnemend.

Geen Leonard.

Hij liep in zuidelijke richting, via de markt in de rue Jacob, waar de slagerswinkels en de bakkers vroeg dicht waren gegaan, terug naar de rue de l'Université en Jouvet.

'Monsieur le baron! Ik heb u in Courbevoie proberen te bereiken.' Levallet richtte zijn zaklantaarn omhoog naar de toren. Onder het raam op de tweede verdieping zat een scheur van een centimeter breed, als een bliksemflits, en in de hoek zat nog een scheur, die naar de andere toe liep.

'De stadsingenieur is langsgeweest,' zei Levallet, zuigend op zijn pijp. 'We moeten het gebouw stutten. Morgen komen ze de stellage bouwen.'

Zondag zou het water misschien gaan zakken, zei Levallet, zo luidde nog steeds de officiële berichtgeving. 'Maar we hebben de pomp uit moeten zetten. De stadsingenieur zei dat de waterdruk de muren naar binnen dringt als we de kelder uitpompen. *Poum*, en de voormuur ligt verspreid over de hele straat.'

Er viel weer sneeuw, losse vlokken die broos ronddraaiden in het licht. Nu de pomp uit was, leek het waterpeil in de kelder net zo snel te stijgen als de Seine, met zo'n drieënhalve centimeter per uur. De laatste paar archiefkasten stonden nog in de kelder, half onder water en aan het drijven geslagen. De pompen uitzetten had tot gevolg dat het water vanavond de gas- en elektrische leidingen zou bereiken.

Reisden zette Leonard uit zijn hoofd. Zonder gas, elektrisch licht of warmte kon Jouvet niet functioneren. De schijnbegrafenis die afgelopen dinsdag in de straten werd gehouden had precies dit soort momenten betroffen; wanneer een Frans bedrijf met magere tijden te kampen kreeg – en voor vele bedrijven in Parijs waren die aangebroken – zette de bedrijfsleiding het personeel op *chômage*, zonder loon. Het personeel met verlof sturen was voor een kleiner bedrijf als Jouvet niet alleen een op economische overwegingen gebaseerd noodzakelijk kwaad, maar verraad. Zelfs onder de Commune had Jouvet nooit zijn deuren gesloten.

In het lab stonden de technici verbijsterd in een groepje met elkaar te praten. Twee dagen geleden had het water nog maar nauwelijks over de promenades gelopen, en moest je nu zien, Jouvet sluiten? Voor hoe lang? Dr. Jouvet had dit nooit aan de hand gehad.

'We zullen moeten sluiten,' zei Reisden, 'we kunnen het lab onmogelijk draaiende houden, en we krijgen geen patiënten zonder de Métro of de treinen.' Hij wist wat dr. Jouvet zou hebben gedaan; het was financieel riskant, maar ze hadden het geld ervoor, mits het openbaar vervoer niet te lang stillag. Naar verwachting zou het water vanaf zondag beginnen te zakken. 'We zullen tweederde van het salaris uitbetalen...' Er ging een opgelucht gemompel op. Hij besprak met hen waar ze hun salaris en berichten zouden ontvangen, en droeg ieder van hen op om instrumenten, voorraden en formulieren mee te nemen. Ze glimlachten, zonder reden opgelucht; het water was nog niet aan het zakken.

Ze vulden de ambulance met overige voorraden, en Levallet reed ermee naar madame Herschners appartement in de buurt van St.-Placide. 'En, monsieur le baron, u gaat trouwen, en over een week zijn we weer open!' verklaarde madame Herschner, terwijl ze haar paraplu pakte. Hij glimlachte naar haar met een uitdrukking die, naar hij hoopte, passend was voor iemand die ging trouwen.

Voor het eerst in de drie jaar dat hij het had bezeten, was Jouvet totaal uitgestorven. Hij was even met zichzelf verlegen. Hij was eraan gewend dat hij het hier razend druk had met het afhandelen van vragen. Hij deed de lichten uit en controleerde de labbranders.

Hij ging de trap op naar het appartement, opende het torenraam en keek of er uitstulpingen zaten op de hoek van het gebouw; niets te zien behalve de scheuren. Beneden repte zich een schaduw over het plaveisel van de straat. Een muis, of een van die schaduwen waar vermoeide ogen door geplaagd worden. Geen man.

Leonard is de baron en zijn meisje bij het station kwijtgeraakt; heeft in de menigte bij St.-Lazare rondgeslopen, wachtend op hen. Maar ten slotte ziet hij alleen de baron, die snel om de modderpoelen voor het station heen loopt. Leonard volgt hem tot de Préfecture, en tegen die tijd weet hij waar de baron uiteindelijk naartoe zal gaan.

Hij is er als eerste.

Hij loopt gewoon Jouvet binnen. De conciërge zit niet in zijn kantoortje; de verpleegster heeft de receptie verlaten, hoewel er wel iemand papieren in een oranje krat aan het laden is. Hij loopt onopvallend langs de twee wachtende patiënten naar de doolhof van beoordelingskamers aan de achterzijde van het gebouw. Rond de open liftkooi wentelt een trap zich naar boven, en Leonard gaat hem op, om terecht te komen in een rommelig laboratorium. Wanneer er twee mannen in witte jassen langskomen, de ene een grote microscoop dragend, de andere een doos, duikt hij weg achter een toren archiefladen die zonder hun kasten op de grond zijn opgestapeld.

Een deur naar een donker kantoor staat op een kier; hij duikt naar binnen.

Het ruikt er als in een museum, oude haardvuren en oud hout, geurig van ouderdom. Aan weerszijden van de open haard staan twee leren stoelen bij een rijkelijk met houtsnijwerk versierd bureau. Op de schoorsteenmantel staan twee olieverfschilderijen; de ene stelt de baron voor. Leonard haalt zijn mes te voorschijn en zwaait ermee naar het leer, het glanzende bureaublad en de schilderijen. Hij maakt een grote kras op het bureaublad, en wrijft er dan beschaamd met zijn ribbelige duimnagel overheen. Hij gaat in een van de mooie leren stoelen zitten, en staart naar de open haard, die in gereedheid is gebracht, maar niet is aangemaakt. Hij staat rusteloos op en legt papieren over de messnede op het bureau.

Een van de 'boekenkasten' staat schuin naar achteren ten opzichte van de muur. Er zitten boeken in maar het is een deur, en daarachter is een hal met een stenen vloer waarvandaan een trap naar boven leidt.

Een stenen trap, uitgehold van ouderdom. Het pleisterwerk is groezelig en bladdert af door het vocht. Het is niet zoals Leonard denkt dat de baron woont, niet zoals het kantoor, niet zoals háár paleis aan het einde van de Seine; deze trap ziet er verwaarloosd uit, niemand gaat hem op.

Leonard gaat hem op.

Boven leidt de hal naar een bibliotheek. Leonard, die op een kot woont in het kwartier van de vrijgezelle bewakers en zijn hele leven maar drie boeken gelezen heeft, kijkt vol ontzag om zich heen naar de planken met boeken, de witte marmeren buste, de vergulde sfinxen en de piano achter de portières. Bij de deur van de bibliotheek is een staande kapstok, en daar hangen een lange cape en een hoge hoed aan. Er is niemand. Leonard loopt het volgende vertrek in, waar een piano staat. Hij tilt de fluwelen lap van de piano en raakt het hout aan. Op de piano staat een rij blauw-bruine Egyptische figuurtjes. Ze zien eruit als beschimmelde mummies van beschilderd marsepein. Leonard pakt er eentje op, ruikt eraan en houdt het tegen zijn tong. Het is koud, als het hele appartement, en stoffig.

Hij gaat de hal weer in. Hij pakt de cape, zware zwarte zijde met een rode voering, en legt hem om zijn schouders, over zijn jas. In de spiegel ziet hij zichzelf, een heer.

De lampen flikkeren en doven, en Leonard wordt overvallen door het donker. Het is weer gaan regenen, of misschien sneeuwen; hij hoort gefluister tegen de ruiten. Het duister is vol stemmen. Hij loopt op de tast naar de stenen trap en daalt hem af terwijl hij zachtjes met zijn hand op de muur slaat, voelend hoe de omkrullende stukjes verf als vingernagels aan zijn handpalm plukken.

Beneden hem loopt nog een man op de trap.

Hij is ook door het donker verrast; hij vindt het niet prettig om in het donker alleen te zijn gelaten, hij vloekt. Hij gaat naar het lab; hij steekt een lucifer aan en grabbelt in een kast om een kaarsstompje te zoeken. Het licht schijnt in zijn gezicht. Het is de baron.

Bij de ster van de kaars vindt de baron zijn weg naar beneden, de donkere trap af. Leonard komt achter hem aan. De baron staat één keer stil en kijkt omhoog. Leonard drukt zich plat tegen de muur.

De baron loopt de vestibule bij de wachtkamer door. Hij doet de deur open, gaat naar buiten, haalt sleutels te voorschijn, en begint de glazen deuren van buitenaf af te sluiten.

De banken in de wachtkamer zijn van zwaar hout, massief. Leonard laat er een kantelen en op de grond ploffen. De baron kijkt schielijk op, maar ziet niets. Leonard wacht tot hij de trap af loopt, om tegen de poot van de bank te schoppen. Het ding breekt krakend af. Hij pakt het op en gaat bij de glazen deur staan.

Zelfs in de kou, door de deuren heen, komt er een ongezonde stank van de binnenplaats. Het sneeuwt. De baron staat bij de auto. Met de kaars steekt hij beide koplampen aan. Nu heeft hij de bijna een meter lange stalen zwengel te voorschijn gehaald waarmee de motor wordt opgestart. Hij bevestigt de zwengel in zijn groeven en probeert daarbij niet in de plassen te knielen waar het kaarslicht schittert.

Hij zwengelt de auto aan, het luide geratel vult de binnenplaats, en Leonards bankpoot knalt door de deur van glas en hout; hij baant zich schoppend een weg, laat het glas alle kanten op vliegen, en rent over de binnenplaats naar de baron, zwaaiend met de bankpoot. De baron heeft in de lampen staan kijken; hij kan nu niets zien. Hij trekt aan de zwengel, probeert hem los te rukken om als wapen te gebruiken. Op het laatste ogenblik krijgt hij hem los en heft hem boven zijn hoofd, een stalen schacht van bijna een meter lang; Leonard deinst achteruit; maar de baron aarzelt heel even, en Leonard stormt naar voren en geeft hem met de bankpoot een klap op de zijkant van zijn hoofd.

Leonard sleept de baron de voorbank van de auto op. Hij bloedt uit een hoofdwond, op de leren bekleding. Leonards mes ligt op zijn keel. Leonard zou zijn keel door kunnen snijden, zelfs per ongeluk, of het hart kunnen doorboren – daar wil hij niet aan denken – hij ziet het bloed al bijna spuiten, en hij huivert. Macht hebben is goed maar beangstigend, en een deel van Leonard, een gewoon deel, wil het bloed van de bekleding vegen, wil alles weer schoonmaken.

Leonard stoot met het mes naar het gezicht van de baron, en de man knippert met zijn ogen. Leonard beweegt het lemmet een klein stukje opzij, op duistere wijze gerustgesteld.

Hij veegt de baron de mantel uit om zichzelf een hart onder de riem te steken. Zo, monsieur de Reisden, wilt u me nu nóg negeren? Zij is nog steeds in *dat oord*; ik heb u er wekenlang over geschreven; laat u zich er nú iets aan gelegen liggen?

De baron kijkt nu naar hem op, bij bewustzijn. Hij wil vast vechten, maar hij beweegt zich niet, omdat hij van het mes weet. Het is bijna alsof ze een discussie voeren. Eindelijk.

Wat Reisden als eerste zag was zijn eigen kaars, die met kaarsvet op het dashboard van zijn eigen auto was bevestigd. Hij staarde niet-begrijpend naar het licht, en het lemmet van een mes doorsneed zijn gezichtsveld.

'Breng me naar de M-Morgue,' zei Leonard ergens boven hem.

Hij draaide zich moeizaam om en zag Leonard. Leonard hield het mes van zijn lichaam af, op Reisden gericht, en gebaarde ermee alsof het een of ander nieuw hulpmiddel was bij het praten. Ik zou het hem kunnen afpakken, dacht Reisden, en probeerde vervolgens rechtop te gaan zitten. Zijn hoofd bonkte verschrikkelijk; pijn liep langs zijn gezicht. Toen hij het aanraakte, was het bloed.

Hij moet pijn hebben getoond. Leonard glimlachte, een vreemde mengeling van trots, minachting en melancholie, als een onzekere nieuweling op een schermschool die een meer ervaren man de loef heeft afgestoken. Reisden bracht zijn handen omhoog naar het stuur, in een poging rechtop te gaan zitten, en Leonard herstelde zich haastig en haalde naar hem uit met het mes.

'N-niet b-b-bewegen zonder het me te zeggen,' zei Leonard. 'Ik ben hier de b-b-b-b-baas. U niet.' Hij probeerde het met een snauw te zeggen. 'Ik v-v-v-vermoord...'

Reisden had hem kunnen vermoorden in de tijd die het hem kostte om stamelend die zin uit te brengen. Hij wilde het wel. Zo levendig alsof het echt gebeurde, zag hij hoe hij zich boog om de auto aan te zwengelen; hoe de motor aansloeg; hoe hij zich omdraaide om het handvat van de zwengel omhoog te zwiepen en het mes uit Leonards hand te slaan. Hij voelde hoe het stalen handvat krachtig doel trof op bot. Hij kon botten horen knappen. Hoe durf je Perdita te bedreigen, schoft die je bent, dacht hij.

Hij herinnerde zich hoe zijn eigen stem pleitte: *hij weet niet wat hij doet; hij is alleen; pak hem op*. Heel mooi.

Maar Leonard keek naar hem, en probeerde zijn gedachten te raden, en even, toen Reisden opkeek, kruisten hun blikken elkaar, en Reisden moest wegkijken, alsof hij de man met het mes was.

'Vermoord me niet,' zei hij, Leonard in de kaart spelend; Leonard glimlachte gerustgesteld. 'Ik zal je brengen waar je wilt.'

Ze starten de auto, waarbij Leonard het mes op de keel van de baron houdt, opdat de baron zich gedraagt, en Leonard neemt de zwengel mee naar de achterbank; dat is nóg een wapen. Reisden rijdt achteruit en draait de auto op de binnenplaats. De wielen tollen door water. De deuren van de inrijpoort zijn dicht. Zonder een woord te zeggen stappen ze alle twee weer uit, de baron opent de deuren; ze stappen weer in, hij rijdt de straat op, ze stappen uit, sluiten de deuren, gaan de auto weer in, tegelijk, beiden op hetzelfde moment op het spatbord stappend, alsof ze verbonden zijn, alsof ze spiegels zijn.

Leonard leunt achterover op de hoge achterbank, het mes gericht op Reisdens nek.

Leonard heeft nog nooit in een auto gezeten. Hij geniet van het gevoel, de soepele snelheid. Ze slaan af naar de chaos van de Bucimarkt. Op de verlichte muur van een patisserie-confiserie glimlacht ze naar hen: een kakelbonte advertentieposter van Mona Lisa-*baci*.

Een andere auto passeert hen en zijn koplampen schijnen de auto in. Leonard ziet zichzelf in de spiegel van het glazen windscherm, een man met een hoge hoed op en een cape aan, die zich door een chauffeur laat rijden. Een heer, haar heer.

'Wat gaan we doen in de Morgue?' zei de baron.

'Haar rédden, n-natuurlijk.'

De koplampen schenen een ogenblik de auto in. Reisden zag zijn eigen ogen uit een bloedig masker staren, en achter hem, op de achterbank, Leonard die het mes tegen zijn nek hield. De oude hoge hoed van Jules Jouvet zakte over Leonards oren; in zijn linkerhand hield Leonard de een meter lange, stalen zwengel rechtop, zoals een bange, onbetekenende koning zijn scepter zou vasthouden.

Hij herkende Leonard. Hij had hem ergens gezien, nog vóór de trap vanmorgen, ergens aan de rand der dingen.

Sneeuw viel plotseling in dikke vlokken als confetti door het schijnsel van de koplampen, en maakte de straat erachter tot een chaos. Stralende Mona Lisa; een Etruskisch masker van rode klei; een besnorde man met een bruine pet, die Jean-Jacques' pakje droeg. Een Etruskisch masker van rode klei met wat een aanwinstnummer had geleken, maar ook wel een museumacquisitienummer kon zijn geweest. Het Louvre. Achter hen schenen opnieuw koplampen de auto in. De auto had hen gepasseerd en was in de dwarsstraat gekeerd, dezelfde auto, een grote Panhard & Levassor; hij reed nu achter hen. Het licht werd even wat doffer, en toen weer helderder; de chauffeur had de blauwe filters over de koplampen laten zakken, als om te voorkomen dat hij voetgangers verblindde. Maar degene die in de auto zat deed het nog een keer: dof, helder.

'Hij geeft u signalen,' zei Leonard.

'Dat weet ik.'

'U hebt hen g-geroepen...'

Nog paranoïde ook. 'Niet waar,' zei Reisden scherp. 'En ze zijn niet van de politie. Het is een of andere held die heeft gezien dat mijn gezicht bloedt.' Hij veegde zijn gezicht af met zijn mouw.

'B-blijf rijden.'

'Ja,' zei Reisden. 'Haal dat mes weg. Ik moet misschien remmen.'

Leonard haalde het zowaar weg.

'Hou je vast nu.'

Het was harder gaan sneeuwen. Reisden draaide de doolhof van het Quartier Latin in, met zijn eeuwenoude bestrating en straten die bijna steegjes waren, de rue de l'Ancienne Comédie op. De P&L volgde hen. Hij sloeg snel af bij de donkere binnenplaats van de École Pratique, waar lamplicht met een halo van sneeuw uit de ramen van het Fysio. Psych. lab viel, en ging tegen de rijrichting in de rue de l'École de Médecine op, die maar net breed genoeg was voor zijn auto. Zijn lampen flitsten langs de winkel van dr. Auzoux; in de etalage sliepen de tweehoofdige katjes in hun fles. De auto slingerde door de straat, slippend in de sneeuw. Hij draaide zich om, voorzichtig vanwege Leonard; de lampen van de P&L waren verdwenen.

Reisden zuchtte, opnieuw alleen met Leonard, en hoorde Leonards zucht.

'De politie weet niets van je af. Ze hebben het veel te druk met de overstroming.' Stel hem gerust; probeer hem aan de praat te krijgen. Reisden probeerde zich te binnen te brengen wat hij wist over het geruststellen van gestoorden. Wat zou hém hebben gerustgesteld?

'Wat ben je van plan?'

Hij luisterde geduldig. Leonard wilde zijn slachtoffer aan de rivier schenken. Ditmaal zou het lukken, zei Leonard. Vooral als hij hulp had.

'De autoriteiten zullen haar lijk niet aan de eerste de beste vrijgeven. Ze zijn op zoek naar een familielid of een vriend.'

Daar dacht Leonard even over na. 'Een h-heer s-staan ze alles toe.'

Bij het ontvluchten van de P&L waren ze via een zijstraat op de Boul'Mich' terechtgekomen. Ze sloegen linksaf en passeerden de ruïnes van de Cluny; nog vijf minuten of minder tot de Morgue. Het sneeuwde hevig.

'Niet waar,' zei Reisden. 'Ze zullen haar lichaam niet aan mij vrijgeven.'

'H-hou me niet voor de gek.'

Leonard haalde geïrriteerd met het mes naar hem uit.

Reisden zag het mes aankomen en stak zijn hand op om het tegen te houden. Het mes sneed in zijn hand, en plotseling werd zijn handpalm overdekt met een enorme hoeveelheid bloed. Hij keek er wezenloos naar. Verdedigingswonden, dacht hij. Hij balde de hand; het bloed droop gestaag door zijn vuist. Leonards kaak was naar beneden gezakt, zijn mond stond open; hij zag er doodsbang uit, en hij hief het mes opnieuw.

'Als je dat doet,' zei Reisden met gedwongen kalmte, 'kan ik niet rijden.'

'R-rijden.'

Hij kreeg de auto op de een of andere manier in de versnelling zonder zijn vuist te openen; in de eerste versnelling kropen ze de Boul' Mich' op en bereikten St.-Michel. De sneeuw stapelde zich op tegen het windscherm; de enige manier om weer wat zicht te krijgen was het windscherm van buitenaf met de hand schoonmaken.

'Dat zul jij moeten doen.'

De twee mannen keken elkaar aan. Leonard stapte stijfjes uit en begon het windscherm met Jouvets cape schoon te schrapen. Hij keek ongerust door het windscherm naar Reisden. Reisden overwoog op te trekken, hem omver te rijden. Het windscherm besloeg onmiddellijk en bevroor weer; de wind voerde water en dieselolie mee van de pompen die het St.-Michelstation probeerden leeg te maken.

'Die politieagent kijkt naar ons. R-rijden.'

Ze sloegen de smalle rue de la Huchette in; de auto glibberde over het plaveisel en botste éénmaal tegen de stoeprand.

Over vijf minuten zouden ze de Morgue bereiken.

'Wat ga je doen wanneer je bij de Morgue bent?' Hij sprak bewust heel langzaam, op een rationele manier, om te proberen Leonard ook rationeel te laten denken.

'G-gelooft u niet dat ik een plan heb? Ik ben niet achterlijk.'

'Laat eens horen.'

Leonard zei niets.

Ze bereikten het pleintje bij Julien-le-Pauvre waar de oude johannesbroodboom stond, bedekt met sneeuw een opbollende lijkwade. De auto ging de pont de l'Archévêché op, en plotseling kon Reisden iets zien achter de wervelende sneeuw en de lichtkegels van de bruglampen.

In de Cité was het licht uitgevallen. Alles was uit, zelfs de lichten van de Notre-Dame. Het groene licht boven de deur van de Morgue was ook uit.

Leonard, met een mes en een meter staal om mee te slaan, zou zich in het donker naar de Morgue begeven.

Het is een samenzwering. Leonard kan schaduwen zien bewegen bij *dat oord*.

'Het is een val.'

'Het is de overstroming, Leonard. We blijven hier even staan. We moeten weten wat we doen.'

'Wat ik ook zeg, u vertelt het door aan de politie.'

'Hoe kan ik dat nu doen? De politie is hier niet.'

'Ze zijn hier wel.' De auto kruipt de duisternis tegemoet. Leonard verplaatst het mes naar zijn linkerhand, en zet de zwengel tegen het portier aan. 'Ik zie ze. Ze hebben de lichten uitgedaan. Ze komen eraan.'

'Nee, Leonard. Het is in orde.'

'Het is niet in orde,' schreeuwt hij bijna. 'Het kan u niets schelen, het kan u niets schelen, het kan niemand iets schelen, behalve mij...'

De baron draait zich om. 'Zij kan me geen donder schelen, maar jij wel degelijk...'

Niemand liet zich aan Leonard iets gelegen liggen behalve Leonard zelf. Ze glimlachte naar Leonard. Ze was het mooiste in zijn leven. Maar het kon haar niets schelen. *Help me*, zei ze. *Ik ben eenzaam, ik hou niet van mijn leven.*

Wat moet ik zonder je? zei hij, maar dat kon haar niet schelen.

Net doen alsof ze van hem hield, en dan zoiets afschuwelijks van hem vragen, iets dat hem nietswaardig zou maken...

Leonard denkt aan vrouwenenkels, hooghartige vrouwenogen,

vrouwengezichten die zich van heren afwenden, het meisje van de baron dat zich als tentakels om hem heen strengelt, twee halve monsters die worstelen om één geheel te worden. Vrouwen houden van de verkeerden, de knappe gezichten, de hartelozen; wat was hij voor de Mona Lisa? Een vriend die je kon gebruiken? Was dat alles? Waar was de liefde?

O, Leonard is zo eenzaam! Hij beweegt het mes op en neer, op en neer, uitvallend naar de oneerlijkheid dat niemand van hem houdt, niemand hem ooit begrepen heeft. Help me! Maar niemand helpt. Op vrouwen kun je niet rekenen, op niemand niet, ze geven alleen maar om zichzelf, ze zijn harteloos, ze beminnen niet, ze doen geen moeite, ze vragen je wat je niet kunt doen en geven er niets voor terug. Totdat je boos wordt, een man boos wordt, en terugslaat…'

En het mes trof doel; het schraapte over Reisdens spaakbeen; de pijn was alsof hij met een ijzeren staaf geslagen werd; en Reisden werd gek. Hij probeerde zich niet eens te beschermen tegen het mes; het was te laat; hij ging de man gewoon te lijf, en terwijl het mes op hem in stak, greep hij de zwengel. Hij probeerde Leonard er in de auto mee te slaan maar zijn rechterhand werkte nauwelijks meer, hij kon de zwengel vasthouden, maar niet omklemmen of onder controle krijgen, het was glibberig. Hij schopte het portier open en viel naar buiten, leunend aan de zijkant van de auto, en probeerde zijn rechterarm op te heffen, maar kon dat nog steeds niet; terwijl Leonard hem achterna kwam slaagde hij erin hem te slaan; maar Leonard had nog steeds het mes, en Leonard viel hem weer aan. Ze sloegen en hakten op elkaar in…

'Niemand, niemand,' riep Leonard.

Al die tijd had de auto op de brug gestaan, en hoewel het laat was en het sneeuwde, was er wat verkeer; een fiacrekoetsier was achter hen gestopt, en kwam nu van zijn plaats af, naar hen toe, opdringerig met zijn zweep zwaaiend. 'Hé, niet vechten op de brug. Alsof we daar nog behoefte aan hebben!'

Reisden trok zich op, leunend op de auto. 'Hij heeft een mes,' schreeuwde hij. De sneeuw zat onder het bloed. Het fiacrepaard begon woest te trappelen en de koetsier ging voor het paard staan, zijn mond een O, hief zijn zweep en liet hem op Leonards gezicht neerkomen.

Er klonk een politiefluitje. Leonard draaide bliksemsnel zijn hoofd om. Hij deinsde terug, zijn handen voor zijn gezicht; er stroomde bloed uit zijn neus, zijn wang was opengesneden; hij schudde doodsbang zijn hoofd. De fiacrekoetsier stormde naar voren, langs hem, en joeg Leonard naar de voorkant van de auto. 'Nee,' riep Leonard uit, gevangen in de koplampen, alsof de auto op het punt stond hem aan te rijden. De koetsier en de agent sloten hem in. Hij stak wanhopig zijn handen uit.

'Leonard,' riep Reisden, 'hou op, geef je over... *alsjeblieft...*'

Maar Leonard zag de enige richting vanwaar niemand op hem af kwam. Hij draaide zich om en rende, en klom op de balustrade van de brug. Bovenaan keek hij pas naar beneden en hij zag onder hem alleen de rivier.

'Ik ben een g-goed man... *Help me,*' schreeuwde Leonard naar Reisden, en sprong.

81

De koetsier van de fiacre en de politieagent namen Reisden mee naar het Hôtel-Dieu, het grote ziekenhuis bij de Notre-Dame. Hij werd voor in de rij geplaatst op de eerstehulpafdeling, lag half bewusteloos op een tafel naar het plafond te staren en kreeg te horen dat hij geluk had gehad. 'Wie was de man, een rover?' Het was Leonard, zei Reisden.

In de gangen van het Hôtel-Dieu krioelde het van de verbijsterde mannen en vrouwen. Ze droegen Amerikaanse reistassen of in tafelkleden gebonden bundels; ze hielden huilende kinderen aan de hand, verdrietige baby's dommelden tegen hun schouders; hun overjassen waren nat tot aan de knieën, tot aan hun middel. 'Alfortville,' zei een verpleegster van het Rode Kruis. 'Tienduizend vluchtelingen.' De politieagent zei dat Reisden morgen met iemand op de Préfecture zou moeten praten. Hij lag op een kot in een verduisterde gang, op zijn zij, naar de muur starend, bevend van de adrenaline.

Telkens weer vocht hij achter zijn gesloten oogleden met Leonard. Soms kon hij zijn arm niet optillen en greep Leonard de zwengel terug; die verhief zich en viel neer en Reisden voelde dat zijn handen werden verpletterd, en daarna zijn schedel. Soms had hij de zwengel en sloeg hij Leonard dood. Hij keek omlaag naar de rivier en zag donkere fragmenten van zichzelf in een draaikolk verdwijnen. Stervend en dodend in die duisternis, werd hij met een schreeuw wakker in een verfrommelde deken. Zijn rechterhand was half gevoelloos; hij kneep en rolde de deken tussen zijn vingers om zichzelf ervan te overtuigen dat hij ze kon bewegen, en staarde het schemerduister in.

Laat het lijk in de Morgue. Beantwoord zijn brieven niet. Als je hem maar lang genoeg met rust laat stort hij wel in.

Aan het einde van de rivier, onder een maanloze lucht, spoelden de lichamen van de verdronkenen aan. Daar waren William, en Tasy, en nu Leonard. Ze bestonden uit een dunne bleke substantie, uiteengevallen in fragmenten in de vorm van alledaagse voorwerpen: een zakdoek, een gebroken sleutel, het oor van een beker, die stuk voor stuk gered moesten worden. Reisden stond in een geelbruin slijk en raapte fragment voor fragment op. *Help me.* Richard, een kleine jongen, stond bij zijn elleboog, bleek, maar net zo tastbaar als Tiggy. 'Wat doe je hier?' vroeg Reisden hem. 'Ga weg. Sterf.'

Het grijze licht in de gangen werd sterker en een verpleegster draaide de olielampen uit om olie te besparen.

's Ochtends liet het ziekenhuis hem gaan. Hij stak het plein over, leunde tegen de deuropening van de Notre-Dame en ging toen naar binnen. Hij was geen gelovige, maar hij was katholiek; hij ontstak een kaars voor Leonards ziel, en ook een voor William en een voor Tasy, en bleef naar de kaarsvlammen staan kijken, de kleine vuurtjes die zich met elkaar verstrengelden.

De preek werd op dat moment gehouden, over de bruiloft te Kana. We zijn water, zei de priester; maak wijn van ons.

Hij liet zich scheren in een winkel op het Île; de kapper was buiten water aan het verwarmen op een soort van kar die door verkopers van geroosterde kanstanjes wordt gebruikt, en rond de warmte ervan verzamelden zich mannen met bolhoeden en op maat gemaakte overjassen die hun handen boven de kolen hielden. Ook Reisden hield zijn handen erboven; de anderen verwijderden zich. In de spiegel van de kapper zag Reisden een man met een grauw gezicht, een opengereten jas en verbijsterde ogen; bloed dat zat vastgekoekt in sneden die verspreid waren over zijn gezicht en nek, en dat de kraag van zijn jas had doorweekt; hechtingen die zijn kaaklijn bedekten als bakkebaarden. Het was een man die je moest mijden, een halfgestoorde man.

Inspecteur Langelais was teruggekeerd naar de Préfecture. Ze bezochten het Louvre.

Het paleis was ijskoud en verlaten; de kelders waren overstroomd. De bewakers bij de ingang stampten met hun voeten en hielden hun gehandschoende handen onder hun oksels. Op Langelais' verzoek kwam het hoofd van personeelszaken huiverend vanuit zijn vertrekken naar de Mollien-vleugel. 'Is Leonard dood? Vreemde vogel,' zei hij, terwijl hij Reisden vanuit zijn ooghoek opnam om vervolgens zijn blik af te wenden. Leonard was Leonard Legros, dertig jaar oud, de afgelopen elf jaar

340

in dienst bij het ministerie van Cultuur. *Stottert hevig; kan lezen maar niet schrijven*, luidde het briefje dat aan zijn dossier was vastgemaakt, en in een pijnlijk moeizaam geschreven handtekening, elf jaar ronder en minder volwassen dan die van Haar Kunstenaar, had Leonard zijn eigen naam verkeerd gespeld.

In de slaapzaal van de bewakers keken ze naar zijn bezittingen. Leonard was in het bezit geweest van twee uniformen, twee pakken, een koffer vol slecht gespelde brieven, en Jean-Jacques Mallais' kopie van de Mona Lisa. Hij had alleen geleefd en was alleen gestorven; zijn enige vriendin was zijn slachtoffer geweest. *Msieuer de Reisden, Warom luisturt u niet naar me*, las Reisden. De brief was nooit verzonden. Reisden ging op Leonards kot zitten en las net zo lang tot hij niet meer zonder te trillen naar Leonards handschrift kon kijken. *Ik ben een goed mens...* O g-d, arme man, arme klootzak.

De quai du Louvre was een zee van modder en de balustraden waren met zandzakken gedicht om de stijgende rivier tegen te houden; op verscheidene plaatsen was de quai geblokkeerd door verglijdende zandhopen. Op de Pont des Arts hadden zich aan de stroomopwaarts gelegen kant wrakstukken opgehoopt tot enorme plakkaten: lange bleke houten stokken voor bakkersovens, takken, hele bomen, allemaal bedekt met een slijm van vuilnis. De brug damde bijna de rivier af, hij trilde, en water spatte op en doorweekte de arbeiders die probeerden de versperring uit de weg te ruimen. Zelfs vandaag stelden de vogelverkopers op de quai de la Mégisserie hun papegaaien, hun gekleurde vinken, hun kanaries tentoon; de vogels gilden en de kleine vleugels beukten als razenden tegen hun kooien. *Ik ben onschuldig, ik heb nooit iemand vermoord...*

Hij ging naar de Morgue. De bewaker van de Morgue staarde argwanend naar zijn gehavende gezicht. Vanwege het uitvallen van de stroom en de koeling, zei de bewaker, zouden de lichamen verwijderd worden zodra ze waren geïdentificeerd. De Mona Lisa was op zaterdagmiddag in een gemeenschappelijk graf begraven.

Overal in de tuinen, op de quais, zelfs vanaf het dak van de Morgue, keken mensenmassa's naar de stijgende rivier.

82

MILLY ONTMOETTE JEAN-JACQUES OP ZONDAGOCHTEND IN HET
Café du Départ. Hij grinnikte verlegen naar haar, zijn blauwe ogen
glommen, hij had ten minste één nieuwe haar in zijn snor; ik moet wel
gestoord zijn, dacht Milly, dat ik hier zo vroeg voor opsta. Hij vertelde
haar alles over de Seine, waarbij hij op de hydrografische schalen wees
en haar precies aangaf hoe diep het water was. Vandaag had er een einde moeten komen aan de overstroming, zei hij, maar de sneeuw tikte op
hun paraplu's; hij weidde uit over overstromingen en de constructie van
steden, zich nergens van bewust, met dampende adem en rode knokkels. Behoed me voor ingenieurs, dacht Milly.

Hij had tenminste wel een kopie van de Mona Lisa voor haar meegebracht; ze verplaatste Nicky's riem naar haar andere hand en stopte
het schilderij onder haar arm.

'Tussen twee haakjes, Jean-Jacques, zit je in de knoei?'

Jean-Jacques' mooie bovenlip werd dunner en zijn onderlip groter;
zijn blauwe ogen namen de donkere kleur aan van wolken vlak voor een
zomers onweer.

'Het geeft niet,' zei Milly. 'Míj kun je het wel vertellen.'

'Ik weet er helemaal niets van!'

'Waarvan?' vroeg Milly onschuldig.

'Die vrouw die naast ons is komen wonen, en haar vriend! Ik heb
oma nog zó gezegd dat ze nooit moest denken aan het verkopen van…'
Hij stokte.

'Luister,' zei Milly zo geruststellend mogelijk, 'vertel me nou maar
alles.'

Hij staarde haar aan met de nijdige ontgoocheling van een zeventienjarige. 'Er is helemaal niets aan de hand!' zei hij, en rende weg over de besneeuwde, glibberige straat.

Verbijsterd staarde ze naar de balustraden van St.-Michel. De pompen dreunden; er spoot onafgebroken een van beneden af opgestuwde, enorme stroom water uit de slangen, die met kracht op de sneeuw terechtkwam, daar een pad in wegsloeg en een chaos van rioolwater en rivier deed ontstaan.

Er reden inmiddels helemaal geen trams meer. Het was mistig en het sneeuwde hard; ze liep stampend voort met het onhandige schilderij onder haar arm, haar sjaal optrekkend tegen de kou, een onwillige Nick-Nack meesleurend. Ze stak de Pont de l'Archévêché over in de wind, zich een weg banend door de mensen die over de balustrade hingen om naar de rivier te kijken. Onder haar raasde de rivier, zwaar, geel, troebel, en schrikwekkend dichtbij, stukken hout, kapotte meubels, flarden papier en fruitschillen met zich meevoerend.

Bij de brug stond een auto die ze herkende, de aan Sachaschat toebehorende grote donkergroene Mercedes, die op een door twee paarden voortgetrokken garagewagen werd geladen. Milly tuurde door het raampje. De leren bekleding was aan flarden, het was een enorme ravage en alles zat onder het bloed.

De man die tegen de balustrade van de brug leunde, de rivier zo zorgvuldig bestuderend alsof het een gek betrof, was Sachaschat zelf.

Hij zag er verschrikkelijk uit, zijn gezicht bont en blauw en vol korsten van snijwonden, zijn rechterarm in een mitella; hij beefde enigszins, van de kou of de zenuwen; en natuurlijk was hij tweemaal zo beheerst als anders, ontkenden de grijze ogen dat er iets ongewoon was. 'Madame de Xico.' Hij kon alleen maar fluisteren.

'Chouette, wat is er met ú gebeurd?'

'Niets.'

Leonard was dood. Hij was in de rivier gesprongen. Wat had hij gedaan? Een vrouw vermoord. Natuurlijk. Sacha staarde over het van modder verzadigde water, zich niet bewust van de sneeuw, bevend. Arme houten klaas van een Sacha, hij kon niet toegeven dat hij niet voortdurend de touwtjes in handen had gehad, zelfs niet ten opzichte van een volslagen krankzinnige.

'*Leonard?*' Het was natuurlijk wreed van haar, maar Milly zou zelfs dit in haar verhaal voor George kunnen verwerken. 'Waar is Perdita? Is ze ongedeerd?'

Sachaschat verbleekte, zijn ogen opengesperd.

83

'Ik zal haar uit het hotel halen,' zei Milly.
Gemakkelijker gezegd dan gedaan. Milly kwam een overvolle paardentram in door aan te bieden 'Le Temps des cerises' te zingen voor de passagiers. 'In kersenbloesemtijd' kweelde ze terwijl ze door de rue de l'Opéra reden, en 'Waar zijn mannen goed voor?' en 'La Matchiche'. Iedereen vond het jammer dat ze uitstapte.

Bij de Terminus vond ze Perdita. Het enige waar het meisje over wilde praten was de eeuwige Hemzelf, natuurlijk. 'Ik was er zeker van dat Alexander dood was,' zei ze. Ze bracht haar handen voor haar gezicht, maar sloeg toen haar vuisten tegen elkaar, als de vrouw van een jockey die haar man heeft zien vallen bij een hindernis, verontrust en boos.

'Wat zou hij jou in een ellendige toestand hebben achtergelaten als hij zich had laten doden,' zei Milly nuchter.

Ze begaven zich naar Jouvet, Perdita voorzichtig op de glibberige trottoirs. Milly droeg haar reistas, nadat ze de Mona Lisa van Jean-Jacques in het spoorwegstation had achtergelaten. Voor het station, over de hele plaza, stond een laag water van ten minste tweeënhalve centimeter; omdat de pompen op volle toeren werkten en er zoveel van waren, was er een rokerig bruin waas in de lucht ontstaan. Ze schudden het verkeer van zich af in de straten ten oosten van de Opéra, waar ze, tot Nicky's grote genoegen, een slager vonden die hondenbotten had. 'Sla extra veel in,' zei de slager tegen hen. Perdita, goede huisvrouw, kocht steak en worsten voor haar onverantwoordelijke geliefde, waarbij ze er zorgvuldig op toezag dat het de beste kwaliteit betrof. Dim dom boum, een interessant meisje gereduceerd tot het kopen van worsten. Maar je geeft het niet op, dacht Milly, niet nadat je mijn recensies hebt gelezen; ík kan schrijven wanneer ik maar wil.

'Wat zit er in je tas? Hij is zwaar.'

'Ik draag hem wel,' zei Perdita.

'Dat zei ik niet.'

'Een stemset,' zei Perdita. 'Dotty's piano kan ontstemd raken. Als ik voor haar speel.'

Milly deed de tas open en keek zonder iets te zeggen naar de stemhamer en de stemvorken, kort maar welsprekend en nadrukkelijk. Milly had gehoord over de Bösendorfer Concert Imperial. Perdita was gevlucht naar haar geliefde, met een stemset.

'Ik ga niet pianospelen.'

'Was je blij met je recensie? Wacht maar tot je die in *Harmonia* ziet. Mensen zullen die nog jaren citeren.'

'Ik heb geen recensies nodig,' zei Perdita stekelig, en vervolgens: 'Bedankt, Milly.'

'Waarom ga je meteen naar hem terug, nadat hij je zo heeft behandeld?'

'Ik ga met hem trouwen.'

'Hij heeft je niet nodig, hij heeft slaap nodig. Als je hem nu gaat opzoeken zul je de hele middag zijn hand strelen en *arme schat* zeggen en wensen dat je op hem zou kunnen spugen. En morgen ga je trouwen. Wat je nodig hebt,' zei Milly sluw, 'is wat muziek.'

84

NADAT HIJ TOT DE VOLGENDE OCHTEND OP REISDEN EN PERDITA had gewacht, ging Daugherty terug naar Parijs. Jouvet was verlaten en donker, en de voordeur lag in duigen. Daugherty vloekte en tilde de deur open. Binnen, in de wachtkamer, zat Reisden met zijn hoofd in zijn handen.

'Je hoort in Courbevoie te zijn,' zei hij.

'Ik ben lopend teruggekomen; jongen, wat is er in g-dsnaam met je gebeurd?'

De lift deed het niet. Daugherty bracht Reisden naar het appartement en zorgde ervoor dat hij met een dekbed over zich heen op een sofa ging liggen. 'Wil je iets hebben?'

'Zoek maar in Merck op hoeveel aspirine een dodelijke dosis is,' zei Reisden. 'Iets minder dan dat.'

Iemand had hem in elkaar geslagen, iemand genaamd Leonard, die volslagen van Lotje getikt was geweest, en Leonard was dood, en dit was allemaal gebeurd terwijl Daugherty in de buurt was en Reisden had hem er niets van verteld.

'Ik heb er wel moeite mee. Je had het me kunnen vertellen. Dan had ik misschien iets kunnen doen.'

Het appartement was zo koud dat je er vlees kon bevriezen. De stookoven was uitgegaan. Het appartement had boven geen kolen en geen hout, behalve de vijf of zes blokken die in de open haard opgestapeld lagen. Daugherty vroeg zich af of Reisden er zelf iets aan zou proberen te doen of dat hij hulp zou vragen.

Hij probeerde het, stijfjes opstaand.

'Ga zitten,' zei Daugherty. 'Wat wil je opstoken? Een stoel die je niet mooi vindt, of een ledikant?'

'Alles behalve de piano,' zei Reisden, en vervolgens onbeholpen: 'Dank je wel.'

Daugherty stookte een stoel, de fluwelen gordijnen en draperieën, en de verpakking van alle boeken op. En omdat Reisden nog steeds niet in slaap was gevallen, hield hij daarna een van de dikke plechtige boekdelen omhoog. 'Wat dacht je hiervan?'

Reisden pakte het aan en bladerde erdoorheen. 'Oude editie. Goed.' Het brandde koperachtig groen, langzaam als een houtblok. De tekst ging over zenuwziekten. De bladzijden bewogen en Daugherty zag ontlede hersenen, wit en zwart dat veranderde in zwart en grijs.

'Ik kon hem niet helpen,' zei Reisden. 'Leonard. Ik haatte hem. Ik wilde hem doodslaan; ik wist wat er met hem gebeurde en hij vroeg me om hulp maar ik kon hem niet helpen. Nu is hij dood.'

Jongen, dacht Daugherty, je ziet het helemaal verkeerd; je moet leren veel hulp te aanvaarden voordat je het kunt verlenen. Vooral als je jacht gaat maken op gekken; dit zal niet de enige keer zijn dat je in elkaar geslagen wordt. Ik zou het zelf ook een paar keer kunnen doen. Daugherty keek het appartement rond waar Perdita de volgende dag als bruid naartoe zou komen: kleine prullerige tafeltjes met dode planten erop en van die spichtige stoelen die al omvielen als je ernaar keek. Daugherty wees op de tafeltjes, waar Perdita over zou struikelen.

'Heb je weleens overwogen je daarvan te ontdoen, een beetje op te ruimen, misschien?'

'Er is sinds afgelopen week geen tijd voor geweest.'

'Je woont hier al drie jaar.'

Reisden glimlachte een beetje beschaamd. 'Ze zouden goed branden,' stelde hij voor.

'Waar zat ik met mijn hoofd?' Daugherty ging de keuken in en kwam terug met een hamer.

'Ik heb nog steeds zo'n gevoel dat ze hier nooit zal wonen,' zei Reisden. 'Ze wil dat madame Mallais schilderijen heeft vervalst, en ze wil dat madames man haar daarin heeft gesteund. Ze is er zo fel op, denk ik, omdat ze mijn steun wil om op tournee te gaan. Tasy ging op tournee,' zei hij. 'Toen was dat gewoon zo, en het was moeilijk maar niet persoonlijk. Nu geloof ik half dat Perdita de muziek niet wil om de muziek maar omdat het haar in staat stelt mij te ontvluchten. En daar geef ik haar alle reden toe.'

'Je weet wel beter, jongen.'

'Niet helemaal; ik zou mezelf ontvluchten als ik kon, en ik bewonder het niet echt in haar dat ze een ander besluit heeft genomen. Mijn g-d, Daugherty, ik kan haar niet tegen mezelf beschermen, ik kan haar niets van waarde geven, net zomin als ik dat Leonard kon geven, en morgen gaan we trouwen.'

'Tja,' zei Daugherty, 'laten we dan tenminste opruimen.'

Daugherty brak poten van stoelen af, ging naar beneden, hakte de kapotte bank ook in stukken, en liet het hout opgestapeld achter bij de open haard. Reisden gooide boeken op het vuur, maar hield een behoorlijke stapel achter. Daugherty ging naar de rue de Buci en kwam terug met een schriele kip; hij kookte hem in een pan op de as, met een ui en wat aardappels, soep zoals hij voor de jongens had gemaakt. Reisden keek naar hem alsof hij nog nooit soep had zien maken.

'Monsieur Mallais,' zei hij. 'Broer Yvaud. Wie hij ook is. Hij houdt van madame; en als ik gelijk heb, heeft hij haar opgeleid om voor hem te schilderen. Ook al is hij Mallais,' zei Reisden, 'hier heeft Perdita gelijk in: madame zal als vervalster ontmaskerd worden, ze zal gedwongen worden ermee op te houden. Voor de tweede maal. Hij heeft haar niet beschermd.'

'Nee,' gaf Daugherty toe.

'Wat zal hij denken,' zei Reisden. 'Wat zal hij voelen... Perdita gaat ter wille van madame naar Courbevoie. Ik denk dat ik met broer Yvaud zal gaan praten.'

Rond die tijd arriveerde Perdita, en de twee kinderen zaten samen voor het vuur terwijl Daugherty bezigheden elders zocht. Hij maakte de keuken schoon en gooide kranten weg die nog uit de tijd van dr. Jouvet stamden.

Hij keek eenmaal naar binnen en zag ze hand in hand bij het vuur zitten, allebei ernstig en droef, zonder te praten, alsof ze elkaar beschermden. Het was een indrukwekkend beeld, een droevig beeld, en hij ging terug naar de keuken en begon de roest van jaren van de pannen te schrobben, maar na een tijdje haalde hij zijn notitieboekje te voorschijn en tekende het zo goed als hij kon: Reisden en Perdita, tegen elkaar geleund, maar elk een andere richting op kijkend, beschaamd.

Terwijl hij het zo op papier zette, wist hij dat hij het nooit zou vergeten, al zou hij het nog zo graag hebben gewild.

Hij dacht aan Mallais: de zonsondergang boven de Seine, het meisje dat voor de rozenhaag stond. Dat droevige schilderij, *La veille*, de dode vrouw. Daugherty begreep nu in welke zin het anders was om kunstenaar te zijn. Wat had Mallais veel moeten zien; lenteafvloeiing en zonsondergangen, zeker, en naakte vrouwen... maar dat was allemaal niet zo gemakkelijk als je zou denken… en zijn eigen dode vrouw. Dingen die hij liever zou hebben vergeten.

Hoe kon een man het hebben verdragen naar dit alles te kijken? Hoe kon Mallais het hebben verdragen zijn vrouw dood te zien en dan weer naar haar te moeten kijken, telkens opnieuw, terwijl hij schilderde?

Daugherty vroeg zich af of Mallais zijn vrouw niet gewoon had leren schilderen om een gesprekspartner te hebben die evenveel had gezien.

85

IN EEN TIJD DAT CONCERTBEZOEK WAT BETREFT POPULARITEIT
moest concurreren met de Folies Bergère en de vaudeville, haalde geen
enkele Franse concertmanager het in zijn hoofd om maar één stuk op
zijn programma te zetten, al was het ook de negende symfonie van
Beethoven. Op zondag de drieëntwintigste stond er op het speciale
programma van het Concert Colonne ook de ouverture *Leonore*, Ganayes *Lieder of the Forest* en Georges de Lausnay in Saint-Saëns' vijfde
pianoconcert. Maar of het nu kwam door Colonnes gevorderde leeftijd,
door de ontwrichting als gevolg van de overstroming of louter door de
omvang van het programma, dit was een ongeluksdag. De pauzes tussen de delen en de stukken waren langer dan gewoonlijk, aangezien musici hun instrumenten moesten herstemmen vanwege de doordringen-
de vochtigheid, en De Lausnay speelde Saint-Saëns' vijfde alsof hij
tweeënhalf bij tweeënhalf had opgeteld.

Perdita had deze Saint-Saëns ook gestudeerd, en bij het tweede deel
speelde haar rechterhand tegen haar rok met De Lausnay mee, en met
een grotere expressiviteit, dank u wel; haar rechtervoet tikte op het tapijt alsof het een pedaal was; maar voorzichtig, heel voorzichtig, zodat
Milly het niet zou merken. Haar gedachten waren studentenfantasieën:
Wat als De Lausnay zijn arm brak voor het derde deel, wat als Colonne
plotseling een pianist nodig had? En wat zou er dan terechtkomen van
haar besluit om de muziek op te geven? Ze was geen student meer; ze
was iemand die een akkoord had gesloten en op verachtelijke wijze op
mogelijkheden zon om daar onderuit te komen.

Ganayes *Lieder of the Forest* was kleverig, vreselijk. Ze liet haar gedachten afdwalen. Madame Mallais zou er misschien mee instemmen haar werk niet te verkopen, maar het moest haar worden toegestaan te schilderen. Verf en linnen kostten geld; Milly had Perdita verteld dat een groot doek enkele honderden francs aan materiaal kon kosten. Als madame Mallais bankroet was en verf nodig had, zou Perdita die zelf kopen, besloot ze. (Ze vroeg zich af waar haar eigen geld vandaan zou komen, en of ze Alexanders toestemming nodig zou hebben om het uit te geven.)

Maar als madame Mallais schilderde, zou ze dan geen behoefte hebben aan een publiek? Kunstenaars houden van publiek; mensen met passies en visies vinden het leuk die te delen. Kijk eens wat ik met een piano kan! Moet je deze muziek horen! Moet je horen wat er kan gebeuren!

'Milly,' zei ze in de pauze voor de Negende. 'Laat me je een verhaal vertellen. Maar, denk erom' – Milly wás tenslotte journaliste – 'het is maar een verhaal.'

'Hmm,' zei Milly.

'Er was eens een vrouw wier echtgenoot schilderde. Hij werd oud en kon niet zo goed meer schilderen en hij vroeg haar hem te helpen. Zij had ook geschilderd toen ze jong was. Ze leerde zijn manier van schilderen en hielp hem; ze schilderde in zijn stijl, met zijn ideeën.'

'Toen begon ze haar eigen ideeën te krijgen,' zei Milly. 'Dus ging haar man op zoek naar een vrouw zonder ideeën, en de eerste vrouw is ergens in de goot geëindigd, of woont gescheiden in een klein appartement in het slechte gedeelte van de stad. Maakt kopieën.'

'Nee, haar man keurt het goed.'

'Dát geloof ik niet.'

'Maar iemand anders heeft ontdekt dat ze een paar schilderijen heeft gemaakt die verondersteld werden van de hand van haar man te zijn en ze willen haar met schilderen laten ophouden. En dat terwijl haar echtgenoot nog in leven is en goedkeurt wat ze doet.'

'"Ze" betekent jouw Sacha?'

'Dat zei ik niet.'

Milly gaf een klopje op haar arm. 'Bij jou verwijst alles naar hem,' zei ze. 'Ik zal blij zijn als je niet meer verliefd op hem bent; je bent als een vrouw die net haar salon heeft laten behangen en er maar niet over kan ophouden. Jouw Sacha zal haar doen ophouden, zoals hij jou doet ophouden.'

Perdita was niet toe aan de Negende, omdat die vandaag tot haar sprak op te veel niveaus: de overweldigende emotionele kwaliteit van de muziek: angst, fysiek genot, plechtige plicht; de kleuring ervan, de hoorns als Milly Xico's brutale gevit, als de toeters van huurrijtuigen op de quai des Orfèvres; een fluit als een kinderstem; bedachtzame, tedere muziek, houtblazers en strijkers, haar Alexander, die zijn spil vindt in het huwelijk, maar het huwelijk zo weinig zorgvuldig, met zo weinig van zijn intelligentie benaderde; midden in de vreugde een bronzen jachthoornroep van verlangen; zo'n complexiteit in de paar noten van een thema. Rondom haar zaten honderden stille mensen, mannen en vrouwen, in de ban van deze woordeloze waarheden. De woorden van een echtgenote zijn *Ik hou van je, ik ben je toegewijd*, eenvoudige dingen, van haar wordt niets anders verwacht, geen subtiliteiten, geen variaties of inversies van een thema, geen ontwikkeling; een echtgenote is even eenvoudig als een stuk snaar; maar vrouwen begrijpen de complexe waarheden die Beethoven schreef net zo goed als mannen.

Wat het verkeerd maakte om madame Mallais het zwijgen op te leggen was niet alleen dat ze had geschilderd in de trant van Mallais; ze was goed genoeg om de dingen als Mallais te begrijpen, gecompliceerd genoeg om in zijn trant te schilderen. Zelfs al schilderde ze heel erg in zijn trant...

Waarom moesten vrouwen stil blijven en niet meer doen dan begrijpen, waarom mochten ze niet spreken? Al de stemmen die vrouwen konden hebben, kwasten, trommels, violen, de piano. Al die dingen die vrouwen konden zeggen. *Ik ben mijn woorden kwijt*, had Milly gezegd. Madame Mallais had haar woorden gehad, haar kwasten en linnen en tubes verf, haar naam misschien niet, maar wel haar stem. *Ik ben op de achtergrond getreden.*

Wat was er mis met de wereld, dat een vrouw die schilderijen zag ze niet kon schilderen? Er waren de kleren die opgevouwen moesten worden, de kinderen voor wie gezorgd moest worden; de mannen die van de vrouwen verwachtten dat ze kleren opvouwden en zorgden; de dochters die zich niet aan de muziek konden wijden, de zonen die dat wel konden; de noodzaak van alles wat de vrouwen deden, en de tweederangsheid ervan; maar waarom kon er niet meer zijn, voor iemand, waarom kon er niet meer zijn?

Madame Mallais had haar kleren gevouwen, maar ze had geweigerd iemand te zijn zonder een stem. Ze had geen naam; goed, ze had gesigneerd met de naam van haar man. Ze had geen scholing gehad; ze had het van hem geleerd. En ze had vervalsingen geschilderd, maar met een stem, ogen, verstand; en met de liefde van haar man achter zich. *Hij* had haar gehoord en in haar geloofd.

'Vreugde, pracht van godenvonken,' donderde het koor, 'Dochter van Elysium...'

En het was nu eens niet de muziek die Perdita in een muziekstuk hoorde, maar de woorden.

'Alle mensen worden broeders
waar jij je zachte vleugel spreidt.
Wie zich erop kan beroemen
Hartsvriend van een vriend te zijn
Wie een vrouw zijn lief mag noemen
Voegt zijn vreugde bij ons refrein...!'

Waar waren de vrouwen hier? Alleen liefjes, gevleugelde Vreugde, de vruchtbare borst van de Natuur, voetstappen bestrooid met rozen; slechts de beloning op de achtergrond.

Vrouwen waren geen Vreugde en Natuur, hoeveel mannen dat ook zeiden, hoe lang ze dat ook hadden gezegd, of ze nu Maître of Beethoven waren, het was niet waar. Breng de muziek terug en je hoort sopranen en alten zingen: het zijn niet de stemmen van hemelse koren, het zijn vrouwen: het zijn geen inspiraties, het zijn zangeressen.

Wat zou dat betekenen, de muziek terugbrengen? Het zou betekenen: geen halve maatregelen en gracieuze muziek, maar het ware. Het zou betekenen: elke noot en meer uit die piano te persen. Het zou ook pijn betekenen, en tijd, een harteloze toewijding, weken- en maandenlang weggaan; een man en kind achterlaten; van iets houden, van een idee, evenveel als van wie dan ook, en weten dat ze het voelden, pijn doen ter wille van waarheid en liefde. Wat een vreselijke woorden zouden dat zijn uit de mond van een vrouw, wat een disharmonie; Perdita schrok ervoor terug ze te zeggen; maar ze zouden niet weggaan; ze zouden haar niet loslaten.

Er waren echte vrouwen die echt kunst beoefenden, en voor vrouwen was kunst misdadig, harteloos, het verscheurde de wereld die ze wilde; en ze was een van hen, en ze kon er niets aan doen. Ze zou morgen met Alexander trouwen, daar kon ze ook niets aan doen; maar ze zou verscheurd worden, van ogenblik tot ogenblik, dag in dag uit, totdat ze Alexander en haar kind te veel pijn deed en haar huwelijk verscheurde, omdat haar muziek haar niet losliet.

86

OMDAT HET VERVOER STILLIGT EN DE STEDELIJKE VUILVERBRAN-
dingsoven overstroomd is, schreef Milly, *vallen de Parijse vuilnismannen te-*
rug op de listige methoden uit de oudheid. Wagens en stortkarren rijden door
de straten naar de Pont de Tolbiac, aan de stroomopwaarts gelegen rand van
Parijs. Wijnflessen, fruitschillen, slagerspapier, rotte groenten en het af-
schraapsel van borden vallen de Seine in. Een deel van dit misselijkmakende
mengsel wordt door het water weggevoerd; een deel zet zich vast tegen de brug-
gen, vermengt zich met het hout en het puin dat daar al ligt en vormt grote
plakkaten die moeten worden opgebroken.

Verscheidene van de bruggen waren nu in gevaar. De moderne
bruggen met hun lagere bogen, de onlangs gerestaureerde Carrousel,
de Pont Alexandre III, en vooral de Pont de l'Alma, stonden bijna tot het
bovenste gedeelte van hun bogen onder water. *Je hebt de indruk dat je de*
overstroming zo kunt aanraken, schreef Milly in haar notitieboekje, dat
op de balustrade van de Alma tegen de rug van een huiverende Nick-
Nack steunde. *Het water staat al tot de ellebogen van de Zoeaaf. Om tien uur*
's avonds is de brug gesloten voor het verkeer, maar ik sta tussen vijfhonderd
mensen. We voelen de brug onder onze voeten trillen; we huiveren onder onze
paraplu's, vol ontzag voor de ijzingwekkende en rampzalige aanblik van de
Seine. Als het water verder zou stijgen, waren er plannen om de centrale boog van de Alma met dynamiet op te blazen om de rest van de brug
te redden.

En het water bleef stijgen. Men had verwacht dat het zou ophouden,
maar het hield niet op. Op zondagavond bereikte de Seine de ventilatieramen van de tunnel van het Orsay-Invalides en begon daardoor-

heen de tunnel en het station zelf in te stromen. De stationsvloer was al gedeeltelijk ondergelopen; nu begon het water zo snel te stijgen dat het tegen middernacht boven de wielen uitkwam van de twee locomotieven die ingesloten waren in het Gare d'Orsay.

87

Halverwege de ochtend ontmoette Barry Bullard Reisden en Daugherty in Jouvet. Reisden was nauwelijks wakker, maar hij had zich al voor de bruiloft gekleed, omdat hij er niet toe in staat was zich nog eens te verkleden; in de vergulde spiegel van dr. Jouvet zag hij een grotesk Frankensteinachtig wezen: zwartomrande ogen, messteken gehecht met zwart draad, arm in een mitella, gekleed in een op maat gemaakt deftig jacquet. Bullard, een beleefde man, zei niets, vroeg niets, aanvaardde slechts thee dankzij Daugherty's pan met kokend water, dat boven een van boeken gestookt vuur stond te borrelen. Hij had een huwelijkscadeautje meegebracht, een kleine olieschets van de buiten zijn oevers getreden Seine.

'Ik heb slecht nieuws,' zei hij, 'of misschien wel heel goed nieuws.'

Buiten sneeuwde het en was het bitterkoud. Zelfs bij het vuur was het kil.

'Laat het maar goed nieuws zijn,' zei Reisden. 'Dat kunnen we wel gebruiken.' Hij had de afgelopen nacht liggen nadenken over de kosten van de reparatie van Jouvet. Hij had een marge, maar de kosten van het gesloten zijn of van de overstroming vielen daar niet onder.

'Ik heb gekeken naar de penseelvoering van de twee schetsen die u me hebt laten zien,' zei Bullard, zijn keel schrapend, 'en ze vergeleken met ander laat werk van Mallais. Mallais begint met een fel gekleurde ondergrond en bouwt vervolgens zijn vlak in lagen op…' Reisden zakte even weg, leunend tegen de rug van de bank. Het licht had een hoofdpijnachtige schelheid, en alles deed zeer.

'Wat?' zei hij, knipperend ontwakend.

'Volgens mij,' zei Bullard, 'zijn ze allemaal door een en dezelfde persoon geschilderd.'

'Heeft Mallais ze geschilderd?' zei Reisden niet-begrijpend.

'*Gezicht op de Seine*, uw schilderij, *Spar en schaduw*, maar ook twee schilderijen van de tentoonstelling die ik heb bekeken, die ze voor zijn dood hebben verkocht, in 1892 en '94.'

'Als Mallais de nieuwe schilderijen heeft gemaakt, dan is dat heel goed nieuws.'

'Als het Mallais is,' zei Bullard. 'Als dat zo is, is het verdomd goed nieuws en is iedereen gelukkig.'

'Maar...' Reisden dacht na. 'Perdita denkt dat madame ook schildert. Madame deed het voorkomen alsof ze schilderde.'

'Ik hoop het niet, ik hoop echt van niet. Want als zij de nieuwe schilderijen heeft gemaakt, heeft ze jarenlang voor hem geschilderd.' Bullard spreidde zijn handen terwijl hij hulpeloos zijn schouders ophaalde. 'Het zou een ramp zijn, net als Inness of Blakelock; de handelaars zullen zelfs de echte schilderijen niet meer willen, uit vrees dat ze met een vervalsing van doen hebben.'

Naar buiten gaan was desoriënterend. Jouvet lag in het midden van een ondiep meer.

De rue de l'Université zag eruit als een trucagefoto; het water was tot de stoepranden gestegen en alle gebouwen werden erin weerspiegeld. Het was nauwelijks tweeënhalve centimeter diep, maar verderop was de straat – verbleekt en afgeplat in de sneeuw – veranderd in een bizar object, een dof geworden gele spiegel, golvend tegen kantoorgebouwen en binnenplaatsen achter ijzeren hekken.

Een boot, door twee geüniformeerde politieagenten geroeid, voer langzaam door de straat alsof hij op verborgen rollen werd voortbewogen; in de boot stond een man met een bolhoed iets weergalmends en onbegrijpelijks te roepen door een luide megafoon. De boot zat bijna vol met mensen die Reisden vaag van de straat herkende. Roy Daugherty die kniehoge rubberlaarzen droeg, waadde naar buiten en zwaaide naar de boot, en ze werden vergast op de aanblik van de boot die door de inrijpoort binnengleed en de trap naderde.

'Ik zal de boel hier wel afsluiten,' bood Daugherty aan. 'Ik heb rubberlaarzen, ik kan lopen.'

Ze werden helemaal naar de rue du Bac geroeid, door de straat glijdend als Venetianen, en liepen de helling op naar het station. Vandaag was hij steiler. 'Zal ik bij u blijven,' bood Bullard beschroomd aan, 'tot hij hier is?' Reisden knikte, zich ervan bewust dat hij lomp was. Hij plofte neer op een bank voor het station, met oogkleppen voor van vermoeidheid, en keek naar de trap waar Leonards Mona Lisa had gezongen. De klok voor het station was, evenals alle buitenklokken die ze hadden gezien, stil blijven staan op 10.23; het was bijna twaalf uur 's middags.

'Geen huurrijtuig te krijgen,' kwam Bullard melden.

'Hebt u Daugherty gezien?'

'Nee, maar laten we maar eens in het station gaan kijken.'

Bij de glazen peristyle en de deuren naar het Gare d'Orsay stond de menigte mannetje aan mannetje, reikhalzend. De hoofdingang van het Gare d'Orsay was op het tweede niveau, boven de sporen. Het water was bijna tot het niveau van de deuren gekomen. De uitgestrekte groene stationsgewelven van met ijzer geschraagd glas, het café, de bankjes, de mahoniehouten rekken voor ansichten, boeken en kranten stonden klaar voor massa's reizigers die zich haastten om hun treinen te halen; de groene, vergulde stationsklok torende boven alles uit, hoewel hij stil was blijven staan; maar het lagere niveau van het station, waar de sporen waren geweest, was een enorm zwembad, een zwak weerspiegelende duisternis waarvan het oppervlak werd verlicht door grijs sneeuwlicht. Daarin dreven stukken hout, een ingenieurspet, een krant. Een aantal trappen met bronzen leuningen leidden omlaag naar het water, waar een ring een heel klein stukje boven het oppervlak uitstak, niet drijvend, maar vastzittend aan iets eronder. Het oppervlak kuste de bovenkant ervan en rimpelde eroverheen; hij verdween.

Het was een locomotiefschoorsteen geweest.

Het was doodstil, maar van ergens in het gebouw kwam een weergalmend gekraak. Vanonder de ramen verspreidde zich een rimpeling over het oppervlak, dat vervolgens weer tot rust kwam.

'Hoe heeft dít kunnen gebeuren,' zei Reisden. 'Vrijdag was het droog.'

'Kom eens buiten kijken!' riep iemand.

Buiten het station keken ze over de leuning van het terras de straat in. Langs de hele rue de Lille waren in het trottoir ramen van glazen baksteen in het plaveisel aangebracht die de sporen eronder verlichtten. Gewoonlijk kon je er treinlichten doorheen zien; nu waren ze zwart en lekte een ervan: water spoot naar boven de sneeuw in, het glibberige plaveisel op. In de straat kon Reisden het puntdak en het houten windvaantje van Jouvet zien.

Terwijl ze stonden te kijken begonnen de ramen het te begeven. Eerst was het er een, maar vervolgens kwamen de ramen van glazen baksteen in een rimpelende rij omhoog als de ruggen van beesten, waarbij hun ijzeren kozijnen bezweken en het cement eromheen barstte; en terwijl ze het stuk voor stuk begaven, spoot er water uit omhoog dat de zijkant van het gebouw en de al overstromende straat doornat maakte. Het was alsof een rij brandslangen opwaarts spoten. Een straatboom wankelde in zijn kooi en kwam met een schok naar beneden, zijn wortels weggezogen; een vuilnisstortkar met een gebroken wiel ging schrapend door de straat, voortbewogen door de kracht van het water. Gedurende een ogenblik was er zoveel water in de lucht dat het ophield met sneeuwen; de vlokken smolten terwijl ze vielen. Het water stortte neer en werd de helling van de rue de Bellechasse af gezogen. Door de terugkerende sneeuw heen konden ze de voortgang van de overstroming in de straat opmaken uit het schokken van de bomen.

Rook en stof pakten zich samen, verrassend compact, en zwollen vervolgens plotseling op tot een wolk die het eind van de rue de Bellechasse aan het zicht onttrok. *Hein*, ging het door de menigte, *ah*, zoals bij vuurwerk.

Reisden keek toe hoe het stof langzamerhand transparanter werd en de omtrekken van de gebouwen zich tegen de sneeuw begonnen af te tekenen. Boven de spiegel van de straat, waar hij Jouvets dak en oude houten vaantje verwachtte te zien, was er slechts sneeuw en hemel.

Hij staarde geruime tijd naar de lege plek in de wolken. Hij dacht aan Daugherty, die afgelopen nacht tegen hem had gezegd dat hij voor zijn huis moest zorgen terwijl hij een vuur aanlegde van meubilair dat bij Perdita toch niet in de smaak zou zijn gevallen. *Ik zou me net zo goed nuttig kunnen maken want ik ga niet weg.*

'Meneer de Reisden?' vroeg Bullard.

'Hoeveel tijd is er verstreken sinds we hiernaartoe zijn gelopen?' Hij klonk heel bedaard. 'Denkt u dat hij het gebouw al uit was?'

'Hij is er vast wel uit gegaan, maakt u zich geen zorgen.'

'Hij moet wel uit de buurt zijn gebleven van die golf.' Hij zag Daugherty met zijn rubberlaarzen door het water strompelen in de richting van de stortvloed die tuimelend en spuitend de straat overspoelde en daarbij bomen, een rijtuig, de vuilniskar met zich meesleurde.

'Wilt u gaan zitten? We wachten wel op hem.'

'Hij zal wel naar het hotel komen,' zei Reisden, maar hij liet zich het station in leiden. Hij leunde tegen de muur. Onder de ramen was het water in beroering. Het verplaatste zich in een waarneembare stroom door het station en kolkte rond de trapleuningen. Het waterpeil was niet lager; de Seine stroomde even snel het station binnen als het water de straten binnendrong. Zich op straat bevinden op het moment dat de golf kwam zou geweest zijn als in de Seine geworpen worden.

'Bent u verzekerd?' vroeg Bullard.

'Niet voldoende.' *Het archief*, dacht hij. 'Ik ben alleen alle bedrijfs-documenten kwijt.' Het archief. Perdita's piano. Die verd... ushabti's. 'Daugherty hield van kunst,' zei hij. 'Houdt van kunst. Hij kan een beetje tekenen. Ik ken hem niet erg goed; hij heeft twee zonen, ik weet niet hoe ik ze moet bereiken. Ik hoop dat dat niet nodig zal zijn.'

Hij bleef een tijdje staan wachten en dacht aan het archief, probeerde niet aan Daugherty te denken. Het opbouwen van die kennis was het werk van vijf generaties. Hij kon ze alleen beschouwen als specifieke mensen. Vijf dr. Jouvets. De Guérarts. *Demonen in de straat; wat me dwarszit, monsieur, is dat ze er altijd zijn.* Hij draaide zich om naar de muur en staarde naar de glazen panelen tot ze wazig werden.

'Hoe laat is het?' Het was op alle klokken nog steeds 10.23.

'Tien over half een.'

'Hij zal wel naar de *mairie* gaan.' Hij kon nu nergens anders aan denken. Hij wilde Bullard niet vragen mee te gaan, vanwege de mogelijke implicaties. Bullard ging mee zonder dat het ter sprake werd gebracht.

Hij had vergeten de ringen en presentjes op te halen; het was een taak uit een ander universum, in een uitbundig verlichte winkel in de rue de la Paix. Roy Daugherty's sigarenknipper was daar ook bij.

Dotty, Perdita en Tiggy waren al in de *mairie*. Dotty schreed heen en weer, onberispelijk gekleed tot haar violette zijden kousen en paarse geëmailleerde knopen aan toe, woedend dat ze moesten wachten op de andere getuigen, nog eens zo woedend dat Bullard er was en Daugherty niet. Bullard deed opgelaten alsof hij naar de schilderijen keek in de salle des mariages. Tiggy keek bang naar Reisdens gezicht op en probeerde er dapper uit te zien. Perdita, in haar witte jurk, stond zwijgend in het midden van het vertrek, alleen.

Daugherty kwam niet opdagen. De beide andere getuigen kwamen evenmin opdagen. Ze namen twee voorbijgangers als getuigen. Dotty glimlachte ijzig, naar de salle des mariages kijkend alsof ze de maten op-nam voor nieuwe gordijnen. 'Allons, allons,' zei de ambtenaar van de burgerlijke stand en begon; de adem kwam in wolken uit zijn mond. De ambtenaar vroeg of er enig bezwaar was tegen het huwelijk; er viel een geladen stilte; Perdita sloeg haar ogen neer; Dotty perste haar lippen opeen; Reisden zei niets. Tiggy, glimlachend met onzekere ogen, gaf de twee ringen op zijn vlakke handpalm aan, als suikerklontjes voor paar-den. Onhandig schoof Reisden de trouwring met zijn linkerhand aan Perdita's vinger.

Buiten sneeuwde het nog steeds, dikke, slordige vlokken. Perdita, die er verloren uitzag, nam met één in een wollen handschoen gestoken hand haar witte zijden rokken bijeen. Terwijl ze zich een weg zochten door plassen en stroompjes, zagen ze door de sneeuw heen schaduwen als van schuurtjes en lage gebouwen, de bovenbouw van wasserijschuiten die tot op de hoogte van de balustraden waren gerezen. Ze keken omhoog naar de Bains de la Samaritaine. De rivier was overal, in de zware sneeuw en de geelbruine modder die aan hun schoenen zoog, en hij en Perdita waadden er oneindig langzaam doorheen, alsof het verbleekte grijze licht door het water heen kwam.

In Voisin was het licht uitgevallen; de lunchtafel was gedekt met kandelaars. 'Dit is heel prettig,' zei Dotty vastberaden. Bullard was met hen meegegaan, op Dotty's koele aandringen. Perdita zei niets. Bullard zei niets. Dotty voerde alleen het woord, kletsend over de bruiloft en de overstroming.

'Daar ben ik,' zei Daugherty. 'Eindelijk.'

Hij was bleek, alsof hij was gepoederd; zijn kleren waren gescheurd; zijn gezicht was bevuild en met bloed besmeurd; maar hij leefde.

'Dacht zeker dat ik het allemaal zou missen, hè?'

Reisden stond op en wees naar Daugherty; zijn benen begaven het en hij zakte half vallend, half neerploffend op de vloer.

88

DE KOMST VAN DAUGHERTY EN REISDENS KLEINE DRAMA BETEKEN-
den voor de bijeenkomst in Voisin de genadeslag. Dotty stond over zijn
vooroverliggende lichaam gebogen, zei: 'Zullen we dan nu proosten op
het huwelijk, meneer Daugherty?' en barstte in tranen uit. Desondanks
slaagde ze erin hen allemaal weer naar de place Dauphine te krijgen en
ervoor te zorgen dat Daugherty's kleren hersteld werden. Reisden lag
op Dotty's logeerbed, nog steeds met de kleren aan waarin hij getrouwd
was; zijn manchetknopen aanpakken leek hem even ingewikkeld als het
beklimmen van een alp.

'Hoe staat het gebouw ervoor?'

'Maak je geen zorgen,' zei Dotty scherp.

Aha, dacht Reisden. 'Hoe erg is het?'

'Een groot deel staat nog overeind,' zei Daugherty.

Details van Jouvet trokken aan zijn geestesoog voorbij, als delen van
zijn leven: het patroon van de parketvloer, de nieuwe microscoop. Hij
had de klok op zijn bureau vergeten op te winden. De klok op zijn bureau lag nu onder hopen puin. Hij dacht aan de opname van Tasy, aan
het appartement waar hij en Daugherty zich gisteren aan de schoon-
maak hadden gewijd, en aan dr. Jouvet, die tweeënveertig jaar lang bezig was geweest met archiveren.

'Hoeveel is er verloren gegaan van het archief?'

Niemand gaf hem antwoord.

'Reisden en ik hebben het een en ander met elkaar te bespreken.'

'Meneer Daugherty, het is niet nodig...'

'Ga maar, Dotty,' zei Reisden. 'Het geeft niet. Ga Perdita helpen.'

Toen ze weg was, ging Daugherty voorzichtig op een van Dotty's stoelen zitten.

'Hoe erg is het?'

'Het grootste deel van de voorgevel, en over de hele binnenplaats drijven papieren. Ben je verzekerd en zo?'

'Ik kan het nog lang genoeg uitzingen om het bedrijf fatsoenlijk van de hand te kunnen doen, maar ik geloof niet dat ik de eigenaar van Jouvet zal blijven... Daugherty?'

'Ja?'

'Bedankt dat je me gisteravond hebt helpen opruimen.'

'Ja.'

Er viel een lange stilte. In het vuur knapte en siste een blok hout, en produceerde vervolgens zo'n korte fluittoon die je hoort wanneer een knoest van spinthout zijn sap prijsgeeft, of wanneer wat opgesloten lucht vrijkomt.

'Ik wil dat je weet,' zei Daugherty, 'dat je je in een heleboel dingen vergist, maar dat wat je met die verslagen hebt gedaan zinnig was, goed was. Het heeft niet goed uitgepakt, maar dat geeft niet.'

Reisden knikte. 'Dat weet ik.'

'Wil je naar Courbevoie?' Daugherty schraapte zijn keel. 'Bullard is zijn bestelkar aan het halen, hij kan iedereen meenemen.'

'Waarom niet, er is genoeg rampspoed voor iedereen.'

'Dan moet ik mijn kleren zien te vinden.'

Reisden hoorde stemmen in de verte. 'Wacht even... Stil. Blijf hier.'

Het hoofdeinde van het bed stond bij het rooster van het verwarmingssysteem – dat niet werkte, aangezien de stookoven uit was, maar openstond; en door dit rooster kon hij Dotty en Perdita horen in de salon. Zijn eerste gedachte was dat ze Daugherty en hemzelf hadden gehoord; daarna begon hij schaamteloos te luisteren.

'... Hij had moeten trouwen om zulke rampen te doorstaan. Ik stel jou verantwoordelijk, *madame* de Reisden, maar nu is het gebeurd; je draagt zijn naam en zijn hoop op een gezin. Ik kan niet zeggen dat ik er blij mee ben...'

Ach, Dotty.

'... maar met mijn hulp zou je wat geschikter kunnen worden,' vervolgde Dotty. 'Dat zal niet gebeuren wanneer je oranje veren op je hoed blijft dragen of met een fonkelnieuwe trouwring op straat gaat lopen in een mantelpak dat niet meer dicht kan. Ik zal je leren fatsoenlijke kleren uit te zoeken, welke bedienden je moet hebben, met wie je moet omgaan en met wie niet. Je zult je wittebroodsweken in La Gresnière doorbrengen, en ik zal je mijn oude gouvernante sturen om je privé-les te geven in etiquette en Frans. En ik zal je je carrière geven.'

'Mij een carrière "geven"…?' zei Perdita.

'Je bent zo fortuinlijk over iets te beschikken waar de wereld respect voor zou kunnen opbrengen. Mijn vrienden en ik zullen je voor ons laten spelen,' zei Dotty. 'In onze salons. Je zult in de kranten genoemd worden.'

Ik speel niet om recensies te krijgen, had Perdita gezegd. 'Ik ben echt erg dankbaar,' hoorde Reisden zijn vrouw voorzichtig zeggen. 'Maar ik moet leren een huishouden te bestieren, madame, niet het te verwaarlozen voor de piano. Ik ben… langzaam.'

O, dacht hij. O. Dat was tenminste wel te verhelpen.

'Ik zal eisen dat je ook een huishouden leert bestieren. Nu,' zei Dotty, 'het onderwerp Courbevoie.'

Ah, ja, Dotty; nu werd het menens.

'Je moet dat huis van de hand doen zonder er ooit terug te keren. Je kunt geen goede naam hebben als je in het huis blijft wonen waar je voormalige rendez-vous plaatsvonden.' Dotty zweeg even. 'Er kan geen andere reden zijn waarom je zou willen terugkeren naar Courbevoie.'

Perdita zei niets. Reisden luisterde. Daugherty zei vanaf het raam: 'Bullard is er.'

'Ga Perdita beneden redden,' mompelde Reisden.

De stemmen verwijderden zich. Reisden zwaaide zijn benen over de rand van het bed en stond op; de kamer werd donker, en Dotty's vergulde hemelbed en slaapkamermeubilair deinden majestueus, als draaimolenpaarden. Koppig begon hij de manchetknopen uit zijn overhemd te halen. Hij liet ze allemaal vallen.

'En waar ben je van plan met meneer Bullard naartoe te gaan, madame, in een *vrachtkar*? Ik zal dit wel afhandelen.' Hakken tikten resoluut de vloer over en de stenen trap af.

'Wat is ze toch een draak,' baste Daugherty beneden.

'Zoek alstublieft mijn hoed op, die mét die oranje veren,' zei Perdita kordaat. 'We moeten in ieder geval meneer Bullard bevrijden van nicht Dotty. Waar is Alexander…?'

'Reisden komt eraan,' zei Daugherty met luide stem.

'Vraag hem dan alstublieft of hij snel wil komen, hij is de enige die haar aankan…'

Reisden keek gefrustreerd naar het pak dat hij zou moeten dragen, haalde de sloop van een van de kussens af, en rolde het pak erin. Hij knoopte zijn gewone witte overhemd dicht en trok daaroverheen het jacquetjasje weer aan.

In de hal brachten de spiegels hem even in de war; hij hoorde Dotty's stem beneden. 'Meneer Bullard, ik wil dat u mijn huis verlaat...'

'Dotty,' zei hij.

'Schat,' zei ze, half om hulp vragend en half waarschuwend.

'Bullard,' zei hij, 'vertel het haar.'

'Meneer Bullard, ik ben niet geïnteresseerd...'

'Meneer de Reisden heeft me twee schilderijen gebracht, schetsen in olieverf. Hij heeft me gevraagd ze te vergelijken met werk dat door Mallais zelf is verkocht tijdens de laatste twee jaar van zijn leven, en waarvan de oorsprong dus door hem is gegarandeerd. Dat heb ik gedaan. Ze blijken van dezelfde hand te zijn en...'

'Dus, meneer Bullard, moet mijn schilderij ook door Mallais geschilderd zijn,' zei Dotty, broos als glas. 'Neem ik aan? Hebben we na al die moeilijkheden niet gewoon ingezien wat iedereen al weet?'

Er viel een stilte, een lange stilte. Reisden leunde tegen een met spiegels behangen muur. Hij was heel, heel erg moe. Hij wilde niet bekvechten over wie de doeken had geschilderd; hij wilde dat Perdita zich in Parijs aan de muziek zou wijden. Hij wilde dat iedereen gelukkig was, en hij vroeg zich af wie van hen als eerste *nee* zou zeggen.

'Ga met ons mee naar Courbevoie,' zei Perdita zachtjes. 'Dotty.'

'Bent u van plan een schandaal te veroorzaken? Vindt u het werkelijk nodig om te beweren, meneer Bullard, dat een schilder die terecht veel, veel bekender is dan u ooit zult zijn, doelbewust zijn onontwikkelde vrouw heeft *aangemoedigd* om in zijn stijl te schilderen terwijl hij nog in leven was?'

'Hij is nog niet dood,' zei Daugherty. 'Dus u kunt het hem zelf vragen.'

'Jullie begrijpen niet waar het om gaat,' zei Dotty. 'Sacha, jij bewondert juffrouw – *madame de Reisden* – omdat ze gezegd heeft dat er momenten zijn waarop je kunt ophouden met liegen, en dat het je deugd zal doen, als een theelepel wonderolie. Daar gaat het niet om. Jullie denken kennelijk allemaal dat niets telt behalve jullie eigen glimmende flarden van waarheid. Meneer Bullard, volgens u komt de penseelvoering van die schetsen overeen met schilderijen die een onberispelijke oorsprong hebben, zoals mijn schilderij. Moet men soms niet gewoon toegeven dat wat de rest van de wereld ziet juist is? Sacha, schat, moet men er echt op stáán dat men onevenwichtig is? *Madame* de Reisden, moet men zeggen dat men een pianostudentje is dat geen greintje van haar muzikale leven wil opgeven? Ik weet dat mijn schilderij van de hoogste kwaliteit is; het is een Mallais. Ik geloof erin. Men moet besluiten wat men gelooft, verantwoordelijk zijn voor wat men gelooft. Ik denk dat jij, madame de Reisden, je moet afvragen of je gelooft dat jíj van de hoogste kwaliteit bent, of jíj wilt slagen in Parijs. Als je iets anders wilt... als je iets anders moet zijn, iets ongewaardeerds, eigenaardigs, schadelijks...'

'Dotty,' zei Reisden.

'Dotty,' zei Perdita, 'bedankt voor wat je hebt willen doen. Maar ik moet naar Courbevoie. Alexander?' Ze bracht zijn naam met veel adem uit.

'Ik kom zo bij jullie. Laat ons even alleen.'

Hij en Dotty waren alleen in de hal.

Hij liep de trap verder af en ging naast haar staan. Hij legde zijn linkerhand zachtjes op haar schouder. Ze stapte achteruit en schudde haar hoofd.

'Schat, ik weet wat je zult kiezen,' zei ze. 'Het is je trouwdag. Neem haar mee, neem je pakje met schetsjes mee, neem je *vrouw* mee, ga naar je huis in Courbevoie. Maar ik woon in Parijs, Sacha. Ik begeef me in de hogere kringen; ik verzamel schilderijen. Als je een schandaal gaat veroorzaken over Mallais, moet ik mezelf distantiëren van... daarvan.'

Ze keken elkaar in de ogen. Ze kenden elkaar al twintig jaar.

'Bewijs dat mijn Mallais deugt,' zei ze.

'Dat kan ik niet.'

'Dan,' zei ze, 'zal ik het doen.'

89

HET WAS VERBAZINGWEKKEND, DACHT DAUGHERTY, HOEVEEL SPUL-
len een vrouw in een vloek en een zucht kon pakken. Dotty nam lakens,
dekens en kleren mee; Daugherty, die met Reisden in de salon wachtte,
zag haar binnenkomen en de collectie snuifdozen in een valies stoppen.
'Aristocrate bereidt zich voor op ramp,' zei Reisden zacht toen ze weg
was, 'door de draagbare goederen en de erfgenaam mee te nemen.' Ze
gingen in twee rijtuigen: Daugherty, Perdita en Bullard in Bullards bestelkar; Reisden, Dotty en haar zoontje in Dotty's rijtuig. Typisch iets
voor haar om hem mee te nemen en voor hem om mee te gaan.

Het sneeuwde alsof er een noordoostenwind waaide. Op de boulevard Haussmann schokten ze door de modder terwijl de karrenwielen
aan beide kanten het water deden opspatten. Sneeuw en wind teister-
den de zijden van de kar. Bullard en Daugherty zaten als in een cocon
op een stapel met sneeuw doordrenkte draperieën en gewatteerde dekens, met nog meer dekens om hen heen geplooid. Perdita zat ternau-
wernood binnen, in nog meer gewatteerde dekens, met haar paarse sjaal
over haar hoed geslagen om hem op haar hoofd te houden.

Toen ze de Seine bij Neuilly probeerden over te steken werden ze te-
ruggestuurd en moesten ze in een lus noordwaarts richting Pont de Levallois. Ze stopten ergens op een plein waar een Duitser warme worstjes verkocht; ze aten er een paar met zuurkool en warmden hun handen
boven de stoof, terwijl Bullards paard Belle graan at en uit een met ijs
bedekte paardentrog probeerde te drinken. Perdita stond te bibberen,
even ongemakkelijk met haar voeten schuivend als het paard, haar

handschoenen boven de kolen houdend en ze vervolgens tegen haar gezicht drukkend.

'Het is me het huwelijksdagje wel,' zei Daugherty.

'Ik heb tegen haar gezegd dat ze met ons mee moest gaan,' zei Perdita. 'Nou, daar is ze dus.'

'Ja, geen twijfel aan. Met snuifdozen en al.'

Hij ging naar Reisden en Dotty in het andere rijtuig. Reisden en de jongen speelden Slangen en Ladders bij lantaarnlicht en Dotty zei helemaal niets.

De sneeuw veranderde in regen en de regen in ijs. Kort voor middernacht kwamen ze aan in Courbevoie. De boulevard St.-Denis was een mierenhoop van vluchtelingen op weg naar de kerk, naar hoger gelegen grond, naar wat dan ook. Bullards paard worstelde zich door een stroom kruiwagens opgetast met dekens, stoelen, potten en pannen; langs boerenkarren volgeladen met ijzeren ledikanten, ladekasten, familieschilderijen en zelfs een kachel; voorbij een rijdende kar waarin een familie strak voor zich uit zat te kijken, als indianen. Er reed een wasvrouw voorbij in een geitenkar volgeladen met de strijkbouten van een hele wasserij.

Het was te donker om iets anders te zien dan het dak van het huis van Mallais en de rij gaslantaarns achter de tuinmuur. Daugherty zag licht branden op de tweede verdieping van het huis van Mallais, een kaars die door de hagel heen flakkerde.

Daugherty pakte de ladder, zette hem tegen de muur en beklom hem. De weg bij de rivier zag eruit alsof de stad in oorlog was. Verlicht door de gaslantaarns die door de sneeuw heen schenen, waren doorweekte en vuile Arabisch uitziende mannen in rode broeken haastig zandzakken aan het opstapelen tegen de kademuren; achter hen schepten in het blauw geklede mannen zand in nog meer zakken, draaiden de zakken met één beweging dicht alsof ze kippen de nek omdraaien, en gaven ze door aan de zoeaven. Soldaten ploeterden tot aan hun kuiten door het rivierwater, struikelend over modderbulten en zandhopen, naar elkaar schreeuwend.

Bijna boven de zandzakken doemde de Seine op.

'Die muur houdt het niet,' zei Reisden heel zacht, alsof de muur het door geschreeuw zou begeven.

Daugherty had een zaklantaarn meegebracht; hij scheen ermee op het huis van Mallais. De aanblik ervan beviel hem niet, het was maar een gewoon Frans huis, waarschijnlijk met een houten geraamte eronder. Onder de ramen hadden brokken gebarsten pleisterwerk losgelaten. Als de overstroming veel erger werd zou madame Mallais gaten dwars door de muur krijgen.

Het maakte niet uit; als de overstroming veel erger werd, ging de muur van zandzakken er toch aan.

'Ze hebben nog steeds de schilderijen daarbinnen, hè?' zei Bullard.

Ze lieten zich alle drie over de muur in de tuin van Mallais zakken en plasten door het water naar de achterdeur. Het water was zo koud als de zee in januari; zelfs met zijn laarzen aan werden Daugherty's voeten gevoelloos. Reisden bonkte op de deur, in het Frans schreeuwend; Daugherty schopte ertegen. Het hele geval stortte splinterend in, en ze waren binnen.

In de keuken stond madame Mallais.

Ze schreeuwde en staarde hen met wijd opengesperde ogen aan. Daugherty's elektrische zaklantaarn deed kleuren opgloeien op de muren. Meer Mallaises dan hij had gezien, meer dan wie ook had gezien; of meer van iets wat veel weg had van het werk van Mallais. De oude dame deinsde terug tegen de muur, zijn zicht belemmerend, schreeuwend, haar handen ervoor houdend in een poging ze voor hen te verbergen. Bullard liep naar haar toe, pakte haar vast en schoof haar aan de kant.

'Schilderijen op zolder, zei je?' vroeg Daugherty aan Reisden.

Reisden had gezegd dat de zolder vol stond; wat hij bedoelde was, dat het er *vol* stond. Daugherty kwam als eerste boven; hij hield de lantaarn omhoog, draaide het ene na het andere schilderij om, en vergat bijna even waar hij was, zo mooi waren ze; er kwam een soort rust over hem alsof hij naar een oceaan keek. Hij hief de lantaarn op en keek naar de schilderijen aan de muren. Regen. Regen in Parijs, regen op de Seine, regen in de voortuin, in de tuin van Mallais. Stijgend water. Er was blauw en paars in het grijs, alsof regen alle kleuren in zich droeg.

Hij keek naar buiten. De soldaten renden nog uitzinniger rond.

Beneden praatten ze allemaal in het Frans. De Mallaises hadden twee slaapkamers, net als zijn huis in Amerika. Daugherty ging de lege slaapkamer in en smeet de laden van de ladekast op het bed; dat leverde hem drie dozen op, en hij ging naar boven en stopte de eerste la vol met schilderijen en ging er voorzichtig mee de smalle trap af, naar buiten door de achterdeur, de helling op. De muur stond in de weg. Hij zette de la neer, vond achter in het huis een schop, wrikte onder de muur, en een gedeelte van bijna een meter viel in één stuk omver. Hij klom de helling op met de la vol schilderijen.

Perdita en niet Dotty waren met Tiggy in het huis. 'Pak dit uit, want anders raak ik door m'n laden heen.'

Hij had wat rondgestunteld, wachtend tot hij iets stoms kon doen, en nu was zijn tijd gekomen om dat te doen. Wat dan nog als het vervalsingen waren? Dat was dat *Gezicht op de Seine* ook, en het schilderij van die spar ook, en als niemand anders er belangstelling voor had, hij wél. Als iemand ze wilde verkopen, zou hij ze kopen en een koffer vol mee naar Cambridgeport nemen. Het mochten dan geen Mallaises zijn, voor hem waren ze Mallais genoeg.

90

'CLAUDE MALLAIS,' ZEI REISDEN.
De tijd had de schilder doen krimpen. Hij had al zijn haar verloren en droeg in de kou een Amerikaanse geruite pet met oorkleppen en een boerenkiel met een sjaal erover. De huid van zijn gezicht hing gevouwen en geplooid aan scherpe jukbeenderen. Onder een witte, woeste snor waren zijn lippen paars geworden; het wit van zijn ogen was geel geworden door de geelzucht, zijn huid erdoor gebruind. Hij kneep zijn ogen samen van de pijn, glimlachte er half van, een kunstgebit tonend. Hij lag ondersteund door een stel kussens in een doodgewone slaapkamer: een ijzeren ledikant, linoleum dat met een goedkope, machinaal vervaardigde vloerloper was bedekt, behang met een patroon van bruine madeliefjes. Op het bed lagen zaadcatalogi, opengeslagen op advertenties voor peren- en bloeiende kersenbomen, en even leken de schitterende schilderijen die rondom hem in de kamer hingen geen kunst, maar gewoon appelbomen.

'Maar dit is niet eerlijk,' zei Claude Mallais. 'De eerste nieuwe gezichten die ik in tien jaar zie, en ik kén er een van. Bent ú mademoiselle Perdita's vrijer?'

'We gaan jullie en de schilderijen verhuizen,' zei Reisden.

'Het is helemaal niet eerlijk. 'Zanne!' riep Mallais.

'Ze is de heuvel al op.' Het huis van de Mallaises was inmiddels doortrokken van een stilte, een sfeer die op een naderend einde wees, zoals Reisden zich ook herinnerde van Jouvet. Bullard kwam binnen om de schilderijen mee te nemen. Daugherty was die in de hal van de muur aan het halen.

Mallais keek op vanaf zijn nest kussens. Hij had helderblauwe ogen, die ooit vriendelijk waren geweest en nu half guitig, half angstig waren, als van een man die bereid is te bluffen of te smeken. Ze hadden de kleur van Jean-Jacques' ogen.

'U bent een keer, meerdere keren, in de Nouvelle Athènes geweest. U kwam met een meisje mee; zij kwam niet terug, u wel. Ik heb u geschetst toen u niet keek. Een profiel, en een lijdende houding, alsof een vos onder uw mantel uw edele delen opat, net als bij die Romeinse jongen. U wilde niet dat iemand van die vos af wist. Ik dacht dat ik u moest vertellen,' zuchtte Mallais, 'dat iedereen vossen heeft; maar u zou alleen maar hebben gedacht: "Die oude weet van de mijne."'

Dat was precies wat Reisden nu dacht, met het paniekerige gevoel dat hem de afgelopen drie jaar had beheerst: *G-d, hij weet van Richard.* 'We hebben niet veel tijd. Ik moet u een vraag stellen.'

Er was geen tijd. Door de luiken van Mallais' raam kon Reisden de soldaten zien vechten tegen de Seine. Aan glinsteringen rond de gaslantaarns was te zien hoe hoog het water stond: precies boven aan de zandzakken. Achter het gaslicht was het zwart, zonder overgang, geen verschil tussen water en lucht, verdrinkende Seine en verdronken oever.

'Heeft uw vrouw ooit uw schilderijen vervalst?'

'Nee.'

Mallais vertelde de waarheid; onder zijn pet staken de adelaarsneus en de kin strijdlustig naar voren; maar hij zei het iets te ongemakkelijk.

'In april 1907 heeft Armand Inslay-Hochstein een schilderij, *Gezicht op de Seine*, verkocht. Hebt u dat geschilderd?'

Een aarzeling. 'Het is echt.' Het was niet de aarzeling van een regelrechte leugenaar, maar van een persoon die afwoog of de waarheid in de woorden van het antwoord te passen zou zijn.

'Wat bedoelt u met "echt"?' vroeg Reisden. 'Bedoelt u dat u het met uw eigen handen hebt geschilderd…'

Hij zag Mallais' ogen flikkeren bij het woord *handen*. Die van Mallais lagen onder de dekens.

Daugherty kwam binnenstormen. 'Reisden,' zei hij, 'we moeten gaan,' en hij wees uit het raam.

Er was niets te zien, behalve dat de soldaten zich niet bewogen; ze staarden omhoog naar de zandzakken. Glanzend als stroken kwik druppelde er water over de zandzakken heen.

Daugherty pakte Mallais met beddengoed en al op. Reisden, achter hen, zag dat er op zolder nog een lamp aan was, ging met twee treden tegelijk de trap op om hem uit te blazen, en wierp een laatste blik op de slaapkamer van de Mallaises. Het nachtkastje stond stampvol medicijnen: honing en azijn, aspirine van Bayer, koperen armbanden, de patentapotheek van artritislijders. Een pijp was aan een standaard geklemd; er stond een leestafeltje op de grond, en daarop lag een bril.

'Kom op, Reisden!'

Reisden hoorde geroep en geschreeuw van de soldaten buiten, en het gerommel van een gemotoriseerde vrachtwagen. Nee, geen vrachtwagen: het was iets dat over de quai werd gesleept, iets reusachtigs; het was het gegil en gerommel van een trein.

Hij deed iets doms: hij schoof het gordijn open en keek. De Seine kwam als een muur op hem af.

Het eerste aanstormende water sleurde de hele tuinpoort mee; het water stroomde erdoor, een ogenblik, grappig genoeg, rechthoekig als de deuropening, voordat het uitwaaierde en opspatte. Het water kwam al schuimend de trap op. Hij rende naar de achterzijde van het huis, naar het raam dat op de achtertuin uitkeek. Aan de andere kant van het raam was een prieel, dat bijna leek te bezwijken onder het gewicht van een met ijs bedekte wijnstok; beneden wervelde al een maalstroom op de plek waar de deuropening was geweest.

Halverwege de heuvel liep Bullard achter een kruiwagen; vlak achter hem strompelde Daugherty voort, Mallais over zijn schouder dragend en achteromkijkend naar het huis. Boven aan de heuvel stonden Dotty, Tiggy en Perdita.

Hij deed het raam open, schatte de afstand in, en sprong. Het water duwde hem naar voren, zijn armen en benen uitgespreid, en smeet hem omver alsof hij van achteren een dreun had gekregen. Hij zag een van hun lampen, of het licht van het huis, beneden hem; hij rende ernaartoe, struikelde, door een tornado, een zandstorm, drijfzand, natte sneeuw. Hij werd tegen iets aan gebeukt, een muur; hij dacht één paniekerige seconde dat het water hem het huis in had gezogen, en toen, gedurende een lang onvergetelijk moment, was hij eenvoudigweg aan het vliegen, zuiver vloeiende beweging, terwijl hij werd meegevoerd door de stroom, voordat hij tuimelde en met een smak in ondiep water belandde, halverwege de met klei bedekte helling van de tuin.

Hij kroop verder de helling op, verkleumd tot op het bot, neergetrokken door zijn jas, huiverend en vloeken uitstotend. Hij kon Daugherty's toorts zien, die nog steeds brandde en heftig heen en weer bewoog; hij waadde door de ondiepte, Mallais boven zijn hoofd houdend. Bullards kruiwagen was omgevallen en stortte witte rechthoeken uit in het water. Dotty waggelde heen en weer aan de rand van het water, en naast haar stond Perdita met Tiggy aan de hand, doodsbenauwd het donker in turend.

Hij wankelde naar hen toe. Dotty gilde; Perdita draaide zich om en omhelsde hem zwijgend, en Tiggy greep hem bij de knieën vast, zich besmeurend met slik. Dotty stond er aarzelend bij, in afgrijzen mompelend. Daugherty strompelde langs hen met Mallais in zijn armen, wiens mond was opengesperd van de pijn, en achter hen kwamen Bullard en madame Mallais, die elk een handvat van de kruiwagen vasthielden.

En toen bulderde er vanuit het donker en de kou, door de sneeuw, een enorme explosie als een donderslag, een gekanonneer alsof heel Parijs bezweek. In de oostelijke hemel verrees een rood licht, een nachtelijke zon. Het was ver stroomopwaarts – Ivry misschien, of Alfortville, helemaal aan de andere kant van Parijs – maar het was enorm. De hemel was roodbloeiend, als vuurwerk; het oppervlak van de rivier werd rood brokaat onder rode sneeuwval, en de explosie donderde maar voort.

Op de quai de Seine brandden de gemeentelijke gaslantaarns nog steeds en gaven de stompen van hun palen de omtrek van de verdwenen quai aan. Maar de laagst gelegen helft van de tuin was weg. De bomen waren allemaal weg: de wilg bij de muur, de appelboom, de spar. En het huis van de Mallaises was er niet, alleen de bloedrode watervlakte was er, met een stroomkluwen op de plek waar het huis had gestaan.

91

'De soldaten...' zei Perdita.

'Die zijn ontkomen,' zei Reisden ter wille van Tiggy.

Als mariniers na een schipbreuk strompelde iedereen omhoog naar het huis. Ze sleepten matrassen de salon in voor Mallais en legden hem bij het vuur, gewatteerde dekens onder hem en over hem heen leggend. Zijn dunne armen vormden twee lijnen onder de dekens, zijn handen waren weer verborgen, maar Reisden had ze gezien, en Dotty ook.

De handen van Mallais waren vergroeiingen. De knokkels waren tot afschuwelijke knobbels vervormd, de vingers waren bijna tot in de handpalmen gekromd. Linkshandig, pijnlijk, stroopte Reisden zijn eigen doorweekte kleren af; hij was bijna spastisch van de kou. Het water uit de kranen was drabbig, ongezuiverd Seinewater dat vaag naar klei en rottend fruit rook. Zijn natte verband zat ook vol van hetzelfde smerige water; hij ging aan de keukentafel zitten, zich bezinnend op de klus om alles met één hand opnieuw te verbinden.

'Schat, dat doe ik wel.' Het was Dotty, in het onberispelijke reebruine mantelpak waarin ze naar Courbevoie was gereden. Ze bestudeerde haar kussenkleedje, leek te concluderen dat het vervangen kon worden en begon het in repen te scheuren.

Handen, dacht hij. Hij keek naar de rauwe gehechte japen in zijn eigen handpalm. Voor laboratoriumwerk heb je handen nodig, een gevoeligheid van de vingers, net als voor kunst en muziek, of schilderen. Wat zou hij hebben gedaan als hij zijn handen niet meer kon gebruiken?

'Hij kan nog steeds schilderen,' zei Dotty. 'Ik heb je gezegd dat alles op zijn pootjes terecht zou komen.'

We zien wat we willen zien. 'Best mogelijk dat hij in staat is te schilderen,' zei Reisden. 'Ik zou hem maar niet vragen het te bewijzen.'

'Dat is ook niet nodig, schat; er ontstond alleen twijfel toen men dacht dat hij dood was... Niet bewegen. Dit steekt.'

In de salons, in de gangen, overal langs de muren stonden schilderijen, stapels schilderijen, kastloze laden vol schilderijen. Als een slaapwandelaar liep madame Mallais van stapel naar stapel, trok er een appelboom uit, een bos bloemen, het licht over een keukentafel; ze keek ernaar alsof het foto's waren. Haar verloren huis, haar verloren tuin.

Perdita kwam de keuken in, met haar vergrootglas conservenblikjes bekijkend; ze was iets aan het maken voor de Mallaises, die niet hadden gegeten. 'Is dit een blik peren?'

'Natuurlijk,' snauwde Dotty.

Perdita zei niets. Door hem buiten te omhelzen had ze vuil en slik op haar beste mantelpak gekregen; ze droeg haar rode peignoir voor de warmte. Ze scharrelde door de keuken, lepels en pannen aanrakend, aan het laatste restje van een fles rode wijn ruikend, wat kaneel vindend. Reisden merkte hoeveel werk ze er alleen al aan had om spullen in de keuken te vinden. Dotty verbond Reisdens arm wat steviger dan nodig.

'Hebben we aspirine?' vroeg Reisden.

'Iedereen heeft aspirine, schat,' zei Dotty.

'Wij niet,' zei Perdita. Reisden had het gevoel dat hij haar onheus te kijk had gezet.

Daugherty stak zijn hoofd om de keukendeur en trok zich terug.

'Dotty, wat ga je aan madame Mallais doen?' vroeg Perdita.

'Schat, er hóéft niets aan haar gedaan te worden; ze speelt nergens een rol in; hij leeft en schildert.'

'Waar zullen ze gaan wonen?' vroeg Perdita. 'Ze hebben nu niets meer.'

'Ze zullen wel een schilderij verkopen,' zei Dotty, 'aangezien hij leeft en kan schilderen.'

'Waarom zei hij dat hij dood was?' vroeg Reisden. Dotty keek naar hem alsof hij aan de verkeerde kant stond.

'Dat zou ik graag willen weten,' zei hij.

'Zij *schíldert*, zei Perdita.

'Juffrouw Halley,' zei Dotty, 'madame de Reisden, je sentimenten over artistieke vrouwen kennen geen grenzen, maar je hebt van haar een misdadigster en kunstenares gemaakt terwijl ze geen van beiden is. Zeker geen kunstenaar,' vervolgde Dotty. 'Ik geloof dat ik daadwerkelijk een specimen van het werk van madame Mallais heb gevonden, en ik zal het je met plezier *beschrijven*.'

'Is dat zo?' zei Perdita. 'Wat heeft ze geschilderd?'

'Waar is het, Dotty?'

'In de gang.'

Ze sleepten het de keuken in. Het was in de stijl van de periode 1860-1870, een bijna fotografisch scherp schilderij, badend in een eentonig geel licht. In het midden van het doek stond een lompe gespierde jonge vrouw, een boerin, blootsvoets in een gestreepte jurk, met een gekromde duim een palet vasthoudend. Aan beide zijden van haar gebaarden twee goedgeklede mensen naar een schilderij buiten de lijst. Aan de linkerzijde hield Mallais, een jongeman, al met baard, een vinger omhoog als een criticus; aan de rechterzijde boog zijn maîtresse zich voorover in een schommelstoel. Tussen hen in stond het boerenmeisje in haar gestreepte katoenen jurk, het doek schilderend waar zij naar keken: kauwend op het houten uiteinde van haar kwast, ogen opengesperd en geobsedeerd, starend naar wat alleen zij kon zien.

Wat spande ze zich in om iets op het doek te zetten; haar lippen waren opgetrokken en lieten haar scheve tanden bloot, haar hoofd was achterover geworpen; haar blote tenen klauwden in de aarde alsof ze haar hielpen zien.

'Hálf-knap,' zei Dotty, 'hálf-goed. De figuur in het midden is enigszins belangwekkend, hoewel ze zichzelf onnodig gewichtig maakt; maar de andere twee zijn gewoon atelierportretten, en de achtergrond is vreselijk.' Dat was inderdaad zo, een hooiberg en een boom, nauwgezet gemaakt van troebele stippen en spetters. 'Ouderwets en doorsnee, zelfs voor die tijd. Prerafaëlitisch. Ik denk dat ze boeken had kunnen illustreren.'

Dotty had van het schilderij een veeg stof op haar mantelpak gekregen. 'Ik moet dit even afsponzen,' zei ze, en liet hen achter.

Perdita roerde in de peertjes. Gedurende een minuut sloeg hij haar alleen maar gade; zijn vrouw, kokend in hun keuken. Ze zette het gas laag en ging bij hem zitten.

'Is het echt niet zo goed?' vroeg ze eindelijk.

'Museum voor provinciaalse kunst,' zei hij, 'tweede verdieping, in de zaal gewijd aan de lokale kunstenaars; geschonken door de tante van de kunstenares. Maar de figuur in het midden is interessant. Ze was goed in gezichten.'

Ze glimlachte hartverscheurend. 'Muziekgezelschap van Jonge Getrouwde Vrouwen... Ik wil wedden dat zij ook hun interessante dagen hebben.' Ze steunde met haar kin op haar rechtervuist. 'Heb je Dotty en mij vanmiddag horen praten?'

'Ja,' gaf hij toe.

'Ze was behulpzaam,' zei Perdita.

'Ach,' zei hij. "'Ik zal je leren met wie je moet omgaan en met wie niet." Onze Dotty.'

'Ik zal haar daaraan houden,' bood ze aan.

Dat zou ik op prijs stellen. Het was zo eenvoudig om dat tegen zijn vrouw te zeggen.

'Maar,' zei ze zacht, 'maar het heeft me altijd oneerlijk geleken dat zelfs degenen die niet zo goed zijn niet de kans krijgen te probéren om goed te zijn. Er is altijd iemand die voor de vrouwen beslist, voor hen bepaalt hoeveel ze in zich hebben, en ik wil wedden dat iemand voor haar heeft besloten dat ze maar zoveel talent had'– ze hield haar handen een krappe twee centimeter van elkaar af – 'en dus had ze maar zoveel ruimte om het kwijt te kunnen. Maar jij en ik weten, Alexander, dat toen haar man haar toevertrouwde zijn schilderijen te maken, ze het kon.'

'Wil je dan dat we een misdadigster van haar maken?' vroeg hij, en hoorde weer dat *we.*

'Wat zou je doen als ik het was?' vroeg ze.

Dotty heeft gelijk, stond hij op het punt tegen haar te zeggen. We zouden de dingen moeten laten zoals ze zijn. Ze erover laten liegen. En hij dacht dat hij het zou zeggen, en vervolgens dacht hij aan Leonard – en aan zichzelf, die ontdekt had willen worden.

Wees mijn vrouw, laat me nooit in de steek, speel salonmuziek in Parijs. Maak me gelukkig. Laat niemand ontdekken wie je bent als je jezelf bent. Hij schoof zijn stoel naast de hare en sloeg zijn arm om haar heen. Laat me vooral niet in de steek.

'Hoeveel talent heb jij?' vroeg hij.

'O... waarschijnlijk ongeveer zoveel.' Ze hield haar handen weer dezelfde krappe twee centimeter van elkaar af.

Hij bewoog haar handen verder van elkaar af. 'Meer dan dat.'

Zij bewoog haar handen langzaam van elkaar af, tot ze zo ver mogelijk vaneen waren, haar armen uitgestrekt, nog verder open. 'Zóveel, hóóp ik.' Ze sloeg haar armen om hem heen en drukte hem tegen zich aan, haar gezicht tegen zijn borst.

'Als ik je vroeg het te gebruiken,' zei hij, 'en het zou niet legaal zijn, zou je het dan doen?'

'Ja,' zei ze met omfloerste stem.

'Zou ik je niet moeten beschermen?'

'Waartegen,' zei ze, haar hoofd opheffend, 'tegen het gebruikmaken van mijn talent? Als jij me les zou kunnen geven? Ik bedoel hij? En ik wilde schilderen? Wat voor bescherming is dat?'

Reisden keek op; Daugherty stond in de deuropening. Hij schudde zijn hoofd.

Zij wendde zich tot hem en nam zijn linkerhand in haar beide handen.

'Weet je nog dat ik probeerde te beslissen of ik al dan niet met Harry zou trouwen, en dat jij toen zei: het is heel simpel, je kunt musiceren én getrouwd zijn? Ik zeg niet dat iemand dat inderdaad kán, omdat het zoveel is, maar niemand had dat ooit eerder tegen me gezegd over het huwelijk. Mijn tante praatte over uitzet en parels, over dankbaarheid en zuiver zijn, maar niemand had ooit gezegd dat ik getrouwd een completer mens zou kunnen zijn dan alleenstaand. Ik denk dat, ook als het niet waar is, het... waar is, op de een of andere manier. Dat heeft hij hopelijk gedaan,' zei ze. 'Ik hoop dat hij haar alles heeft geleerd, en haar heeft toevertrouwd samen met hem te schilderen, en haar niet heeft beschermd.'

O, liefje, dacht hij, salonmuziek en de Jonge Getrouwde Vrouwen zullen je niet tevreden stellen.

'Dus,' zei hij, 'we kunnen ze niet laten wegkomen met gemakkelijke antwoorden.'

'Nee,' zei ze.

'Net zomin,' zei hij, 'als wij onszelf daarmee kunnen laten wegkomen, liefste.'

Ze sloeg haar armen om hem heen, maar: 'Nee,' zei ze. 'Ook wij komen daar niet mee weg.'

92

I
N DE SALON WAS BULLARD DE SCHILDERIJEN AAN HET ONDERZOEKEN.
Perdita had het gestoofde fruit gebracht en madame Mallais was het
haar man lepel voor lepel aan het voeren. Daugherty, ingepakt in twee
dekens, massief als een Zuidzeeopperhoofd, tuurde door zijn bril naar
de schilderijen. Tiggy keek slaperig naar een schilderij van een hond.
Hij was op de een of andere manier aan een zwart-witte kat gekomen,
die zich onder zijn jas verschool, knipperend met verontwaardigde
groene ogen.

Jean-Jacques was doornat aan komen zetten. Hij was vanaf Parijs komen lopen. Hij zat aangeslagen bij zijn grootmoeder en grootvader, hen
bewakend, een en al neus en oren, zijn haar rechtovereind, in zijn klam-
me ondergoed en met zijn grootmoeders sjaal om. Hij keek dreigend
naar Dotty, die, elegant in haar mantelpak, op de rand van de opgesta-
pelde matrassen zat.

'U hebt nooit iets geschilderd,' zei Dotty tegen madame Mallais.

Madame Mallais knikte angstig. 'Hij heeft ze allemaal geschilderd.'

'Mallais heeft deze allemaal geschilderd?' zei Reisden.

Dotty wierp hem een vinnige blik toe. Meneer en madame Mallais
knikten.

'Wanneer hebt u uw meest recente doek geschilderd?' vroeg hij aan
Mallais.

Ze keken elkaar aan. Dotty staarde hem aan alsof hij dronkemanslie-
deren was gaan zingen op een feestje: zwíjg toch, lieverd.

'Twee jaar geleden,' zei Mallais. 'Een jaar, misschien.' Perdita vertaalde het voor Daugherty, die zijn mond opendeed om te protesteren. Reisden doorboorde hem met zijn blik.

'En hoe schildert u, meneer Mallais?'

'Met kwasten die aan mijn polsen zijn vastgegespt,' zei Mallais. Madame Mallais knikte. Dotty knikte.

'Laat eens zien.'

'Geen riempjes,' zei Mallais, 'en ik ben...' Hij glimlachte vermoeid.

'Vandáág kan hij natuurlijk niet schilderen,' zei Dotty.

'Maar normaal gesproken kon u schilderen,' zei Reisden, 'tot twee of één jaar geleden. Het zal minder dan twee maanden geleden moeten zijn, want we hebben een schilderij dat u vanaf november moet hebben gemaakt.' Hij zocht ernaar tussen de schilderijen. Bullard gaf het hem.

'Echt, schat, dat ben jij niet,' zei Dotty, 'dat is puur een impressie.'

'Toen ik in uw slaapkamer was, zag ik een standaard die u in staat zou stellen uw pijp te roken zonder uw handen te gebruiken. Uw vrouw voert u,' zei Reisden. 'Maar u kunt wel schilderen.'

'Schilderen is belangrijk,' zei madame Mallais.

'Waarom gaf u voor gestorven te zijn?' vroeg Reisden. Daugherty knikte. De Mallaises keken elkaar aan en zeiden niets.

'Iedereen weet, schat, dat schilderijen na de dood van de schilder in waarde stijgen,' zei Dotty.

De beide Mallaises keken Dotty bevreemd aan.

'Waarom hebt u het gedaan?' drong Reisden aan.

'Ik dacht dat ze me niet zouden geloven,' zei Mallais ten slotte. 'Niemand zou geloven dat ik nog schilder was.'

'Vanwege uw handen?'

'Hij heeft de arteritis,' zei madame Mallais.

'Schilderde u naar foto's?'

Ze keken elkaar aan. 'Ja,' zei Mallais opgelucht.

'Zie je nu wel, schat,' zei Dotty.

'Ik stuurde 'Zanne eropuit met een Kodak.'

'Ik nam de foto's,' legde madame Mallais zorgvuldig uit.

'Courbevoie was niet ver genoeg van Parijs,' zei Mallais. 'Dit hele gebied bestond vroeger uit velden. Toen deden de voorstedelijke spoorlijn en de trams hun intrede; en al mijn vrienden besloten naar die ouwe toe te komen; en ik werd oud, kreeg het aan mijn lever, wilde niet eens meer naar de Athènes. Maar overal in huis slingerden die foto's rond.'

'Zei hij foto's? Ik heb geen foto's gezien,' zei Daugherty.

Bullard herhaalde het in het Frans.

'Heb ze weggegooid,' zei Mallais.

'We hebben ze weggegooid,' zei madame Mallais. 'Toen, bij de grote Tentoonstelling, vroeg de regering aan veel van die oudjes, de Impressionisten, of ze in het openbaar wilden komen schilderen. Mijn oudje kon dat niet.'

Bullard knikte. Reisden herinnerde zich vagelijk foto's van tien jaar geleden, met de een of andere bebaarde man op een podium, die als een kermisattractie een eind weg zat te klodderen op een doek.

'Ik kon het niet,' zei Mallais. 'Dat was het einde. Kon het niet voor elkaar krijgen. Kon geen excuus bedenken om er onderuit te komen. We dachten erover uit Parijs weg te gaan, maar dat kon ik ook niet,' zei Mallais. 'Ik had het licht op de Seine nodig.'

'Het licht in de tuin,' zei zijn vrouw.

'Dus ging u naar Bergac,' zei Reisden.

Een paar seconden lang zeiden de vrouw en de man geen van beiden iets.

'Wat gebeurde er daarna?'

Jean-Jacques had geweten dat zijn grootvader nog leefde, zeiden ze; verder hadden de Mallaises het alleen aan Armand Inslay-Hochstein verteld. Inslay-Hochstein was hun leverancier van kunstenaarsbenodigdheden geworden; wanneer Mallais ziek was, was Inslay-Hochstein met de dokter gekomen. En: 'Ik schilderde,' zei Mallais.

'Hij schilderde voortdurend,' zei madame Mallais. 'Helemaal alleen.'

'O ja?'

Ze hadden afgesproken niets te verkopen, zeiden ze; maar in 1907 waren er twee dingen gebeurd. Het eerste was de Amerikaanse beurspaniek geweest. Ze hadden Inslay-Hochstein willen helpen, die vanaf de tijd dat hij voor het eerst was gaan verkopen Mallais' handelaar was geweest.

Het tweede was de tuin geweest, hún tuin, die begin 1907 op de markt werd gebracht.

Ze hadden de verleiding niet kunnen weerstaan. *Gezicht op de Seine* was een oud doek geweest dat ze nooit helemaal bevredigend hadden gevonden. Ze hadden het te voorschijn gehaald, uit het slaapkamerraam getuurd, en een prachtige purperen glans op de Grande Jatte gezien.

'Maar ze wilden ons de tuin niet verkopen!' zei madame Mallais. Ze had de muur niet uit kwaadaardigheid gebouwd, zei ze verontwaardigd, Armand was nog steeds in moeilijkheden, en om hem te helpen hadden ze *Spar en schaduw* achter de muur geschilderd.

'U bedoelde te zeggen: "uw man",' zei Dotty haar snel voor.

Maar het was te laat.

'Jean-Jacques,' zei Reisden. Jean-Jacques zat stilletjes in de hoek, maar de tranen liepen hem over de wangen.

'Ze hebben niets verkeerds gedaan,' zei hij strijdlustig.

'Volgens mij doen ze nu iets verkeerds.' Hij keek naar madame Mallais.

'Nee,' zei ze onzeker.

'U laat Jean-Jacques dit dragen,' zei Reisden. 'Dat is verkeerd.' Jean-Jacques schudde heftig zijn hoofd. 'Houdt u er buiten.' Perdita ging staan. 'Het is belangrijk wie een schilderij schildert, madame.'

'U weet niets van schilderkunst af,' zei Jean-Jacques. 'U bent blind.'

'Weet u nog, madame Mallais, dat u me vertelde hoe u zich voelde toen u Mary Cassatts naam zag? Het zou belangrijk voor me zijn geweest als het een getrouwde vrouw was geweest die ze had geschilderd.' Perdita's stem werd krachtiger. 'Ik wilde een getrouwde vrouw vinden die van haar werk en van haar gezin hield; die hen of haarzelf of haar werk niet benadeelde, die zich voor alle drie inzette. Als ze bestaat, zullen andere vrouwen weten dat het mogelijk is om te schilderen en vrouw te zijn.'

'Hoe lang schildert u al voor uw man, madame?' vroeg Reisden.

'Sacha...' zei Dotty scherp.

Madame trok haar schort omhoog om haar gezicht te verbergen.

'Tien jaar? Sinds uw "dood", monsieur Mallais?'

'O, ik kan dit echt niet verdragen,' zei Dotty. 'Dit is volkomen onnodig.'

'Langer dan dat,' zei Bullard. 'Hoeveel van deze zijn van uw hand, madame?'

'Alle schilderijen die van háár zijn moeten onmiddellijk worden verbrand,' zei Dotty.

'Nee,' zei Perdita. 'Nee, dat zal niet gebeuren, madame Suzanne... Dotty, geen spráke van, dit is mijn huis.'

'Hebt u *dingen* geschilderd die zogenaamd door uw man zijn gemaakt?' zei Dotty. 'Geef antwoord.' Madame fluisterde iets achter haar schort. Dotty zweeg een ijzig moment.

'Het mijne?' zei ze. 'Mijn schilderij? Het mijne ook?'

Een lange, bange jammerkreet achter het schort; het was een afdoend antwoord.

93

HET KOSTTE UREN VAN ONDERHANDELEN OM TOT EEN VORM VAN overeenstemming te komen: Dotty liep heen en weer tussen de schilderijen, klaar om ze in het vuur te werpen; de Mallaises, nu allebei bang geworden, waren bereid haar alles te geven. Wat ze uiteindelijk accepteerde was een ruil: *Gezicht op de Seine* voor een echte Mallais van gelijke waarde. Er moest een eind komen aan de verkoop van vervalsingen. Er moest een eind komen aan het schilderen van vervalsingen. Hier bleef Dotty op aandringen tot lang nadat Perdita in slaap was gevallen: madame Mallais mocht nooit meer een schilderij maken. De onderhandelingen bleven op dat punt steken, totdat Dotty haar jas aantrok en naar de politie dreigde te gaan; toen zwichtte Reisden.

Hij viel uitgeput in slaap naast Perdita, achtervolgd door de wanhopige blik van madame Mallais op het moment dat ze er uiteindelijk mee instemde het schilderen op te geven. *Het liet me niet los...*

Om en nabij het middaguur staarde een sluikharig, ongeschoren spook hem aan vanuit de badkamerspiegel; hij begaf zich naar de centrale kamer, zag stapels schilderijen en Mallais die op de matrassen sliep, vond een stoel en viel weer in slaap. In zijn slaap hoorde hij stemmen... Tiggy, mooi; hij droomde verward. Hij stond voor het schilderij van madame Mallais. Suzanne Mallais stond zoals zij had gestaan, een lomp boerenmeisje in een gestreepte katoenen jurk, op het houten uiteinde van haar kwast kauwend terwijl ze zich inspande om een idee te doorgronden. *Kunst is voor een vrouw moeilijk*, zei een vrouwenstem. *Onmogelijk...* Hij merkte dat hij wakker was en voor het schilderij stond dat tegen de rug van een stoel in de gang leunde: verbijsterd, suf, elke spier stijf, zich voelend als Suzanne Mallais daar in het midden, pogend iets te bevatten dat alleen zij kon zien.

Suzanne Mallais, alleen, voorgoed gevangen tussen boerin en kunstenares. Hij vroeg zich af wat er zou zijn gebeurd als ze zichzelf anders had geschilderd. Zou ze het hebben geloofd? Waarschijnlijk niet. We zien van onze spiegelbeelden slechts de hoeken van licht die onze ogen bereiken. Al het andere is tweedehands.

Madame Mallais was begonnen de schilderijen uit te stallen, waarbij ze de hare van die van haar man scheidde. Gezeten op een pianokruk sloeg Reisden haar gade terwijl ze in de kamer rondliep met de traagheid van de ouderdom en doeken als vierkanten op een lappendeken rangschikte, ze van de ene plek naar de andere verplaatsend. Ze bezetten de stoelen; ze stonden uitgestald op het deksel van de piano, naast de stemhamer en -vorken; ze stonden tegen de ruggen van de keukenstoelen en de sofa van de Mallaises geleund; madame Mallais legde er zelfs een paar op de vloer. Daugherty en haar kleinzoon hielpen haar door een bijzonder groot doek op te tillen en andere onopvallend in een hoek op te stapelen.

Dotty maakte sandwiches. Waar had ze brood gevonden? Maar ze had het gevonden.

Perdita, wakker geworden, kwam de kamer in en vond hem. Hij nam haar mee naar de keuken, vertelde haar wat het resultaat was van de onderhandeling en vond wat droge crackers voor haar. Ze leunde tegen hem aan, met zijn tweeën op één keukenstoel; hij voelde de zachte warme zwaarte van haar lichaam tegen het zijne en raakte de contour van haar buik aan.

'Ahum,' zei Daugherty. Hij was binnengekomen om havermoutpap voor Mallais klaar te maken, of wat hij ook maar kon eten. Ze vonden er iets op – brood in opgewarmde rode wijn – en brachten het naar de salon. Om beurten voerden ze Mallais.

'Ik moet hem iets vragen,' zei Daugherty toen ze klaar waren.

'Waarom hij het heeft gedaan?' raadde Reisden, en stelde Mallais de vraag.

'Moest wel,' zei Mallais. 'Kon niet anders.'

'Dat was niet wat ik wilde vragen,' zei Daugherty. 'Vraag hem waar kunst voor is. Waarom het verschilt van vervalsing.'

Perdita vertaalde de vraag. Mallais gooide zijn hoofd achterover en lachte, zijn gezicht vertrekkend van de pijn in zijn nek; maar even was hij weer de stevig gebouwde knappe man, de schilder met de baard.

'Kunst is falen,' zei Mallais. 'Kunst is niet een hoer die je kunt kopen.'

Ze beledigt je, kleedt je uit, doet je je waardigheid verliezen, laat je zien dat je geen idee hebt hoe je van haar moet houden. Ze stelt onmogelijke eisen – dat weet u ook, mademoiselle.'

'Kunst is geen *zij*,' zei Perdita.

'Hét dan,' zei Mallais, 'het verandert je als een engel, het maakt alles mogelijk; en dan probeer je altijd het onmogelijke, omdat je weet,' zei de oude man, 'omdat je weet dat het even tussen jullie zal klikken... Het doet er niet toe wie deze heeft geschilderd, messieurs, het zijn geen vervalsingen. Als ik ze niet had gezien, zou ik een deel van mijn leven niet hebben geleefd,' zei de oude man. 'Dan zou ik iets belangrijks nooit hebben gezien, en het nooit hebben gekend.'

En hij keek ze een voor een aan, alsof hij zich ervan wilde vergewissen dat ze het begrepen; en Reisdens vrouw knikte.

94

Omdat ze beroofd was van de tuin, had madame de kunst van Mallais op straat beoefend. Er zat een schitterend schilderij bij van de daken van het Palais des Nations, glinsterend in de zon van de zomer van 1900, toen Mallais officieel al verscheidene maanden ondergronds was. Op een studie van de Seine was onder meer het veelzeggende kielwater van een motorboot te zien; een karrenpaard stond in de schaduw van de uitgravingen voor de Métro. Hoewel madame de vervalste doeken onopvallend bij het raam opstapelde, was de omvang van hun misdrijf verontrustend.

Bullard nam hem ter zijde in de hal. 'Ik kan aan de hand van de penseelvoering niet uitmaken welke van Mallais zijn en welke van Mallais-en-madame. Nog niet, in ieder geval.'

'Zou het kunnen dat haar schilderijen geen vervalsingen zijn? Hij gaf haar aanwijzingen.'

Bullard schudde zijn hoofd. 'Ze hebben een sentimentele waarde, meer niet. Mallais vond ze goed genoeg om door te kunnen gaan voor Mallais.'

Monsieur en madame hielden ruggespraak. Madame Mallais vergeleek de omvang van de stapels Mallais en niet-Mallais, en verplaatste stiekem een schilderij van de ene stapel naar de andere. 'Madame...' Reisden schudde zijn hoofd. Er verhuisden geen schilderijen meer naar de Mallais-stapel; ze ging bij zichzelf te rade; twee gingen eruit. De stapel was klein; het waren geen uitmuntende doeken; hij was er niet gelukkig mee.

Hij had een fundamentele onderhandelingsregel geschonden: er zeker van zijn dat de partijen zich aan hun afspraken kunnen houden.

De nerveuze stemming liet Tiggy niet onberoerd; hij drentelde van schilderij naar schilderij, bekeek ze met een bedenkelijk gezicht en bleef staan bij het doek van het karrenpaard dat uit de paardenfontein bij St.-Michel dronk. Reisden gebaarde dat Daugherty naar hem toe moest komen. 'Zou je Tiggy ergens mee naartoe kunnen nemen? Hij hoeft hier niet te zijn.'

'Die andere jongen ook.' Daugherty knikte naar Jean-Jacques die in een hoekje zat.

'Laat ze maar samen Slangen en Ladders spelen.'

Jean-Jacques protesteerde; madame Mallais wuifde hem weg; hij vertrok schoorvoetend en omhelsde haar op een ruwe jongetjesmanier.

Madame Mallais ging verstrooid midden in de kamer staan; boog zich om nog één schilderij een andere plek te geven en ging weer rechtop staan, een oude vrouw, een bediende, in zwarte weduwendracht, te midden van kleur die zich als een publiek in kringen rondom haar uitspreidde. Er waren veel te veel van haar vervalsingen en ze waren te goed. Achter haar stond ze zelf in jongere gedaante tussen haar man en haar zuster, het echte, saaie werk van madame Mallais; maar hij moest zichzelf eraan herinneren dat de rest in de grond uit vaardigheden en een gevoeligheid als die van deze voortkwam, omdat de rest zuiver Mallais leek te zijn. De irisvijver met de wilg, de appelboom; vissende mannen op de Grande Jatte in de winter; de tuin bij de Notre-Dame, kinderen in de dierentuin, de Vert-Galant bij een zomerse zonsondergang, schaduwen op het raam van Anna van Oostenrijk in het Louvre.

'We zijn klaar, madame vicomtesse…' Ze keek even naar haar man en wrong haar handen in haar schort.

Dotty wierp een neerbuigende blik op haar (als je een bediende was zou je voor míjn huishouden niet in aanmerking komen) en liep tussen de schilderijen door, een scherpe onberispelijke beoordelaar.

Perdita ging achterovergeleund tegen Reisden aan staan; haar hand vond de zijne. Tegen zijn ribben hield ze haar adem in.

'Die in dat gedeelte, madame vicomtesse, tussen de twee stoelen, die zijn van Claude.'

Dotty knielde neer om een appelboom in de lente, een schets van herfstbladeren en een riviertafereel te beoordelen. Ze bleef staan, ze fronste haar voorhoofd; Dotty kocht voor de naam, maar ze kon ook kwaliteit herkennen.

Hadden ze de beste eruit gehaald en herschilderd?

'Ik zou nog wat meer willen zien,' zei ze tegen madame Mallais alsof ze nadacht over het patroon van een nieuwe mouw. 'Dit kan toch niet alles zijn? U hebt vast nog wat achtergehouden voor de familie. Laat eens zien.'

'Ja, madame, een paar zijn er van ons.'

De familieschilderijen werden onder het groepsportret van Mallais, zijn maîtresse Camille en madame Suzanne uitgestald. De meeste waren portretten: een ongeveer twaalfjarige Jean-Jacques in een Moors vest; een bruid die het gaas van haar bruidssluier door haar ring trok; een jonge vrouw met een baby. Verscheidene daarvan waren in de fotografische stijl uitgevoerd, madame Mallais' werk. Er was een weelderige lente-appelboom in het roze, waaronder hun dochter, jonge Claudie Mallais, zat te lezen. Reisden hoopte dat dit het doek was dat Dotty zou nemen, bijzonder goed, heel decoratief, duidelijk Mallais uit het Mallais-tijdperk. Dotty pakte het op, nam het in overweging, en legde het toen apart.

'Misschien… misschien… Nee, wat is dit?'

In de schaduwen achter het drievoudige portret vond ze een laatste schilderij, dat ze te voorschijn haalde. Dotty trok vragend haar wenkbrauwen op en was kennelijk vergenoegd; even kon Reisden niet zien wat het was, maar uit het feit dat Madame Mallais plotseling haar adem inhield viel op te maken dat zij het wel wist.

'Dít hebt u gehouden?' zei Dotty. 'U hebt het niet verkocht?'

Ze draaide het om en in een kamer vol schilderijen die zeer goed waren, was dit zo goed dat het een schok gaf. Het schilderij *La Veille*, nooit meer tentoongesteld sinds het in 1870 voor grote opschudding had gezorgd: Mallais' maîtresse Camille na haar dood, haar lichaam versluierd door wit gaas, één bleke naakte voet blootliggend. Oranje daglelies, bijna rood, waren rondom haar opgehoopt; vóór haar was een lege schildersezel neergezet. Elke andere schilder uit die tijd zou er een allegorie van hebben gemaakt: dit was eenvoudig, het verhaal van één middag voordat een vrouw begraven werd, toen de bloemen er zo hadden uitgezien, de sluier op zo'n manier niet goed hing, het was een schreeuw van verdriet.

Ze zette het tegen de rugleuning van een stoel en ging ervoor staan, in overweging nemend hoezeer haar salon hiermee opzien zou baren; en toen gebeurde er iets vreemds en droevigs. Het begon Dotty te veranderen. Eén moment was ze haar blonde, volmaakte zelf; en daarna, gedurende een veel langer moment, was ze een vermoeide sterveling, niet zo jong meer als ze was geweest. 'Nee, het is veel te morbide,' zei ze, 'je zou je thee niet naar binnen krijgen.' Ze draaide het schilderij haar rug toe. Reisden ging er in haar plaats zelf even recht voor staan.

Afschuwelijke dingen gebeuren nu eenmaal, zei het schilderij; je kunt ze niet tegenhouden. Speel piano, bestudeer hun sporen in de zenuwen, doe wat je kunt; niets zal voldoende zijn om ze tegen te houden; maar het is beter dan niets doen.

Dotty had tot nu toe niet beseft dat ze dingen zou kunnen aantreffen die ze niet verwachtte of wilde; maar ze was niet van plan zich te ontzeggen waar ze recht op had. Ze liep tussen de schilderijen rond met de verfijnde uitgehongerde minachting van een reiger, zoekend naar voedsel in de ondiepte en niets aantreffend. Vanaf *La Veille* waren de schilderijen die door de kamer lagen van monsieur-en-madame. Dotty bleef bij de een na de ander staan, haar lippen tuitend bij een geschetst modedetail, een auto, een brede hoed.

'Dit kan niet alles zijn,' zei Dotty.

Reisden en madame Mallais bekeken haar. Ze werd zich ervan bewust dat ze het middelpunt van hun aandacht was, dat ze in feite het gevaar liep zelf beoordeeld te worden. 'Madame Mallais, kom eens hier. U weet welk schilderij ik inwissel. U moet me vertellen welk doek van uw *man* een eerlijke ruil is.'

Het was een fantastische aristocratische zet, de volle inzet van de bedienden afdwingen door ze vertrouwen te geven. 'Kom, kom, madame,' drong Dotty aan en stak haar hand uit.

Madame Mallais bedekte haar handen met haar rokken. 'Nee, madame, dat kan ik u niet zeggen.'

'Natuurlijk wel.'

Madame had een angstige waardigheid aangenomen. 'Nee, dat kan ik niet.'

'Kom eens hier.' Een dame dringt nooit aan, maar een dame wordt niet tegengewerkt. 'Laten we ze een voor een bekijken.'

Dotty beende de kamer door, terug naar de taartpunt met echte schilderijen van Mallais; madame Mallais werd door haar meegetrokken. Een appelboom, een rivier, herfstbladeren. Na de schok van de overduidelijke meesterwerken, waren ze weliswaar niet tweederangs, maar merkwaardig abstract.

'Ik weet niet wat ik moet doen, ik vind deze eigenlijk geen van alle mooi,' zei Dotty. Ze wendde zich weer naar het deel van de taart dat uit schilderijen van madame Mallais bestond; aarzelde nogmaals; keek weer naar de echte schilderijen.

'Sacha, kom eens hier. Schat, valt jou niet iets vreemds op?' Ze stak haar hand naar hem uit.

'Misschien zou jij me kunnen verklaren – misschien zou een van jullie kunnen verklaren – waarom de schilderijen van monsieur Mallais zo merkwaardig tijdloos lijken? Een appelboom, herfstbladeren, een rivier, erg aardig; geen mensen, geen mode, geen motorboten! Maar de uwe, madame, de schilderijen die u voor uw man hebt gemaakt.' Ze wees er niet naar, maar ze duidde ze aan, de een na de ander. 'Die auto is een De Dion Populaire, nietwaar? En dat is een stoombus. Die mensenmenigte heeft zich volgens mij verzameld voor de bruiloft van mademoiselle Fallières. Dat zijn de *Matin*-bootraces. Een onaardig iemand zou kunnen opmerken dat het verschil tussen de schilderijen van monsieur en de uwe slechts gelegen is in wat erop te zien valt.'

Niemand gaf een kik.

'Meneer Bullard,' ze wendde zich tot hem, 'met uw beroemde penseelvoering, wat is het verschil tussen "zijn" schilderijen en de schilderijen die zij voor hem heeft gemaakt?' Bullard zweeg. 'Sacha,' zei Dotty, 'zou jij deze vrouw willen vragen *wanneer* zij voor haar man begon te schilderen? Zou jij me willen vertellen welke schilderijen werkelijk van hém zijn?' Ze wendde zich tot madame Mallais; ze legde haar hand op de arm van de oude vrouw. Het was de burggravin die zich onderhield met de van het stelen van zakdoeken verdachte wasvrouw. 'Ik vermoed, mijn beste, dat u flinke tijd geleden voor hem bent gaan schilderen.'

Madame Mallais liet zich op de rand van de matras van haar man vallen en legde haar gezicht op haar handen.

'Meneer Bullard, kijk naar *La Veille*; daar moet in ieder geval zijn stijl uit blijken, als ze het niet herschilderd heeft!'

''Zanne,' zei Mallais. Met oneindige traagheid trok hij zijn onbruikbare hand onder het beddengoed vandaan en streek het haar van zijn vrouw glad. Ze zat naast zichzelf in jongere gedaante, en beiden hadden even dezelfde gezichtsuitdrukking: paniekerig, betrapt met het palet in hun hand. 'Leg haar het vuur niet na aan de schenen,' zei Mallais tegen Dotty. 'Ze heeft nooit iets verkeerds gedaan.'

En Reisden begreep het.

'Ó,' zei Perdita zachtjes, vragend, en hij wist dat zij het ook had begrepen.

'Houd je *Gezicht op de Seine*, Dotty,' zei Reisden. 'Het heeft een certificaat van oorsprong, iedereen bewondert het, er is over geschreven. Dat is het schilderij dat je wilt.'

'Hoe weet jij nu wat ik wil? Jij bent degene die op pijnlijke waarheden aandringt, Sacha,' zei ze scherp.

'Dotty,' zei Perdita, 'dan moet je een vervalsing nemen. Maar die krijg je niet.'

'Ik denk,' zei Reisden, 'dat madame Mallais het moet zeggen.'

Madame Mallais keek op, op haar lippen bijtend, en legde haar hoofd weer op haar handen, schuldig en verlegen; en niemand bewoog, niemand sprak, tot hij het deed.

'Ooit,' zei Reisden tegen madame Mallais, 'zei een vrouw van wie ik houd tegen me dat ik de waarheid moest vertellen over iets dat erg belangrijk voor me was, anders zou ik de gelegenheid daartoe verspelen. Dat deed ik,' zei hij. 'En jarenlang was ik veel ongelukkiger dan in de tijd dat ik loog... De waarheid trachten te vertellen is geen eenmalige gebeurtenis. Je raakt eraan vastgeketend, je begint te zien welk besef, welke verantwoordelijkheden en welke verbanden eruit voortvloeien, je ziet ze maar half; het begint met een zin, een kortstondige beslissing, en het wordt een leven. En je faalt,' zei hij. 'Voortdurend. Maar ik kan het echt aanraden.' Hij voelde zich veel te veel het middelpunt van de belangstelling, zoals zij zich ook moest voelen; hij leunde tegen Perdita aan. Ze hield zijn hand vast.

'Waar het om gaat,' zei hij, 'is niet gewoon de onvolkomenheden en de geheimen, maar het feit dat je erin verstrikt bent; hoe je erin verstrikt bent. Dat bedoel ik.' Hij had meer dan genoeg gezegd.

'Ik gá pianospelen,' zei Perdita snel, als iemand die iets moet zeggen voor ze de moed verliest, 'hoe dan ook, maar ik ben bang. Dat is mijn geheim. Ik ben niet goed genoeg. Ik zal een oppervlakkig iemand zijn en een slechte moeder en een tweederangs pianiste... Alexander denkt dat ik zo moedig als wat ben, maar ik niet, ik denk eraan dat ik in het openbaar slécht in dingen zal zijn, vooral in zijn ogen, en dat vind ik erg.'

'O, kom op, 'Zanne, m'n oudje,' zei Claude Mallais.

'Wat?' zei Dotty vinnig. 'Wat?'

Barry Bullard, die *La Veille* bestudeerde, keek plotseling met grote ogen naar de Mallaises.

'Het was een grap,' zei Claude Mallais. 'Denkt u dat een van ons van begin af aan kunstenaar was? Nee, dit was veertig jaar geleden. Ik was tuinder. Zij was wasvrouw. We waren geen kunstenaars.' Hij tilde zijn broze hagedisachtige hoofd op en in zijn ogen glom het plezier van een heel leven. 'Het was een warme dag. Op de kade hier was een jongen aan het vissen. Hij kwam naar het huis en vroeg een kopje water.'

'Stelt u voor,' zei madame Mallais schuchter. 'Hij was zo schattig en klonk zo volwassen. En hij zag de schilderijen.'

'"Beloof me dat ik u mag vertegenwoordigen",' zei Mallais. 'Dat zei hij, zijn hengel rechtop in de hoek en zijn kniebroek nat van het vissen. "U wordt mijn eerste kunstenaar." Hij had een kaartje bij zich. We dachten natuurlijk dat hij gek was.'

'*Armand Inslay-Hochstein*,' zei Bullard. 'En hij vroeg u of hij u mocht vertegenwoordigen.'

'Maar hij heeft nooit gevraagd,' zei Perdita zachtjes, 'hij heeft nóóit gevraagd wie welke schilderijen schilderde.'

'O, mademoiselle Perdita, eigenlijk deden we het met zijn tweeën...' Madame Mallais veegde haar ogen af met haar linkermouw; het was moeilijk te zeggen of het tranen van angst of van het lachen waren. 'Ik wist dat het niet goed was,' zei ze, tegen de rand van haar mouw pratend. 'Maar ze bleven op de een of andere manier maar kómen – als ik achter mijn strijkplank stond zag ik schilderijen op de overhemden, en ze lieten me niet los, ik bleef de kriebels houden tot ik er iets aan deed. Dus schoot Claude me te hulp,' zei ze. 'Hij liet het schilderen aan mij over, en schoot me te hulp en deed het woord en hield de schijn voor me op. Mevrouw de burggravin, het spijt me van uw schilderij.' Haar zinnen waren nog steeds doorspekt met nasale klanken. 'Ik heb het geschilderd. Ik heb ook dat gemaakt...' Madame Mallais wees schuchter op een van de onschuldige 'echte doeken van Mallais' – 'en dat,' de appelboom, 'en mijn arme Camille...' Ze wees op *La Veille*. 'O, mevrouw,' madame Mallais keek om zich heen; en plotseling, midden in die enorme kleurenweelde, viel ze stil, keek ze alleen maar. Ze draaide zich om, om ze allemaal te overzien. Al dat werk; al die zorgvuldig gemengde kleuren, elke afzonderlijk gevoelde en overwogen penseelstreek; alle schaduwzijden ook, de late avondmaaltijden, de niet verstelde sokken, het drukke leven, de vermoeidheid, de lasten en de leugens; maar kijk naar die kleuren, zei haar glimlach, kijk wat er gebeurd was, wat een verrassing, het was voldoende om de tol te vergoeden die zij en allen die zij liefhad ervoor hadden betaald, het was zelfs wat haar betreft voldoende om de onwaardigheid te vergoeden van de persoon die zoveel te doen en te zien had gekregen.

'O, mevrouw,' zei madame Mallais, 'ik heb ze allemaal geschilderd, maar kijk nou toch, zijn ze niet mooi!'

95

Woensdagochtend, twee dagen voor haar drieëndertigste verjaardag, stapte Milly met haar blote voet uit bed in water, en werd ze een vluchteling. Haar overstromingsnoodtas bevatte haar zilveren roostervork, drie repen chocola, haar eigen romans, twee paar zijden kousen, en Jean-Jacques' kopie van de Mona Lisa, in een Chinese sjaal gewikkeld. De levensbehoeften komen vanzelf wel op hun pootjes terecht.

Door de modder en de verwarring van het vijfde arrondissement, door het zuigende grind van de Jardin de Luxembourg, begaven Milly en Nick-Nack zich naar het huis van Esther.

'Is Esther thuis? Ik ben "overstroomd"...'

De vrouw die opendeed was donker, klein, een vreemde, en in een peignoir. Er kwam een walm van omelet en uien achter haar vandaan. 'Ik ben Alicia,' mompelde ze. 'Blatchford.' Milly had haar nog nooit gezien.

'Ben je een schrijfster?'

'Ik? Nee.'

'Ben je een kunstverzamelaar?'

Esther kwam uit een privé-kamer, in een robe, bezig haar haar te drogen. Op de met een kleed bedekte renaissance-tafel was plaatsgemaakt tussen de waaiers en de vazen, en twee plekken waren intiem gedekt met servetten en bloemen, en op twee van Esthers mooiste Italiaanse borden had iemand omeletten met ham en uien geserveerd.

'Dit is Alice,' zei Esther. 'Ze is Amerikaanse,' alsof dat alles verklaarde. Misschien was dat ook zo. 'Wil je ontbijt? Ze kan nog wel een omelet maken, hè Alice?'

Alice staarde haar woest aan uit donkere jaloerse koeienogen, die Milly vreemd genoeg aan die van Henry's Julie deden denken. Ze zag Alice voor zich in de toekomst, grienend, over de paden van het Jardin de Luxembourg ijsberend. *Milly, Esther mishandelt me zo…* Liefde, liefde, liefde! 'Nee, dank je.'

De omvang van de ramp kon niet worden bevat; het betrof óf enorme aantallen mensen óf individuele catastrofes. Een zesde van Courbevoie was gewond of dakloos; het water was tot aan de tweede verdiepingen en zelfs tot aan de daken van huizen gekomen. (Milly dacht even aan Perdita.) In Ivry heerste er roodvonk, die tot een epidemie dreigde uit te groeien. In Alfortville was het water bijna vier meter diep: drie meter negentig. Je kon de ramp niet als een geheel zien, je kon alleen vignettes maken. Milly en een man van *L'Illustration* fotografeerden arbeiders die hulpeloos bij een overstroomde timmermanswerkplaats stonden, een mooi meisje dat met haar paraplu zwaaide terwijl een gelaarsde soldaat haar redde, een jol die een lijkkist vervoerde. Op het Île de la Cité zagen ze een duiker dossiers redden uit de overstroomde kelder van de Préfecture. *Als een walvis komt hij lucht uitblazend boven,* krabbelde Milly. *Met zijn duikhelm af staat hij op de trap over zijn voorhoofd te wrijven, verbijsterd door de duisternis.*

De overstroming was op de schaal van de Pont-Royal tot een hoogte van 7.89 meter gekomen, en steeg nog steeds.

Het Louvre werd gesloten.

Monsieur Homelli, beheerder van de nationale musea, gaf een persconferentie op de binnenplaats. Hoewel het Louvre gesloten werd, zei Homelli nadrukkelijk dat er *niets mis was.* Zijn snor kwispelde, hij praatte, hij wees op het grote gevaarte van het paleis. Welke ramp kon dit op zijn grondvesten doen schudden? (In de kelder kon men naar verluidt de rivier horen razen.)

'Zal de Mona Lisa worden verplaatst?' vroeg Milly.

'Zeker niet, madame. De Mona Lisa is volkomen veilig.'

Rondom haar stonden de andere journalisten te krabbelen en de toeschouwers gerustgesteld te knikken; hun Mona Lisa was er nog.

Op de quai du Louvre bouwen ingenieurs haastig een cementen muur die zestig centimeter boven de balustrade uitkomt en verstevigen die met zandzakken. Sappeurs barricaderen de poorten van het paleis met cementen muren en zandzakken; van de tweeëntwintig stookovens van het Louvre is nu ook de laatste uitgezet; in de kelder staat een laag water van zevenenhalve centimeter; de terracotta koppen en de met houtsnijwerk versierde lijsten van Rubens' schilderijen zijn achtergelaten om te verdrinken, als het zo moet zijn…

96

HET IS VUILNIS DAT LEONARDS LEVEN REDT. HIJ WORDT NAAR BE-
neden gezogen, een razende zwartheid in; hij botst en schuurt tegen de
onderkant van een brug; en klampt zich dan vast aan houten stokken uit
de bakkersovens, gebroken wijnvaten, takken en plakkaten van vuilnis.
Met een touw onder zijn armen wordt hij schoppend uit het water getrokken. Leonard leeft.

Waarvoor?

Zelfs het feit dat hij van de dood is gered maakt Leonard niet indrukwekkend. Dinsdagochtend verschijnt hij in het Louvre. *'Tiens!'*
zegt de hoofdbewaker. 'We dachten dat je dood was, we hebben je kot
aan iemand anders gegeven.' Leonard grist zijn koffer en zijn Mona
Lisa uit de kast waar ze liggen te wachten tot iemand ze opeist. Verscheidene bewakers vragen hem hoe hij aan zijn geschaafde gezicht en
verbonden handen komt, maar ze worden moe van het *k-k-k* en *g-g-g* en
luisteren niet.

Nadat hij zijn uniform heeft aangetrokken, gaat hij naar boven om
haar te zien.

En er is iets mis met haar. Haar glimlach weifelt. Hij gaat voor haar
staan, doet haar fluisterend zijn verhaal, en ze kijkt de andere kant op.
Ze luistert niet.

Leonard staat in de dieper wordende duisternis naar de Mona Lisa
te kijken, zijn lantaarn hoog opgetild. Het geflikker van het lantaarnlicht maakt dat ze haar voorhoofd fronst, wegkijkt, in de verte staart;
vervolgens schenkt ze hem een stralende glimlach, maar hij gelooft het
niet langer. Haar ogen zijn kolken bruine verf.

Achter de ramen van de Grande Galerie beukt de Seine tegen de bovenkant van de met zandzakken verstevigde balustraden, stappen verwijderd van de muren van het Louvre.

George komt Jean-Jacques opzoeken, maar Jean-Jacques is er niet en Leonard wel. George vraagt of hij Leonards kopie van de Mona Lisa kan kopen. Zijn ogen vliegen over Leonardo's schilderij in zijn witte kastje.

'Niemand heeft het nog gestolen,' zegt hij onverschillig.

'W-wilt u haar in de rivier gooien?' vraagt Leonard plotseling. 'U zei van w-wel. Ze is *niet betrouwbaar*,' zegt hij dringend. '*Ze geeft er niet om.*'

George lacht. 'Gefeliciteerd met je verjaardag, Milly, als je luistert.'

'*Ik vind haar niet leuk meer.*'

97

Op donderdagmiddag de zevenentwintigste werd er niet echt rekening mee gehouden dat er iemand naar Dotty's open huis zou komen. Voorzover je vanuit Dotty's ramen de rivier kon overzien zag je niets dan ellende. Langs de hele Linkeroever hadden de zandzakken boven op de balustraden het begeven. Op de quai de la Tournelle klapperden de luifels van de winkelpuien als gebroken vleugels en werden vervolgens weggescheurd. De stalletjes van de *bouquinistes* rustten boven op een balustradebult, geïsoleerd, een eiland in de rivier. Voor het huis van de vicomtesse de Gresnière hielden de zandzakken het nog, maar de rivier was boven straathoogte; het was hypnotiserend, desolaat, en Reisden en Daugherty zaten op twee van Dotty's kleine vergulde stoeltjes, uit de loop van de voedselleveranciers en bedienden, ernaar te kijken.

Daugherty keek om zich heen om zich ervan te vergewissen dat ze niet werden afgeluisterd. 'Wat gebeurt er met de Mallaises? Wat gaan ze doen?'

'Volgens Bullard zouden ze naar Italië moeten verhuizen en de schilderijen als Mallais-vervalsingen moeten verkopen.'

'Ze gaan in elk geval niet de gevangenis in. Maar zal iemand' – Daugherty dempte zijn stem – 'zal iemand ooit weten dat zij ze heeft geschilderd?'

'Waarschijnlijk niet.'

Die ochtend hadden Reisden en Bullard Armand Inslay-Hochstein opgezocht. In Inslay-Hochsteins onberispelijke kantoor hadden ze allemaal koffie gedronken met versgebakken beignets erbij – tijdens de overstroming was vers brood nu het ultieme statussymbool. Inslay-Hochstein had ze een rondleiding gegeven langs de memorabilia van de galerie, waaronder souvenirs van Mallais. Een vest van Mallais, Mallais' schetsboek, een van zijn paletten. Ze hadden op de een of andere manier allemaal hun gezicht in de plooi gehouden, alsof deze relieken belangrijk waren, de eigendommen van een grote dode schilder. En misschien waren ze ook belangrijk, dacht Reisden. Wat een absurde schilder zou madame Mallais zijn geweest, en dat had ze geweten. Een boerenvrouw houdt geen palet vast, net zomin als een blinde getrouwde vrouw een concertpianiste wordt, of – G-d weet – een achtjarige moordenaar zich ontwikkelt tot echtgenoot en vader. Dus had ze iemand anders gevonden – was met hem getrouwd, of hem was de gunst en het geluk ten deel gevallen met haar te mogen trouwen. En met zijn tweeën waren ze Mallais.

Tussen Bullard, Reisden en de handelaar had een zeer diplomatiek gesprek plaatsgevonden. Ze hadden allen met ontzag over Mallais' werk gesproken. Iedereen was opgetogen dat de vragen erover bevredigend waren beantwoord. Dus hadden ze als een soort hommage aan Mallais elkaar allemaal een gunst bewezen. Inslay-Hochstein had zijn grootste respect betuigd voor de diensten van Cazenove-Bullard en hem verzekerd daar in de toekomst nog vaak gebruik van te zullen maken. Hij noemde een bepaalde achttiende-eeuwse kleerkast die Bullard een grijns ontlokte. En Dotty zou spoedig de kans krijgen nog een goed schilderij te kopen.

'En niets voor uzelf, monsieur de Reisden?' had Inslay-Hochstein gezegd toen Bullard weg was gegaan om de kast te bezichtigen.

'Twee dingen,' zei Reisden. 'Ten eerste. Ik zit nog maar drie jaar in zaken, dit is mijn eerste bedrijf, ik heb me over de kop gewerkt vanwege de overstroming, en ik ben niet van plan Jouvet te verliezen. Ik wil uw advies, of als u een beter iemand weet, wil ik het zijne. Ten tweede.'

'Ten tweede?' zei Armand Inslay-Hochstein.

'Vertel me eens wanneer u het wist van Mallais.'

Milly stond vlak bij de met spiegels behangen hal de bezoekers te tellen. Het liep behoorlijk goed; de salon raakte vol; de recensie in de *Figaro* had hen opgetrommeld. Daar was George in elk geval; hij zou over juffrouw Halley schrijven voor het *Presse*-nummer van volgende week.

Juffrouw Halley – madame de Reisden, bah.

Beneden nam een lakei de jassen en mantels, bontjassen en paraplu's aan.

In de deuropening stond een man met een pakje verloren te wachten, alsof hij wist dat hij niet een persoon was van het kaliber dat op een van Dotty's feestjes wordt uitgenodigd.
Het was Leonard.

'Op die dag,' zei Inslay-Hochstein.
'Diezelfde dag?'
'Ik stond op het treinstation te wachten om naar Parijs terug te gaan. Het kwam ineens bij me op. Zij had me gevraagd over voorschotten voor linnen en verf. Hij had alleen maar naar me gelachen.'
'En wat hebt u gedaan?'
Leonard had zich uit het zicht begeven. Milly keek reikhalzend waar hij was.
'Wat heb ik gedaan...' zei Inslay-Hochstein. 'Ik was veertien. Je weet dat je veertien bent; dat is een van de moeilijkheden van die leeftijd. En ik had een schilder gevonden, monsieur de Reisden, een droomschilder. Maar zij had rode handen, zij had scheve tanden, zij was verlegen. Zoals u zich misschien herinnert, mijn vader was kunsthandelaar, mijn oom was kunsthandelaar, ik wist wat noodzakelijk was om te slagen.'
'En dus?'

Milly stond op en ging onopvallend de kamer uit, de hal in, waar ze Leonard beneden in de spiegels kon zien.

'Ik had terug kunnen gaan, als een brave jongen. Ik had tegen ze kunnen zeggen dat Mallais geen schilder was, met zijn mooie baard en zijn schildersvoorkomen; en zij, maar amper madame, zij zou nooit een schilder zijn. En het gevolg zou zijn dat ze nog steeds een tuinder en een wasvrouw, onschuldige toeschouwers van het leven waren geweest; en u en ik, monsieur de Reisden, zouden 's nachts lekker slapen in plaats van in dit lastige parket te zitten.' Armand Inslay-Hochsteins jonge zoon had de deur opengeduwd, een kleuter nog met krullen en een lange kiel, zwaaiend met zijn zilveren rammelaar uit de Renaissance. 'Ik aanvaard mijn moeilijkheden,' zei de handelaar, in het haar van zijn zoon friemelend, 'en hij zal Mallais bezitten.'
Toch is het niet goed, had Perdita afgelopen nacht in bed gezegd. *Vrouwen kijken op naar andere vrouwen. Andere vrouwen zouden het van haar moeten weten.*
Je vraagt haar iets te doen wat ze niet kan, had hij tegen haar gezegd. *Ze was er niet toe in staat. Jij wel.*
'Perdita gaat op tournee,' zei hij tegen Daugherty, zo terloops als hij

kon, terwijl hij naar de piano keek aan de andere kant van het vertrek.
'Ze zal hier tot volgend jaar zijn; dan zal ze Ellis vragen haar te verte-genwoordigen.'
'Huh. Jullie gaan niet...?'
'Nee. We gaan niet scheiden. Ze gaat en ze komt terug.'
Huwelijken hebben te lijden onder afstand en hard werk. Hij had de afgelopen twee dagen in Jouvet doorgebracht. Het archief viel mis-schien nog te redden, door een hoop werk en inspanning; het gebouw was grotendeels nog intact, inclusief, g-dzijdank, het lab. (De piano had geen krasje opgelopen.) Maar hij zou hard werken, in twee banen, en er zou een heel klein kind zijn, en een heel vreemde vader om voor hem te zorgen. Williams kleinzoon, met een kind.
Wat zou er gebeuren? Hij wist het niet. De kans was groot dat het huwelijk zou stranden, of erger.
'Hoe breng je een kind groot?' vroeg hij Daugherty. 'Als je een man bent die er alleen voor staat, afgezien van de bedienden.' De bedienden en een paar demonen.
'Ik zou het niet weten, jongen, ik wist pas dat ik het kon toen ik het gedaan had.'
'Ik zoek naar iemand met kennis van zaken. Zou jij hier weer eens willen komen, misschien als zij weg is?' zei Reisden. 'Op bezoek, mis-schien om advies te geven.'
Houd me in de gaten, zei hij naar zijn gevoel onverhuld. Weerhoud me ervan dat ik mijn kind iets aandoe. *Help help help*, zoals arme Leo-nard.
Daugherty schraapte zijn keel. 'Op bezoek komen. Wanneer dan ook. Tuurlijk. Alleen...'
Er viel een korte, pijnlijke stilte.
'Tja,' zei Daugherty. 'Ik heb zitten denken dat er twee dingen zijn die ik zou kunnen doen. Eén, ik zou terug kunnen gaan naar Boston. Ik ben in Boston geweest, het zal zonder mij niet verkommeren. Twee. Ik zou iets anders kunnen doen. Ik weet niet wat. Ik denk weer aan de Mal-laises. Mochten ze iemand nodig hebben om een tijdje te helpen' – Daugherty aarzelde – 'als manusje-van-alles, zeg maar, dan zou ik...' Hij schraapte weer zijn keel. 'Uiteindelijk zou ik wel weer terugmoeten naar Boston. Maar misschien kunnen ze nu gewoon wat hulp gebrui-ken.'
'Dat hoef je niet te doen. Niet voor ons.'
'Het heeft nu eens niets met een van jullie te maken,' zei Daugherty.
'Het heeft met mij te maken.'
'O?' O.

Milly zweefde de trap af met het getik van Nick-Nacks poten achter haar aan. Leonard stond nog steeds te aarzelen, te treuzelen. Hij hield het pakje onder zijn waterdichte wollen cape. Het was groot en plat en verpakt in bruin papier. Milly herkende de afmetingen. 'Leonard...' Ze dacht aan de bloederige bekleding in de auto van Sachaschat en huiverde. 'Nicky! Wacht hier op het vrouwtje.' Het regende nauwelijks, maar het regende; ze had iets nodig om haar schouders mee te bedekken. 'Die Chinese sjaal,' zei Milly tegen de lakei, 'die sjaal om dat schilderij.'

'Natuurlijk ken ik geen Frans, maar ik kan naar dingen wijzen uit het woordenboek...'
'Je zou het kunnen leren.'
'Leren?'
'Frans.'
'Huh. Ik?'
Ik? Leren? Niemand doet dat, dacht Reisden; zelden; alleen kunstenaars. En kunst is iets waarin je faalt, een Don Quichotachtige ervaring, zoals liefde of een stad bouwen op verdronken land. En toch... Er bewoog iets bij de deur; hij zag een glimp van een witte jurk, die van Perdita. Zij en Dotty stonden achter de glazen deur, naar iemand op zoek. Hij bewoog zich en Dotty wees; het drong tot hem door dat ze naar hem zochten en lachte onwillekeurig.
'Kijk eens aan,' zei Daugherty, 'daar zul je haar hebben.'

En nu volgde Perdita Dotty door de rijen van vergulde stoelen, kaarsvet ruikend en de muskusachtige, aromatische lucht van Dotty's huis; en Dotty stapte opzij en Perdita stond voor de piano. Ze hoorde flarden muziekpraat en roddel, *Maurice Ravel, Julie Rivé-King, madame de Fourchés salon op dinsdagavond.* En toen verbreidde de stilte zich om haar heen, en ze ging zitten, legde haar handen neer en wachtte.
In het ogenblik voor het spelen is er altijd die stilte. Die is vervoerend, maar ook beangstigend. Je bent alleen maar die je bent, je hebt alleen jezelf om op terug te vallen. Ze voelde haar kind een beetje tegen haar korset drukken; ze voelde de ring aan haar vinger. Ze voelde zich onwaardig.

Ik ken tal van mensen. Meestal
Kunnen ze hun lot niet aan...

Druk zonder iets klaar te krijgen, onwaardig, inadequaat; maar ze was getrouwd met Alexander, ze was in verwachting van zijn kind, ze was een leven met hem aan het opbouwen en nu was ze hier, in deze stilte. Hoe zou ze het ooit voor elkaar krijgen? Zelfs als je je lot niet aan kunt, kun je er ten minste een hebben. Ontdekt, noemde Alexander het. Verantwoordelijk. Verbonden. De stilte begon om haar heen te resoneren; ze hoorde er de zwakke vibratie van de pianosnaren in, een weerkaatsing van geluid, een kooi, een stem; ze koos daarvoor; de stilte veranderde in muziek; en ze zette haar handen op de toetsen en begon te spelen.

Milly was bijtijds terug in het publiek om het grootste deel van de eerste helft van het concert te horen. In de pauze ging ze naar George, die over seks stond te declameren tegen een geschokte gravin.
'Wat vind je ervan?' vroeg ze. 'Behoorlijk goed?'
'We zullen het wel zien wanneer de recensies verschijnen.'
'Leonard is in leven,' zei ze terloops.
'Was hij dood?'
'Wist je niet dat hij iemand heeft vermoord en in de Seine is gesprongen?'
'Fijn voor hem.'
'Ik ben serieus. Hij kwam hier vandaag met de Mona Lisa, hij wilde hem aan die man daar geven, degene bij de burggravin, met zijn arm in een mitella. Zie je zijn gezicht? Leonard heeft hem bijna vermoord.'
Leonard had Milly een briefje bij het schilderij gegeven, zo nat dat de envelop was opengeweekt. *Help asteblief*, lazen ze in uitlopende paarse inkt. *Wat sal ik nu doen ik weenie wat ik moet Doen ze maakme bang.*
'Goed, Milly,' zei George. 'Een goeie. Heel goed uitgewerkt. En waar is de Mona Lisa nu, Milly?'
'Je denkt toch niet dat ik hem aan Sachaschat zou geven? Hij ligt beneden in de garderobe, verpakt in bruin papier, op jou te wachten.'
'Gefeliciteerd met je verjaardag, Milly,' zei George.
'Vraag Sachaschat maar over Leonard. Mijn verjaardag is morgen,' zei Milly, hem het garderobebonnetje overhandigend. 'En om twaalf uur ben ik op de Pont-Neuf.'

98

DEZE AVOND HEBBEN WE GESCHIEDENIS GESCHREVEN, SCHREEF MILLY. *Op de Pont d'Alma is de Zoeaaf niet meer dan een borstbeeld. Op de Pont-Royal staat het topje van de hydrografische schaal onder water; het water verovert de datum erboven, '1740', de omvangrijkste Parijse overstroming die voorheen ooit gemeten is, en de Seine stijgt en stijgt. Binnenkort zal daar een nieuwe datum staan, boven al het andere; dit is de Grote Overstroming, 1910.*

Maar goed nieuws, madame. In Alfortville en Ivry, in de verdronken treindepots van Bercy, zien de ingenieurs een hoogwaterlijn van slib en olie boven het wateroppervlak. Morgen, 28 januari, iets na twaalven, zal het water in het centrum van Parijs zijn hoogste punt bereiken, en beginnen te zakken.

Niet zo gemakkelijk, dacht Milly. 'Madame' zal nog maandenlang aan het schoonmaken zijn. Pompen, dweilen en emmers, eau de Javel en allerlei ontsmettingsmiddelen zullen tweemaal zoveel kosten als gewoonlijk. Madames elektrische licht zal niet werken, de Métro zal donker zijn, er zullen ontslagen vallen, er zullen ziekten uitbreken.

Maar morgen, iets na twaalven…

99

Op vrijdagochtend 28 januari namen Milly Xico en Nick-Nack kort voor twaalven, in een vreselijke ijskoude regen, hun post in op de Pont-Neuf om op George te wachten. Op de stroomopwaarts gelegen kant van de Pont-Neuf stond iedereen van de place Dauphine: madame la vicomtesse met haar zoontje, en monsieur de Reisden, en – bah – madame de Reisden. Goede g-d, wat zagen ze er al getrouwd uit. Ze leunde tegen hem aan, haar hoofd draaiend om met hem te praten, zacht en vertrouwelijk, een getrouwde vrouw. Ze stonden nu onder één paraplu, die hij in zijn linkerhand hield; zijn rechterhand was uit zijn mitella en rustte tegen haar heup, bijna op haar buik, en haar rechterhand hield de zijne vast alsof ze het heerlijk vond zich door hem op straat te laten bepotelen; ze had een dikke jas aan, maar wat een gebaar! Op een dag zou deze droom van liefde eindigen als alle dromen; ze zou een oude vrouw zijn die in een café at met haar hond; maar het had geen enkele zin nu, het meisje zat tot aan haar nek in het huwelijk, was bedwelmd door het huwelijk, het had geen zin met haar te praten.

George was in geen velden of wegen te bekennen.

Milly begaf zich naar de balustrade, zich door de menigte hoeden en ellebogen wurmend terwijl ze Nick-Nack voor zich uit hield als een mof met tanden. Op een van de pijlers had iemand van Verkeer en Waterstaat een hydrografisch station geïmproviseerd. Over de balustrade gebogen zat een ingenieur op een glazenwassersstoel met een vetkrijtje merktekens aan te brengen op een brugpijler. Ze zaten te wachten op het hoogste punt, de hoogste stand van het water, die vlak na twaalven bereikt zou worden.

Het water was er anders gaan uitzien, niet meer zo woelig, bijna loom, donkerder.

'Het water stijgt nog steeds, maar heel weinig, heel weinig,' mompelde een elegante jonge vrouw. Milly keek nog eens naar haar, zag de verlovingsring aan haar vinger, het zachte geluk dat boekdelen sprak, en verplaatste Nick-Nack naar haar schouder, zuchtend van verveling.

Waarom zou ze verveeld zijn? Zij en George hadden het pakje meegenomen uit het huis van madame Chinchilla en het geopend. George had gezegd dat het niet de echte was, maar had het wel meegenomen. Hij had het meegenomen naar Henry, die in paniek was en als goedkope vernis van George losliet. En die ochtend hadden ze gehoord dat Leonard zich had aangegeven, dat hij was gearresteerd wegens moord, wat meer was dan zelfs Milly had durven hopen.

Milly had dat alles en veel meer die ochtend gehoord van Julie-les-Fesses, die van angst had gehuild, haar tassen had gepakt en via het Gare du Nord was vertrokken naar welke bestemming een trein haar ook maar zou brengen.

Terzijde van de brug stonden mannen te schreeuwen. Een man zwaaide met een net en hees zijn trofee de brug op, in de buurt van het gelukkige paar, de vicomtesse en haar zoon.

Het was een hond.

Hij was groot, harig en vuil. Zijn ogen glansden rood en dol, de ogen van een hond die een boom of een tak of een stok door wie weet wat voor water en onder wie weet wat voor bruggen door heeft vervoerd. Hij kokhalsde vreselijk, schudde een pond modder van zich af en waggelde naar... het zoontje van de vicomtesse die zijn armen al om zijn nek had.

'O, maman, kunnen we hem hóúden?'

De vicomtesse staarde verblekend naar de hond. De kleine burggraaf keek smekend naar haar op. De hond staarde naar de vicomtesse. Hij kreunde, waarbij hij tanden liet zien die poten van stoelen zouden kauwen, sloot zijn ogen en legde zijn kin vol vertrouwen op de schouder van het jongetje.

'O, Nicky, Nicky, Nicky,' zei Milly, 'de vicomtesse heeft een hónd.'

Hoe maak je een vrouw gelukkig? Bijvoorbeeld een vrouw die een beetje te oud wordt voor het leven dat ze leidt, een vrouw die door haar echtgenoot is bedrogen, wier spaarrekening leeg is, wier appartement op de rue de la Bièvre nu halfvol stinkend rioolwater staat.

Hoe maak je een vrouw gelukkig? Geef haar macht. Geef haar geld.

Geef haar chocola van Philan, een doos chocola, elke dag voor de rest van haar leven, en om het te roosteren een zilveren toastrekje met ivoren handvatten. Geef haar alles wat ze wil, hoeden van een modiste, goede laarzen, Engelse laarzen, voor elke dag van de week een ander paar laarzen. Een appartement aan de boulevard, een huis op het platteland, en die ultieme luxe, meer dan een attente minnaar of een geheime bewonderaar ooit zal verschaffen, een tweepersoonsbed waar, afgezien van de hond, zij helemaal alleen in slaapt.

Geef haar de Mona Lisa.

De echte Mona Lisa in Georges handen achterlaten? Of in die van Henry? O nee, dank je. Hij was in de conciërgeloge van het theater aan de boulevard Poissonière, in een Chinese sjaal gewikkeld.

Het was de kopie van Jean-Jacques die George ten slotte had uitgepakt in het café waar ze hem mee naartoe hadden genomen... en toen hij hem had uitgepakt, na Leonards brief te hebben gelezen... en na te hebben gehoord wat Sacha-de-panter over Leonard had gezegd, en de geruchten over Henry en een rijke Amerikaan die zowel hij als Julie had gehoord...

George zou niet komen opdagen; hij zou het lef niet hebben. Maar George was van Henry af; hij zou nog eerder een brave burger worden dan weer voor Henry werken.

George had gelijk, je zou de overstroming moeten vieren, iets zou de rivier in moeten gaan. 'Laat me even in mijn handtas kijken, Nicky; daar:' Milly had *La Midinette à Paris* meegenomen. Het eerste exemplaar van de drukker, het exemplaar – het was toch niet te geloven – dat Henry haar had gegeven alsof het van hemzelf was en waar hij ook iets in had geschreven. *Aan mijn lieve kleine wijffie, van haar arme grote mannie, die niet zonder haar kon leven.*

'O, vindt u dat een goed boek?' Het elegante meisje. 'Ik vind het ook goed. Het is mijn favoriete boek. Laat het niet nat worden!' Milly hield het per ongeluk onder het water dat van haar paraplu stroomde. 'Het is zo dierbaar. Kon ik haar maar ontmoeten.'

'Haar?'

'Milly, de schrijfster. Natuurlijk heeft ze het helemaal zelf geschreven,' zei het elegante meisje. 'Dat kan niet anders! Alleen een vrouw zou zoveel van de liefde kunnen weten. Wacht, ik zal u de scène laten zien die ik het aller- allermooiste vind, kijk, hij vraagt haar ten huwelijk en zij zegt tegen hem...' Het meisje bladerde het boek door en duwde het terug in Milly's verbaasde hand. 'Daar is het, ik hoef er niet eens naar te kijken, ik kan elk woord ervan voordragen, maar *u moet dit boek absoluut lezen*, het zal uw leven voorgoed veranderen...'

Milly keek naar haar eigen boek alsof het in haar hand was veranderd in een slang.

'Laat me in jou verdrinken,' droeg het elegante meisje voor. 'Laat me niets anders zijn dan jou. Ik wil in je huis wonen, in je bed slapen, je kleren dragen. Ik wil je eten en drinken, ik wil je denken, je leven...'

Verschrikkelijk. Niet de woorden, maar het meisje dat ze had geschreven. Ja, echt waar, zij had ze geschreven; maar wie anders dan het meisje dat ze was geweest kon zo schokkend in haar vastbeslotenheid zijn geweest? Wie kon zoveel hebben gezien, het vallen van een regendruppel, de katten die in de hoek van de tuin rollen, en zo blind zijn geweest voor hoe Henry was?

'Ik wil net als zij zijn,' zei het elegante meisje, 'ik wil aan niemand anders denken dan aan hém. Maar soms doe ik dat wel. Ik kan er niets aan doen. Ik ben gewoon niet volmaakt.'

Je bént net als zij, dacht Milly, arm kind. En als je een paar jaar ouder bent, wat zul je dan lezen? Er is niets. Meisje groeit op, meisje wordt verliefd, meisje trouwt; vrouw zou net zo goed dood kunnen zijn, neergestoken en in een greppel geworpen. Milly stond vlak bij de balustraden, en ze draaide zich naar rechts en links en zag vrouwen, gewone vrouwen, slanke vrouwen, dikke vrouwen, een vrouw met een uitpuilend voorhoofd als dat van Juan, een mooie vrouw die al wat ouder werd, een vrouw met een delicaat, gevoelig profiel en grote oren. Wat zullen jullie lezen?

Daar had je George!

'Ik ben gekomen om jullie te bevrijden van de tirannie van de kunst!' Hij stond op een van de bankjes die in de balustrade was ingebouwd. Boven zijn hoofd hield hij de Mona Lisa. 'Vandaag vertegenwoordig ik het genie van de twintigste eeuw en spuug ik op het rottende lijk van de Kunst en werp haar in de Seine...'

'Dat is een arme gek, let maar niet op hem.'

Milly lette zeker niet op hem. Haar geest krioelde van de verhalen, geslepen half frivole verhalen, subversieve verhalen die van hand tot hand zouden gaan als het geheime bewustzijn van vrouwen.

'Dat is de Mona Lisa, niet?'

Waarom had ze geen potlood meegenomen? 'Heb je een potlood bij je?' vroeg ze aan het meisje. Ze begon op de blanco pagina's achter in *La Midinette à Paris* te krabbelen. Het elegante meisje slaakte een gilletje. 'Stil! Ik ben aan het schrijven.'

George was bij het hoogtepunt van zijn toespraak beland. Hij hield het paneel omhoog. Hij keek op naar de regenachtige hemel, de door mist vochtig geworden gebouwen, de saaie zwarte menigte onder hem, en ten slotte naar het paneel in zijn handen; en hij glimachte, zoals een man glimlacht die zich onbeheerst in iets stort, een man die de liefde van zijn leven heeft gevonden, zijn ideaal, te dierbaar om te laten schieten, een glimlach die zowel argwanend als gelukzalig was; en met een groots gebaar wierp hij haar in de Seine.

'Was dat de Mona Lisa?'

Wie interesseerde het of George van Henry af was; laat dat maar aan George over; en wie interesseerde zich als het erop aankwam voor Henry. Milly niet. Maar zij, zijzelf, Milly, ah, dat was iemand om je om te bekommeren, dat was een meisje om lief te hebben: zijzelf, arm getalenteerd, misleid en heerlijk onvolmaakt schrijfstertje, die zoveel om haar Roland had gegeven. Het is niet erg, dacht Milly, hij is vertrokken, maar je hebt mij.

Ze had de blanco pagina's van *La Midinette* als notitieboekje gebruikt; ze scheurde haar eigen nieuwe woorden eruit, die het waard waren voorlopig te worden bewaard, en gooide de rest bovenhands weg, en omhoog vloog de paperback, over de balustrade, zijn bladzijden spreidend als een fladderende vogel. Hij schudde een bewaard blijk van liefde af, een roos; en weg waren de liefdeszuchten, de begoochelingen en de toewijding, het verdrinken in liefde; Roland was naar zijn sociëteit, zijn werk, een andere vrouw gegaan; wat bleef er over? Minnaars en vrienden, honden, zingen, goede steaks in een café: alles. Nicky blafte naar de stok die hij niet kon vangen; een windvlaag kreeg vat op het boek, er scheurde een bladzij uit en het viel in de Seine, het zoveelste stuk vuilnis; maar Milly keek uit over het water en de onbegrensde lucht, en even zag ze, door wind en regen heen, iets als een mysterieuze glimlach.

Nawoord en dankbetuiging

'DE GESCHIEDENIS VAN "SUZANNE MALLAIS" BEHOORT, NET ALS DIE van Marian Blakelock, tot een van de meest fascinerende vrouwenverhalen uit de annalen van de impressionistische kunst. Als ongeschoolde vrouw, een voormalige wasvrouw, maar met een paar vroege doeken op haar naam, heeft madame Mallais haar man misschien zijn hele leven geholpen bij zijn schilderwerk; na zijn dood in 1900 nam ze echter zijn plaats in. Ze begon met een paar doeken die hij half voltooid had, en leerde zichzelf in de loop van zo'n zes jaar in zijn stijl te schilderen. Kennelijk werd dit voornamelijk ingegeven door een behoefte om de dood van haar man te ontkennen, want maar heel weinig van deze doeken werden verkocht als doeken van Mallais; in plaats daarvan koos madame Mallais voor de veel ongebruikelijkere en interessantere aanpak om te schilderen zoals haar man dat zou hebben gedaan als hij was blijven leven. In de daaropvolgende kleine twintig jaar verkenden haar eigen doeken de interactie tussen het impressionisme en de twintigste eeuw...'

Nee.

Madame Mallais heeft nooit geschilderd. Esther Cohen heeft geen lezers; George Vittal heeft nooit een *Mona Lisa* van de Pont-Neuf gegooid; zelfs Milly, wier boeken nog steeds verkrijgbaar zouden moeten zijn in Livre de Poche paperbackedities, heeft nooit een woord geschreven. De personen in dit boek zijn verzonnen, en elke gelijkenis met echte personen, levend of dood of nog op komst, is louter een impressie, of een vervalsing.

De overstroming is ook een vervalsing, een collage van krantenverhalen, ingenieursrapporten, ooggetuigenverslagen, en meer dan drieduizend foto's. In januari 1910, na een verregende herfst, bereikten alle rivieren in noordoost-Frankrijk bijna tegelijkertijd het hoogste punt, en hun overtollige water raasde door Parijs. Het was de snelste overstroming die in de Parijse geschiedenis beschreven is, de hoogste overstroming sinds ten minste 1658, en de meest verwoestende. De gevolgen ervan voor Parijs waren veel omvangrijker dan ik hier heb kunnen laten zien; maar wat er staat is vrij accuraat.

Voor het beeld van het vroege kubisme geldt dat minder; de goed geïnformeerde lezer zal details opmerken uit verscheidene jaren van de kunstgeschiedenis. De *Mona Lisa* werd in 1911 daadwerkelijk gestolen, tijdens een bizarre en gecompliceerde samenzwering waarbij Picasso, Apollinaire, Apollinaires vriend annex secretaris Géry Piéret, en een paar door deze Piéret uit het Louvre gestolen Iberische koppen betrokken waren. John Richardson heeft er een verrukkelijk verslag van gepubliceerd, dat zal worden opgenomen in het tweede deel van zijn fantastische *Life of Picasso*.

Geen enkele vervalsing wordt zonder hulp gemaakt. Mijn gezin heeft me oneindig veel steun gegeven terwijl ik aan het boek werkte... en werkte, en werkte... Dank je, Fred, Mariah, Justus en Helen (en Vicious, en Gracie het Vampierkatje). Mijn agent, Jane Otte, en mijn redacteur Clare Ferraro, uitgever van Ballantine Books, hebben het project gulle steun en enthousiasme verleend. Julie Garriott heeft het boek op briljante wijze opgemaakt en Nathaniel Penn, Clares onvermoeibare assistent, heeft de kopieermachine voortdurend laten gonzen en de communicatielijnen opengehouden.

De leden van de Cambridge Speculative Fiction Workshop hebben wonderen verricht met het manuscript; dank je, Sari Boren, Steven Caine, Pete Chvany jr., Alexander Jablokov, James Patrick Kelly, Steven Popkes, David A. Smith en Paul Tumey. Kathryn Cramer en Martha Ramsey hebben me essentiële inzichten verschaft; Rachel Goodwin, Laurence Senelick en Pam Strickler hebben me behoed voor dwaasheden die te gênant voor woorden zijn. De resterende dwaasheden zijn allemaal aan mij te wijten.

Mijn dank gaat ook uit naar de staf van de Widener en Houghton bibliotheken van Harvard University, de Boston Public Library, de Brookline, MA, Public Library, de New York Public Library, de Bibliothèque Nationale, het Musée Picasso, het Musée de la Ville de Paris, het Musée d'Orsay en WHRB Radio, Harvard University.

Voor hun hulp in Parijs dank ik Michelle Lapautre, Christine en Sacha Jordis, dr. Michael Berger en zijn gezin, de staf van het Hotel St.-Jacques, en N. Lee Wood en Norman Spinrad. Ansichtkaarthandelaren, verzamelaars, en overstromingfans deelden hun schatten. Elaine Sternberg heeft samen met mij in de zondvloed rondgesnuffeld; Léon Lapautre verschafte *minous plaisirs*.

In Boston en New York hebben Betsy Wilkinson van Childs Gallery en Abbot W. Vose en Elsie Oliver van Vose Galleries me verteld hoe galeries te werk gaan en me laten rondkijken; ik ben met name dank verschuldigd aan Bill Vose voor gegevens over onvoorwaardelijke teruggave en familievervalsingen. Robert B. Wyatt heeft ansichtkaarten uit Parijs, advies, steun en recepten verschaft. (Bob, kijk naar de gemberkoekjes.) Laurence Senelick en Julie Garriott (opnieuw!) hebben me laten kennismaken met opnamen van zangers en het *caf'conc'*-wereldje uit die tijd. 'Oh, what a joy it is when someone loves you so...' Laurence Senelick vertaalde 'When Someone Loves You So'; de overige vertalingen zijn van mijn hand. Laurie Mann ('Laure Cheneau', de radiumschilderes) en Peter Lawrence verschijnen ten tonele dankzij hun generositeit jegens *Aboriginal* en de Brookline PTO; ik dank jullie beiden.

Geen vervalsing kan het zonder andermans veren stellen. Om een kaal en onovertuigend verhaal aannemelijker te maken, is het hele boek doorspekt met correcte en incorrecte citaten uit het werk van Guillaume Apollinaire, Colette, Picasso en Gertrude Stein, zonder bronvermelding, zoals een ware vervalser betaamt. Milly plagieert George Bernard Shaws recensie over het werk van Agathe Backer-Grøndahl. Reisdens uiteenzetting van de theorie van het bewustzijn is gebaseerd op het werk van Alfred Binet. *Baedeker's Guide to Paris*, de editie van 1910, en de elfde editie van de *Encyclopedia Britannica* komen ongeautoriseerd voor. En elke vervalser moet één anachronistisch detail opnemen: X.J. Kennedy is de schrijver van het gedicht over neushoorns dat Reisden (in enigszins gewijzigde vorm) aan Tiggy voordraagt.

Te midden van de overstroming hebben vele mannen en vrouwen de bijzonderheden ervan beschreven en gefotografeerd: de in 1910 aan *Le Figaro*, *L'Illustration* en *Le Génie Civil* verbonden staf en speciale correspondenten; de staf van de verscheidene regeringscomités die zich bezighielden met de overstroming; en de ansichtkaartfotografen wier beelden een uniek moment in het leven van Parijs hebben bewaard. Zij vormden het geheugen, de bron en de werkelijkheid waar ik uit putte.

En ten slotte, mijn dank aan de stad en de inwoners van Parijs.

Op de middag dat ik aankwam in Parijs om onderzoek te doen naar de overstroming, gebeurde er iets wonderbaarlijks. Ik was naar Montmartre gegaan om de plek van Picasso's atelier te bekijken en ik besloot een begeleide rondwandeling door Montmartre te maken. Een van de andere mensen die op de rondwandeling wachtte was een oude man van bijna negentig, die me zijn naam niet bekend heeft gemaakt (ik hoop dat hij dit ziet), en ook die dag in Parijs was aangekomen. Het was koud en nat en onze gids kwam niet opdagen, maar een van de vrouwen woonde in de omgeving en zei dat ze ons zou meenemen naar de plekken die zij kende. We verkenden Montmartre dus met zijn allen en gingen toen koffie drinken. We vroegen naar elkaars bezigheden. Ik zei dat ik een schrijfster was uit Amerika en dat ik over de overstroming aan het schrijven was; en de oude man zei: 'O. Die kan ik me herinneren,' en zong dit lied uit 1910:

Ah, plaignez bis Paris,
La ville sans pareille,
Où tout est réuni,
Les beautés, les merveilles,
Depuis déjà huit jours voyez
Que tout Paris est inondé...

Parijs, waar een oude man gewoon voor een vreemde zingt, is nog steeds de stad van de overstroming. De badhuizen en wasserijboten zijn tussen de bruggen verdwenen, maar de *bateaux-mouches* pruttelen nog steeds de rivier op en neer, onder sommige van diezelfde bruggen door die bijna door de Seine verwoest zijn. Op de Pont-Royal zult u de hydrografische schalen zien, en het merkteken erboven, 1740, en daarboven het ongelooflijke hoge merkteken van 1910. In de rue de Bellechasse en de rue de l'Université, waar de rivier toesloeg, zult u de kleine blauwe gedenkplaatjes van geglazuurd porselein aan de muren zien. CRUE, staat erop, *JANVIER* 1910, met een lijntje; waterstand bij overstroming, januari 1910.

Parijs loopt onder water; de stad van de kunst en de liefde is de stad van overstromingen, zij kan niet eeuwig standhouden. Maar nu is ze er, veel beter dan deze fletse vervalsing. Ga erheen. Bekijk de impressionisten in het Musée d'Orsay. Ga op de Pont-Neuf staan; eet in het Café du Départ; rijdt met de Métro naar Courbevoie. Ga naar het Louvre en bekijk de *Mona Lisa*. (Is het de *Mona Lisa*? Natuurlijk.) Gooi iets in de Seine. Gooi dit boek erin, dat nu uit is. En probeer dan iets nieuws, iets dat u onmogelijk kunt doen, iets dat u ontstijgt.

Misschien lukt het, in Parijs.

Misschien lukt het overal. Misschien ook niet.

Maar u bent tenminste in Parijs.

Sarah Smith
september 1993-augustus 1995

Achtergrondinformatie over *Het watermerk*, waaronder een interview met Sarah Smith en materiaal voor leesclubs, is te vinden op de website van de Boekerij: www.boekerij.nl.

Lees ook het eerste deel in de serie over Alexander en Perdita van Sarah Smith: *Het verloren kind.*

De recensies:

'Goed van opbouw en ingenieus... Zeer indrukwekkend in de beschrijving van tijd en plaats.'

Charles Palliser, auteur van *De Quincunx*

'Verbluffend. Een verhaal over liefde, geheugenverlies, kindermishandeling, Victoriaanse seksuele onderdrukking en een verschrikkelijke moord... De ontknoping is schokkend.'

Publishers Weekly

'Vertelt in imposant proza dat het psychologische drama prachtig versterkt, een meedogenloos verhaal over moord en dubbelhartigheid... De schrijfster brengt [deze passie] subtiel en rustig over, maar een ingehouden woede wordt voelbaar wanneer ze schrijft over de sociale mores en de houding van mannen – beide hebben ze de onderdrukking van de vrouw tot doel. Tegen de tijd dat we vernemen wat er werkelijk met Richard is gebeurd, zijn we al enigszins op de schok voorbereid; de auteur heeft dan al niet alleen het bevoorrechte leven van de hoogste klasse, maar ook de wrede vormen van misbruik en repressie waaraan deze uiteindelijk haar kracht ontleende, verbluffend nauwgezet beschreven.'

New York Times Book Review

'... heeft alles in zich: hebzucht, verdachtmakingen, liefde, gekte en geheugenverlies. Sarah Smith heeft het zeldzame talent om een ingewikkeld verhaal in prachtig eenvoudige taal te vertellen.'

New York Daily News